2025年版

ユーキャンの
ケアマネジャー

速習
レッスン

U-CANが よくわかる！ その理由

でるポイントを重点マスター！

■ 頻出度と重要度を表示

過去に実施された試験問題を徹底的に分析。そのデータに基づき、見出しごとに直近5年分の出題年度と問題番号を表示しています。また、頻出度や出題量を踏まえた総合的な観点から、レッスン冒頭に重要度をA（高）、B、C（低）で表示しています。

■ 赤シートを使ってチェック

重要語句は赤字になっているので、付録の赤シートを使うと、穴埋め形式でチェックできます。

やさしい解説ですぐわかる

■ 平易な表現と簡潔な文章

平易な表現と簡潔な文章で、学習内容をわかりやすく解説しています。

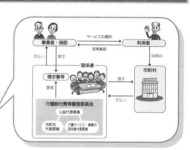

■ 豊富なイラスト＆チャート図

学習内容をイメージで理解できるよう、イラスト＆チャート図を豊富に盛り込んでいます。

■ 補足解説も充実

用語解説や関連事項など、補足解説も充実。理解をより深めることができます。

一問一答チェックで理解度アップ

■ 学習のまとめに過去＆予想問題

各レッスン末に○×式の過去問題と予想問題を掲載しています。学習した内容の復習や理解度の確認に役立ちます。

本書の使い方

●ポイントをチェック

本文を読み進める前に、重要度と各レッスンで学習する内容のうち特に重要な『ポイント』を確認しましょう。

●本文を学習

欄外の補足やアドバイス、イラスト&チャート図を活用して、本文の学習を進めていきましょう。

●赤シートを使ってチェック

重要語句は赤字になっているので、赤シートを使って穴埋め形式でチェックすることも可能です。

欄外をチェックしよう

コゴでた！

R5 問8

直近5年間で出題された項目には出題年度と問題番号を表示しています。
※黒い表示（例： **R5 問8** ）の問題はレッスン末に掲載しています。

📖 用語

本文中に出てくる用語をくわしく解説しています。

+1 プラスワン

本文と関連して覚えておきたい情報です。

→

関連する内容への参照ページを示しています。

注目！

今年の試験対策として特に注意しておきたい箇所です。

Lesson 01 重要度 B ★★☆

高齢化と高齢者を取り巻く状況

レッスンのポイント
- 今後、人口の減少と一層の高齢化が進む
- 特に後期高齢者と認知症高齢者が増加
- 85歳以上の要介護等認定率は、およそ6割である
- 高齢者を取り巻く課題は複雑化・複合化している

コゴでた！

R5 問1

少子化と高齢化が同時に進んでいるんだね。

1 総人口の減少と高齢化の進行

わが国の総人口は、2070（令和52）年には8,700万になると予測され、少子・高齢化が進んでいます。特に75歳以上の後期高齢者の増加が著しいです。20〜64歳の稼働年齢層と75歳以上の人口比率でみると、2015（平成27）年には、75歳以上1人を20〜64歳の4.4人で支えていましたが、2045（令和27）年には2.4人で支えることになると見込まれています（下図参照）。

●年齢区分別人口割合の推移

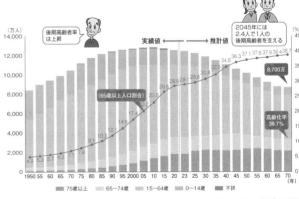

資料：2020年までは総務省「国勢調査」（2015年および2020年は不詳補完値による）、2023年は総務省「人口推計」（2023年10月1日現在（確定値））、2025年以降は国立社会保障・人口問題研究所「日本の将来推計人口（令和5年推計）」の出生中位・死亡中位仮定による推計結果。

地域共生社会とは、制度・分野ごとの「縦割り」や「支え手」「受け手」という関係を超えて、地域住民や多様な主体が参画して世代や分野を超えてつながることで、住民一人ひとりの暮らしと生きがい、地域をともに創っていく社会を指します。

5 重層的支援体制整備事業

地域生活課題の解決に資する包括的な支援体制を整備するため、2020（令和2）年の社会福祉法改正により重層的支援体制整備事業が創設されました。複数の制度にまたがる子ども・障害・高齢・生活困窮にかかる事業の一部を、対象者の属性や世代を問わず一体のものとして実施します。市町村は任意でこの事業を行うことができます。

ココでた！
R5問2
R4問2

地域支援事業の一部も重層的支援体制整備事業として実施可能です。

● 重層的支援体制整備事業

相談支援	属性や世代を問わずに、介護、障害、子ども、困窮の相談を一体として受け止める相談支援を多機関の協働で実施
参加支援	あらゆる人たちが社会参加でき、役割がもてるようなプログラムの実施、社会とのつながりづくりに向けた支援を行う
地域づくり	世代や属性を超えて交流できる場や居場所の整備や確保、地域のプラットフォームの形成などを行う

チャレンジ！
過去＆予想問題　できたらチェック☑

	問題	解答
□1	わが国では、特に後期高齢人口の増加が著しい。予想	◯
□2	後期高齢者全体の認定率は、およそ3割である。予想	◯
□3	人口減少に伴い、今後、世帯主が75歳以上の世帯数は減少すると見込まれている。予想	× 増加する
□4	介護を要する高齢者を高齢者が介護する「老老介護」が増加している。R2	◯
□5	ヤングケアラーの定義には、18歳以上の成人は含まれない。予想	× 「子ども・若者」とされる
□6	市町村は、包括的な支援体制を整備するため重層的支援体制整備事業を実施しなければならない。R5	× 任意で実施

23

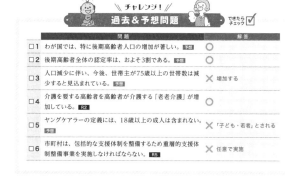

●問題にチャレンジ

学習した内容の復習、また理解度を確認するために、レッスン末に掲載されている○×形式の過去問題と予想問題にチャレンジして、より理解を深めましょう。

※過去問題には、法改正の反映など一部改題している問題もあります。

2 高齢者介護を取り巻く状況

(1) 加齢による認定率増加と認知症高齢者の増加

介護や支援を必要とする、要介護者・要支援者の認定率は加齢とともに増加し、75歳以上全体では約3割に、85歳以上全体では約6割まで上昇します。

● 年齢区分と要介護・要支援認定率

65〜69歳	70〜74歳	75〜79歳	80〜84歳	85〜89歳	90歳以上
2.8%	5.7%	11.5%	25.3%	47.2%	72.9%

資料：厚生労働省「介護保険事業状況報告」（2023年9月末現在〈暫定〉）、総務省「人口推計」（2023年10月1日現在人口）

また、厚生労働省が2024（令和6）年に公表した推計によると、2022（令和4）年時点の認知症高齢者数は443.2万人で、認知症有病率（高齢者人口における認知症者の割合）は12.3%でした。これが2040（令和22）年には約584.2万人となり、認知症有病率は14.9%になると見込まれています。

(2) 世帯の動向

65歳以上の者のいる世帯では、夫婦のみの世帯（32.0%）が最も多く、次いで単独世帯（31.7%）、親と未婚の子のみの世帯（20.2%）となっています（2023年国民生活基礎調査）。

また、今後、世帯主が75歳以上の世帯数は　　し、特に単独世帯の増加が顕著になると推計されています（国立社会保障・人口問題研究所「日本の世帯数の将来推計」（令和6年推計））。

MCI（軽度認知障害）とあわせると、2022年時点の有病率は約28%、2040年は31.1%と見込まれます。

3 地域包括ケアシステム

わが国では、認知症高齢者や一人暮らしの高齢者が増加するなか、いわゆる団塊の世代が75歳以上となる　　　　を見据えて地域包括ケアシステ　　の構築などが進められてきました。

地域包括ケアシステムとは、地域の実情に応じて、高齢者が、可能なかぎり、住み慣れた地域でその有する能力に応じ自立した日常生活を営むことができるよう、　　　　　　　　お　　よび自立した日常生　　　　　　が包括的に確保される体制をいいます（次ページ図参照）。

さらに、国の社会保障改革では、団塊ジュニア世代が65歳以上となる2040年問　　　を視野に入れた取り組みが進められています。

R5問1

プラスワン
2040年問題
少子・高齢化とともに現役世代の減少が顕著となる。労働力人口の減少や医療・福祉人材の不足、就職氷河期世代の貧困などさまざまな問題が指摘されている。

21

一緒に学習しよう

合格に向けて学習をサポートします！

ダック先輩　　ミーア君

目　次

本書の使い方 ……………………………………………………… 4

資格について ……………………………………………………… 9

十訂 基本テキスト改訂と改正のポイント ……………………… 12

2025年度試験　各分野の出題ポイント予想 …………………… 16

介護支援分野

Ｂ　1　高齢化と高齢者を取り巻く状況 …………………………… 20

Ｃ　2　介護保険制度の創設 …………………………………………… 24

Ｂ　3　介護保険制度の実施状況と制度改正 ……………………… 26

Ｂ　4　社会保障と社会保険制度 …………………………………… 30

Ａ　5　介護保険制度の目的等 ……………………………………… 33

Ａ　6　保険者・国・都道府県の責務等 …………………………… 35

Ａ　7　被保険者 ………………………………………………………… 42

Ａ　8　要介護認定・要支援認定の概要と申請手続き …………… 48

Ａ　9　審査・判定と市町村の認定 ………………………………… 55

Ｂ　10　保険給付の種類 ……………………………………………… 62

Ａ　11　利用者負担 …………………………………………………… 68

Ｂ　12　介護報酬 ……………………………………………………… 74

Ｂ　13　支給限度基準額 ……………………………………………… 78

Ａ　14　他法との給付調整・その他通則 ………………………… 82

Ａ　15　事業者・施設の指定 ………………………………………… 86

Ｂ　16　事業者・施設の基準 ………………………………………… 97

Ｂ　17　介護サービス情報の公表など ……………………………105

Ａ　18　地域支援事業 …………………………………………………109

Ｂ　19　地域包括支援センター ……………………………………118

Ａ　20　介護保険事業計画 ……………………………………………122

Ａ　21　保険財政 ………………………………………………………128

Ｂ　22　国保連の業務 …………………………………………………134

Ａ　23　介護保険審査会 ………………………………………………136

Ｂ　24　介護支援専門員 ………………………………………………139

Ａ　25　居宅介護支援事業の基準 …………………………………144

Ａ　26　居宅介護支援 …………………………………………………150

Ａ　27　介護予防支援事業の基準 …………………………………160

Ａ　28　介護予防ケアマネジメント ………………………………163

Ｂ　29　介護保険施設の基準 ………………………………………170

Ｂ　30　施設介護支援 …………………………………………………174

Ⓐ 1 老年症候群 ……………………………………………… 178
Ⓐ 2 脳・神経の疾患 ………………………………………… 186
Ⓐ 3 骨・関節の疾患 ………………………………………… 192
Ⓐ 4 循環器の疾患 …………………………………………… 197
Ⓑ 5 消化器・腎臓・尿路の疾患 …………………………… 202
Ⓐ 6 がん・代謝異常による疾患 …………………………… 207
Ⓑ 7 呼吸器の疾患 …………………………………………… 211
Ⓐ 8 皮膚・目の疾患 ………………………………………… 215
Ⓐ 9 バイタルサイン ………………………………………… 220
Ⓐ 10 検査値 …………………………………………………… 224
Ⓐ 11 食事の介護と口腔ケア ………………………………… 228
Ⓑ 12 排泄の介護 ……………………………………………… 234
Ⓐ 13 褥瘡への対応 …………………………………………… 236
Ⓑ 14 睡眠の介護 ……………………………………………… 239
Ⓑ 15 入浴・清潔の介護 ……………………………………… 241
Ⓑ 16 リハビリテーション …………………………………… 243
Ⓐ 17 認知症 …………………………………………………… 248
Ⓐ 18 高齢者の精神障害 ……………………………………… 259
Ⓐ 19 医学的診断の理解・医療との連携 …………………… 262
Ⓐ 20 栄養と食生活の支援 …………………………………… 265
Ⓑ 21 薬の作用と服薬管理 …………………………………… 269
Ⓐ 22 在宅医療管理 …………………………………………… 273
Ⓐ 23 感染症の予防 …………………………………………… 282
Ⓐ 24 急変時の対応 …………………………………………… 286
Ⓑ 25 健康増進と疾病障害の予防 …………………………… 289
Ⓐ 26 ターミナルケア ………………………………………… 292
Ⓐ 27 訪問看護 ………………………………………………… 296
Ⓑ 28 訪問リハビリテーション ……………………………… 302
Ⓑ 29 居宅療養管理指導 ……………………………………… 306
Ⓐ 30 通所リハビリテーション ……………………………… 310
Ⓐ 31 短期入所療養介護 ……………………………………… 316
Ⓑ 32 定期巡回・随時対応型訪問介護看護 ………………… 320
Ⓐ 33 看護小規模多機能型居宅介護（複合型サービス） …… 324
Ⓐ 34 介護老人保健施設 ……………………………………… 329
Ⓐ 35 介護医療院 ……………………………………………… 338

Ⓐ 1 ソーシャルワークの概要 ……………………………………… 344

Ⓐ 2 相談面接技術 …………………………………………………… 348

Ⓑ 3 支援困難事例 …………………………………………………… 355

Ⓐ 4 訪問介護 ………………………………………………………… 358

Ⓐ 5 訪問入浴介護 …………………………………………………… 364

Ⓐ 6 通所介護 ………………………………………………………… 368

Ⓐ 7 短期入所生活介護 ……………………………………………… 372

Ⓑ 8 特定施設入居者生活介護 ……………………………………… 377

Ⓐ 9 福祉用具 ………………………………………………………… 382

Ⓑ 10 住宅改修 ………………………………………………………… 388

Ⓑ 11 夜間対応型訪問介護 …………………………………………… 391

Ⓑ 12 地域密着型通所介護 …………………………………………… 394

Ⓑ 13 認知症対応型通所介護 ………………………………………… 398

Ⓑ 14 小規模多機能型居宅介護 ……………………………………… 401

Ⓑ 15 認知症対応型共同生活介護 …………………………………… 405

Ⓑ 16 その他の地域密着型サービス ………………………………… 409

Ⓐ 17 介護老人福祉施設 ……………………………………………… 412

Ⓒ 18 社会資源の導入・調整 ………………………………………… 418

Ⓑ 19 障害者福祉制度 ………………………………………………… 420

Ⓐ 20 生活保護制度 …………………………………………………… 426

Ⓑ 21 生活困窮者自立支援制度 ……………………………………… 431

Ⓑ 22 後期高齢者医療制度 …………………………………………… 433

Ⓒ 23 高齢者住まい法 ………………………………………………… 435

Ⓒ 24 老人福祉法 ……………………………………………………… 437

Ⓒ 25 個人情報保護法 ………………………………………………… 439

Ⓑ 26 育児・介護休業法 ……………………………………………… 442

Ⓑ 27 高齢者虐待の防止 ……………………………………………… 444

Ⓐ 28 成年後見制度 …………………………………………………… 449

Ⓒ 29 日常生活自立支援事業 ………………………………………… 453

Ⓒ 30 災害対策基本法 ………………………………………………… 456

索引 ……………………………………………………………………… 459

資格について

❶ 受験資格

次の①〜⑤の業務に従事した期間が通算して5年以上、かつ900日以上ある人が受験することができます。

①法定資格保有者
保健・医療・福祉に関する以下の法定資格に基づく業務に通算で5年以上、かつ900日以上従事した人

> 医師、歯科医師、薬剤師、保健師、助産師、看護師、准看護師、理学療法士、作業療法士、社会福祉士、介護福祉士、視能訓練士、義肢装具士、歯科衛生士、言語聴覚士、あん摩マッサージ指圧師、はり師、きゅう師、柔道整復師、栄養士（管理栄養士含む）、精神保健福祉士

②生活相談員
生活相談員として、介護保険法に規定する特定施設入居者生活介護、介護老人福祉施設等において、相談援助業務に通算で5年以上、かつ900日以上従事した人

③支援相談員
支援相談員として、介護保険法に規定する介護老人保健施設において、相談援助業務に通算で5年以上、かつ900日以上従事した人

④相談支援専門員
相談支援専門員として、障害者総合支援法の計画相談支援、または児童福祉法に基づく障害児相談支援事業に通算で5年以上、かつ900日以上従事した人

⑤主任相談支援員
主任相談支援員として、生活困窮者自立支援法に規定する生活困窮者自立相談支援事業に通算で5年以上、かつ900日以上従事した人

➡ 介護支援専門員実務研修受講試験 → 合格 ➡ 実務研修87時間以上受講 → 修了 ➡ 資格登録、介護支援専門員証交付

※2018（平成30）年度試験からは、上記の法定資格所有者または相談援助業務従事者で、その資格に基づく実務経験が5年以上、かつ900日以上あることが受験要件となっています。

※2017（平成29）年度試験までは、経過措置として介護等の実務経験により受験が可能でしたが、現在は受験資格はありませんので注意しましょう。

※自分が受験資格に該当するかどうかの詳細は、必ず受験地の都道府県の受験要項にてご確認ください。

❷ 受験の手続き

　試験は全国共通の問題と日時で行われますが、実施するのは各都道府県ですので受験の手続きや申込み期間については都道府県によって異なります。詳細については受験要項で確認してください。

　受験要項は、受験資格に該当する業務に従事しているかたは勤務先の都道府県、受験資格に該当する業務に現在従事していないかたは住所地の都道府県に問い合わせて取り寄せます。

■試験の流れ（例年）

受験申込み受付期間	5月～7月頃
試験日	10月上旬～中旬の日曜日
受験地	受験申込みを受け付けた都道府県が指定
合格発表	12月上旬頃

❸ 試験について

（1）試験の内容

　試験の内容は下記の3つにわけられます。

・介護支援分野………………………介護保険制度とケアマネジメントなどについて。
・保健医療サービス分野…………高齢者の疾患、介護技術、検査などの医学知識、
　（保健医療サービスの知識等）　保健医療サービス各論などについて。
・福祉サービス分野………………相談援助、福祉サービス各論、他制度などについて。
　（福祉サービスの知識等）

（2）出題方式

　5肢複択方式……5つの選択肢から正解を2つまたは3つ選択して解答する。

（3）試験の問題数と解答時間

　2015年度の試験から法定資格による解答免除がなくなり、出題数は、一律で60問となりました。解答時間は2時間です。1問あたりでは、2分の解答時間となります。

■問題数と解答時間

分野	介護支援分野	保健医療サービス分野	福祉サービス分野
出題数	25問	20問	15問
解答時間	2時間		

（4）合格ライン

　「介護支援分野」と「保健医療福祉サービス分野（保健医療サービスの知識等と福祉サービスの知識等の合計）」の区分ごとに、合格点が示されます。合格点は、それぞれ7割程度の正解率を基準として、問題の難易度によって毎年補正されます。合格するには、両方の区分が合格点に達していることが必要で、どちらかが合格点に達していないと、合格にはなりません。

(5) 合格率

　合格率は、第21回試験では過去最低となりましたが、その後は20%前後で推移しています。受験者数は、受験要件の厳格化などにより第21回試験から減少していましたが、徐々に回復傾向にあります。

■受験者数・合格者数・合格率（厚生労働省発表）

	受験者数	合格者数	合格率
第 1 回（平成10年度）	207,080人	91,269人	44.1%
第 2 回（平成11年度）	165,117人	68,090人	41.2%
第 3 回（平成12年度）	128,153人	43,854人	34.2%
第 4 回（平成13年度）	92,735人	32,560人	35.1%
第 5 回（平成14年度）	96,207人	29,508人	30.7%
第 6 回（平成15年度）	112,961人	34,634人	30.7%
第 7 回（平成16年度）	124,791人	37,781人	30.3%
第 8 回（平成17年度）	136,030人	34,813人	25.6%
第 9 回（平成18年度）	138,262人	28,391人	20.5%
第10回（平成19年度）	139,006人	31,758人	22.8%
第11回（平成20年度）	133,072人	28,992人	21.8%
第12回（平成21年度）	140,277人	33,119人	23.6%
第13回（平成22年度）	139,959人	28,703人	20.5%
第14回（平成23年度）	145,529人	22,332人	15.3%
第15回（平成24年度）	146,586人	27,905人	19.0%
第16回（平成25年度）	144,397人	22,331人	15.5%
第17回（平成26年度）	174,974人	33,539人	19.2%
第18回（平成27年度）	134,539人	20,924人	15.6%
第19回（平成28年度）	124,585人	16,281人	13.1%
第20回（平成29年度）	131,560人	28,233人	21.5%
第21回（平成30年度）	49,332人	4,990人	10.1%
第22回（令和元年度）	41,049人	8,018人	19.5%
第23回（令和2年度）	46,415人	8,200人	17.7%
第24回（令和3年度）	54,290人	12,662人	23.3%
第25回（令和4年度）	54,406人	10,328人	19.0%
第26回（令和5年度）	56,494人	11,844人	21.0%
合　　計	3,057,806人	751,059人	―

※第27回（令和6年度）試験：10月13日　合格発表：11月25日

（注）2019（令和元）年10月13日実施の第22回試験は、台風19号の影響により1都12県で中止され、2020（令和2）年3月8日に再試験が実施されました。第22回試験の合格者数等は、再試験分を合算したものとなります。

十訂 基本テキスト改訂と改正のポイント

2024（令和6）年6月に発刊された「十訂 介護支援専門員基本テキスト」の追加項目および介護保険制度の反映事項についてまとめました。2025年度試験対策としてご活用ください。

十訂 基本テキストの主な追加事項

◉地域共生社会の実現と地域づくり

高齢者を取り巻く複合化・複雑化する課題のひとつとして、「十訂 介護支援専門員基本テキスト」（以下、十訂）では、**ヤングケアラー**についての記載が追加されました。厚生労働省の調査では、小学6年生で世話をしている家族が「いる」と答えたのは6.5%であり、介護だけでなく、福祉、学校、医療などとの連携が不可欠としています。なお、子ども・若者育成支援推進法の改正（2024年6月12日公布）では、ヤングケアラーが法律上初めて定義されるとともに、国・地方公共団体等による子ども・若者支援の対象となることが明記されました（公布日施行）。あわせて理解しておきましょう。

関連 ➡介護Lesson1

◉ヤングケアラーの定義

家族の介護、その他の日常生活上の世話を過度に行っていると認められる子ども・若者

関連 ➡介護Lesson1

8050問題、ダブルケア、介護離職などの今日的課題は、基本視点として、また事例でも出題される可能性があります。重層的支援体制整備事業もチェックしておきましょう。

◉下肢閉塞性動脈疾患（LEAD）

十訂では、閉塞性動脈硬化症（ASO）から**下肢閉塞性動脈疾患（LEAD）**と名称が変更されました。閉塞性動脈硬化症は、動脈硬化によって血管が狭窄または閉塞し、身体の末梢に十分な血液が送られなくなる病態で、多くは下肢の動脈硬化によるものです。下肢の閉塞性動脈硬化症については、上肢等によるものと区別をつけるために、一般に下肢閉塞性動脈疾患（LEAD）という呼称が用いられています。

関連 ➡保健Lesson 4

◉脈拍における徐脈の定義

徐脈は、これまで1分間に60未満としていたものが1分間に**50未満**に変更されました。

関連 ➡保健Lesson 9

●精神障害

①うつ病

「老年期うつ病」ではなく「うつ病」という項目となりました。高齢者のうつ病は、一般的なうつ病の特徴と同じですが、若年者よりも**集中力や判断力の低下**のみ目立つこともあり、認知症との区別がつきにくい点などをポイントとして押さえておきましょう。

②双極症（双極性障害）

双極性障害の病態について記載が追加されるとともに、最新の国際診断基準（DSM-5-TR）に基づき、双極症という名称が用いられています。

③妄想性障害

遅発パラフレニーなどの記述が削除され記載が簡略化されました。妄想性障害は、他の精神症状を伴なわない妄想だけがみられることが特徴で、統合失調症とは区別される病態です。

④アルコール関連問題・依存症

依存症についての記述が追加されています。アルコールや薬物などの物質依存のほか、ギャンブルやゲームなど行動がコントロールできない行動依存についても理解しましょう。

関連 ➡保健Lesson18

●感染症

①次亜塩素酸ナトリウムの濃度

ノロウイルス感染症患者の便や嘔吐物などを処理した後、汚染した場所やその周囲の消毒に使用する次亜塩素酸ナトリウムの濃度について、0.5%から**0.02%**に変更されています。

②帯状疱疹ワクチン

高齢者に推奨される予防接種として、これまでのインフルエンザワクチンと肺炎球菌ワクチンに、**帯状疱疹ワクチン**が追加されました。帯状疱疹は、潜伏感染していた水痘・帯状疱疹ウイルスが免疫力の低下や加齢により再活性化し発症します。高齢者の定期予防接種の対象ではありませんが、一部の自治体では、接種費用の助成をしています。

③感染経路別予防策

インフルエンザ、新型コロナウイルス感染症など飛沫感染する疾患は、**接触感染**により感染する場合があること、さらに新型コロナウイルス感染症は、空気感染により感染する場合もあることが注釈で追加されています。

感染経路別予防策は定期的に出題されているので、特に空気感染するものは区別できるようにしておきましょう。

関連 ➡保健Lesson23

13

◉認知症基本法

　「共生社会の実現を推進するための認知症基本法（認知症基本法）」が2024（令和6）年1月に施行され、十訂にもその記載が追加されています。

　「認知症の人を含めた国民一人一人がその個性と能力を十分に発揮し、相互に人格と個性を尊重しつつ支え合いながら共生する活力ある社会」の実現を推進することを目的とし、「全ての認知症の人が、**基本的人権**を享有する個人として、自らの**意思**によって日常生活及び社会生活を営むことができるようにすること」など基本理念には認知症当事者の意思の尊重や社会への参画が含まれています。この法律に基づき認知症施策推進基本計画が作成され、国・地方公共団体により認知症施策が推進されます。

関連　➡保健Lesson17

◉認知症の治療薬

　アルツハイマー型認知症の治療薬として、2023（令和5）年12月から、**レカネマブ**が保険適用となりました。アルツハイマー型認知症は、アセルコチリンを増やす薬（ドネペジル、ガランタミン、リバスグチミン）とメマンチンが保険適用ですが、従来の薬と異なり、**レカネマブ**は脳内の原因タンパク質（アミロイドβ）に直接作用して進行を抑制することが期待されています。投与の要否の判断には規定の検査が必要となります。

関連　➡保健Lesson17

◉障害者総合支援法

　障害者等の**地域生活**や**就労の支援**の強化等を目的とした2022（令和4）年の障害者総合支援法の改正により、**就労選択支援**が訓練等給付に追加され、十訂にも改正が反映されています。

　就労選択支援は、就労アセスメントの手法を活用して、障害者本人の希望、就労能力や適性などに合ったより良い就労の選択ができるよう支援するサービスです。2025（令和7）年10月1日施行予定です。

関連　➡福祉Lesson19

◉災害対策基本法

　災害対策基本法の項目が追加されました。1961（昭和36）年に制定された災害対策基本法は、災害から国土や国民の生命、身体および財産を保護するため、責任の所在を明確にして必要な対策の基本を定めた法律です。市町村による**避難行動要支援者名簿**の作成義務、避難行動要支援者ごとの**個別避難計画**の作成の努力義務、要配慮者やその家族を受け入れ対象とする**福祉避難所**の設置などについて押さえておきましょう。

　災害対策基本法は、2011年の東日本大震災、2019年の令和元年台風第19号などの大災害を踏まえて、そのつど改正が行われています。

関連　➡福祉Lesson30

介護保険制度の改正と政省令・告示改正

◉介護保険制度の改正

　2023（令和5）年5月19日に、「全世代対応型の持続可能な社会保障制度を構築するための健康保険法等の一部を改正する法律」が公布され、介護保険法が改正されました。十訂でもこの内容が反映されています。試験では、「〇〇年の介護保険制度改正について」と1問で出題されることがあります。概要をまとめて押さえつつ、それぞれの内容を本書で学習していきましょう。

◉改正のキーワード

事業所等における**生産性の向上**への取り組みと都道府県等の努力義務
看護小規模多機能型居宅介護のサービス内容の明確化
地域包括支援センターの業務の見直しと体制整備
介護サービス事業者の**経営情報**の見える化
介護情報等の収集・提供などにかかる事業の創設（施行は公布日から4年以内の政令で定める日）

関連　➡介護Lesson 3等

◉運営基準等の改正および介護報酬の改定

　2024（令和6）年に運営基準等の改正と介護報酬の改定が行われました。主に次の点に着目して、それぞれのサービスで確認していきましょう。

◉改正のポイント

緊急時に常時対応できる**協力医療機関**を定める努力義務	居住系サービス
緊急時に常時対応できる**協力医療機関**を定める義務	施設系サービス
協力医療機関との協議・円滑な再入所・新興感染症発生時などの対応を行う医療機関との連携	居住系・施設系サービス
緊急時等の対応方法の定期的な見直し	介護老人福祉施設
利用者（入所者）の**安全**ならびに**介護サービスの質の確保**および職**員の負担軽減**に資する方策を検討するための**委員会**の設置・開催	短期入所系・多機能系・居住系・施設系サービス
身体的拘束等の適正化のための対策を検討する委員会の開催等、指針の整備、研修の計画的な実施	短期入所系・多機能系サービス
・介護支援専門員の取扱件数の変更と人員基準の緩和など ・訪問介護等を居宅サービス計画に位置づけた割合などの説明を義務から努力義務に	居宅介護支援
福祉用具貸与・特定福祉用具販売の選択制の導入に伴う基準改正	福祉用具

関連　介護Lesson25〜29、保健医療・福祉サービス各論

2025年度試験　各分野の出題ポイント予想

●介護支援分野●

　介護支援分野は全部で25問です。厚生労働省通知の「試験問題出題範囲」を踏まえて出題内容を大きく分けると、基本視点、介護保険制度の内容、要介護認定、ケアマネジメント、事例問題となります。

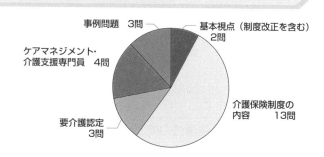

事例問題　3問
基本視点（制度改正を含む）2問
ケアマネジメント・介護支援専門員　4問
介護保険制度の内容　13問
要介護認定　3問

基本視点
　介護保険制度創設後の改正経緯の概要、高齢化や世帯構造の変化、高齢者を取り巻く複合的な課題、地域共生社会・重層的支援体制整備事業への理解がポイントです。介護保険制度の実施状況についても定期的に出題されていますので、よく理解しておきましょう。

介護保険制度の内容
●保険財政
　財源の負担割合、**調整交付金**、**第2号保険料**の徴収は最頻出です。第1号保険料の算定・徴収、財政安定化基金など基本的な内容が繰り返し出ていますので、しっかり復習しておきましょう。

●介護保険制度の目的等
　介護保険制度の目的や理念（法第1条、第2条）、国民の努力及び義務（法第4条）からほぼ毎年1問出題されています。正答の鍵となるキーワードを押さえておきましょう。

●保険者・国・都道府県の責務等
　「市町村が**条例**に定めること」「国・都道府県の**責務**」をポイントに覚えておきましょう。

●被保険者
　被保険者資格の**取得と喪失の時期**の出題が多いです。生活保護受給者や医療保険の加入についてがポイントとなります。住所地特例の適用についても確実に基本を押さえておきましょう。

●地域支援事業
　介護予防・日常生活支援総合事業、包括的支援事業、任意事業それぞれの事業内容を取り違えのないよう確実に押さえておくこと、特に包括的支援事業の内容が重要です。

●保険給付
　高額介護サービス費、区分支給限度基準額の設定されないサービス、低所得者対策などについて確認しておきましょう。

●事業者・施設
　介護保険施設の指定の申請者や基準、共生型サービスからの出題が比較的多いのですが、幅広い理解が必要です。

要介護認定

　申請、認定調査、審査・判定、市町村の認定など重要項目が複数問出題されますので、**基本的な事項を取りこぼしのないよう理解しておくことが重要です。**

ケアマネジメント

　居宅介護支援の運営基準、特に**内容および手続きの説明**と**同意にかかる規定**、**具体的取扱方針**（居宅介護支援の一連の業務に係る基準）は最重要です。介護予防支援は居宅介護支援と共通するものが多いのですが、人員基準や報告聴取、モニタリングなどに着目して要点を押さえましょう。2023年に改正のあった**課題分析標準項目**は施設介護支援でも用いられ、出題の可能性があります。

●保健医療サービスの知識等●

　医療や介護技術に関する知識（高齢者がかかりやすい症状や疾患、検査値やバイタルサイン、認知症、在宅医療管理、ターミナルケア、感染症、介護技術など）と、訪問看護などの保健医療サービスについて出題されます。

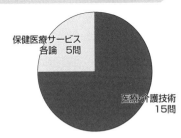

保健医療サービス
各論　5問

医療・介護技術
15問

医療・介護技術に関する知識

●高齢者に多い症状・疾患

　脱水、フレイル、廃用症候群などの老年症候群、**パーキンソン病**などの神経難病、**起立性低血圧**、心筋梗塞、狭心症、骨・関節疾患などの出題頻度が高くなっています。急変時の対応とあわせて理解しておくと良いでしょう。

●介護技術

　誤嚥を防止する介護、口腔ケアの全身に及ぼす効果などが重要です。**褥瘡**は発生要因やできやすい箇所などを押さえておきましょう。

●バイタルサイン・検査

　バイタルサインは、低体温・高体温、徐脈・頻脈の示す意味、血圧の測定法、呼吸状態の悪化時に考えられる疾病や徴候、検査値では**体格**について毎年出題されています。

●医学的診断の理解・医療との連携

　インフォームド・コンセントに基づく医師の治療の流れ、予後への理解、介護支援専門員と医療職との連携に関する事項がよく出題されます。

●急変時の対応・感染症

　誤嚥、窒息、誤薬、嘔吐、やけどなど、高齢者に起こりやすい急変とその対応について理解しておきましょう。感染症は、予防策が重要です。

●在宅医療管理

　在宅医療管理の内容と実施中の**留意点**を整理して覚えましょう。

●認知症

　レビー小体型認知症、前頭側頭型認知症などの特徴的な症状を押さえておきましょう。認知症初期集中支援チームなど認知症の人を支える社会資源についても重要です。

●ターミナルケア

看取りの場所、臨終が近づいたときの症状、アドバンス・ケア・プランニング（ACP）など利用者の意思決定支援が重要です。

保健医療サービス各論

訪問看護、介護老人保健施設、介護医療院、看護小規模多機能型居宅介護がほぼ毎年出題されています。人員・設備・運営基準を中心にサービスの特徴を押さえておきましょう。介護報酬の加算内容は、近年は出題されない傾向にあります。算定区分やそのサービスで何が重点項目なのかという視点で加算項目を理解すると良いでしょう。

●福祉サービスの知識等●

相談面接技術について平均2問、その他のソーシャルワークについて平均2問、生活保護制度、成年後見制度などの他制度の知識から3問、福祉サービス各論は毎年ほぼ8問出題されています。

他制度の知識 3問
福祉の考え方・相談援助 4問
福祉サービス各論 8問

福祉の考え方・相談援助

●相談面接技術

面接場面におけるコミュニケーション技術（傾聴の技法、質問のしかた、焦点を定める技術など）、インテーク、アセスメント、終結、フォローアップなど相談面接のプロセスが出題ポイントです。

●ソーシャルワーク

個別援助、集団援助、地域援助の対象や具体的な援助が想定できるようにしておきましょう。

福祉サービス各論

訪問介護、訪問入浴介護、通所介護、短期入所生活介護、介護老人福祉施設はほぼ毎年出題されるほか、地域密着型サービスから2問、福祉用具または住宅改修から1問出題される傾向にあります。全体として、人員・設備基準、サービス固有の運営基準がよく問われます。また、感染対策委員会の開催などサービス共通の基準についても出題されることがあるため、介護支援分野とあわせて学習してください。訪問介護では、身体介護・生活援助の区別などサービス内容の出題が多くみられます。福祉用具では、貸与・販売の給付内容の区別、住宅改修との給付内容の区別がつくことが大切です。

他制度の知識

ほぼ毎年出題されているのが、成年後見制度と生活保護制度です。次いで生活困窮者自立支援制度、高齢者虐待防止法の出題頻度が高くなっています。

●成年後見制度

後見開始等の審判の請求（申し立て人、本人の同意有無など）、後見・保佐・補助の3つの類型ごとの事務の範囲、任意後見などは繰り返し問われており、過去問でも対策しやすいでしょう。成年後見制度の利用の促進に関する法律についても近年出題されています。

●生活保護制度

生活保護の基本原理と基本原則、8つの扶助の内容、介護扶助の範囲をしっかり押さえておきましょう。

介護支援分野

高齢化が進む現在のわが国では、多くの高齢者が介護を必要としています。高齢者の介護を社会全体で支えるために、介護保険制度が創設されました。

ここでは、介護保険制度創設の背景としくみ、介護支援専門員の担っている役割やサービスの内容などについて学習します。

1	高齢化と高齢者を取り巻く状況	18	地域支援事業
2	介護保険制度の創設	19	地域包括支援センター
3	介護保険制度の実施状況と制度改正	20	介護保険事業計画
4	社会保障と社会保険制度	21	保険財政
5	介護保険制度の目的等	22	国保連の業務
6	保険者・国・都道府県の責務等	23	介護保険審査会
7	被保険者	24	介護支援専門員
8	要介護認定・要支援認定の概要と申請手続き	25	居宅介護支援事業の基準
		26	居宅介護支援
9	審査・判定と市町村の認定	27	介護予防支援事業の基準
10	保険給付の種類	28	介護予防ケアマネジメント
11	利用者負担	29	介護保険施設の基準
12	介護報酬	30	施設介護支援
13	支給限度基準額		
14	他法との給付調整・その他通則		
15	事業者・施設の指定		
16	事業者・施設の基準		
17	介護サービス情報の公表など		

Lesson 01

重要度 **B** ★★★

高齢化と高齢者を取り巻く状況

レッスンの ポイント
- 今後、人口の減少と一層の高齢化が進む
- 特に後期高齢者と認知症高齢者が増加
- 85歳以上の要介護等認定率は、およそ6割である
- 高齢者を取り巻く課題は複雑化・複合化している

コ コでた！
R5 問1

少子化と高齢化が同時に進んでいるんだね。

1 総人口の減少と高齢化の進行

わが国の総人口は、2070（令和52）年には8,700万になると予測され、少子・高齢化が進んでいます。特に75歳以上の後期高齢者の増加が著しいです。20～64歳の稼働年齢層と75歳以上の人口比率でみると、2015（平成27）年には、75歳以上1人を20～64歳の4.4人で支えていましたが、2045（令和27）年には2.4人で支えることになると見込まれています（下図参照）。

● 年齢区分別人口割合の推移

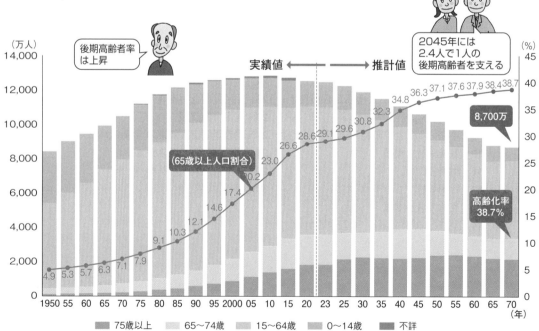

資料：2020年までは総務省「国勢調査」（2015年および2020年は不詳補完値による）、2023年は総務省「人口推計」（2023年10月1日現在〔確定値〕）、2025年以降は国立社会保障・人口問題研究所「日本の将来推計人口（令和5年推計）」の出生中位・死亡中位仮定による推計結果。

2 高齢者介護を取り巻く状況

(1) 加齢による認定率増加と認知症高齢者の増加

介護や支援を必要とする、**要介護者・要支援者の認定率は加齢とともに増加**し、75歳以上全体では約3割に、85歳以上全体では約6割まで上昇します。

ココでた！
R5 問1

要介護者・要支援者
→ P48

●年齢区分と要介護・要支援認定率

65〜69歳	70〜74歳	75〜79歳	80〜84歳	85〜89歳	90歳以上
2.8%	5.7%	11.5%	25.3%	47.2%	72.9%

資料：厚生労働省「介護保険事業状況報告」（2023年9月末現在〈暫定〉）、総務省「人口推計」（2023年10月1日現在人口）

また、厚生労働省が2024（令和6）年に公表した推計によると、2022（令和4）年時点の認知症高齢者数は443.2万人で、認知症有病率（高齢者人口における認知症者の割合）は12.3%でした。これが2040（令和22）年には約584.2万人となり、認知症有病率は14.9%になると見込まれています。

MCI（軽度認知障害）とあわせると、2022年時点の有病率は27.8%、2040年は30.5%と見込まれます。

(2) 世帯の動向

65歳以上の者のいる世帯では、夫婦のみの世帯（32.0%）が最も多く、次いで単独世帯（31.7%）、親と未婚の子のみの世帯（20.2%）となっています（2023年国民生活基礎調査）。

また、今後、世帯主が75歳以上の世帯数は増加し、特に単独世帯の増加が顕著になると推計されています（国立社会保障・人口問題研究所「日本の世帯数の将来推計」（令和6年推計））。

3 地域包括ケアシステム

わが国では、認知症高齢者や一人暮らしの高齢者が増加するなか、いわゆる団塊の世代が75歳以上となる2025年問題を見据えて地域包括ケアシステムの構築などが進められてきました。

地域包括ケアシステムとは、地域の実情に応じて、高齢者が、可能なかぎり、住み慣れた地域でその有する能力に応じ自立した日常生活を営むことができるよう、医療・介護・介護予防・住まいおよび自立した日常生活の支援が包括的に確保される体制をいいます（次ページ図参照）。

さらに、国の社会保障改革では、団塊ジュニア世代が65歳以上となる2040年問題を視野に入れた取り組みが進められています。

ココでた！
R5 問1

+1 プラスワン

2040年問題
少子・高齢化とともに現役世代の減少が顕著となる。労働力人口の減少や医療・福祉人材の不足、就職氷河期世代の貧困などさまざまな問題が指摘されている。

● 地域包括ケアシステムの姿

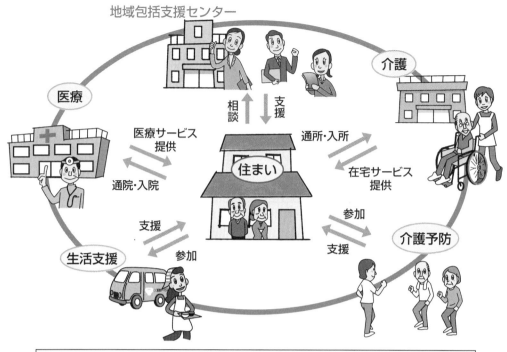

地域包括支援センター

医療　相談　支援　介護

医療サービス提供　通所・入所

住まい

通院・入院　在宅サービス提供

支援　参加　参加　支援

生活支援　介護予防

| おおむね30分以内に必要なサービスが提供される日常生活圏域を単位として想定 |

コ コ で た !
R5 問2
R2 問3

4 高齢者を取り巻く課題と地域共生社会

　近年では、社会構造の変化に伴い、高齢者や高齢者介護を取り巻く課題は複雑化・複合化しています。こうした地域の生活課題に対応するためには、地域共生社会の実現が求められています。

● 高齢者を取り巻く社会課題

8050問題	80代の親が無職やひきこもり状態の50代の独身の子と同居し、社会的孤立や経済的困窮などを抱えている状況
介護離職	家族の介護をするために、働き盛りの労働者が仕事を辞めてしまうことによる経済的・精神的負担や社会的損失
老老介護	高齢者が高齢者を介護することによる共倒れへの懸念
タブルケア	育児と家族介護を同時に行うことによる負担増
ヤングケアラー	「家族の介護、その他の日常生活上の世話を過度に行っていると認められる子ども・若者」と定義される（子ども・若者育成支援推進法）。子ども等の権利が守られていないなどの問題がある
社会的孤立	単身世帯の増加、人間関係の希薄化、高齢期では退職、社会参加の減少などで社会的孤立の状態に陥りやすい

地域共生社会とは、制度・分野ごとの「縦割り」や「支え手」「受け手」という関係を超えて、地域住民や多様な主体が参画して世代や分野を超えてつながることで、住民一人ひとりの暮らしと生きがい、地域をともに創っていく社会を指します。

5 重層的支援体制整備事業

地域生活課題の解決に資する**包括的な支援体制**を整備するため、2020（令和2）年の社会福祉法改正により重層的支援体制整備事業が創設されました。複数の制度にまたがる子ども・障害・高齢・生活困窮にかかる事業の一部を、対象者の属性や世代を問わず一体のものとして実施します。市町村は任意でこの事業を行うことができます。

ココでた！
R5 問2
R4 問2

地域支援事業の一部も重層的支援体制整備事業として実施が可能です。

●重層的支援体制整備事業

相談支援	属性や世代を問わずに、介護、障害、子ども、困窮の相談を一体として受け止める相談支援を多機関の協働で実施
参加支援	あらゆる人たちが社会参加でき、役割がもてるようなプログラムの実施、社会とのつながりづくりに向けた支援を行う
地域づくり	世代や属性を超えて交流できる場や居場所の整備や確保、地域のプラットフォームの形成などを行う

\\ チャレンジ！ //
過去&予想問題

できたら
チェック ☑

	問題	解答
☐1	わが国では、特に後期高齢者人口の増加が著しい。 予想	◯
☐2	後期高齢者全体の認定率は、およそ3割である。 予想	◯
☐3	人口減少に伴い、今後、世帯主が75歳以上の世帯数は減少すると見込まれている。 予想	✕ 増加する
☐4	介護を要する高齢者を高齢者が介護する「老老介護」が増加している。 R2	◯
☐5	ヤングケアラーの定義には、18歳以上の成人は含まれない。 予想	✕ 「子ども・若者」とされる
☐6	市町村は、包括的な支援体制を整備するため重層的支援体制整備事業を実施しなければならない。 R5	✕ 任意で実施

Lesson **02** 重要度 **C** ★★★

介護保険制度の創設

レッスンの ポイント

- 従来の老人福祉制度は市町村による措置制度であった
- 老人医療制度の背景には「社会的入院」の問題があった
- 介護保険制度は社会保険制度として創設された
- 介護保険制度の保険者は市町村で、被保険者は地域住民である

ココでた！
R4 問1

1 従来の制度の問題点と介護保険制度創設

　介護保険制度創設前は、高齢者の介護には、主に老人福祉制度と老人医療制度で対応していましたが、さまざまな問題点が指摘されていました。

　高齢者介護の問題も深刻化するなか、従来の制度の問題点を整理して再編成し、高齢者介護を社会全体で支えるしくみ（介護の社会化）として、2000（平成12）年に創設されたのが介護保険制度です。

●従来の制度の問題点と介護保険制度創設のねらい

老人福祉制度の問題点	老人医療制度の問題点
● 利用者と家族の所得に応じた応能負担のため、中高所得者層ほど重い負担。 ● 利用者の権利保障が不十分。 ● 市町村がサービスの必要性を判断し決定する「措置」によるサービス提供のため、利用者がサービスを自由に選択しづらい、競争原理が働かずサービスが画一的。	● 社会的入院（病状が安定しているにもかかわらず、介護者の不在などの社会的事情により、介護を要する高齢者が一般病院に長期入院を続けること）の増加。 ● 病院の生活環境の不十分さ。 ● 介護需要を医療保険で賄うことにより、医療保険者の財源が圧迫される。

↓

問題点を整理して再編したのが介護保険制度
● 社会保険方式（ P30）により給付と負担の関係を明確にする。 ● 利用者自らの選択で、事業者・施設との契約による利用者本位の制度とする。 ● 民間企業や非営利組織も含め、多様な事業者による総合的・一体的・効率的なサービスを提供。 ● 介護を医療保険制度から切り離し、社会的入院を解消。

2 介護保険制度の概要

介護保険制度では、市町村を保険者とし、40歳以上の地域住民を被保険者として、被保険者が要介護状態または要支援状態となったときに、必要な保健医療・福祉サービスを保険給付します。

+1 プラスワン

地域支援事業
介護予防のため、保険給付とは別に地域支援事業が制度に位置づけられている。市町村を実施主体に、地域の実情に合わせ、多様なサービスを提供する。**→** P109

● 介護保険制度のしくみ

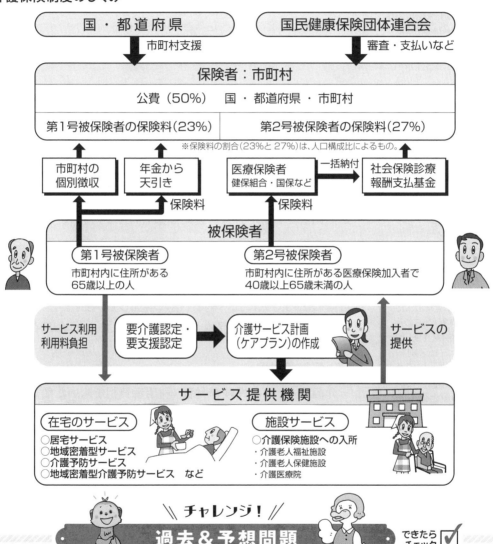

※保険料の割合（23%と 27%）は、人口構成比によるもの。

チャレンジ！

過去＆予想問題

できたらチェック ☑

	問題	解答
☐ 1	老人福祉制度の措置による利用では、中高所得者層ほど負担が重くなっていた。 予想	○
☐ 2	（介護保険制度は）高齢者の介護を社会全体で支える。 R4	○
☐ 3	介護保険制度は、社会扶助方式の制度である。 予想	✕ 社会保険方式

介護保険制度の実施状況と制度改正

レッスンの
ポイント

- 被保険者数、認定者数の増加状況を把握する
- 保険給付費の増加状況を把握する
- 制度施行後の制度改正を改正年ごとに整理する
- 最新の制度改正全体のポイントを把握する

ココでた！

R4 問4
R3 問2
R2 問1

+1 プラスワン

認定者数・保険給付費
認定者数の内訳をみると、98.1％が第1号被保険者で、女性は男性の約2倍、第1号被保険者に占める認定者の割合は、19.0％である。各サービス別の給付費割合では、居宅サービス（介護予防サービス含む）が約5割と最も多い。

1 介護保険制度の実施状況

出典：2022（令和4）年度介護保険事業状況報告

（1）被保険者数

　被保険者数は、65歳以上の第1号被保険者が3,585万人（前期高齢者は1,636万人、後期高齢者は1,949万人）です。

（2）要介護・要支援認定者数

　要介護認定・要支援認定を受けている数は694万人で、制度施行時の256万人に比べ約2.7倍に増加しています。

　このうち、サービス受給者数は599万人です（1か月平均）。

（3）保険給付費

　介護サービスの保険給付費（利用者負担を除いた額）は、11兆3,778億円となっており、前年度と比べて0.8％伸びています。

●認定者数の推移

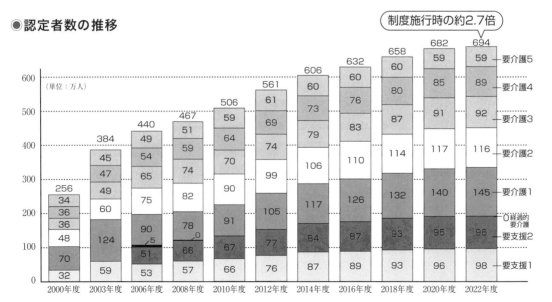

制度施行時の約2.7倍

2 介護保険制度改正の概要

ココでた！

| R5 問2 | R3 問1 |
| R2 問5 | R1 問1 |

(1) 2005 (平成17) 年の制度改正

　要支援者や軽度の要介護者の増加、給付率の増加などを背景に、制度の持続可能性を高めるため、次のような見直しが行われました（主に2006 [平成18] 年度施行）。

- 予防重視型システムへの転換（新予防給付、地域支援事業、地域包括支援センターの創設）
- 施設等での給付の見直し（居住費、食費を自己負担に）
- 新たなサービス体系の確立（地域密着型サービスの創設など）
- サービスの質の向上（介護サービス情報の公表、事業者等の指定や介護支援専門員の資格の更新制の導入）など

(2) 2008 (平成20) 年の制度改正

　介護事業者に対する法令遵守等の業務管理体制、指定更新時の欠格事由の見直し、要介護認定の認定調査項目の見直しなどが行われました（2009 [平成21] 年度施行）。

(3) 2011 (平成23) 年の制度改正

　「地域包括ケアシステム」を実現し、医療と介護の連携強化や認知症施策を推進するため、主に次のような見直しが行われました（主に2012 [平成24] 年度施行）。

地域包括ケアシステム
→ P21、22

- 介護給付に新規サービスとして定期巡回・随時対応型訪問介護看護、複合型サービス（看護小規模多機能型居宅介護）を創設
- 地域支援事業として介護予防・日常生活支援総合事業を創設　など

(4) 2014 (平成26) 年の制度改正

　団塊の世代が後期高齢者になる2025年をめどに、医療と介護の改革を進めて、地域包括ケアシステムを構築することを大きなねらいとして、19の医療・介護の法律が一括で改正されました。介護保険制度では、「地域包括ケアシステムの構築」と「費用負担の公平化」の2つを大きな柱として、主に次のような改正が行われました（主に2015 [平成27] 年度施行）。

介護支援分野

Lesson 03　★★★　介護保険制度の実施状況と制度改正

◉**2014年の制度改正のポイント**

- ● 包括的支援事業に在宅医療・介護連携推進事業、生活支援体制整備事業、認知症総合支援事業を追加。
- ● 市町村による地域ケア会議の設置を努力義務として法定化。
- ● 介護予防訪問介護・介護予防通所介護を地域支援事業に移行。
- ● 特別養護老人ホームの入所対象を原則要介護3以上に。
- ● 一定以上所得のある第1号被保険者の利用者負担割合を2割に引き上げ。

(5) 2017 (平成29) 年の制度改正

　地域包括ケアシステムの強化のため、高齢者の自立支援と要介護状態の重度化防止、地域共生社会の実現を図るとともに、制度の持続可能性を確保することをねらいとしています。

◉**2017年の制度改正のポイント**

- ● 新たな介護保険施設 (➡ P86) として、介護医療院を創設。
- ● 高齢者と障害者が同一事業所でサービスを受けやすくするため、共生型サービス (➡ P91) を創設。
- ● 2割負担者のうち、特に所得の高い層を3割負担に。
- ● 被用者保険間において、介護納付金 (第2号被保険者の保険料) の総報酬割の導入。

(6) 2020 (令和2) 年の制度改正

　2020(令和2) 年に「地域共生社会の実現のための社会福祉法等の一部を改正する法律」による改正が行われ、介護保険法では、次のような見直しがされました。

◉**2020年の制度改正のポイント**

- ● 国および地方公共団体の責務 (努力義務) に、地域共生社会の実現に資することなどを規定。
- ● 介護保険事業計画の記載事項に介護人材の確保や資質の向上などの事項を追加。
- ● 市町村の地域支援事業における介護保険等関連情報活用の努力義務を規定。

地域共生社会の実現を図り、制度の枠を超えた包括的な支援体制をつくるため、社会福祉法では重層的支援体制整備事業 (➡ P23) が創設されました。

(7) 2023 (令和5) 年の制度改正

「全世代対応型の持続可能な社会保障制度を構築するための健康保険法等の一部を改正する法律」(公布日：2023年5月19日) により、介護保険法では次のような見直しがされました。

◉ 2023年の制度改正のポイント

- ● 介護サービス事業所・施設における生産性の向上
- ● 看護小規模多機能型居宅介護のサービス内容の明確化
- ● 指定居宅介護支援事業者が指定介護予防支援事業者として市町村長からの指定を受けることが可能に
- ● 介護サービス事業者経営情報の調査および分析等
  →介護サービス事業者の経営情報を公表する制度の創設
- ● 被保険者にかかる介護情報の収集・提供などにかかる事業を地域支援事業に創設→情報の収集・整理・利用・提供に要する事務の全部または一部を社会保険診療報酬支払基金や国民健康保険団体連合会に委託可 (施行は公布日から4年を超えない範囲の政令で定める日)

 ＼ チャレンジ！ ／ 過去＆予想問題

できたらチェック ☑

	問 題	解 答
□1	要介護認定・要支援認定を受けている数は、直近の3年間でわずかに減少傾向にある。 予想	✕ 増加傾向
□2	要介護（要支援）状態区分別でみると、認定者数が最も多いのは、要介護1である。 R2	○
□3	給付費は、約14兆円となっている。 R3	✕ 約11兆円である
□4	2014（平成26）年の制度改正では、介護予防訪問介護のみが地域支援事業に移行することになった。 予想	✕ 介護予防訪問介護と介護予防通所介護が移行
□5	(2017〔平成29〕年の介護保険制度改正について正しいもの) 介護給付および予防給付に係る3割負担の導入 R1	○
□6	2020（令和2）年の介護保険制度改正では、国および地方公共団体の責務の規定が改正されている。 予想	○
□7	2023（令和5）年の介護保険制度改正において、法人であれば指定介護予防支援事業者の指定を受けることが可能になった。 予想	✕ 指定居宅介護支援事業者が指定介護予防支援事業者として指定を受けることが可能になった

社会保障と社会保険制度

レッスンの
ポイント

- 社会保障には、社会保険、公的扶助、社会福祉の3つがある
- 財源方式には、社会保険方式と社会扶助方式がある
- 介護保険における「保険事故」は要介護状態等になること
- 介護保険は短期保険、地域保険に分類される

コ㇭でた！
R5 問3
R3 問3

用 語

社会保障
1993（平成5）年の社会保障制度審議会の報告によれば、「国民の生活の安定が損なわれた場合に、国民にすこやかで安心できる生活を保障することを目的に、公的責任で生活を支える給付を行うもの」と定義される。

+1 プラスワン

保険のしくみ
起こるかもしれない事故（保険事故）に備え、被保険者が運営主体である保険者に保険料を拠出し、保険事故が起きたときに保険給付されるしくみ。

コ㇭でた！
R5 問3
R3 問3

1 社会保障の体系

社会保障に含まれる中心的な制度には、社会保険、公的扶助、社会福祉の3つがあります。

また、社会保障は、給付に必要な財源をどのように調達するかにより、**保険のしくみを用いて、主に保険料で賄う**社会保険方式（一部公費負担もある）と、保険のしくみを用いないで、主に**公費（租税）で賄う**社会扶助方式に大きくわけることができます。

◉**社会保障の範囲と財源方式**

	社会保障の範囲		主な財源方式
社会保険	● 医療保険　● 介護保険 ● 年金保険　● 雇用保険 ● 労働者災害補償保険		社会保険方式
公的扶助	● 生活保護		社会扶助方式
社会福祉	● 高齢者福祉　● 児童福祉 ● 障害者福祉　● 社会手当　など		

給付の方式では、現物（物品）またはサービスにより給付を行う現物給付と、金銭により給付を行う金銭給付にわけることができます。介護保険の給付は、原則として現物給付です。

2 社会保険の種類と分類

（1）社会保険の種類

社会保険は、一定の対象者に加入が強制（強制適用）され、被保険者が一定の保険事故に該当したときに保険給付が行われます。社会保険には、現在5つの種類があります。

◉社会保険の種類

種類	保険事故	主な給付内容
医療保険	業務外の事由による疾病、負傷など	医療サービスの現物給付
介護保険	要介護状態・要支援状態	介護サービスの現物給付
年金保険	老齢、障害、死亡	所得を保障し、生活の安定のための年金の支給（金銭給付）
雇用保険	失業など	労働者の生活の安定を図り、再就職を促進するために必要な給付（金銭給付）
労働者災害補償保険	業務上の事由または通勤による疾病、負傷、障害、死亡など	医療の現物給付と所得保障のための年金の支給（金銭給付）

(2) 社会保険の分類

　社会保険は、保険給付の長短や保険財政の形態で短期保険と長期保険にわけられます。

　また、対象とする区域などにより、職域保険と地域保険に分類されます。

　被保険者の種類別では、会社員などが加入する被用者保険と、それ以外の自営業者保険とにわけられます。

　介護保険は短期保険、地域保険**に分類**され、対象者には被用者も自営業者も含まれます。

◉社会保険の分類

保険給付の長短等別	短期保険	単年度または数年度において収支のバランスを図る。介護保険、雇用保険、医療保険（健康保険、国民健康保険）など。
	長期保険	長期間にわたり収支のバランスを図る。厚生年金保険、国民年金保険など。
区域別	職域保険	会社や組織に雇用されている人を対象。健康保険、厚生年金保険など。
	地域保険	地域住民を対象。介護保険、国民健康保険、国民年金保険など。

注目！

社会保険の種類や分類については、特に労災保険と医療保険の保険事故の違いに着目しよう。

+1 プラスワン

国民健康保険の保険者
国民健康保険の保険者は市町村であったが、2018（平成30）年度から、市町村に加え都道府県も保険者となった（都道府県が財政運営を担う）。

| 被保険者別 | 被用者保険 | 会社員、公務員などが対象。健康保険、厚生年金保険など。 |
| | 自営業者保険 | 主に自営業者などが対象。国民健康保険、国民年金保険など。 |

\\ チャレンジ！ // 過去＆予想問題

できたらチェック ☑

	問 題	解 答
□1	高齢者福祉は社会保障の範囲に含まれる。 予想	◯
□2	社会扶助方式の財源は、主に公費である。 予想	◯
□3	社会保険制度の財源は、原則として公費である。 R3	✕ 主に保険料だが一部公費負担も行われる
□4	介護保険は、被保険者の要介護状態・要支援状態に関して必要な給付を行う。 予想	◯
□5	医療保険は、労働者災害補償保険法の業務災害以外の疾病、負傷等を保険事故とする。 R5	◯
□6	年金保険は、所得を保障し、生活の安定のために必要な給付を主に金銭給付により行う。 予想	◯
□7	雇用保険には、業務上の事故により負傷した場合の給付が含まれる。 予想	✕ 含まれない
□8	国民健康保険は、区域別の分類では職域保険に位置づけられる。 予想	✕ 地域保険
□9	厚生年金保険は、被用者保険に位置づけられる。 予想	◯
□10	介護保険は、長期間にわたり収支のバランスを図る長期保険である。 予想	✕ 短期保険
□11	自営業者は、介護保険の被保険者にならない。 R5	✕ なる

Lesson 05

重要度 A ★★★

介護保険制度の目的等

レッスンの ポイント

- 要介護者等の尊厳を保持する制度である
- 介護保険制度は、国民の共同連帯の理念に基づく制度である
- 介護保険制度は、居宅における自立した日常生活を支援する
- 国民は、介護保険事業に必要な費用を負担する義務がある

1 介護保険制度の目的

介護保険制度の目的は次のように定められています（第1条）。

加齢に伴って生ずる心身の変化に起因する疾病等により要介護状態となり、入浴、排泄、食事等の介護、機能訓練並びに看護及び療養上の管理その他の医療を要する者等について、これらの者が尊厳を保持し、その有する能力に応じ自立した日常生活を営むことができるよう、必要な保健医療サービス及び福祉サービスにかかる給付を行うため、国民の共同連帯の理念に基づき介護保険制度を設け、その行う保険給付等に関して必要な事項を定め、もって国民の保健医療の向上及び福祉の増進を図ることを目的とする。

制度の目的等は、定期的に出題されます。赤字のキーワードに着目してください。

2 介護保険制度の保険給付の考え方

介護保険の保険給付は被保険者が要介護状態・要支援状態となったときに行い、次のような事項に配慮します（第2条）。

- 要介護状態等の軽減または悪化の防止のために行う。
- 医療との連携に十分配慮して行われなければならない。
- 被保険者の心身の状況、その置かれている環境等に応じて、被保険者の選択に基づき、適切なサービスが多様な事業者・施設から、総合的・効率的に提供される。
- 保険給付の内容や水準は、被保険者が要介護状態になっても、可能なかぎり居宅において、自立した日常生活を営むことができるように配慮されなければならない。

コ コでた！

R5 問4
R2 問6
R1 問2

+1 プラスワン

介護保険法での「居宅」
介護保険法上の「居宅」には、老人福祉法に規定する養護老人ホーム、軽費老人ホーム、有料老人ホームにおける居室も含まれる。

3 国民の努力および義務

国民の努力および義務が次のように定められています（第4条）。

- 国民は、自ら要介護状態となることを予防するために、常に健康の保持増進に努める。
- 国民は、要介護状態になった場合でも、進んでリハビリテーションや保健医療サービス、福祉サービスを利用することで、その有する能力の維持向上に努める。
- 国民は、共同連帯の理念に基づき、介護保険事業に要する費用を公平に負担する義務を負う。

 ＼＼ チャレンジ！ ／／
過去＆予想問題
 できたら
チェック ☑

	問 題	解 答
□1	介護保険法第1条には、要介護者等の「尊厳を保持」という文言が含まれる。 予想	◯
□2	（介護保険法第1条〔目的〕に規定されている文言）国民の保健医療の向上及び福祉の増進を図る 予想	◯
□3	（介護保険法第2条に規定されている文言はどれか）福祉の増進 予想	✕ 「福祉の増進」は規定されていない
□4	（介護保険法第2条に示されている保険給付の基本的考え方）要介護状態等の維持または悪化の予防に資するよう行われる。 R2	✕ 要介護状態等の軽減または悪化の防止
□5	（介護保険法第2条に示されている保険給付の基本的考え方）医療との連携に十分配慮して行われなければならない。 R5	◯
□6	（「国民の努力及び義務」として介護保険法第4条に規定されているもの）介護保険事業に要する費用を公平に負担する。 R3	◯
□7	（「国民の努力及び義務」として介護保険法第4条に規定されているもの）認知症に対する理解を深めるよう努める。 R3	✕ 「認知症に対する理解を深めるよう努める」は規定されていない

Lesson 06

重要度 **A** ★★★

保険者・国・都道府県の責務等

レッスンの
ポイント

- 介護保険の保険者は市町村である
- 国・都道府県は重層的に保険者を支援する
- 医療保険者は、第2号被保険者の保険料を徴収する
- 年金保険者は、第1号被保険者の保険料を特別徴収(年金から天引き)する

1 市町村の役割と事務

(1) 市町村の役割と事務

　介護保険の保険者は、市町村および東京23区である特別区(以下、市町村)です。市町村は、保険運営の責任主体として、被保険者の把握や資格管理をし、保険事故が起こった場合には被保険者に保険給付を行います。また、保険料の徴収や保険財政の管理、地域支援事業の実施なども保険者の事務です。

　保険財政の管理にあたっては、一般会計と経理を区分して、介護保険の収入および支出を管理する特別会計を設けます。

(2) 介護保険事業運営の広域化

　被保険者の少ない小規模な市町村の財政の安定化、事務の効率化、サービス基盤の効率的な整備などを目的に、複数の市町村が地方自治法に定める広域連合や一部事務組合を設け、保険者となることも可能です。

事務の詳細は、これからのレッスンで学習していくので、大きな枠組を理解していこう。

　用 語

広域連合
市町村や都道府県の枠を取り払い、広い区域で行政事務を行う。

一部事務組合
一部の事務について、複数の市町村や都道府県が広域的に処理する。

◎市町村の主な事務

被保険者の資格管理に関する事務	● 被保険者の資格管理　　● 被保険者台帳の作成 ● 被保険者証の発行・更新　● 住所地特例の管理
要介護認定等に関する事務	● 要介護認定・要支援認定事務 ● 介護認定審査会の設置 (→ P57)
保険給付に関する事務	● 現物給付による介護報酬の審査・支払い (国保連に委託可) ● 被保険者が居宅サービス計画の作成を居宅介護支援事業者に依頼する旨の届出の受付など ● 償還払いの保険給付の支給 ● 区分支給限度基準額などの上乗せおよび管理 (→ P80)

保険給付に関する事務	● 種類支給限度基準額（区分支給限度基準額の枠内で、サービスごとの支給限度基準額を市町村が条例に定める➡P80）の設定 ● 市町村特別給付の実施（➡P62） ● 第三者行為求償事務（国民健康保険団体連合会に委託可）
事業者・施設に関する事務	● 地域密着型サービス事業、地域密着型介護予防サービス事業、居宅介護支援事業、介護予防支援事業の人員・設備・運営に関する基準の設定 ● 地域密着型サービス事業者、地域密着型介護予防サービス事業者、居宅介護支援事業者、介護予防支援事業者に対する指定や指定更新、指導監督 ● すべての事業者・施設への報告提出命令や立ち入り検査 ● 都道府県知事が介護保険施設などの指定を行う際の意見提出 ● 定期巡回・随時対応型訪問介護看護等の見込量を確保するための指定居宅サービス事業者の指定についての都道府県知事への協議の要求
地域支援事業および保健福祉事業に関する事務	● 地域支援事業の実施（第1号事業を行う事業者の指定、指定更新、指導監督、費用の支払いなど含む）（➡P109） ● 地域包括支援センターの設置（➡P118） ● 地域包括支援センターが包括的支援事業を実施するために必要な基準の設定 ● 保健福祉事業の実施（➡P116）
計画の策定・変更に関する事務	● 市町村介護保険事業計画の策定・変更 ● 自立支援等施策にかかる取り組み
保険料に関する事務	● 第1号被保険者の保険料率の算定（➡P129） ● 普通徴収（収納事務の私人への委託可） ● 特別徴収の対象者の確認・通知 ● 滞納者への督促や滞納の処分など各種措置
財政運営に関する事務	● 公費負担の申請、収納など ● 特別会計の設置・管理 ● 介護給付費交付金・地域支援事業支援交付金の申請・収納など ● 一般会計から介護給付費と地域支援事業に要する費用の定率負担 ● 財政安定化基金への拠出、交付・貸付けの申請、借入金の返済
介護保険に固有の条例の制定や改正など	

コッでた！
R4 問3
R2 問4

🞺 都道府県の責務・事務

（1）都道府県の責務（法第5条第2・3項）

　都道府県は、介護保険事業の運営が健全かつ円滑に行われるように、必要な助言および適切な援助をしなければなりません。

　また、助言および援助をするにあたっては、介護サービスを提供する事業所・施設の業務の効率化、介護サービスの質の向上そ

の他の生産性の向上に資する取り組みが促進されるよう努めなければなりません。

（2）都道府県の事務

次のような事務を行います。

◉**都道府県の主な事務**

市町村支援に関する事務	● 市町村による介護認定審査会の共同設置などの支援 ● 要介護認定にかかる**審査・判定業務の受託**および受託した場合の都道府県介護認定審査会の設置（→ P58） ● 介護保険審査会の設置・運営（→ P136）
事業者・施設などに関する事務	● 居宅サービス事業、介護予防サービス事業、介護保険施設の人員・設備・運営に関する**基準**などの設定 ● 居宅サービス事業者、介護予防サービス事業者、介護保険施設の指定（許可）や指定更新、指導監督など ● 市町村が行う地域密着型特定施設入居者生活介護の指定に際しての助言・勧告など ● 指定市町村事務受託法人・指定都道府県事務受託法人の指定
介護サービス情報の公表に関する事務	● 介護サービス情報の公表（→ P105）に関する事業者に対しての指導監督 ● 介護サービス情報の公表および必要と認める場合の調査（指定法人に委託が可能）
計画の策定・変更などに関する事務	● 都道府県介護保険事業支援計画の策定・変更 ● 市町村介護保険事業計画作成上の技術的事項についての助言 ● 市町村が行う自立支援等施策にかかる取り組み等の支援
介護支援専門員に関する事務	● 介護支援専門員の登録・登録更新 ● 介護支援専門員証の交付 ● 介護支援専門員の試験および実務研修、更新研修、再研修の実施（指定法人に委託が可能）
財政支援に関する事務	● 財政安定化基金の設置・運営（→ P132） ● 介護給付費と地域支援事業に要する費用の定率負担 ● 市町村相互財政安定化事業の支援
その他	● 医療保険者、社会保険診療報酬支払基金への報告徴収、実地検査 ● 国保連への指導監督

なお、介護保険法において、都道府県が処理する事務のうち政令で定めるものについては、指定都市・中核市が行うこととされています（大都市特例）。

 用語

指定都市
人口50万人以上
中核市
人口20万人以上

用 語

条例
地方公共団体が、その権限に属する事務を行うために、議会の議決を経て制定する法規。それを定める地方公共団体の区域内で適用される。

❸ 市町村・都道府県への条例委任

(1) 市町村・都道府県への事務の条例委任

介護保険法では、介護保険の事務に関して、地域の実情に沿って決めたほうが適当と考えられるものについては、国の法令の範囲内で、市町村または都道府県が条例に定めることとされています。

◉条例に定める主な事項

市町村の条例

- ●介護認定審査会の委員の定数
- ●区分支給限度基準額の上乗せ
- ●福祉用具購入費・住宅改修費の支給限度基準額の上乗せ
- ●種類支給限度基準額の設定
- ●市町村特別給付
- ●指定地域密着型介護老人福祉施設の入所定員（29人以下で定める）
- ●地域包括支援センターの基準の設定
- ●第1号被保険者の保険料率の算定
- ●普通徴収にかかる保険料の納期
- ●保険料の減免または徴収猶予
- ●その他保険料の賦課徴収などに関する事項
- ●過料に関する事項
- ●下記サービスの人員・設備・運営に関する基準

> 指定地域密着型サービス※、指定地域密着型介護予防サービス、指定居宅介護支援、基準該当居宅介護支援、指定介護予防支援、基準該当介護予防支援

都道府県の条例

- ●指定介護老人福祉施設の入所定員（30人以上で定める）
- ●介護保険審査会の公益代表委員の定数
- ●下記サービスの人員・設備・運営に関する基準など

> 指定居宅サービス※、基準該当居宅サービス、指定介護予防サービス※、基準該当介護予防サービス、介護保険施設

※共生型サービスの基準も設定される

➕1 プラスワン

国で定める基準
サービスごとに、「指定居宅サービス等の事業の人員、設備及び運営に関する基準」などが省令により定められている。

試験では、省令の基準が出題されるよ。

(2) 事業者等の基準の条例委任

事業者と介護保険施設の人員・設備・運営基準については、事業者・施設の指定権者（そのサービスの指定等を行う権利をもつ者）である都道府県（指定都市・中核市では市）または市町村が条例で定めます。

ただし、都道府県や市町村が、基準の条例を制定する際には、

厚生労働省令（国）で定める基準（基準省令）に準じて定めます。国の基準の内容は、①従うべき基準、②標準として定めるもの（標準）、③参酌すべき基準の3つにわけられ、これらに沿って制定する必要があります。なお、従うべき基準は、条例の内容を直接的に拘束する基準で、都道府県や市町村は、異なる内容を定めることは許されません。人員基準や居室等の床面積、サービスの適切な利用や処遇、安全の確保や秘密保持などに関連する運営基準などがこれに該当します。

 用語

法令
国の定める法律と命令。命令には政省令などがあり、法律に沿って必要事項が規定される。
- 法律（国会の可決を経て制定）
- 政令（内閣が閣議決定）
- 省令（各省の大臣が定める）
- 告示（法令とは区別されるが、法律適用のための必要な基準などを周知させるもの）

4 国の責務・事務

　国は、介護保険事業の運営が健全かつ円滑に行われるよう保健医療サービス・福祉サービスを提供する体制の確保に関する施策などの措置を講じなければなりません（法第5条第1項）。

●**国の主な事務**

基本的な枠組みの設定	● 法令の制定 ● 要介護認定・要支援認定の基準づくり ● 事業者・施設の基準省令を定める ● 介護報酬の額や区分支給限度基準額などの設定 ● 第2号被保険者負担率（負担割合）の設定 ● 介護保険事業計画の基本指針の策定 ●「介護予防・日常生活支援総合事業の適切かつ有効な実施を図るために必要な指針」の作成・公表
財政面の支援に関する事務	● 調整交付金の交付（5%前後） ● 介護給付費と地域支援事業に要する費用の定率の国庫負担 ● 財政安定化基金への国庫負担　など
指導・監督、助言など	● 市町村介護保険事業計画、都道府県介護保険事業支援計画の作成、実施、評価などに資するための調査、分析　など ● 都道府県・市町村が行うサービス提供事業者等に対する指導監督業務等についての報告請求・助言・勧告
その他	● 医療保険者、社会保険診療報酬支払基金への報告徴収、実地検査 ● 国保連への指導監督

5 国および地方公共団体の責務

　国および地方公共団体の責務として、地域包括ケアシステムの推進（法第5条第4・5項）や認知症に関する施策の総合的な推進など（法第5条の2）にかかる内容が規定されています。

 ココでた！
R4 問3

地域包括ケアシステム
➡ P21、22

● 国および地方公共団体の責務

趣旨	内容
介護等に関する施策の**包括的な推進**（法第5条第4項）	被保険者が、可能なかぎり、住み慣れた地域でその有する能力に応じ自立した日常生活を営むことができるよう、保険給付にかかる**保健医療サービスおよび福祉サービス**に関する施策、要介護状態等となることの予防または軽減もしくは悪化の防止のための施策、地域における自立した日常生活の支援のための施策を、医療および居住に関する施策との有機的な連携を図りつつ包括的に推進するよう努めなければならない。
包括的推進にあたっての**障害者福祉施策との連携**と**地域共生社会の実現**（法第5条第5項）	介護等に関する施策を包括的に推進するにあたっては、障害者その他の者の福祉に関する施策との有機的な連携を図るよう努めるとともに、地域住民が相互に人格と個性を尊重し合いながら、参加し、共生する地域社会の実現に資するよう努めなければならない。
認知症に関する知識の普及・啓発（法第5条の2第1項）	認知症に対する国民の関心・理解を深め、認知症である者への支援が適切に行われるよう、認知症に関する知識の普及・啓発に努めなければならない。
認知症に関する**調査研究の推進**など（法第5条の2第2項）	被保険者に対して認知症にかかる適切な保健医療サービスおよび福祉サービスを提供するため、研究機関、医療機関、介護サービス事業者などと連携し、認知症の予防、診断、治療と認知症である者の心身の特性に応じたリハビリテーションおよび介護方法に関する調査研究の推進に努めるとともに、その成果を普及し、活用し、および発展させるよう努めなければならない。
認知症者への支援体制の整備など（法第5条の2第3項）	地域における認知症である者への支援体制を整備すること、認知症である者を現に介護する者の支援や認知症である者の支援にかかる人材の確保および資質の向上を図るために必要な措置を講ずることその他の認知症に関する施策を総合的に推進するよう努めなければならない。
認知症施策の推進にあたっての配慮など（法第5条の2第4項）	認知症の施策の推進にあたっては、認知症である者およびその家族の意向の尊重に配慮するとともに、認知症である者が地域社会において尊厳を保持しつつ他の人々と共生することができるように努めなければならない。

ココでた！
R5 問12
R1 問11

6 医療保険者の役割と事務

　医療保険者は、介護保険事業が健全かつ円滑に行われるよう協力しなければなりません。

　40歳以上65歳未満の**第2号被保険者の介護保険料**は、医療保険者が医療保険料と一体的に**徴収**し、社会保険診療報酬支払基金（支払基金）に、介護給付費・地域支援事業支援納付金として納付します。支払基金は、それを各市町村に「介護給付費交付金」

「地域支援事業支援交付金」として定率交付します（➡ P131）。

7 年金保険者の役割と事務

年金保険者は、年金の支払い時に**第1号被保険者の介護保険料分を天引きして徴収**（特別徴収）し、市町村に納入します。

8 社会保障審議会

厚生労働大臣は、**介護報酬の算定基準や省令に定める事業者・施設の人員・設備・運営基準を定める際**には、厚生労働省に設置される社会保障審議会の意見を聴かなければなりません。

+1 プラスワン

支払基金の介護保険関係業務

- 医療保険者からの介護給付費・地域支援事業支援納付金の徴収
- 市町村に対する介護給付費交付金および地域支援事業支援交付金の交付
- 被保険者にかかる介護情報等の収集・整理・利用・提供（2023〔令和5〕年5月19日から4年を超えない政令で定める日に施行）
- 上記の業務に付帯する業務

なお、支払基金は、上記の業務に関し必要と認める場合は、医療保険者に対し文書その他物件の提出を求めることができる。

 \\ チャレンジ！ //

過去＆予想問題

できたらチェック ☑

	問題		解答
□1	市町村は、保健福祉事業を実施する。 予想	○	
□2	都道府県は、調整交付金を交付する。 予想	✕	都道府県ではなく国
□3	過料に関する事項は、都道府県の条例で定める。 予想	✕	市町村の条例
□4	（市町村が条例で定めること）指定介護老人福祉施設にかかる入所定員の人数 R3	✕	都道府県が条例に定める
□5	市町村は、条例により第2号被保険者に対する保険料率を定める。 予想	✕	第1号被保険者の保険料率
□6	国は、区分支給限度基準額を設定する。 予想	○	
□7	国および地方公共団体は、障害者その他の者の福祉に関する施策との有機的な連携を図るように努めなければならない。 R4	○	
□8	国および地方公共団体は、認知症に関する知識の普及・啓発に努めなければならない。 予想	○	
□9	（社会保険診療報酬支払基金の介護保険関係業務）都道府県に対し介護給付費交付金を交付する。 R5	✕	市町村に対し交付する

Lesson 07

重要度 A ★★★

被保険者

レッスンの
ポイント

- 被保険者は40歳以上の地域住民である
- 被保険者資格は強制適用される
- 住所地特例が設けられている
- 第1号被保険者全員に、被保険者証が交付される

コ でた！

R3 問4

第2号被保険者では「医療保険加入」がポイント！給付要件や保険料の徴収・算定方法も異なるため、2つに区分されています。

＋1 プラスワン

外国人の場合
2012（平成24）年7月9日から外国人登録法は廃止され、適法に3か月を超えて在留するなどの外国人は住民基本台帳法の適用対象となっている。

1 被保険者の資格要件

　介護保険の保険者は市町村であり、その市町村内の40歳以上の住民が被保険者となります。

　被保険者は、年齢などにより第1号被保険者と第2号被保険者にわかれます。

◉第1号被保険者と第2号被保険者の要件

第1号被保険者	市町村の区域内に住所を有する65歳以上の者。
第2号被保険者	市町村の区域内に住所を有する40歳以上65歳未満の者で、医療保険に加入している者。

(1) 住所要件

　「住所を有する」とは、一般に住民基本台帳上の住所を有する（＝住民票がある）ことを指します。つまり、**日本国籍のない**外国人でも、国内に住所があると認められ、一定の要件を満たしていれば、介護保険の**被保険者となります**。逆に、日本国籍があっても、海外に長期滞在しているなどで日本に**住民票がない場合は、被保険者にはなりません**。

(2) 医療保険加入と生活保護受給者

　生活保護受給者は国民健康保険の適用除外となるため、40歳以上65歳未満では、健康保険**等に加入していないかぎり**、第2号被保険者になることはできません。しかし、65歳以上では医療保険加入の有無にかかわりなく、住所要件を満たすことで、介護保険の被保険者となります。

② 被保険者の適用除外

次の適用除外施設に入所（入院）している人については、当分の間、介護保険制度の被保険者から除外されます。

これらの施設では、介護保険と同等かそれ以上のサービスをすでに提供していること、長期間にわたる入所者が多く、今後も介護保険のサービスを受ける可能性が低いこと、などがその理由です。

- 指定障害者支援施設（障害者総合支援法の支給決定を受けて、生活介護および施設入所支援を受けている身体障害者・知的障害者・精神障害者）＊
- 障害者支援施設（身体障害者福祉法、知的障害者福祉法に基づく措置により入所している身体障害者・知的障害者）＊
- 指定障害福祉サービス事業者である療養介護を行う病院（障害者総合支援法）
- 医療型障害児入所施設（児童福祉法）
- 医療型児童発達支援を行う指定医療機関（児童福祉法）
- 独立行政法人国立重度知的障害者総合施設のぞみの園法の福祉施設＊
- 国立ハンセン病療養所等（ハンセン病問題の解決の促進に関する法律）
- 救護施設（生活保護法）＊
- 被災労働者の受ける介護の援護を図るために必要な事業にかかる施設（労働者災害補償保険法）

＊印の施設については、退所して別の市町村の介護保険施設等に入所した場合、住所地特例が適用される（→ P45）

③ 被保険者資格の強制適用

介護保険は社会保険であり、被保険者資格は強制適用されます。つまり、介護保険の適用要件となる事実が発生したときに、何ら手続きを要せず資格を取得します。このような資格取得の形態を「発生主義」または「事実発生主義」といいます。

また、届出がされないなど保険者がその事実を把握していなかった場合でも、介護保険を適用すべき事実が判明すれば、その事実発生の日に遡って、被保険者資格を取得したものとして取り扱います。これを資格の遡及適用といいます。

ココでた！
R5 問6
R1 問3

＋1 プラスワン

適用除外施設の住所地特例の見直し

適用除外施設に入所するために他市町村に住所を変更した人が、退所してさらに別の市町村の介護保険施設等に入所した場合、従来は、適用除外施設のある市町村が保険者となっていた。2017年の改正により、適用除外施設入所前の住所地の市町村を保険者とすることになった（P45の図のBさんの場合と同様）。

❹ 被保険者資格の取得と喪失時期

介護保険の被保険者資格が強制適用される資格の取得時期と、資格の喪失時期はそれぞれ次のとおりです。

資格の取得	年齢到達	市町村の区域内に住所を有する医療保険加入者が40歳に達したとき（誕生日の前日）。
	住所移転	40歳以上65歳未満の医療保険加入者、または65歳以上の者が移転し、市町村の区域内に住所を有するに至ったとき（当日）。
	医療保険への加入	市町村の区域内に住所を有する40歳以上65歳未満の者が医療保険に加入したとき（当日）。
	医療保険未加入者が65歳に到達した	市町村の区域内に住所を有する40歳以上65歳未満の医療保険未加入者が65歳に達したとき（誕生日の前日）。
	適用除外でなくなった	適用除外施設を退所・退院したとき（当日）。
資格の喪失	住所移転	その市町村の区域内に住所がなくなったとき（転出日の翌日）。※転出と転入が同時の場合は、転出日当日。
	医療保険非加入	第2号被保険者が医療保険加入者でなくなったとき（当日）。
	死亡	死亡したとき（死亡日の翌日）。
	適用除外に該当した	適用除外施設に入所・入院したとき（翌日）。

❺ 届出

第1号被保険者は、資格を取得・喪失したなど次のような場合に、市町村に届出（14日以内）をする義務があります。届出は、本人の世帯主が代行することもできます。なお、下記③～⑤の場合は、届出の際に被保険者証と負担割合証を添付します。

①転入、住所地特例適用被保険者でなくなったことによる資格取得

②外国人で65歳に達したとき（公簿等で確認できる場合は不要）

③住所地特例の適用を受けるに至ったとき等（→ P46）

④氏名の変更、同一市町村内での住所変更、所属世帯または世帯主の変更

⑤転出・死亡による資格喪失

ただし、65歳への到達により医療保険未加入者が第1号被保険者となる場合は、市町村が自動的に処理をするため届出の必要はありません。また、住民が住民基本台帳法上の届出をすれば、同一事由に基づく介護保険法上の届出をしたとみなされます。

＋1 プラスワン

住民基本台帳法上の届出
転入届、転出届、転居届、世帯変更届等については、あらためて同一事由で介護保険法上の届出は必要ない。

＋1 プラスワン

第2号被保険者の届出
要介護認定等を申請した人、被保険者証の交付を申請した人は、第1号被保険者と同様に届出をする。

⑥ 住所地特例

　介護保険制度では、住所地である市町村の被保険者となるのが原則です（住所地主義）。しかしそれでは、介護保険施設などの多い市町村ほど、保険給付費の負担が重くなり、財政上の不均衡を招きます。

　このため、被保険者が**住所地特例対象施設に入所（入居）をするために**、ほかの市町村に住所を変更した場合には、**変更前の住所地の市町村が保険者になる**住所地特例が設けられています。

　2つ以上の施設に順次入所し、そのつど住所を変更した場合は、**最初の施設に入所する前の住所地の市町村が保険者**となります。

◉住所地特例対象施設

- 介護保険施設（介護老人福祉施設、介護老人保健施設、介護医療院）
- 特定施設（有料老人ホーム、軽費老人ホーム、養護老人ホームで、地域密着型特定施設でないものをいう）
- 養護老人ホーム（老人福祉法上の入所措置）

　また、2018（平成30）年度から、一定の適用除外施設の退所者が住所地特例対象施設に入所した場合は、適用除外施設入所前の住所地の市町村が保険者となります（下図Bさんの場合と同様）。

ココでた！

R5問5
R4問5
R4問11

転居前の市町村に保険料を払い、転居前の市町村から保険給付を受けますが、サービスを受けるのは住所地ということですね。

＋1プラスワン

サービス付き高齢者向け住宅
有料老人ホームに該当するサービス付き高齢者向け住宅（➡ P435）は、住所地特例の対象となる。

一定の適用除外施設
➡ P43

介護支援分野

Lesson 07　★★★　被保険者

◉住所地特例

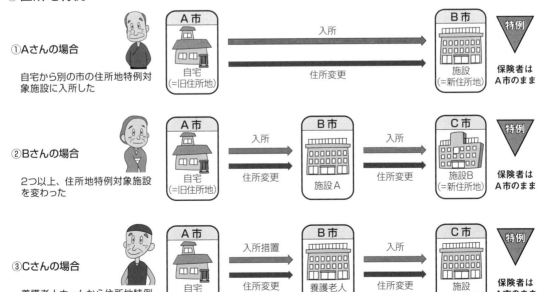

①Aさんの場合
自宅から別の市の住所地特例対象施設に入所した

A市　自宅（＝旧住所地）　→入所／住所変更→　B市　施設（＝新住所地）　特例　保険者はA市のまま

②Bさんの場合
2つ以上、住所地特例対象施設を変わった

A市　自宅（＝旧住所地）　→入所／住所変更→　B市　施設A　→入所／住所変更→　C市　施設B（＝新住所地）　特例　保険者はA市のまま

③Cさんの場合
養護老人ホームから住所地特例対象施設に入所（入居）した

A市　自宅（＝旧住所地）　→入所措置／住所変更→　B市　養護老人ホーム　→入所／住所変更→　C市　施設（＝新住所地）　特例　保険者はA市のまま

サービス付き高齢者向け住宅などに住む住所地特例適用被保険者が地域のサービスを組み合わせて利用する場合が想定されています。

届出先は、住所地の市町村じゃない点に注意！

（1）住所地特例適用被保険者の地域のサービス利用

　地域密着型（介護予防）サービス、介護予防支援、地域支援事業は、原則その市町村の被保険者しか利用できませんが、住所地特例適用被保険者については、住所地の（保険者でない）これらサービス（入居や入所する地域密着型サービスは除く）の利用が可能となりました。

（2）住所地特例適用被保険者の届出

　住所地特例適用被保険者は、保険者である市町村に対して届出が必要となります。施設に入所の際は転出届と住所地特例適用届、施設を退所してもとの住所に戻るときは転入届と住所地特例終了届、継続して別の施設に入所するときは住所地特例変更届を提出します。

7 被保険者証

（1）被保険者証の交付

　被保険者証は、被保険者であることを示す証明書（全国一律の様式）で、第1号被保険者は、65歳到達月に**全員に交付**されます。第2号被保険者の場合は、要介護認定・要支援認定を申請した人か、交付の求めがあった人に交付されます。

●介護保険被保険者証

（表面）

（一）		
介護保険被保険者証		
被保険者	番　号	
	住　所	
	フリガナ	
	氏　名	
	生年月日	明治・大正・昭和　年　月　日　／　性別　男・女
交付年月日	令和　年　月　日	
保険者番号並びに保険者の名称及び印	□□□□□□	

（二）		
要介護状態区分等		
認定年月日（事業対象者の場合は、基本チェックリスト実施日）	令和　年　月　日	
認定の有効期間	令和　年　月　日～令和　年　月　日	
居宅サービス等	区分支給限度基準額	
	令和　年　月　日～令和　年　月　日　1月当たり	
（うち種類支給限度基準額）	サービスの種類	種類支給限度基準額
認定審査会の意見及びサービスの種類の指定		

（三）			
給付制限	内容	期間	
		開始年月日　令和　年　月　日	
		終了年月日　令和　年　月　日	
		開始年月日　令和　年　月　日	
		終了年月日　令和　年　月　日	
		開始年月日　令和　年　月　日	
		終了年月日　令和　年　月　日	
居宅介護支援事業者若しくは介護予防支援事業者及びその事業所の名称又は地域包括支援センターの名称		届出年月日　令和　年　月　日	
		届出年月日　令和　年　月　日	
		届出年月日　令和　年　月　日	
介護保険施設等	種類	入所等年月日　令和　年　月　日	
	名称	退所等年月日　令和　年　月　日	
	種類	入所等年月日　令和　年　月　日	
	名称	退所等年月日　令和　年　月　日	

(2) 被保険者証の再交付など

　被保険者は、被保険者証を破ったり汚したり、紛失したときは、ただちに市町村に再交付を申請します。一方、紛失した被保険者証を発見した場合や、被保険者資格を失ったときには、すみやかに被保険者証を市町村に返還します。

　また、市町村は、任意で期日を定めて被保険者証の検認または更新を行うことができます。この場合に被保険者は市町村に被保険者証を提出し、市町村は、被保険者に検認または更新した被保険者証を交付します。

被保険者証は、要介護認定の申請時や届出をするとき、保険給付を受けるときに必要です。またケアマネジャーが受給資格などの確認に使用します。

 ＼ チャレンジ！ ／
過去＆予想問題

できたらチェック ☑

	問題		解答
□1	第1号被保険者とは、市町村の区域内に住所を有する40歳以上65歳未満の医療保険加入者である。 予想	✕	これは第2号被保険者の要件である
□2	日本に住所を有しない海外長期滞在者は、日本国籍を有していても、介護保険の被保険者とならない。 予想	○	
□3	（65歳以上の者であって、介護保険の被保険者とならないもの）障害者総合支援法の生活介護および施設入所支援の支給決定を受けて、指定障害者支援施設に入所している精神障害者 R1	○	
□4	生活保護法上の救護施設の入所者は、被保険者とならない。 予想	○	
□5	年齢到達による資格取得時期は、誕生日の当日となる。 予想	✕	前日
□6	第1号被保険者が生活保護の被保護者となった場合は、被保険者資格を喪失する。 R4	✕	喪失しない
□7	（介護保険制度における住所地特例の適用があるもの）地域密着型介護老人福祉施設 R5	✕	適用されない
□8	障害者総合支援法による指定障害者支援施設を退所した者が介護保険施設に入所した場合は、介護保険施設のある住所地の市町村の被保険者となる。 予想	✕	指定障害者支援施設入所前の住所地の市町村の被保険者
□9	住所地特例適用被保険者は、所在する市町村の地域密着型サービスを利用できない。 予想	✕	利用できる
□10	被保険者証は、すべての第2号被保険者に交付される。 予想	✕	全員に交付されるのは第1号被保険者

要介護認定・要支援認定の概要と申請手続き

レッスンの
ポイント

● 審査・判定などの基準は全国一律である
● 第2号被保険者は特定疾病が認定の要件である
● 認定申請は本人以外に代行可能である
● 新規の認定調査は、原則市町村が行う

1 要介護状態・要支援状態

　被保険者が、介護保険の給付を受けるためには、市町村に要介護認定・要支援認定を申請し、要介護状態にある要介護者または要支援状態にある要支援者と認定される必要があります。

◉要介護状態・要支援状態の定義

要介護状態	身体上または精神上の障害があるために、入浴、排泄（はいせつ）、食事などの日常生活における基本的な動作の全部または一部について、6か月にわたり継続して、常時介護を要すると見込まれる状態。
要支援状態	身体上もしくは精神上の障害があるために、入浴、排泄、食事などの日常生活における基本的な動作の全部もしくは一部について、6か月にわたり継続して、常時介護を要する状態の軽減もしくは悪化の防止のために支援を要する、または日常生活を営むのに支障があると見込まれる状態。

+1 プラスワン

要介護状態等の区分
要介護状態は5段階、要支援状態は2段階。
→ P56

ココでた！

R4 問17
R3 問4
R1 問4

第1号被保険者の認定では、要介護状態等の原因は問われません。

2 特定疾病

　40歳以上65歳未満の第2号被保険者は、その**要介護状態または要支援状態の原因が**特定疾病でなければ認定されません。
　特定疾病は、継続して介護が必要となる疾病のうち、本来高齢者に発生する疾病が65歳未満で発生する場合を想定したもので、心身の病的な加齢現象と医学的関係がある疾病です。次の16の疾病が指定されています。

- ● がん（いわゆるがん末期）
- ● 関節リウマチ
- ● 筋萎縮性側索硬化症
- ● 後縦靱帯骨化症
- ● 骨折を伴う骨粗鬆症
- ● 初老期における認知症（アルツハイマー病、血管性認知症、レビー小体型認知症など）
- ● 進行性核上性麻痺、大脳皮質基底核変性症およびパーキンソン病
- ● 脊髄小脳変性症
- ● 脊柱管狭窄症
- ● 早老症
- ● 多系統萎縮症（シャイ・ドレーガー症候群、オリーブ橋小脳萎縮症、線条体黒質変性症）
- ● **糖尿病性**神経障害、**糖尿病性**腎症および**糖尿病性**網膜症
- ● 脳血管疾患
- ● 閉塞性動脈硬化症
- ● 慢性閉塞性肺疾患（慢性気管支炎、肺気腫、気管支喘息、びまん性汎細気管支炎）
- ● 両側の膝関節または股関節に著しい変形を伴う変形性関節症

+1 プラスワン

難病法
従来の特定疾患治療研究事業は、2015（平成27）年1月から、「難病の患者に対する医療等に関する法律」（難病法）に基づく特定医療費助成制度に移行した。助成対象となる「指定難病」は2024（令和6）年4月現在で341疾病。

「パーキンソン病は、ホーエン＆ヤールの重症度分類の程度にかかわりない」「がんは末期のみ」に特定疾病に該当するというポイントが過去に出題されているよ。「糖尿病は合併症がある場合」に特定疾病に該当するという点にも注意しておこう。

ココでた！

R5 問19
R3 問18

❸ 要介護認定・要支援認定の概要

（1）認定の流れ

申請を受けた市町村は、認定調査を行うとともに主治医に意見を求め、介護認定審査会に「一次判定結果」と「主治医意見書」等を送付して、審査・判定を求めます。そして、その判定結果に基づいて認定をし、被保険者に通知します。なお、認定調査や審査・判定は、公平・客観性の観点から、国の定める全国一律の基準で行われます。

（2）みなし認定

要介護認定と要支援認定の手順は基本的に同じですが、法律上は別々の手続きとなっています。要介護認定を申請した被保険者が要支援状態に該当する場合は、要支援認定の申請がなされたものとして扱われます（みなし認定）。逆の場合も同様です。

●要介護認定とサービス利用の流れ

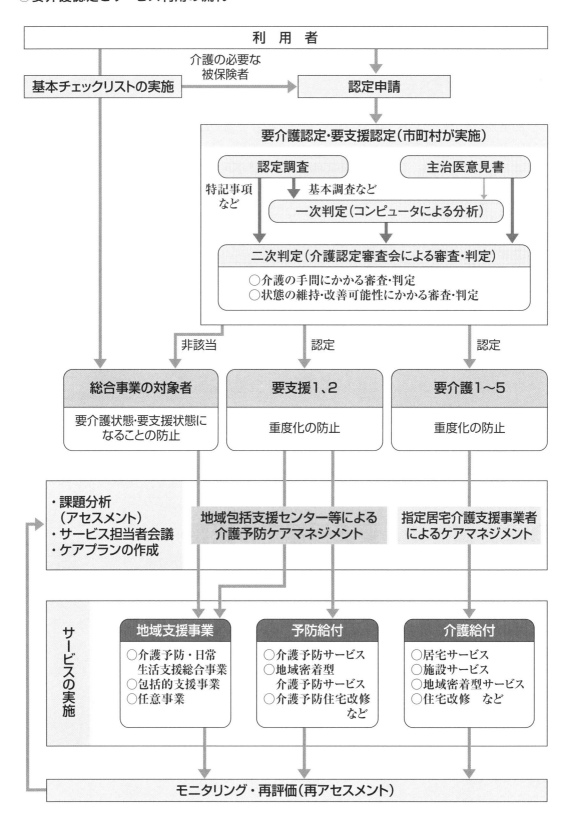

4 認定申請

　被保険者は、申請書に必要事項を記入し、介護保険被保険者証を添付して、市町村の窓口に申請します（被保険者証の交付を受けていない第2号被保険者の場合は不要）。また、第2号被保険者は、医療保険の被保険者証を提示します。

　認定申請は、下記の者に申請代行・代理が可能となっています。

- 地域包括支援センター
- 指定居宅介護支援事業者、地域密着型介護老人福祉施設、介護保険施設（運営基準の要介護認定等の申請にかかる援助の規定に違反したことのない者）
- 社会保険労務士法に基づく社会保険労務士
- 民生委員、成年後見人、家族、親族等

5 認定調査

(1) 認定調査の実施

　申請を受けた市町村は、担当職員（福祉事務所のケースワーカーや市町村保健センターの職員など）が被保険者に面接して、全国一律の認定調査票をもとに認定調査を行います。なお、被保険者が遠隔地に住んでいる場合は、その被保険者が居住する市町村に調査を嘱託することが可能です。

　新規認定の調査は、原則的に市町村が行いますが、指定市町村事務受託法人には、例外的に調査の委託が可能です。

　更新認定および変更認定の調査は、市町村が行うほか、下記の者に委託することが可能です。

- 指定市町村事務受託法人
- 地域包括支援センター
- 指定居宅介護支援事業者、地域密着型介護老人福祉施設、介護保険施設、介護支援専門員（運営基準の利益供与などの禁止の規定などに違反したことのない者）

　なお、認定調査の受託者には守秘義務が課せられ、刑法などの罰則の適用に関しては、公務員と同等とみなされます。

ココでた！
R5 問18
R4 問8
R1 問21

＋1 プラスワン

資格者証
要介護認定の申請時に、被保険者証の提出と引きかえに、資格者証（暫定被保険者証）が発行され、認定結果が記載された被保険者証が交付されるまでの間、被保険者証の代わりに用いられる。

ココでた！
R5 問19　R4 問8
R4 問18　R3 問16
R1 問22

 用語

指定市町村事務受託法人
都道府県知事の指定する、一定の要件を満たした法人。認定調査などの事務、文書等の物件の提出の求めなどの事務などを行う。

介護支援分野

Lesson 08　★★★　要介護認定・要支援認定の概要と申請手続き

基本調査は、利用者の心身の状況などを調べるものだから、調査項目に「家族の介護力」などは含まれないよ。

(2) 認定調査票

認定調査票には、概況調査（基本的なプロフィール）、基本調査、特記事項があります。このうち基本調査は、心身の状況や特別な医療、日常生活自立度に関連する調査項目から成り、コンピュータに入力されて一次判定の結果に反映されます。

特記事項は、基本調査を文章で補完するもので、介護認定審査会による審査・判定（二次判定）の資料となります。

●基本調査の調査項目

第1群	身体機能・起居動作に関連する項目（麻痺^{まひ}等の有無、拘縮の有無、寝返り、起き上がり、座位保持、両足での立位、歩行、立ち上がりなどの13項目）
第2群	生活機能に関連する項目（移乗、移動、えん下^げ、食事摂取、排尿、排便、口腔清潔、洗顔、整髪、上衣の着脱、ズボン等の着脱、外出頻度の12項目）
第3群	認知機能に関連する項目（意思の伝達、短期記憶、徘徊^{はいかい}など9項目）
第4群	精神・行動障害に関連する項目（被害的、作話^{さくわ}、感情が不安定、昼夜逆転、同じ話をする、大声を出す、介護に抵抗するなど15項目）
第5群	社会生活への適応に関連する項目（薬の内服、金銭の管理、日常の意思決定、集団への不適応、買い物、簡単な調理の6項目）
その他	特別な医療に関連する項目（過去14日間に受けた特別な医療）
	日常生活自立度に関連する項目（障害高齢者の日常生活自立度、認知症高齢者の日常生活自立度）

コッでた！
R4 問8
R4 問16
R2 問19

注目！

主治医意見書は介護支援専門員に活用が求められている書類であり、どのような項目があるのかが繰り返し出題されている。

コッでた！
R3 問16
R1 問22

⑥ 主治医意見書

市町村は、認定調査と同時に、被保険者が申請書に記載した主治医に、主治医意見書（全国一律の様式）への記載を求めます。

主治医がいない場合は、**市町村の指定する医師や市町村の職員である医師が診断**し、主治医意見書を作成します。この主治医意見書の記載は、一次判定で一部用いられますが、介護認定審査会による二次判定での重要な資料となります。

⑦ 申請の却下

市町村は、被保険者が正当な理由なく認定調査に応じないときや、被保険者が正当な理由なく市町村の指定する医師などの診断に応じないときは、申請を却下することができます。

●主治医意見書の項目

0. 基本情報（申請者の氏名・性別・住所、主治医の氏名・医療機関名・所在地など）

1. 傷病に関する意見（診断名、症状としての安定性など）

2. 特別な医療（過去14日間以内に受けた医療）

処置内容　□点滴の管理　□中心静脈栄養　□透析　□ストーマの処置　□酸素療法
　　　　　□レスピレーター　□気管切開の処置　□疼痛の看護　□経管栄養

特別な対応　□モニター測定（血圧、心拍、酸素飽和度等）　□褥瘡の処置

失禁への対応　□カテーテル（コンドームカテーテル、留置カテーテル等）

> 看護の度合いを把握

3. 心身の状態に関する意見

(1) 日常生活の自立度等について
　　• 障害高齢者の日常生活自立度（寝たきり度）　• 認知症高齢者の日常生活自立度

(2) 認知症の中核症状（認知症以外の疾患で同様の症状を認める場合を含む）
　　• 短期記憶　• 日常の意思決定を行うための認知能力　• 自分の意思の伝達能力

(3) 認知症の行動・心理症状（BPSD）（認知症以外の疾患で同様の症状を認める場合を含む）
　　□幻視・幻聴　□妄想　□昼夜逆転　□暴言　□暴行　□介護への抵抗　□徘徊　□火の不始末
　　□不潔行為　□異食行動　□性的問題行動　□その他

(4) その他の精神・神経症状（専門医受診の有無）

(5) 身体の状態

> 利き腕、身長、体重は介護の手間を考えるうえで必要。体重の変化は栄養状態の把握の目安となる

　　• 利き腕　• 身長　• 体重（過去6か月の体重の変化）
　　□四肢欠損　□麻痺　□筋力の低下　□関節の拘縮　□関節の痛み　□失調・不随意運動　□褥瘡
　　□その他の皮膚疾患

4. 生活機能とサービスに関する意見

(1) 移動
　　• 屋外歩行　• 車いすの使用　• 歩行補助具・装具の使用

(2) 栄養・食生活
　　• 食事行為　• 現在の栄養状態
　　⇨栄養・食生活上の留意点（　　　　　　　　　　　　　　　　　　　　　　）

(3) 現在あるかまたは今後発生の可能性の高い状態とその対処方針
　　□尿失禁　□転倒・骨折　□移動能力の低下　□褥瘡　□心肺機能の低下　□閉じこもり
　　□意欲低下　□徘徊　□低栄養　□摂食・嚥下機能低下　□脱水　□易感染性　□がん等による疼痛
　　□その他
　　⇨対処方針（　　　　　　　　　　　　　　　　　　　　　　　　　）

(4) サービス利用による生活機能の維持・改善の見通し

> 主治医が医療サービスの必要性を判断

(5) 医学的管理の必要性（予防給付により提供されるサービスを含む）
　　□訪問診療　□訪問看護
　　□訪問歯科診療　□訪問薬剤管理指導　□訪問リハビリテーション
　　□短期入所療養介護　□訪問歯科衛生指導　□訪問栄養食事指導
　　□通所リハビリテーション　□老人保健施設　□介護医療院
　　□その他の医療系サービス　□特記すべき項目なし

> 赤い下線は、過去に試験で問われた項目です。

(6) サービス提供時における医学的観点からの留意事項
　　□血圧　□摂食　□嚥下　□移動　□運動　□その他　□特記すべき項目なし

(7) 感染症の有無

5. 特記すべき事項（情報提供書や障害者手帳の申請に用いる診断書等の写しの添付も可）

チャレンジ！ 過去&予想問題

できたら チェック ☑

	問 題	解 答
□1	要介護状態は、6か月にわたり継続して、常時介護を要する状態である。 予想	○
□2	第1号被保険者は、認定の際に、要介護状態等となった原因は問われない。 予想	○
□3	（介護保険における特定疾病として正しいもの）心筋梗塞 R1	✕ 特定疾病ではない
□4	糖尿病は、合併症がなくても特定疾病に指定される。 予想	✕ 合併症がある場合のみ
□5	（主治医意見書について）要介護認定を受けようとする被保険者は、申請書に添付しなければならない。 R2	✕ 市町村が主治医に対し、記載を求めるため添付は必要ない
□6	第1号被保険者は、認定申請の際に医療保険の被保険者証を提示する。 予想	✕ 必要ない
□7	認定の申請は、指定訪問看護事業者が代行できる。 予想	✕ 代行できない
□8	認定の申請は、社会保険労務士が代行できる。 予想	○
□9	更新認定の調査は、介護支援専門員に委託することができる。 R3	○
□10	新規認定の調査は、指定市町村事務受託法人に委託することができない。 R5	✕ 新規認定および更新認定・変更認定で委託可
□11	認定調査票の基本調査項目には、身体障害者障害程度等級は含まれない。 予想	○
□12	認定調査票の基本調査項目には、介護者に関する項目は含まれない。 予想	○
□13	主治医がいない場合には、介護認定審査会が指定する医師が主治医意見書を作成する。 R4	✕ 市町村職員の医師か市町村の指定する医師が作成
□14	（要介護認定にかかる主治医意見書における「認知症の中核症状」の項目として正しいもの）自分の意思の伝達能力 R4	○
□15	主治医意見書の項目には、「介護の状況」が含まれる。 予想	✕ 含まれない
□16	被保険者が正当な理由なく認定調査に応じない場合には、市町村は申請を却下することができる。 R3	○

Lesson 09

重要度 **A** ★★★

審査・判定と市町村の認定

レッスンの
ポイント

- ●一次判定は、要介護認定等基準時間で判定する
- ●二次判定は介護認定審査会が行う
- ●介護認定審査会は、被保険者などの意見を聴くことができる
- ●審査・判定は合議体による議決で行われる

1 コンピュータによる一次判定

(1) 要介護認定等基準時間

一次判定では、認定調査の基本調査などをもとに要介護認定等基準時間を推計し、それにより要介護状態区分等を判定します。これが一次判定結果となります。

要介護認定等基準時間とは、基本調査の項目を5分野（8種類）に区分し、コンピュータで分析して1日に必要な介護時間を算出するものです。ただし、これは介護の手間（介護の必要の程度）を判断する指標となるもので、実際の介護サービスや家庭での介護の時間を表すものではありません。

●5分野（8種類）の行為

直接生活介助	入浴、排泄、食事などの介護。
間接生活介助	洗濯、掃除などの家事援助など。
認知症の行動・心理症状（BPSD）関連行為	徘徊に対する探索など。
機能訓練関連行為	歩行訓練、日常生活訓練などの機能訓練。
医療関連行為	輸液の管理、褥瘡の処置などの診療の補助など。

(2) 一次判定のしくみ

一次判定のコンピュータの算出方法には、樹形図のように分岐していく樹形モデルが用いられています。基本調査の調査項目などごとに選択肢が設けられ、1分間タイムスタディ・データのなかから、その心身の状況が最も近い高齢者のデータが探し出され、

ココでた！
R5 問19
R4 問18

+1 プラスワン

一次判定での主治医意見書の利用

運動能力の低下していない認知症の人の判定を正確に行うため、主治医意見書の「理解および記憶」の記載が反映されることがある。

+1 プラスワン

直接生活介助は、樹形モデルでさらに「食事」「排泄」「移動」「清潔保持」の4つにわけられる。

用語

1分間タイムスタディ・データ

介護老人福祉施設などに入所している3,500人の高齢者について、48時間にわたり、どのような介護サービスがどれくらいの時間にわたって行われたかを調べて得たデータ。

分岐していきます（下図参照）。基本調査の「特別な医療に関連する項目」がある場合はこれも合算されます。

●樹形モデルの簡単なイメージ

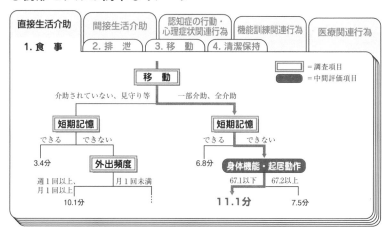

こうして合算された要介護認定等基準時間により、非該当（自立）、要支援1、2、要介護1～5のいずれにあてはまるかの一次判定結果が示されます。

●要介護認定等基準時間と要介護状態区分等

要支援	要支援1	要介護認定等基準時間が25分以上32分未満またはこれに相当する状態
	要支援2	要支援状態の継続見込み期間にわたり継続して常時介護を要する状態の軽減または悪化の防止に特に資する支援を要すると見込まれ、要介護認定等基準時間が32分以上50分未満またはこれに相当する状態
要介護	要介護1	要介護認定等基準時間が32分以上50分未満またはこれに相当する状態（要支援2に該当するものを除く）
	要介護2	要介護認定等基準時間が50分以上70分未満またはこれに相当する状態
	要介護3	要介護認定等基準時間が70分以上90分未満またはこれに相当する状態
	要介護4	要介護認定等基準時間が90分以上110分未満またはこれに相当する状態
	要介護5	要介護認定等基準時間が110分以上またはこれに相当する状態

　市町村は、この一次判定の結果と、認定調査票の特記事項、主治医意見書を介護認定審査会に通知して、審査・判定を求めます。

2 介護認定審査会による二次判定

ココでた！
R3 問18
R2 問18

介護認定審査会は、一次判定の結果を原案として、認定調査票の特記事項、主治医意見書の内容を踏まえ、次の点について審査・判定（二次判定）を行います。

- 第2号被保険者については、その心身の状態が特定疾病に該当するかどうか。
- 要介護状態または要支援状態に該当するかどうか。
- 該当する要介護状態区分、要支援状態区分。

審査・判定にあたり必要があれば、被保険者、家族、主治医、**認定調査員などの関係者の意見を聴く**ことができます。

そして、審査・判定結果を市町村に通知します。その際に、**必要があると認めるときは、意見を述べる**ことができます。

介護認定審査会の意見
→ P59

3 介護認定審査会の委員・議決

（1）介護認定審査会の設置と委員

介護認定審査会は、市町村の附属機関として設置されます。

ココでた！
R2 問18

◉介護認定審査会の委員

委員	保健・医療・福祉の学識経験者
委員定数	審査・判定の件数などを考慮し、必要数の合議体を設置できる員数を市町村が条例で定める
選任	市町村長が任命
身分	特別職の非常勤公務員、守秘義務あり
任期	2年（市町村が条例に定める場合は、2年を超え3年以下の期間）で、再任されることができる

（2）合議体による審査・判定

審査・判定は、介護認定審査会の会長が指名する合議体により行われます。合議体の定数は、5人を標準に、市町村が定めます。合議体には、委員の互選により長を1人置きます。その長が出席できないときには、あらかじめ指名された委員が代行します。

また、構成する委員の過半数が出席しなければ、会議を開いたり議決を行ったりすることはできません。

議事は、出席した委員の過半数によって議決し、可否同数の場

用 語

合議体
委員のなかから構成する、合議のための小さな集まり。

＋1 プラスワン

5人を標準
更新認定の場合、委員の確保が著しく困難な場合などは、3人以上5人未満の数を定めることができる。

合は合議体の長が決することとされます。

4 要介護認定等の広域的実施

要介護認定は、介護認定審査会委員の確保、近隣市町村間での公平な判定、認定事務の効率化といった目的から、複数**の市町村による介護認定審査会の**共同設置、都道府県**や他市町村への**審査・判定**業務の**委託、広域連合・一部事務組合の活用による、**広域的な実施**が認められています。都道府県が委託を受けた場合は、都道府県介護認定審査会が設置されます。

ただし、複数の市町村による共同設置や委託の場合は、認定調査や認定自体は各市町村が行わなければなりません。

広域連合・一部事務組合で実施する場合は、認定調査や認定も含めて行うことができます。

5 市町村による認定と通知

(1) 被保険者への通知

市町村は、介護認定審査会の審査・判定結果に基づき、認定または不認定の決定を行い、その結果を被保険者に通知します。その際に、該当する要介護状態区分または要支援状態区分と、介護認定審査会の意見（→ P59）が付されている場合はその意見を**被保険者証に記載**して、被保険者証を返還します。

また、要介護認定等に該当しないと認めたときは、被保険者にその結果と理由を通知し、被保険者証を返還します。

なお、被保険者は、市町村の決定内容に不服がある場合は、都道府県に設置された介護保険審査会に審査請求をすることができます。

(2) 認定までの期間

認定申請に対する処分は、原則として**申請のあった日から30日以内**に行われます。

ただし、調査に日時を要するなど特別の理由がある場合は、延期されることもあります。この場合は、申請のあった日から30日以内に、被保険者にその理由と申請処理に要する見込期間を通知します。

+1 プラスワン

共同設置の支援
市町村が共同で介護認定審査会を設置した場合、都道府県は市町村間の調整や助言など、必要な援助を行う。
広域連合・一部事務組合
→ P35

コでた！
R2 問18
R1 問23

不服審査
→ P136

6 介護認定審査会の意見とサービスの種類の指定

市町村は、介護認定審査会から①療養に関する事項（下表）について意見が述べられている場合は、その意見に基づき、その**被保険者が受けられる**サービスの種類を指定することができます。指定された以外のサービスについては、**保険給付が行われません**。また、②留意すべき事項について述べられている場合は、事業者や施設、介護支援専門員は、その意見に配慮してサービスを提供したり、居宅サービス計画を立てたりする必要があります。

なお、被保険者は、市町村に対して、指定されたサービスの種類について変更の申請を行うことができます。

ココでた！
R3 問18
R2 問18
R1 問23

介護認定審査会はサービスの種類を指定することができる、なんてひっかけ問題にも気をつけて！

● 介護認定審査会の付帯意見

①要介護状態または要支援状態の軽減または悪化の防止のために必要な療養に関する事項（要支援者については、必要な家事援助に関する事項を含む）。
②サービス（要支援者については、介護予防・日常生活支援総合事業を含む）の適切かつ有効な利用などに関し、被保険者が留意すべき事項。
③認定の有効期間の短縮や延長に関する事項。

7 新規認定と認定の効力の発生

新規認定された場合、有効期間は原則6か月です。認定の効力は申請日に遡ります。このため、**申請日から**、暫定居宅サービス計画等を作成すれば、介護保険のサービスを法定代理受領による**現物給付（利用時に1割または2割か3割の支払い）で受けること**ができます。また、認定申請前にサービスを利用していた場合は、緊急やむを得ないなどの理由があり、市町村が必要と認めれば、償還払いで給付を受けることができます。

ココでた！
R3 問16
R1 問23

8 更新認定

引き続き要介護状態等にある被保険者は、認定の効力が途切れないように、**有効期間満了日の60日前から**満了日までの間に更新認定の申請を行うことができます。

その手続きは、基本的に新規認定と同様です。更新認定された場合の有効期間は原則12か月で、その効力は、更新前の認定の**有効期間満了日の翌日**から発生します。

ココでた！
R5 問18
R3 問17
R1 問23

+1 プラスワン

更新認定の申請は有効期間満了日までできるが、遅くとも満了日の30日前までに申請できるよう、事業者等が援助することが、運営基準に定められている。

注目！

区分変更の認定、更新認定、住所移転時の認定については、過去に一定の頻度で出題されており、今年は注意が必要。

9 区分変更の認定

（1）被保険者の申請による認定区分の変更申請

認定を受けた被保険者は、**認定の有効期間満了前**でも、要介護度等に変化があった場合は、要介護状態区分または要支援状態区分の**変更認定を市町村に申請**することができます。認定された場合の有効期間と効力の発生日は、新規認定と同じです。

（2）職権による区分変更認定

市町村は、認定を受けた被保険者の**介護の必要の程度が**低下し、より軽度の要介護状態区分等に変更する必要がある場合は、**有効期間満了前**でも、**被保険者の申請を待たずに**職権によって要介護状態区分等の**変更の認定（変更認定）**をすることができます。有効期間は新規認定と同じで、認定の効力は市町村の処分日（認定日）から発生します。

 ココでた！

R3 問17
R1 問23

+1 プラスワン

認定の有効期間延長
2021（令和3）年度から、更新認定で要介護度に変更がない人の有効期間の上限が36か月から48か月に延長された。

10 認定の有効期間

認定の有効期間は、介護認定審査会の意見に基づき、市町村が必要と認める場合は、短縮や延長が認められています。

●要介護認定等の有効期間（原則）と設定可能な範囲

	原則有効期間	設定可能範囲
新規認定	6か月	3～12か月
区分変更認定	6か月	3～12か月
更新認定	12か月	3～36か月
		3～48か月※

※要介護度・要支援度に変更がない場合

11 認定の取り消し

市町村は、被保険者が**要介護者等に**該当しなくなったときや、正当な理由なく認定調査や主治医意見書のための診断に応じないときは、有効期間満了前でも、**認定を取り消す**ことができます。

 ココでた！

R2 問17

12 住所移転時の認定

要介護認定等を受けた被保険者が住所を移転して、保険者であ

る市町村が変わる場合は、新しい市町村において、あらためて認定を受ける必要があります。ただし、この場合には、審査・判定**は行われず**、前の市町村での審査・判定結果に基づいて、認定を受けることができます。この場合は新規認定となり、認定の有効期間は6か月です。

　実際の手続きは、まず被保険者が移転前の市町村から認定に関する証明書類の交付を受け、その書面を添えて移転先の市町村に認定の申請を転入日から14日以内に行います。

＼＼ チャレンジ！ ／／
過去&予想問題

できたら
チェック ☑

	問　題	解　答
☐1	要介護認定等基準時間は、実際の介護時間とは異なる。 R4	◯
☐2	要介護認定等基準時間には、「輸液の管理」が含まれる。 予想	◯
☐3	（介護認定審査会について）必要があると認めるときは、主治の医師の意見を聴くことができる。 R2	◯
☐4	介護認定審査会の委員には、必ず市町村の職員が含まれる。 予想	✕ 学識経験者
☐5	介護認定審査会は、複数の市町村が共同で設置することができる。 予想	◯
☐6	要介護認定の処分の決定が遅れる場合の処理見込期間の通知は、申請日から30日以内に行わなければならない。 予想	◯
☐7	介護認定審査会は、被保険者が受けることができるサービスの種類を指定することができる。 予想	✕ サービスの種類の指定をするのは市町村
☐8	新規認定の効力は、認定日に生じる。 予想	✕ 申請日
☐9	更新認定の申請ができるのは、原則として、有効期間満了の日の30日前からである。 R3	✕ 有効期間満了の日の60日前から
☐10	被保険者の申請がない場合には、市町村は要介護状態区分の変更認定はできない。 予想	✕ 職権による区分変更認定ができる
☐11	市町村が特に必要と認める場合には、新規認定の有効期間を3月間から12月間までの範囲内で定めることができる。 R1	◯
☐12	被保険者が住所を移転した場合には、移転先の市町村であらためて審査・判定を受けなければならない。 予想	✕ 所定の手続きにより、移転先での審査・判定は省略され認定のみ行われる

10 重要度 B ★★★ 保険給付の種類

レッスンの
ポイント
- ●介護給付・予防給付は法定給付である
- ●市町村特別給付は、市町村が条例に定めて実施している
- ●市町村特別給付の財源は、第1号被保険者の保険料である
- ●保険給付の全体像への理解が問われる

■1 保険給付の種類

(1) 介護保険法の3つの保険給付

介護保険法による保険給付には、要介護者に対する介護給付、要支援者に対する予防給付、市町村独自に行う市町村特別給付があります。

市町村特別給付を行うと、第1号被保険者の保険料が高くなりますが、給付サービスの種類は増えるのです。

(2) 市町村特別給付

市町村特別給付は、要介護者・要支援者に対してなされる市町村独自の保険給付です。法定給付（介護保険法で実施が定められている給付）以外のサービス（例：移送サービス、配食サービスなど）を、市町村が条例に定め、給付の対象とします。

原則として、財源は第1号被保険者の保険料で賄われます。

●介護給付・予防給付の種類と提供サービスの関係

要介護者に対する介護給付		要支援者に対する予防給付	
給付の名前	提供サービス	給付の名前	提供サービス
居宅介護サービス費	居宅サービス	介護予防サービス費	介護予防サービス
特例居宅介護サービス費		特例介護予防サービス費	
地域密着型介護サービス費	地域密着型サービス	地域密着型介護予防サービス費	地域密着型介護予防サービス
特例地域密着型介護サービス費		特例地域密着型介護予防サービス費	
居宅介護福祉用具購入費	特定福祉用具販売	介護予防福祉用具購入費	特定介護予防福祉用具販売
居宅介護住宅改修費	住宅改修	介護予防住宅改修費	住宅改修

居宅介護サービス計画費	居宅介護支援	介護予防サービス計画費	介護予防支援
特例居宅介護サービス計画費		特例介護予防サービス計画費	
施設介護サービス費	施設サービス	（施設サービスの給付はない）	
特例施設介護サービス費			
高額介護サービス費	※利用者負担を軽減するための給付（→ P70、71）	高額介護予防サービス費	※利用者負担を軽減するための給付（→ P70、71）
高額医療合算介護サービス費		高額医療合算介護予防サービス費	
特定入所者介護サービス費		特定入所者介護予防サービス費	
特例特定入所者介護サービス費		特例特定入所者介護予防サービス費	

2 居宅介護サービス費

要介護者が、都道府県知事の**指定**を受けた**指定居宅サービス事業者**から①～⑪の指定居宅サービスを受けたときに、**居宅介護サービス費**が現物給付されます。

現物給付
→ P30、P69

●居宅サービスの種類

①訪問介護（→ P358）
②訪問入浴介護（→ P364）
③訪問看護（→ P296）
④訪問リハビリテーション（→ P302）
⑤居宅療養管理指導（→ P306）
⑥通所介護（→ P368）
⑦通所リハビリテーション（→ P310）
⑧短期入所生活介護（→ P372）
⑨短期入所療養介護（→ P316）
⑩特定施設入居者生活介護（→ P377）
⑪福祉用具貸与（→ P382）
⑫特定福祉用具販売（→ P382）

特定福祉用具販売は、居宅サービスだけど、給付は「居宅介護福祉用具購入費」で償還払いになる（→ P64）。この点も頻出だよ。

3 地域密着型介護サービス費

要介護者が、市町村長の**指定**を受けた**指定地域密着型サービス事業者**から次の指定地域密着型サービスを受けたときに、**地域密着型介護サービス費**が現物給付されます。

●地域密着型サービスの種類

①定期巡回・随時対応型訪問介護看護（→ P320）
②夜間対応型訪問介護（→ P391）
③地域密着型通所介護（→ P394）
④認知症対応型通所介護（→ P398）
⑤小規模多機能型居宅介護（→ P401）
⑥認知症対応型共同生活介護（→ P405）
⑦地域密着型特定施設入居者生活介護（→ P409）
⑧地域密着型介護老人福祉施設入所者生活介護（→ P410）
⑨看護小規模多機能型居宅介護(複合型サービス)（→ P324）

4 居宅介護福祉用具購入費

居宅の要介護者が、特定福祉用具販売を行う指定居宅サービス事業者から、厚生労働大臣が定める種類の特定福祉用具を購入した場合に、**居宅介護福祉用具購入費**が償還払いで支給されます。

5 居宅介護住宅改修費

要介護者が一定の住宅改修を行った場合、手すりの取り付けなど厚生労働大臣が定める種類の住宅改修を行った場合に、**居宅介護住宅改修費**が償還払いで支給されます。**指定事業者は定められていません。**

6 居宅介護サービス計画費

要介護者が、市町村長の**指定**を受けた**指定居宅介護支援事業者**から、指定居宅介護支援を受けたときに、**居宅介護サービス計画費**として費用の10割が現物給付されます。

7 施設介護サービス費

要介護者が、都道府県知事の**指定**（介護老人保健施設、介護医療院の場合は許可）を受けた介護保険施設（指定介護老人福祉施設、介護老人保健施設、介護医療院）に入所して次の指定施設サービスを受けたときに、施設介護サービス費が現物給付されます。

📖 用語

特定福祉用具
貸与になじまない入浴または排泄のための福祉用具。

+1 プラスワン

福祉用具購入と住宅改修は、単独で支給限度額が定められる。
→ P78、79

◉施設サービスの種類

①介護福祉施設サービス (→ P412)	介護老人福祉施設の入所者が対象。
②介護保健施設サービス (→ P329)	介護老人保健施設の入所者が対象。
③介護医療院サービス (→ P338)	介護医療院の入所者が対象。

8 介護予防サービス費

要支援者が、都道府県知事の**指定**を受けた**指定介護予防サービス事業者**から①〜⑨の指定介護予防サービスを受けたときに、**介護予防サービス費**が**現物給付**されます。

◉介護予防サービスの種類

①介護予防訪問入浴介護 (→ P366)
②介護予防訪問看護 (→ P300)
③介護予防訪問リハビリテーション (→ P304)
④介護予防居宅療養管理指導 (→ P309)
⑤介護予防通所リハビリテーション (→ P314)
⑥介護予防短期入所生活介護 (→ P376)
⑦介護予防短期入所療養介護 (→ P319)
⑧介護予防特定施設入居者生活介護 (→ P381)
⑨介護予防福祉用具貸与 (→ P386)
⑩特定介護予防福祉用具販売 (→ P387)

9 地域密着型介護予防サービス費

要支援者が、市町村長の**指定**を受けた**指定地域密着型介護予防サービス事業者**から指定地域密着型介護予防サービスを受けたときに、**地域密着型介護予防サービス費**が現物給付されます。

◉地域密着型介護予防サービスの種類

①介護予防認知症対応型通所介護 (→ P400)
②介護予防小規模多機能型居宅介護 (→ P404)
③介護予防認知症対応型共同生活介護 (→ P408)

コ コでた！
R3 問9

地域密着型介護予防サービスは、3つしかないことに着目！キーワードは「認知症」「小規模」です。

コ コでた！
R2 問2

福祉用具や住宅改修の対象となる種目は介護給付と同じです。

⑩ 介護予防福祉用具購入費

　居宅の要支援者が、特定介護予防福祉用具販売を行う指定介護予防サービス事業者から厚生労働大臣が定める特定介護予防福祉用具を購入した場合に、介護予防福祉用具購入費が償還払いで支給されます。

⑪ 介護予防住宅改修費

　要支援者が一定の住宅改修を行った場合、介護予防住宅改修費が償還払いで支給されます。**指定事業者は定められていません。**

⑫ 介護予防サービス計画費

　要支援者が、市町村長の**指定**を受けた**指定介護予防支援事業者**から指定介護予防支援を受けたときに、**介護予防サービス計画費**として費用の10割が現物給付されます。

⑬ 特例サービス費

　「特例居宅介護サービス費」のように、給付名の前に特例がつくものは、次のような場合に、市町村が必要と認めれば償還払いで保険給付がされます。

◉ **特例サービス費が給付される場合**

> ①認定の申請前にサービスを受けた場合。
> ②基準該当サービスを受けた場合。
> ③離島などにおける相当サービスを受けた場合。
> ④緊急などのやむを得ない理由で、被保険者証を提示しないでサービスを受けた場合。

基準該当サービス、離島などにおける相当サービス
→ P95

チャレンジ！ 過去＆予想問題

できたらチェック ☑

	問題	解答
□1	介護保険法による保険給付には、介護給付、予防給付、市町村特別給付、地域支援事業がある。 予想	✕ 地域支援事業は保険給付による事業ではない
□2	市町村特別給付は、要介護者および要支援者が対象である。 予想	◯
□3	市町村特別給付に要する費用には、第1号被保険者の保険料が充当される。 予想	◯
□4	特例特定入所者介護サービス費は、介護給付のひとつである。 予想	◯
□5	介護給付の種類には、特例居宅介護住宅改修費の支給が含まれる。 予想	✕ 「特例居宅介護住宅改修費」は存在しない
□6	高額医療合算介護サービス費の支給は、介護給付のひとつである。 予想	◯
□7	施設介護サービス計画費の支給は、介護給付のひとつである。 予想	✕ 「施設介護サービス計画費」は存在しない
□8	（都道府県知事が指定する事業者が行うサービスとして正しいもの）特定福祉用具販売 R3	◯
□9	住宅改修は、指定を受けた施工業者がサービス提供をする。 予想	✕ 指定事業者はない
□10	介護保険施設に、地域密着型介護老人福祉施設は、含まれない。 予想	◯
□11	（要支援者が利用できるサービスとして正しいもの）看護小規模多機能型居宅介護 R2	✕ 利用できない
□12	地域密着型介護予防サービスに、地域密着型通所介護は含まれる。 予想	✕ 含まれない
□13	被保険者証を提示しないで居宅サービスを受けた場合でも、居宅介護サービス費の支給対象となる。 予想	✕ 特例居宅介護サービス費の支給対象
□14	基準該当サービス事業者の提供する居宅サービスを受けた場合、特例居宅介護サービス費の支給対象となる。 予想	◯

介護支援分野 Lesson 10 ★★★ 保険給付の種類

利用者負担

**レッスンの
ポイント**

● 利用者負担は定率1割（または2割か3割）の応益負担である
● 食費、居住費などは保険給付の対象外である
● ケアプランへの位置づけが現物給付の要件である
● 低所得者には、さまざまな負担軽減策がある

■ 定率の利用者負担

　利用者が介護保険のサービスを利用した場合、サービス費用の定率1割を負担しますが、制度改正により、2015（平成27）年8月から一定以上所得のある第1号被保険者は2割負担となりました。さらに2018（平成30）年8月からは、2割負担者のうち特に所得の高い層（現役並み所得者）は、3割負担となりました。

　認定を受けた被保険者には市町村から負担割合証が交付され、サービスを利用する際には、事業者等に被保険者証とともに負担割合証を提示することになっています。

　なお、ケアマネジメントの費用である居宅介護サービス計画費等は10割が保険給付され、**利用者負担はありません。**

■ 保険給付の対象外となる費用

　下記については保険給付の対象外で、全額利用者負担です。なお、おむつ代については、施設サービス、地域密着型介護老人福祉施設入所者生活介護、短期入所サービスでは、保険給付の対象です。

+1 プラスワン

3割負担
3割負担になるのは、第1号被保険者全体のおよそ3～4％。また、第2号被保険者は、所得にかかわらず1割負担となる。

おむつ代は、通所系サービスや居住系のサービスでは給付されないよ！

> ● 施設サービス、地域密着型介護老人福祉施設入所者生活介護における食費・居住費
> ● 短期入所サービスにおける食費・滞在費
> ● 小規模多機能型居宅介護、看護小規模多機能型居宅介護における食費・宿泊費
> ● 通所介護など通所系サービスにおける食費
> ● 日常生活費（理美容代、教養娯楽費、おむつ代など）
> ● 本人の希望による特別なサービス

3 現物給付と償還払い

ココでた！
R5 問8

サービス利用時に、利用者が事業者・施設に費用をいったん全額支払い、あとで市町村から保険給付分の払い戻しを受けることを償還払いといいます。介護保険制度では、利便性などを考慮し、**一定の要件を満たした場合**には、事業者や施設に直接給付分の支払いがされる法定代理受領が行われ、利用者はサービス利用時に1割（または2割か3割）を支払い、現物給付でサービスを受けることができるようになっています。

◉**法定代理受領による現物給付の流れ**

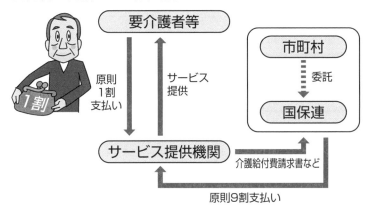

◉**法定代理受領による現物給付の要件（介護給付の場合）**

● 指定事業者・指定（許可）施設からサービスを受けること。	
利用するサービスの**居宅サービス計画への位置づけ** ※区分支給限度基準額が設定されず、ケアプランへの位置づけが不要なサービスは不要。	● あらかじめ指定居宅介護支援を利用する旨を市町村に届け出ること。 ● 指定居宅介護支援を利用しない場合は、**自ら作成した**居宅サービス計画を市町村に届け出ること。 ● 小規模多機能型居宅介護、看護小規模多機能型居宅介護では、あらかじめ利用する旨を市町村に届け出ること（居宅サービス計画は、小規模多機能型居宅介護事業所・看護小規模多機能型居宅介護事業所で作成）。
● 認定申請後にサービスを受けていること。	
● サービスを受ける際に被保険者証を提示すること。	

📖 **用語**

法定代理受領
サービスを提供した事業者や施設が被保険者に代わって保険者から保険給付を受けること（代理受領）。

支給限度基準額が設定されないサービス
→ P80

+1 プラスワン

介護保険法上、償還払いとなる場合
● 福祉用具購入費（特定福祉用具販売）、住宅改修費、高額介護サービス費、高額医療合算介護サービス費の支給
● 認定申請前のサービス利用
● 被保険者証の未提示
● 居宅サービス計画にないサービス利用
● 保険料を滞納した場合など

◢ 高額介護サービス費

　要介護者が1か月に支払った介護サービスの定率1割（または2割か3割）の**利用者負担額**が所得区分ごとに定められた負担上限額**を超えた場合**、高額介護サービス費（要支援者の場合は高額介護予防サービス費）として**超えた額が**償還払い**で支給**されます。

　ただし、福祉用具購入**費**と住宅改修**費**の利用者負担額については対象となりません。食費、居住費・滞在費、その他の日常生活費など別途利用者の自己負担となる分も対象外です。

　負担上限額を超えた額は世帯**単位**で合算され、個人の負担割合に応じてわけた額が払い戻されます。

◉所得に応じた負担上限額の設定

所得区分	上限額（月額）
課税所得約690万円以上 （年収約1,160万円以上）	140,100円（世帯）
課税所得約380万円以上約690万円未満 （年収約770万円以上約1,160万円未満）	93,000円（世帯）
課税所得約145万円以上約380万円未満 （年収約383万円以上約770万円未満）	44,400円（世帯）
市町村民税世帯非課税等	24,600円（世帯）
年金と所得額の合計が80万円以下等	24,600円（世帯）
	15,000円（個人）
生活保護受給者等	15,000円（個人）

◤ 高額医療合算介護サービス費

　要介護者が1年間に支払った介護サービス利用者負担額と、各医療保険における利用者負担額の合計額（高額介護サービス費、医療保険の高額療養費等が受けられる場合は、それらの適用を受けたうえでの額）が世帯の所得区分に応じた上限額を超えた場合、高額医療合算介護サービス費（要支援者の場合は高額医療合算介護予防サービス費）として、**超えた額がそれぞれの制度から**償還払い**で支給**されます。なお、福祉用具購入**費**と住宅改修**費**の自己負担分については対象となりません。

6 特定入所者介護サービス費

ココでた！
R2 問8

　低所得の要介護者が特定介護サービス（下表参照）を利用した場合、食費、居住費（滞在費）の負担限度額**を超える費用**について、特定入所者介護サービス費（要支援者の場合は特定入所者介護予防サービス費）が現物給付されます。利用者が負担するのは所得と資産の状況に応じて定められた負担限度額までとなります。

　給付額は、食費と居住費（滞在費）について、それぞれ基準費用額から負担限度額を控除した（差し引いた）額の合計額です。

◉**支給対象者と支給対象サービス**

対象者	生活保護受給者等と市町村民税世帯非課税者 ※現金、預貯金等が一定額を超える人は対象外。 ※世帯が違っていても、配偶者が市町村民税課税者である場合は対象外。 ※支給段階の判定にあたり、課税年金（老齢年金など）による収入のほか、非課税年金（遺族年金、障害年金）の収入も勘案。
支給対象となる特定介護サービス	● 施設サービス ● 地域密着型介護老人福祉施設**入所者生活介護** ● 短期入所生活**介護** ● 短期入所療養**介護**

+1 プラスワン

不正受給した場合
特定入所者介護サービス費等を不正受給した場合は、給付額の最大2倍を加算して徴収される。
→ P84

特定入所者介護サービス費は低所得者が対象。これに対して高額介護サービス費はすべての利用者が対象です。

+1 プラスワン

対象者には、申請により介護保険負担限度額認定証が交付される。

ココでた！
R2 問9

7 特別な事情による定率負担の減免

　市町村は、災害その他の**特別な事情**により、1割（または2割か3割）の定率負担が困難な利用者に対して、その負担を減額または免除することができます。給付率は、9割（または8割か7割）を超え、10割以下で定めます。対象となるのは、要介護者等またはその生計維持者が次のような場合です。

- 震災、風水害、火災などの災害により、住宅や家財などの財産に著しく損害を受けた。
- 生計維持者の死亡、心身の重大な障害や長期入院で収入が著しく減少した。
- 事業の休廃止や著しい損失、失業などで収入が著しく減少した。
- 農作物の不作や不漁などで収入が著しく減少した。

8 社会福祉法人等による利用者負担額軽減制度

社会福祉法人または市町村が経営する社会福祉事業体が、低所得者に一定の介護サービスを提供する場合に、利用者負担を軽減する制度です。

(1) 概要

対象者は、市町村民税世帯非課税者であって市町村が生計困難と認定した人および生活保護受給者です。軽減対象となる費用は、サービスの定率負担、食費、居住費（滞在費）、宿泊費です。

◉対象となる介護サービス

訪問系	●訪問介護　●夜間対応型訪問介護 ●定期巡回・随時対応型訪問介護看護
通所系	●通所介護 ●（介護予防）認知症対応型通所介護 ●地域密着型通所介護
短期入所系	●（介護予防）短期入所生活介護
居住系	●（介護予防）小規模多機能型居宅介護 ●看護小規模多機能型居宅介護
施設系	●介護老人福祉施設 ●地域密着型介護老人福祉施設入所者生活介護
地域支援事業	●第1号訪問事業のうち従来の介護予防訪問介護に相当する事業、第1号通所事業のうち従来の介護予防通所介護に相当する事業

(2) 軽減の程度

原則として利用者負担の4分の1（老齢福祉年金受給者は2分の1）で、市町村が申請者の収入や世帯の状況などを総合的に勘案して個別に決定します。ただし、生活保護受給者は利用者負担の全額が軽減されます。

(3) 介護保険の給付との関係

社会福祉法人等利用者負担額軽減制度は、**特定入所者介護サービス費等が支給されたあとの利用者負担額について適用**されます。

また、社会福祉法人等利用者負担額軽減制度が適用されたあとの利用者負担額に高額介護サービス費等が適用されます。

訪問入浴介護と福祉用具貸与、特定福祉用具販売は対象外だから注意。訪問看護、訪問リハビリテーションなどの一定の医療サービスも対象とならないよ。

+1 プラスワン

障害者ホームヘルプサービス利用者への支援措置との関係

障害者施策によるホームヘルプサービス事業を利用していた低所得の障害者が介護保険制度の適用を受けることになった場合、訪問介護と夜間対応型訪問介護などの費用は軽減措置が図られるが、これらの措置を適用したあとで、必要に応じて社会福祉法人等による利用者負担額軽減制度が適用される。

過去&予想問題

できたら
チェック ☑

	問 題	解 答
☐1	介護保険の利用者負担では、3割負担となる人もいる。 予想	◯
☐2	居宅介護サービス計画費は、全額保険給付される。 予想	◯
☐3	施設サービスにおけるおむつ代は、利用者が全額負担する。 予想	✕ 保険給付の対象
☐4	介護保険施設入所者の理美容代は、保険給付の対象となる。 予想	✕ 保険給付の対象外
☐5	(介護保険法において現物給付化されている保険給付) 高額介護サービス費の支給 R5	✕ 償還払いである
☐6	居宅サービス計画が作成されずに訪問看護を利用した場合には、償還払いになる。 予想	◯
☐7	生活保護の被保護者は、高額介護サービス費の支給対象とならない。 予想	✕ 被保険者であれば生活保護受給者も対象
☐8	住宅改修費の自己負担分については、高額介護サービス費の支給対象とならない。 予想	◯
☐9	高額介護サービス費は、世帯単位で算定される。 R2	◯
☐10	特定福祉用具の購入にかかる利用者負担は、高額医療合算介護サービス費の対象となる。 予想	✕ 対象外
☐11	特定入所者介護サービス費は、配偶者が市町村民税課税者でも世帯分離していれば対象となる。 予想	✕ 対象外
☐12	特定入所者介護サービス費の支給対象となるサービスに、特定施設入居者生活介護は含まれる。 予想	✕ 含まれていない
☐13	(定率の利用者負担を市町村が減免する場合として正しいもの) 要介護被保険者の要介護度が著しく悪化した場合 R2	✕ 減免の要件にあたらない
☐14	社会福祉法人等による利用者負担額軽減制度の対象となるサービスに、福祉用具貸与も含まれる。 予想	✕ 福祉用具貸与は対象外
☐15	特定入所者介護サービス費支給後の利用者負担額について、社会福祉法人等による利用者負担額軽減制度が適用される。 予想	◯

介護支援分野

Lesson
11

★
★
★

利用者負担

73

介護報酬

- ●介護報酬は厚生労働大臣が定める基準に基づき算定される
- ●介護給付費単位数表に1単位の単価を掛けて金額に換算する
- ●国保連には介護給付費等審査委員会が設置される
- ●保険給付を受ける権利の消滅時効は2年である

1 介護報酬とは

　介護サービス費用にかかる額（介護給付費）は、法定代理受領方式により現物給付化される場合は、市町村から直接サービス提供事業者・施設に保険給付が支払われるため、一般に介護報酬と呼ばれます。

　なお、実際にサービスの提供に要した費用の額が、介護報酬の額を下回ったときには、実際にかかった額に応じて保険者からの支払い額と利用者負担額が決まります。

2 介護報酬の算定基準設定の際の勘案事項

　介護報酬は、厚生労働大臣が定める基準（告示）により設定され、それぞれのサービスの種類ごとに、①サービスの内容、②事業所の地域で平均的に必要になる費用（物件費や人件費など）、施設サービス、通所サービス、短期入所サービスなど施設を利用するサービスなどでは③要介護状態区分などを勘案したうえで設定されます。

　また、厚生労働大臣が介護報酬の算定基準を定めようとする際には、あらかじめ社会保障審議会の意見を聴かなくてはなりません。

3 介護報酬の算定

(1) 算定の方法

　介護報酬は、介護給付費単位数表に各サービス・施設などに応じて定められた**単位数**に、1単位の単価（基本は10円）**を掛けて金額に換算**します。このうち9割（または8割か7割）が保険給付される額になります。

＋1 プラスワン

市町村独自の介護報酬
介護報酬は、国の定める基準（告示）によるが、市町村は国の基準を限度に、市町村独自の介護報酬を設定することができる。

(2) 1単位の単価

　1単位の単価は、基本は10円ですが、サービスの種類ごとに8つの地域区分で地域差が反映されています。

　ただし、（介護予防）居宅療養管理指導、（介護予防）福祉用具貸与については地域差がなく、一律1単位10円です。

◼4 介護報酬の請求の手続き

(1) 国保連への費用請求と支払い

　介護報酬の現物給付の請求について市町村は、その審査・支払い業務を国保連（国民健康保険団体連合会）に委託しています。

　このため、事業者・施設、総合事業の指定事業者や受託者は、国保連に対し、各月分の保険給付額や事業支給費などについて、通常翌月の10日までに費用請求を行います。支払いは、請求月の翌月末（サービス提供の翌々月末）となります。

◉請求の手続き

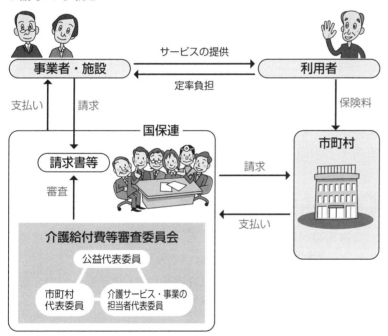

(2) 請求の方法

　請求は、原則として伝送（データ送信）または磁気媒体の提出によって行います。

　なお、保険優先の公費負担医療などの公費分や、介護保険の被保険者でない生活保護受給者の介護扶助についても、同一の請求書・明細書で請求します。

＋1 プラスワン

地域差
最も単価が高いのは、東京23区。

国保連の業務
→ P134

＋1 プラスワン

給付管理票
居宅介護支援事業者、介護予防支援事業者など給付管理を行う事業者等は、給付管理票も提出する。

5 介護給付費等審査委員会

(1) 設置と委員会の構成

　国保連では、審査を専門的見地から公正かつ中立的に処理するために、介護給付費等審査委員会を設置します。

●**委員会の構成**

用語

公益代表委員
何らかの利益や権利関係が生じたりしない、中立な立場から発言する人。社会福祉士会や弁護士会の代表者、大学の教員などさまざまな人が考えられる。

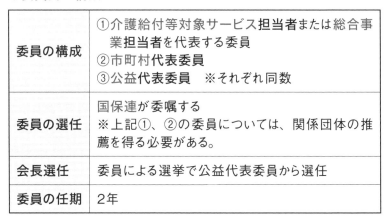

委員の構成	①介護給付等対象サービス担当者または総合事業担当者を代表する委員 ②市町村代表委員 ③公益代表委員　※それぞれ同数
委員の選任	国保連が委嘱する ※上記①、②の委員については、関係団体の推薦を得る必要がある。
会長選任	委員による選挙で公益代表委員から選任
委員の任期	2年

(2) 審査・議決

　審査は委員定数の半数以上の出席により行い、出席した委員の過半数によって議決します。可否同数の場合は会長が決することとされます。なお、審査を行うため必要な場合は、都道府県知事（または市町村長）の承認を得て、事業者・施設や総合事業の指定事業者・受託者に報告、帳簿書類の提出または提示、開設者・管理者・サービス担当者などの出頭を求めることができます。

6 保険給付の制限

　介護保険の被保険者であっても、刑事施設や労役場などに**拘禁**されている期間は、**保険給付は**行われません。

　また、市町村は、次の者には介護給付または予防給付の全部または一部を行わないことができます。

- 故意の犯罪行為または重大な過失、正当な理由なしにサービス利用に関する指示に従わないため、要介護状態等になったり、その悪化をまねいたりした者。
- 市町村による文書の提出の求めなどに応じない者。

7 介護報酬請求の消滅時効など

コ**コでた！**
R5 問17

権利を行使しない状態が一定期間継続すると、その権利が法的に消滅する制度を消滅時効といいます。

介護保険法では、①保険料、介護給付費・地域支援事業支援納付金その他介護保険法の規定による徴収金を徴収**する権利**、②①の徴収金の還付を受ける権利、③**介護保険**の保険給付**を受ける権利**は、2年を経過したときに時効**により消滅**します。

◉保険給付を受ける権利の消滅時効

内容	消滅時効	保険給付の内訳	起算日
保険給付を受ける権利	2年	被保険者が償還払いで受ける場合	サービス費用を支払った日の翌日
		事業者等が法定代理受領により介護報酬を受ける場合	サービスを提供した月の翌々々月の1日

また、市町村が**介護報酬の過払いをした場合**の返還請求権の消滅時効は、公法上の債権と考えられるため**5年**（地方自治法236条）ですが、その原因が**不正請求**である場合は、介護保険法上の徴収金（前述の①）と考えられるため**2年**となります。

+1 プラスワン

時効の更新
介護保険料など徴収金を督促した場合には、時効は更新される。

事業者の場合は、介護報酬を受け取った月（サービス提供月の翌々月）の翌月の1日が起算日ということだね。

介護支援分野

Lesson 12 ★★★ 介護報酬

\\ チャレンジ！//

過去&予想問題

できたら
チェック ☑

問題	解答
□1 1単位の単価には、地域差が反映されている。 予想	◯
□2 介護給付費等審査委員会の委員は、市町村長が任命する。 予想	✕ 国保連が委嘱する
□3 介護報酬の請求は、サービス提供月ごとに翌月10日までに行う。 予想	◯
□4 刑事施設に拘禁されている期間でも、保険給付は行われる。 予想	✕ 保険給付は行われない
□5 法定代理受領方式による介護給付費の請求権の時効は、2年である。 R5	◯
□6 償還払い方式の場合の起算日は、利用者が介護サービスの費用を支払った日の翌日である。 予想	◯

支給限度基準額

レッスンのポイント

- ●区分支給限度基準額の範囲内で保険給付はなされる
- ●福祉用具購入費支給限度基準額は同一年度で10万円
- ●住宅改修費支給限度基準額は同一住宅で20万円
- ●市町村は独自に支給限度基準額を設定できる

支給限度基準額が設定されないサービス
→ P80

+1 プラスワン

他の支給限度基準額との関係

支給限度基準額は、それぞれ別に設定されるため、未利用分をほかの支給限度基準額に振り替えることはできない。

+1 プラスワン

同時算定

サービスを1か月の上限額の範囲内で、組み合わせて利用できるが、同じ要素のあるサービスを同時に利用して算定することはできない。
例）短期入所生活介護（短期の入所者に、介護、日常生活上の世話、機能訓練などを提供するサービス）を利用中に訪問介護の算定は不可

1 支給限度基準額とは

　在宅の介護サービスには、一部を除き支給限度基準額が設定されています。**保険給付はその範囲内**で行われ、支給限度基準額を超えた分は、**全額**が利用者負担となります。

◉**支給限度基準額等の全体**

厚生労働大臣（国）が定める	①区分支給限度基準額 ②福祉用具購入費支給限度基準額 ③住宅改修費支給限度基準額 ※①〜③はそれぞれ別々に設定される。
市町村が独自に定める	●種類支給限度基準額 →上記①の範囲内でサービス別に限度額を定める。 ●支給限度基準額の上乗せ →①〜③について、それぞれ上乗せができる。

2 区分支給限度基準額

　保険給付の対象となる居宅サービス、地域密着型サービス、介護予防サービス、地域密着型介護予防サービス（特例でのサービスも含む）については、一部を除き区分支給限度基準額が設定され、この**範囲内**で、**複数のサービスを適切に組み合わせて**、利用することができます。

　要介護者の場合は「居宅サービス等区分」、要支援者の場合は「介護予防サービス等区分」としてサービスがまとめられ、上限額が設定されています。

　区分支給限度基準額は、要介護状態等区分別に、1か月を単位に単位数で上限額が設定されています。

①新規認定で、月の途中から認定の有効期間が始まった場合
　→1か月**分**の支給限度基準額が適用。
②月の途中で要介護状態区分等に変更があった場合→**要介護状態区分等の**重いほうの1か月**分**の支給限度基準額が適用。

◉区分支給限度基準額

介護予防サービス等区分	要支援1	5,032単位
	要支援2	10,531単位
居宅サービス等区分	要介護1	16,765単位
	要介護2	19,705単位
	要介護3	27,048単位
	要介護4	30,938単位
	要介護5	36,217単位

❸ 福祉用具購入費支給限度基準額

　福祉用具購入費支給限度基準額は、特定福祉用具の購入に関して設定される支給限度基準額です。同一年度（4月1日から12か月間）で10万円と設定されており、その範囲内で、実際の購入額の9割（または8割か7割）が償還払いで支給されます。

　購入費の支給は、原則、**同一年度で1種目につき1回にかぎら**れています。ただし、破損したり、介護の必要の程度が著しく高くなったりなど特別な事情がある場合は、市町村が認めれば、再び同一種目の福祉用具の給付を受けることが可能です。

❹ 住宅改修費支給限度基準額

　住宅改修費支給限度基準額は、住宅改修に関して、設定される支給限度基準額です。居住**する**同一の住宅について20万円と設定されており、その範囲内で、実際の改修額の9割（または8割か7割）が償還払いで支給されます。

　転居した場合は、**再度支給が受けられます**。また、同一住宅であっても、最初に支給を受けた住宅改修の着工時点と比較して、**介護の必要の程度が著しく高くなった場合**（要介護状態区分を基準とした「介護の必要の程度」で3段階以上）は、**1回にかぎり再度給付**が受けられます。

要支援2と要介護1が同じ段階。ここがポイントです！

●介護の必要の程度の段階

要支援1	第1段階	➡	＋3＝	第4段階（要介護3）以上
要支援2	第2段階	➡	＋3＝	第5段階（要介護4）以上
要介護1				
要介護2	第3段階	➡	＋3＝	第6段階（要介護5）
要介護3	第4段階			
要介護4	第5段階			
要介護5	第6段階			

3段階以上あがると1回にかぎり再給付

5 市町村独自の種類支給限度基準額

　区分支給限度基準額は、その限度額内で自由にサービスを組み合わせることができますが、市町村によっては特定のサービスが不足し、利用者が公平に利用できないということもあります。

　このため、市町村は、厚生労働大臣の定める区分支給限度基準額の範囲内で、特定の**サービスの種類別**に、**支給限度基準額**（種類支給限度基準額）**を条例で定める**ことができます。

　その場合、サービス全体が区分支給限度基準額の範囲内でも、種類支給限度基準額を超えたサービス利用分については、保険給付の対象となりません。

＋1 プラスワン

上乗せサービス・横出しサービス
支給限度基準額の上乗せを「上乗せサービス」ともいう。これに対し、市町村特別給付を「横出しサービス」ともいう。

コ**コ**でた！

R3 問7

6 市町村独自の支給限度基準額の上乗せ

　市町村は、独自の判断で厚生労働大臣が定める支給限度基準額を上回る額を、**その市町村の支給限度基準額として条例で定める**ことができます。この場合の費用は、基本的に第1号被保険者の保険料から支払われます。

7 支給限度基準額が設定されないサービス

　ほかのサービスとの代替性がなく、組み合わせて利用することが想定されないなどの次のサービスについては、支給限度基準額が設定されません。

①居宅療養管理指導・介護予防居宅療養管理指導
②特定施設入居者生活介護・地域密着型特定施設入居者生活介護（短期利用を除く）、介護予防特定施設入居者生活介護

③認知症対応型共同生活介護・介護予防認知症対応型共同生活介護（短期利用を除く）
④居宅介護支援・介護予防支援
⑤地域密着型介護老人福祉施設入所者生活介護
⑥施設サービス

①の居宅療養管理指導は、医師が必要と認めた場合に給付され、介護報酬で算定できる回数が決められています。

②～⑥は基本的に単独で利用するサービスであり、介護報酬の算定基準に基づき、費用が定められています。

> 居宅サービスの「特定福祉用具販売」は単独で福祉用具購入費支給限度基準額が設定されるから、「区分支給限度基準額」には含まれないね。

 \\ チャレンジ！ //

過去＆予想問題　できたらチェック ☑

	問題	解答
☐ 1	支給限度基準額を超えた分は、全額が利用者負担となる。 予想	◯
☐ 2	区分支給限度基準額は、1か月を単位に設定されている。 予想	◯
☐ 3	新規認定で月の途中から介護保険を利用する場合は、日割り計算をする。 予想	✕ 1か月分が適用
☐ 4	福祉用具購入費の支給限度基準額は同一年度で20万円である。 予想	✕ 10万円
☐ 5	居宅介護住宅改修費は、転居した場合には、あらためて支給限度基準額までの支給を受けることができる。 予想	◯
☐ 6	要支援2から要介護3に重度化した場合には、再度、住宅改修費を受給できる。 予想	✕ 要支援2の3段階上は要介護4
☐ 7	種類支給限度基準額は、市町村の条例で定める。 予想	◯
☐ 8	種類支給限度基準額を超えた分については、保険給付されない。 予想	◯
☐ 9	市町村が支給限度基準額の上乗せを行う場合、その財源は公費である。 予想	✕ 第1号被保険者の保険料
☐ 10	特定福祉用具販売には、区分支給限度基準額が適用される。 予想	✕ 適用されない
☐ 11	施設サービスは、単独で支給限度基準額が設定される。 予想	✕ 支給限度基準額は設定されない

他法との給付調整・その他通則

- 災害補償関係各法は、介護保険に優先する
- 老人福祉法による措置も例外的に行われる
- 急性期医療は医療保険から給付
- 障害者施策固有のサービスは障害者施策から給付

ココでた！
R5 問7

1 災害補償関係各法との給付調整

　労働者災害補償保険法その他の法令によって、療養補償や介護補償などの介護保険の給付に相当するものを受けることができるときは、**労働者災害補償保険法などの法令が**優先**して適用**され、一定の限度において介護保険による給付は行われません。

●介護保険に優先する災害補償関連の法律の給付

種別	主な法令
労働災害	● 労働者災害補償保険法　● 船員保険法 ● 労働基準法
公務災害	● 国家公務員災害補償法 ● 地方公務員災害補償法 ● 警察官の職務に協力援助した者の災害給付に関する法律
国家補償	● 戦傷病者特別援護法 ● 原子爆弾被爆者に対する援護に関する法律

災害補償関係各法による給付だけは、介護保険法よりも優先することは重要ポイント！具体的な法令名も出題されるので覚えておきましょう。

2 老人福祉制度による措置との関係

　介護保険制度施行後は、要介護高齢者への福祉サービスは、利用者と事業者・施設との間の「契約に基づくサービスの利用」を基本とした介護保険**による給付**が行われています。

　しかし、①本人が家族の虐待・無視を受けている場合、②認知症などで意思能力が乏しく、かつ本人を代理する家族がいないなど**のやむを得ない事由がある場合**は、特別養護老人ホームへの入所や在宅福祉サービスの利用は、**老人福祉法に基づく市町村の措置**により行われます。費用も負担能力に応じて徴収されます。

❸ 医療保険との給付調整

　訪問看護、訪問リハビリテーションなど介護保険と医療保険（後期高齢者医療制度含む）で同様のサービスの給付がある場合は、原則として介護保険による給付が優先します。

　また、介護老人保健施設や介護医療院の入所者には原則として医療保険からの給付は行われません。急性期治療が必要な場合は急性期病棟に移り、医療保険から給付を受けます。歯の治療など施設で提供が難しい一定の医療については、医療保険から給付されます。

❹ 保険優先の公費負担医療との給付調整

　保険優先の公費負担医療の給付と介護保険の給付が重複する場合は、介護保険による給付が優先します。たとえば、感染症法（感染症の予防および感染症の患者に対する医療に関する法律）に基づき利用者が結核の公費負担医療を受ける場合、公費負担95％（利用者負担5％）のうち、介護保険からの給付90％（利用者負担10％）が優先します。**介護保険適用外**の分に**公費負担医療が5％適用**され、残りの5％を利用者が支払うことになります。

　公費負担は現物給付で行われ、事業者や施設は、介護給付費請求時に公費適用分を請求します。

❺ 生活保護との給付調整

　生活保護の受給者でかつ介護保険の被保険者（第1号被保険者・医療保険加入の第2号被保険者）の場合は、介護保険の給付が優先して適用されます（生活保護法の他法優先の原則）。

　この場合、**利用者負担分は生活保護の**介護扶助から、**第1号被保険者の保険料は生活保護の**生活扶助から給付されます。

　医療保険に加入していない40歳から64歳の生活保護の受給者の場合は、介護保険に加入できないため、**すべて生活保護の**介護扶助によって介護サービスが支給されます。

❻ 障害者総合支援法との給付調整

　障害者総合支援法（「**障害者の日常生活及び社会生活を総合的に支援するための法律**」）の自立支援給付には、介護給付費や自立支援医療など障害者（児）に対する介護サービスや医療サービ

+1 プラスワン

医療保険との関係
介護保険の訪問看護や訪問リハビリテーションを受けていても、急性増悪時や神経難病、末期がんなどの場合は、医療保険からの給付になる。

公費負担医療
医療の利用者負担金を公費で負担する制度。感染症法に基づく結核医療、難病法に基づく指定難病、障害者総合支援法による自立支援医療などがある。

介護扶助
生活保護には、8つの扶助があるが、このうち介護扶助は、介護保険とほぼ同範囲、同程度のサービスに対して公費で給付するもの。

障害者総合支援法
→ P420

スの提供に関する給付が含まれます。

障害者が介護保険の給付を受ける場合は、介護保険と重複するサービスについては介護保険の給付が優先します。一方、障害者施策固有のサービスは、障害者総合支援法その他障害者福祉制度から給付が行われます。

7 市町村による第三者行為への損害賠償請求権

被保険者の要介護状態・要支援状態の原因が、第三者の加害行為にあった場合には、市町村は介護保険の保険給付額の限度において、被保険者が第三者に対してもつ**損害賠償請求権を取得**します。

また、市町村が介護保険の保険給付を行う前に、被保険者が第三者からすでに損害賠償を受けている場合には、市町村はその価額の限度において保険給付を行わなくてもよいとされています。

8 市町村の不正利得に対する徴収権

市町村は、被保険者が偽りや不正行為によって保険給付を受けた場合、被保険者から給付の全額または一部を徴収することができます。

不正受給が特定入所者介護サービス費・特定入所者介護予防サービス費である場合には、市町村は、厚生労働大臣の定める基準により、不正受給額の返還額に加えて**給付額の2倍以下の金額を加算**して徴収することができます。

また、サービス提供事業者や施設が、偽りや不正行為によって現物給付の支払いを受けた場合には、**その返還させるべき額に4割を加算して徴収**することができます。

9 市町村による文書等の物件の提出の求めなど

市町村は、保険給付が適正に行われるように、受給者、事業者・施設のサービス担当者、住宅改修を行う者などに対し、文書等の物件の提出や提示を求め、職員による質問を行うことができます。また、受給者が正当な理由なく求めに応じないなどの場合は、保険給付の全部または一部の制限をすることができます。

なお、この事務の一部について市町村は、指定市町村事務受託法人に委託することができます。

+1 プラスワン

国保連への委託
市町村は、第三者行為への損害賠償請求の事務（第三者行為求償事務）を国保連に委託することができる。
→ P134

+1 プラスワン

医師などへの徴収金
被保険者の不正受給が医師または歯科医師による虚偽の診断書によって行われた場合には、その医師などにも徴収金の納付を命じることができる。

特定入所者介護サービス費等
→ P71

コこでた！
R2 問16

指定市町村事務受託法人
→ P51

10 厚生労働大臣、都道府県知事による文書提示命令など

厚生労働大臣または都道府県知事は、介護給付等（住宅改修費を除く）に関して必要と認める場合は、サービスを行った者や使用者に対し、報告やサービス提供記録、**帳簿書類などの物件の提示命令**や、職員による質問などを行うことができます。また、受給者や受給者であった者に対しても、受けたサービスの内容に関して報告命令や職員による質問を行うことができます。

なお、この事務の一部について都道府県は、指定都道府県事務受託法人に委託することができます。

11 受給権の保護・公課の禁止

介護保険の保険給付を受ける権利（受給権）は、**他人に譲り渡したり、担保にしたり、あるいは差し押さえたりはできません。**

また、社会保険の通則のひとつとして、保険給付として受けた金品に対し、租税や公課を課すことはできません。

 用語

指定都道府県事務受託法人
都道府県知事が指定する法人で、都道府県の委託を受けて、帳簿書類の提示などに関する事務を行う。

 \\ チャレンジ！ //
過去＆予想問題

できたらチェック ☑

	問題	解答
□1	労働者災害補償保険法の療養給付は、介護保険給付に優先する。 R5	○
□2	やむを得ない事由がある場合には、例外的に老人福祉法に基づく市町村の措置によるサービスが受けられる。 予想	○
□3	要介護者に対して医療保険と介護保険の両方から給付が可能な場合には、原則として、医療保険が優先される。 予想	✕ 介護保険が優先
□4	結核の公費負担医療の給付と介護保険の給付が重複する場合は、介護保険の給付が優先する。 予想	○
□5	生活保護受給者である被保険者には、介護サービスの利用者負担分について、生活扶助が支給される。 予想	✕ 介護サービスの利用者負担分は介護扶助
□6	要介護者でも、障害者施策固有のサービスについては、介護保険のサービスと同時に受けることができる。 予想	○
□7	（介護保険に関して市町村が有する権限）住宅改修を行う者に対し、文書の提出を求める。 R2	○

事業者・施設の指定

レッスンの
ポイント

● 事業者・施設の指定は都道府県または市町村が行う
● 事業者等は原則として法人格が必要
● 申請に基づかない指定の特例がある
● 都道府県または市町村が指導監督を行う

ココでた！
R4 問7

1 事業者・施設の指定の申請者

　介護保険によるサービスは、都道府県知事（**指定都市・中核市では市長**、以下同）の指定・許可または**市町村長**の指定を受けた事業者・施設が行います。

●事業者・施設の指定の申請者

事業者		申請者
都道府県知事が指定・許可するもの	指定居宅サービス事業者	居宅サービス事業を行う事業者	法人（病院・診療所、薬局は法人格不要〔→P88「プラスワン」〕）
	指定介護予防サービス事業者	介護予防サービス事業を行う事業者	
	介護保険施設（下記①〜③）		申請者は下記のように異なる
	①指定介護老人福祉施設	介護福祉施設サービスを行う施設	老人福祉法上の設置認可を得た特別養護老人ホームのうち、入所定員30人以上で、都道府県の条例で定める数であるものの開設者（地方公共団体、地方独立行政法人、社会福祉法人）。
	②介護老人保健施設	介護保健施設サービスを行う施設	地方公共団体、医療法人、社会福祉法人その他厚生労働大臣が定める者（国、日本赤十字社、地方独立行政法人、健康保険組合、国民健康保険組合、共済組合等）が、**介護保険法上の開設許可を受ける。**
	③介護医療院	介護医療院サービスを行う施設	

介護療養型医療施設は介護医療院などへの転換が進められ、2024年3月31日をもって廃止されました。

市町村長が指定するもの	指定地域密着型サービス事業者	地域密着型サービス事業を行う事業者	法人 地域密着型介護老人福祉施設入所者生活介護では、老人福祉法上の設置認可を得た特別養護老人ホームのうち、入所定員29人以下で、市町村の条例で定める数であるものの開設者。
	指定地域密着型介護予防サービス事業者	地域密着型介護予防サービス事業を行う事業者	法人
	指定居宅介護支援事業者	居宅介護支援事業（在宅の要介護者へのケアマネジメント）を行う事業者	法人
	指定介護予防支援事業者	介護予防支援事業（在宅の要支援者への介護予防ケアマネジメント）を行う事業者	地域包括支援センターの設置者（市町村または市町村の委託法人）または指定居宅介護支援事業者。

2 事業者・施設の指定

ココでた！
R1 問5

(1) 指定の原則

　指定は原則として、申請に基づき、サービスの種類ごとに、事業所ごと（施設では施設ごと）に行われます。

(2) 地域密着型サービス等での被保険者の意見の反映

　市町村長は、地域密着型サービスの指定を行う際、指定をしないこととする場合には、あらかじめ被保険者などの意見を反映させるために、必要な措置を講じるよう努めます（努力義務）。また指定の際にはあらかじめ都道府県に届け出ます。

　市町村長は、指定介護予防支援事業者の指定の際には、あらかじめ被保険者などの意見を反映するために必要な措置を講じなければなりません（義務）。

事業「者」ごとではなく事業「所」ごとという点も注意。出題されたことがあるよ。

(3) 地域密着型サービスでの公募指定

　市町村長は、定期巡回・随時対応型訪問介護看護、小規模多機能型居宅介護、看護小規模多機能型居宅介護の見込量の確保や質の向上のため特に必要があるときは、定期巡回・随時対応型訪問介護看護等の事業者の指定を公募による選考によって行うことができます（公募指定）。その場合は、厚生労働省令に定める基準に従い、公正な方法で選考をします。公募指定の有効期間

は、6年を超えない範囲で、市町村長が定める期間とされます。

（4）指定の効力

　指定の効力は、全国に及びますが、**地域密着型（介護予防）サービス事業者、介護予防支援事業者**では、その**市町村内に住む**被保険者（市町村内に住む住所地特例適用被保険者を含む）に対する保険給付にのみ効力があります。

ココでた！
R1 問5

3 指定をしてはならない場合

　都道府県知事または市町村長は、事業所・施設が基準を満たしていない、申請者が適格性・妥当性を有していないなどの、次のような一定の欠格事由に該当する場合には、指定（または許可、以下同）をしてはなりません。

◉指定の欠格事由

事業者・施設の主な共通事項
●申請者が、都道府県・市町村の条例で定める者ではない（条例は、厚生労働省令の基準に従い定めるものとされ、その基準は原則として「法人である」こと）。 ●事業所・施設が都道府県・市町村の条例に定める人員基準を満たしていない。 ●申請者が、都道府県・市町村の条例に定める設備・運営基準に従い適正な運営ができない。 ●申請者が、拘禁刑※以上の刑を受けている。 ●申請者が、介護保険法その他国民の保健医療・福祉に関する一定の法律、労働に関する法律の規定であって政令で定めるものにより罰金刑を受けている。 ●申請者が、社会保険各法または労働保険の保険料の徴収等に関する法律に規定する保険料などで滞納処分を受け、3か月以上滞納を続けている。 ●申請者や申請者と密接な関係にある者が、指定が取り消された日から、5年が経過していない（ただし、業務管理体制の整備など一定の要件を満たす場合を除く）　など。
地域密着型サービス事業者の固有の要件（主なもの）
●市町村が定める独自の基準に従い適正な運営を行うことができない。 ●事業所が市町村の区域外にあり、その所在地の市町村長の同意を得ていない（市町村間の協議により、同意を要しないことについての事前の同意がある場合は不要）。

※刑法改正により、懲役と禁錮を一本化した拘禁刑に改められた。2025（令和7）年6月施行。

+1 プラスワン

法人格要件の例外
病院・診療所が訪問看護、訪問リハビリテーション、通所リハビリテーション、居宅療養管理指導、短期入所療養介護を行う場合、薬局が居宅療養管理指導を行う場合、病床を有する診療所が看護小規模多機能型居宅介護を行う場合は、法人格は問われない。

+1 プラスワン

設備・運営基準
指定介護予防サービス事業者、指定地域密着型介護予防サービス、指定介護予防支援事業者では、守るべき基準に「介護予防のための効果的な支援の方法に関する基準」を含む。また、指定居宅介護支援事業者、指定介護予防支援事業者では設備基準は含まれない。

4 介護保険事業計画との関係における指定調整など

(1) 介護保険事業計画との調和

都道府県知事または市町村長は、下記のサービスの指定申請について、都道府県介護保険事業支援計画または市町村介護保険事業計画での必要利用（入所）定員総数に達しているなどの場合は、**指定をしないことができます**。

都道府県知事	特定施設入居者生活介護 介護老人保健施設 介護医療院
市町村長	認知症対応型共同生活介護 地域密着型特定施設入居者生活介護 地域密着型介護老人福祉施設入所者生活介護

(2) 市町村長が地域密着型通所介護の指定をしない場合

市町村長は、地域密着型通所介護の指定申請があった場合に、その市町村の区域内に①定期巡回・随時対応型訪問介護看護等の事業所があり、かつ②地域密着型通所介護等の地域密着型サービスの種類ごとの量が、市町村介護保険事業計画において定める見込み量に達しているなどの場合は、**指定をしないことができます**。

(3) 都道府県知事の市町村長への意見の求め

都道府県知事が特定施設入居者生活介護、介護保険施設の指定を行おうとする場合は、市町村長に通知し、市町村介護保険事業計画との調整を図る見地から、市町村長の意見を求めなければなりません。

一方、市町村長は、都道府県知事に対して、特定施設入居者生活介護以外のすべての居宅サービス、また介護予防サービスについて、指定の旨を通知するよう求め、都道府県知事に**市町村介護保険事業計画との調整を図る見地**からの意見を提出することができます。

都道府県知事は、市町村長の意見を勘案して、居宅サービス等の指定を行うにあたり必要と認める条件を付すことができます。

(4) 市町村長の都道府県知事への届出

市町村長は、地域密着型サービスの指定をしようとするときは、

コ コ で た！
R1 問5

介護保険事業計画
→ P122

+1 プラスワン

指定介護老人福祉施設
老人福祉法上の都道府県老人福祉計画の達成に支障が生じるおそれがある場合に、特別養護老人ホームの設置認可がされないことになっている。

市町村長は都道府県知事が指定を行うすべての居宅サービス・介護予防サービスについて、都道府県に意見を提出できます。これにより、地域の居宅サービス等の供給量を調整することが可能です。

介護支援分野

Lesson 15　★★★　事業者・施設の指定

あらかじめ都道府県知事に届け出ます。

　都道府県知事は、このうち地域密着型特定施設入居者生活介護について、都道府県介護保険事業支援計画の必要利用定員総数に達しているなどの場合は、市町村長に対し必要な助言・勧告を行うことができます。

⑤ 市町村協議制

　市町村長は、定期巡回・随時対応型訪問介護看護、小規模多機能型居宅介護、看護小規模多機能型居宅介護の見込量を確保するため、都道府県知事が訪問介護、通所介護、短期入所生活介護を指定する場合には、**必要な協議を求める**ことができます。

　都道府県知事は、この求めに応じなければならず、協議の結果に基づき、訪問介護などの指定をしない、または指定の際に定期巡回・随時対応型訪問介護看護等の事業の適正な運営を確保するために必要と認める条件を付することができます。

⑥ 指定居宅サービス事業者等の指定の特例

　指定は申請**に基づき受けること**が原則です。ただし例外として、健康保険法に基づく保険医療機関である病院・診療所と保険薬局、介護保険法に基づく介護老人保健施設、介護医療院では、別段の申し出がないかぎり、下記の居宅サービス、介護予防サービスについて、**申請を要せず指定を受けたとみなされる特例**（みなし指定）があります。

+1 プラスワン

市町村協議制の対象サービス拡大
2017年法改正で、市町村協議制の対象となるサービスに短期入所生活介護が加わった。

保険薬局のみなし指定は特に出題されやすいところです。

●みなし指定

事業者・施設	申請不要な居宅サービス	申請不要な介護予防サービス
保険医療機関 （病院・診療所）	● 居宅療養管理指導 ● 訪問看護 ● 訪問リハビリテーション ● 通所リハビリテーション ● 短期入所療養介護※	● 介護予防居宅療養管理指導 ● 介護予防訪問看護 ● 介護予防訪問リハビリテーション ● 介護予防通所リハビリテーション ● 介護予防短期入所療養介護※
保険薬局	● 居宅療養管理指導	● 介護予防居宅療養管理指導
介護老人保健施設 介護医療院	● 短期入所療養介護 ● 訪問リハビリテーション ● 通所リハビリテーション	● 介護予防短期入所療養介護 ● 介護予防訪問リハビリテーション ● 介護予防通所リハビリテーション

※療養病床を有する病院・診療所にかぎる。

7 共生型サービス事業者にかかる特例

ココでた！
R3 問8
R1 問5

児童福祉法に基づく障害児通所支援にかかる事業者または障害者総合支援法に基づく障害福祉サービスにかかる事業者から、介護保険法のサービス（下表参照）にかかる指定の申請があった場合に、都道府県知事または市町村長は、条例に定める共生型サービスの人員・設備・運営基準を満たしているときは指定を行うことができます。このような指定を受けた事業者を共生型サービス事業者（共生型居宅サービス事業者、共生型介護予防サービス事業者、共生型地域密着型サービス事業者）といいます。

◉**共生型サービスの対象**

介護保険サービス		障害福祉サービス等
訪問介護	↔	居宅介護、重度訪問介護
通所介護 地域密着型通所介護	↔	生活介護※、自立訓練、児童発達支援※、放課後等デイサービス※
短期入所生活介護 介護予防短期入所生活介護	↔	短期入所

※主として重症心身障害者等を通わせる事業所を除く

共生型サービスは、介護保険または障害福祉のいずれかのサービスの指定を受けている事業所が、もう一方の制度における指定も受けやすくするための特例です。共生型居宅サービス、共生型介護予防サービスは都道府県知事、共生型地域密着型サービスは市町村長が指定を行います。

8 事業者・施設の責務

ココでた！
R5 問9
R1 問6

次のようなことが事業者・施設の責務として、共通して定められています。

- 設備・運営基準に従い、利用者の心身の状況に応じた適切なサービスを提供する。
- 自ら提供するサービスの質の評価を行い、常に利用者の立場に立ったサービスを提供するよう努める。
- 被保険者証に記載された介護認定審査会の意見に配慮してサービスを提供するよう努める。
- 人員基準に従い、必要な員数の従業者を確保する。
- 事業者が事業の廃止や休止（または指定の辞退）の届出をした場合は、引き続きサービスの利用を希望する人に必要なサービスが継続的に提供されるよう、ほかの事業者や関係者などとの連絡調整その他便宜の提供を行う。
- 利用者の人格を尊重し、介護保険法やこれに基づく命令を遵守し、利用者のために忠実に職務を遂行する。

+1 プラスワン

業務管理体制の指導監督

業務管理体制の整備についても、必要に応じ、厚生労働大臣等が立ち入り検査、勧告と命令を行うことができる。

 注目!

市町村長は、すべての事業者・施設に対し報告命令、立ち入り検査ができるが、都道府県知事は、自ら指定した事業者等のみである点に注意する。ただし、勧告と命令、指定取り消しができるのは自ら指定した事業者のみである。

都道府県知事から付された条件
→ P89、90

9 業務管理体制の整備と届出

　事業者・施設は、利用者の人格を尊重し、介護保険法やこれに基づく命令を遵守し、利用者のために忠実に職務を遂行するという責務（→ P91）が履行されるよう、業務管理体制**の整備**をしなければなりません。その整備に関する事項については、事業所や施設の所在地域等に応じて厚生労働大臣・都道府県知事・指定都市の長・中核市の長・市町村長（以下、厚生労働大臣等）に届け出る必要があります。

10 指導・監督

（1）報告命令と立ち入り検査など

　都道府県知事または市町村長は、居宅介護サービス費等の支給に関し必要に応じ、事業者・施設やその従業者等に対し、報告や帳簿書類の提出・提示を命じたり、出頭を求めたり、職員に関係者への質問や事業所や事務所、その他事業に関係のある場所（事業所の本部など）に、立ち入り検査をさせることができます。

　なお、**市町村長は、すべての事業者・施設に対して報告命令、立ち入り検査を行うことができます。**

（2）勧告と命令

　都道府県知事または市町村長は、指定をした事業者等が以下の場合に、期限を定めて基準を遵守するなどの措置をとるべきことを、勧告することができます。

> - 市町村長の意見や協議に基づく都道府県知事から付された条件に従わないとき（居宅サービス事業者の場合）。
> - 人員基準を満たさず、設備・運営基準に従い適正な事業運営をしていないとき。
> - 事業の休廃止時に、利用者への継続的なサービス提供のための便宜を提供していないとき。

　都道府県知事または市町村長は、指定をした事業者等が期限内に上記の勧告に従わない場合は、その旨を公表することができます。事業者等が正当な理由なくその勧告に沿った措置をとらなかった場合は、期限を定めて、措置をとるよう命令できます。命令をした場合は、その旨を公示します。また、市町村は、都道府県の指定事業者等が上記の勧告要件のいずれかに該当すると認めるとき

は、その旨を都道府県知事に通知しなければなりません。

⓫ 指定の取り消し・指定の効力の停止

（1）指定の取り消し事由

　事業者・施設は、指定取り消しの事由のいずれかに該当した場合に、指定を取り消すか、期間を定めて指定の全部または一部の効力を停止することができます。

　また市町村は、都道府県の指定事業者等が指定の取り消し事由のいずれかに該当すると認めるときには、都道府県知事に通知しなければなりません。

◉主な指定の取り消し事由

事業者・施設の主な共通事項
●指定にあたっての欠格事由（→ P92）のうち一定のものに該当したとき。 ●人員基準を満たせなくなったとき、設備・運営基準に従い適正な事業運営ができなくなったとき。 ●介護報酬の不正請求があったとき。 ●都道府県知事または市町村長からの報告や帳簿書類の提出・提示の命令に従わない、または虚偽の報告をした、出頭命令に応じないなどのとき（例外あり）。 ●不正な手段で指定を受けたとき。 ●要介護者の人格を尊重し、介護保険法やこれに基づく命令を遵守し、要介護者のために忠実に職務を遂行するとの義務規定に違反したとき。 ●介護保険法その他国民の保健医療・福祉に関する一定の法律、またはこれに基づく命令や処分に違反したとき。など
指定居宅サービス事業者の場合（主な固有の事項）
市町村長の意見や協議に基づく都道府県知事から付された条件に従わないとき。
指定居宅介護支援事業者、介護保険施設、地域密着型介護老人福祉施設の場合（主な固有の事項）
要介護認定等の更新認定等における認定調査の委託を受けた場合、その調査結果について虚偽の報告をしたとき。
指定地域密着型サービスの場合（主な固有の事項）
指定時に市町村長から付された条件に従わないとき。

都道府県知事から付された条件
→ P89、90

（2）有料老人ホームの事業制限等と指定取り消し

2017年の老人福祉法の改正により、都道府県知事は有料老人ホームの設置者が老人福祉法等に違反した場合で、特に必要がある場合には、設置者に**事業の制限または停止**を命じることができることになりました。この命令をしたときには、市町村長に遅滞なく通知しなければなりません。

市町村長はこの通知を受けて、指定地域密着型特定施設入居者生活介護の指定取り消し、または期間を定めて指定の全部もしくは一部の効力の停止をすることができます。

🄰 変更の届出など

事業者等は、次の①②の場合は10日以内に、③の場合は事業の廃止または休止の1か月前までに、指定を受けた都道府県知事または市町村長に届け出る必要があります。

なお、指定介護老人福祉施設、指定地域密着型介護老人福祉施設では②、③の規定はありません。また、事業廃止の届け出ではなく、1か月以上の予告期間を設けて、指定の辞退を行うことができます。

> ①事業所の名称や所在地などに変更があったとき。
> ②休止した事業を再開したとき。
> ③事業を廃止または休止しようとするとき。

🄱 都道府県知事等による連絡調整または援助

連絡調整その他便宜の提供
→ P91

都道府県知事または市町村長は、事業者・施設による連絡調整**その他便宜の提供**が円滑に行われるように、事業者等・関係者相互間との連絡調整、助言などの援助を行うことができます。さらに厚生労働大臣は、都道府県知事相互間の連絡調整や都道府県の区域を超えた広域的な見地からの助言などの援助を行うことができます。

🄲 公示

都道府県知事または市町村長は、次の場合には、事業者等の名称、事業所の所在地などを公示しなければなりません。

- 指定をしたとき。
- 事業の廃止の届出があったとき（指定介護老人福祉施設、地域密着型介護老人福祉施設入所者生活介護では指定の辞退）。
- 指定の取り消しまたは効力停止を行ったとき。

15 指定の更新

ココでた！
R1 問5

指定の効力には6年間の有効期間が設けられています。事業者・施設は、6年を経過するまでに指定の更新を受けなければ、有効期間満了日をもって指定の効力を失います。

指定の更新がされた場合は、新たな指定の有効期間は、有効期間の満了日の翌日からとなります。

16 基準該当サービスの事業者

指定事業者の基準をすべて満たさない事業者でも、指定事業者と同じ水準のサービスを提供できる場合には、**各市町村の判断で保険給付の対象**となります。ただしその効力は、市町村内にかぎられます。また、市町村が地域の介護需要や事業者の状況を考慮し、保険給付の対象としないこともできます。基準該当サービスは、次のサービスに認められています。

◉**基準該当サービスが認められるサービス**

介護給付のサービス	予防給付のサービス
訪問介護 訪問入浴介護 通所介護 短期入所生活介護 福祉用具貸与 居宅介護支援	介護予防訪問入浴介護 介護予防短期入所生活介護 介護予防福祉用具貸与 介護予防支援

医療系のサービスや地域密着型サービス、施設サービスには認められていないよ！

17 離島などにおける相当サービスの事業者

離島などで、指定サービスや基準該当サービスの確保が望めない地域では、指定サービスや基準該当サービス以外の、それらに相当するサービスを、各市町村の判断で保険給付の対象とすることができます。離島などにおける相当サービス事業者には、法人格

は不要です。離島などにおける相当サービスは、次のサービスで認められています。

● 居宅サービス
● 介護予防サービス
● 地域密着型サービス（地域密着型介護老人福祉施設入所者生活介護以外）
● 地域密着型介護予防サービス
● 居宅介護支援
● 介護予防支援

施設サービスは認められていませんが、地域密着型サービスは認められていることに着目しましょう。

 \\ チャレンジ！ //
過去＆予想問題

できたらチェック ☑

	問 題	解 答
□1	社会福祉法人は、介護医療院を開設することができる。 予想	○
□2	指定居宅サービス事業者の指定は、事業者ごとに行う。 予想	✕ 事業所ごと
□3	認知症対応型通所介護は、市町村長が行う公募指定の対象である。 予想	✕ 対象外
□4	（指定居宅サービス事業者の指定について）申請者が都道府県の条例で定める者でないときは、指定をしてはならない。 R1	○
□5	都道府県介護保険事業支援計画の必要入所定員総数に達しているときは、介護医療院の許可をしないことができる。 予想	○
□6	保険薬局が居宅療養管理指導を行うときは、介護保険法による指定の申請をしなければならない。 予想	✕ 指定申請を要さない
□7	（共生型サービスの指定の対象となる介護保険サービス）定期巡回・随時対応型訪問介護看護 R3	✕ 対象とならない
□8	指定介護予防サービス事業者が要介護認定の調査の受託を拒んだ場合は、指定取り消しの対象となる。 予想	✕ 認定調査の受託ができないため、この要件はない
□9	指定介護予防支援事業者は事業所の名称を変更するときは、市町村長に届け出る。 予想	○
□10	市町村長は、指定した事業者の名称などを公示する。 予想	○

Lesson

16

重要度 **B** ★★★

事業者・施設の基準

レッスンの
ポイント

- 厚生労働省令に定める基準が試験で問われる
- 人員基準は、サービスごとに異なる
- 利用手続きにかかわる規定は重要
- 施設を利用するサービスにおける非常災害対策などは重要

1 事業者・施設の基準の概要

事業者・施設の指定をする都道府県または市町村の条例により、サービスごとに人員・設備・運営基準が定められます。また、その条例の基準になるものとして、国（厚生労働省令）の人員・設備・運営基準が示されています。基準は、基本的に①基本方針、②人員基準、③設備基準、④運営基準、⑤共生型サービスの基準、⑥基準該当サービスの基準（⑤、⑥は行うことが認められているサービスのみ）から構成されます。

なお、厚生労働大臣が介護報酬や人員・設備・運営基準を定めようとするときは、あらかじめ社会保障審議会の意見を聴かなければなりません。

2 一般原則と基本方針

指定居宅サービス事業、指定介護予防サービス事業、指定地域密着型サービス事業、指定地域密着型介護予防サービス事業では、一般原則として、次の事項が定められています。

- 利用者の意思及び人格を尊重して、常に利用者の立場に立ったサービスの提供に努めなければならない。
- 事業を運営するにあたっては、地域との結びつきを重視し、市町村、ほかの居宅サービス事業者その他の保健医療サービスおよび福祉サービスを提供する者との連携に努めなければならない。
- 利用者の人権の擁護、虐待の防止等のため必要な体制の整備を行うとともに、従業者に対し研修を実施するなどの措置を講じる。

+1 プラスワン

省令の基準
居宅サービスでは「指定居宅サービス等の事業の人員、設備及び運営に関する基準」のように、サービスごとに規定されている。

試験に出るのは、全国一律の省令に定める基準。サービス各論でもその内容が出題されるのでよく読んでおきましょう。

● サービスを提供するにあたっては、介護保険等関連情報その他必要な情報を活用し、適切かつ有効に行うよう努める。

また、訪問介護などのサービスごとに、基本方針が規定されています。居宅サービス事業では、サービス提供にあたり、利用者が要介護状態等になっても、可能なかぎり「居宅」でその「有する能力」に応じ、「自立した日常生活」を営むことができるよう配慮することがすべてのサービスに共通して定められています。

❸ 人員基準・設備基準

人員基準は、事業運営に必要な人員の員数、資格、職種などを規定しています。「従うべき基準」であり、省令と異なる内容を条例に定めることはできません。

設備基準は、事業運営に必要な設備や備品などを定めるものです。いずれもサービスごとに異なります。

❹ 運営基準（居宅サービス事業の基準）

ここでは、厚生労働省令に定める「指定居宅サービス等の事業の人員、設備及び運営に関する基準」（一部その解釈通知含む）から、居宅サービス事業の運営基準の共通事項をみていきます。

従うべき基準
➡ P39

コ コ で た！
R4 問15

注目！

訪問介護では、運営基準の共通事項も比較的出題されやすい。

◉利用者へのサービス提供にかかわる運営基準

内容および手続きの説明と同意	サービス提供の開始にあたり、あらかじめ、利用申込者またはその家族に対し、運営規程の概要など利用申込者のサービス選択に資する重要事項を記した文書を交付して説明を行い、利用申込者の同意を得なければならない。同意については書面によることが望ましい。＊特定施設入居者生活介護では、文書による契約書の締結が必須。
提供拒否の禁止	正当な理由（下記）なく、サービス提供を拒んではならない（特定施設入居者生活介護は、下記の正当な理由は定められていない）。 ● 事業所の現員では**利用申込に応じきれない**。 ● 利用申込者の居住地が事業所の通常の事業の実施地域外。 ● その他利用申込者に対して適切なサービスを提供することが困難。
サービス提供困難時の対応	利用申込者に対して適切なサービスの提供が困難な場合は、居宅介護支援事業者（訪問看護では主治医にも）への連絡、適切なほかのサービス提供事業者等の紹介その他の必要な措置をとる。
受給資格等の確認	介護保険の被保険者証で被保険者資格、要介護認定の有無、有効期間などを確認し、介護認定審査会の意見がある場合は、その意見に配慮したサービスを提供するよう努める。

要介護認定の申請にかかる援助	●要介護認定を受けていない利用申込者については、要介護認定等の有無を確認し、申請が行われていなければ、利用申込者の意思を踏まえ、必要な協力を行わなければならない。 ●更新認定の申請は、遅くとも有効期間満了日の30日前に行われるよう必要な援助をする。
心身の状況などの把握	サービス提供にあたっては、サービス担当者会議などを通じて、利用者の心身の状況、環境、ほかの保健医療・福祉サービスの利用状況などを把握するよう努める。
居宅介護支援事業者などとの連携	●居宅介護支援事業者や保健医療・福祉のサービス提供者と密接に連携するよう努める。 ●サービス提供終了時には、利用者や家族に適切な指導を行い、居宅介護支援事業者などに情報を提供し、保健医療・福祉のサービス提供者と密接に連携するよう努める。
身分を証する書類の携行	●事業者は、従業者に身分を証する証書や名札などを携行させ、初回訪問時や利用者・家族から求められたときは、これを提示すべき旨を指導しなければならない。 ※訪問系のサービスに共通
利用料等の受領	●償還払いでの利用料と居宅介護サービス費用基準額との間に不合理な差異を設けない。 ●サービス利用にあたり、利用者・家族にサービス内容と金額の説明を行い、利用者の同意を得る。 ●利用料とは別に利用者の選定により提供したサービスの費用などの支払いを受けることができる（サービスごとに異なる）。
保険給付の請求のための証明書の交付	利用料の支払いを受けた場合は、その利用料の額などを記載したサービス提供証明書を利用者に交付する。
基本取扱方針	●利用者の要介護状態の軽減または悪化の防止に資するよう、その目標を設定し、計画的に行わなければならない。 ●事業者は、自ら提供するサービスの質の評価を行い、常にその改善を図らなければならない。
具体的取扱方針	＊サービスの提供にあたっての方針や具体的な手順を示す規定。サービスごとに異なるため、各サービスの項目で学習する。 ＊身体的拘束等の禁止と記録にかかる規定はすべてのサービスに共通。加えて、短期入所サービスと特定施設入居者生活介護では、委員会の開催、指針の整備、研修の実施についてが規定されている。

◉居宅サービス計画作成などにかかわる基準

法定代理受領サービスの提供を受けるための援助など	法定代理受領の要件（→ P69）を満たしていない利用申込者または家族に手続きなどを説明し、居宅介護支援事業者に関する情報を提供するなどの援助を行う。
居宅サービス計画に沿ったサービス提供	居宅サービス計画が作成されている場合は、その計画に沿ったサービス提供を行う。　※特定施設入居者生活介護には規程なし

居宅サービス計画などの変更の援助	利用者が居宅サービス計画の変更を希望する場合、居宅介護支援事業者への連絡など必要な援助をする。 ※居宅療養管理指導を除く訪問通所系サービスに共通
計画の作成	●居宅サービス計画に沿って、「訪問介護計画」などの個別サービス計画を作成する。計画の内容については、利用者またはその家族に説明し、利用者の同意を得て交付する。 ●すでに居宅サービス計画が作成されている場合は、その内容に沿って作成する必要がある。 ●居宅サービス計画を作成する居宅介護支援事業者から個別サービス計画の提出の求めがあった場合、計画を提出するよう努める。 ※訪問入浴介護、特定施設入居者生活介護、居宅療養管理指導には規定なし
サービスの提供の記録	●サービスの提供日、内容、保険給付の額などを居宅サービス計画書やサービス利用票などに記載する。 ●サービスの提供日、提供した具体的なサービス内容、利用者の心身の状況など必要な事項を記録し、利用者から申し出があった場合は、文書の交付など適切な方法で利用者に提供する。
居宅介護支援事業者に対する利益供与の禁止	居宅介護支援事業者またはその従業者に対し、利用者に特定の事業者のサービスを受けさせることの対償として、金品その他財産上の利益を供与してはならない。

●その他の規定の共通事項

利用者に関する市町村への通知	利用者が次のいずれかに該当する場合は、遅滞なく、意見を付してその旨を市町村に通知する。 ●正当な理由なくサービスの利用に関する指示に従わないことにより、要介護状態の程度を増進させたとき。 ●偽りその他不正な行為により保険給付を受けたり受けようとしたとき。
緊急時などの対応	サービス提供時に、利用者に病状の急変が生じた場合などに、すみやかに主治医や協力医療機関への連絡など必要な措置を講じる。 ※訪問リハビリテーション、居宅療養管理指導、短期入所療養介護、福祉用具貸与、特定福祉用具販売を除く
管理者の責務	管理者は、従業者、利用申込の調整、業務の実施状況の把握などの管理を一元的に行い、運営基準を遵守させるために必要な指揮命令を行う。
運営規程	事業所ごとに、事業の目的・運営の方針、従業者の職種・員数・職務内容、営業日・営業時間、サービスの内容・利用料、通常の事業の実施地域、虐待の防止のための措置に関する事項など事業運営についての重要事項に関する運営規程を定める。

勤務体制の確保など	● 適切なサービスを提供できるよう、事業所ごとに従業者の勤務体制を定め、資質の向上のための研修の機会を確保する。 ● 研修の機会を確保する際に、すべての従業者（医療・介護の有資格者等を除く）に対し、認知症介護基礎研修を受講させるための必要な措置を講じなければならない（無資格者がいない訪問系サービス、福祉用具貸与を除く）。 ● 職場におけるハラスメント（職場において行われる性的な言動または優越的な関係を背景とした言動であって、業務上必要かつ相当な範囲を超えたものにより従業者の就業環境が害されるもの）を防止するための方針の明確化などの必要な措置を講じる。
業務継続計画の策定など	感染症や非常災害の発生時において、利用者にサービスを継続的に提供するためなどの業務継続計画を策定して従業者に周知するとともに、必要な研修および訓練を定期的に実施する。また定期的に業務継続計画の見直し等を行う。 ※居宅療養管理指導は2027（令和9）年3月31日まで努力義務
定員の遵守	災害などのやむを得ない場合を除き、利用定員を超えてサービスを行ってはならない（短期入所サービス、通所サービスの場合）。 ＊短期入所サービスではやむを得ない事情に「虐待」も含まれる。 ＊短期入所生活介護では、一定の条件下で利用者数を超えて「静養室」でのサービス提供が認められる（→ P374）。
非常災害対策	非常災害に対する具体的な計画を立て、非常災害時の関係機関の通報・連絡体制を整備して、それらを定期的に従業者に周知するとともに、定期的に避難、救出などの訓練を行う。また、訓練の実施にあたって、地域住民の参加が得られるよう連携に努める。 ※短期入所サービス、通所サービス、特定施設入居者生活介護の場合
衛生管理など	● 従業者の清潔の保持および健康状態について必要な管理を行い、事業所の設備や備品について衛生的な管理に努める。 ※訪問系サービス、福祉用具に共通 ● 利用者の使用する施設、食器などの設備、飲用水について衛生的な管理に努め、または衛生上の必要な措置を講じる（通所系・短期入所・居住系サービスに共通）。 ● 医薬品と医療機器の管理を適正に行う（短期入所療養介護）。 ● 感染症の発生・まん延防止のため、感染症の予防およびまん延の防止のための対策を検討する委員会（感染対策委員会）をおおむね6か月に1回以上開催し、その結果を従業者に周知徹底する。また、感染症の予防およびまん延の防止のための指針を整備し、研修および訓練を定期的に実施する。※すべてのサービスに共通
掲示	● 事業所の見やすい場所に、運営規程の概要、勤務体制そのほか利用申込者のサービス選択にかかわる重要事項を掲示する。重要事項を記載した書面を事業所に備えつけ、自由に閲覧させることで掲示に代えることもできる。 ● 原則として、重要事項をウェブサイトに掲載しなければならない。 ※2025（令和7）年4月1日から適用

秘密保持など	● 正当な理由なく、業務上知り得た利用者・家族の秘密を漏らしてはならない。従業者がその事業所を退職したあとも秘密を漏らすことのないよう、雇用時に取り決めをするなど必要な措置をとる。 ● 利用者・家族の個人情報を開示する必要がある場合は、その個人情報を開示する本人にあらかじめ文書により同意を得る。
広告	事業所について広告する場合は、その内容が虚偽または誇大なものであってはならない。
苦情処理	● サービスについての利用者や家族からの苦情に迅速かつ適切に対応するために、苦情受け付けの窓口を設置するなど必要な措置を講じる。また、苦情を受け付けた場合はその内容を記録する。 ● 市町村が行う文書の提出・提示の求めなどに応じ、苦情に関する市町村や国保連の調査に協力するとともに、その指導・助言に従って必要な改善を行い、市町村や国保連から求めがあった場合は改善内容を報告する。
地域との連携など	● 事業の運営にあたり、提供したサービスに関する利用者からの苦情に関して、市町村等が派遣する者が相談および援助を行う事業その他の市町村が実施する事業に協力するよう努める。 ● 地域住民またはその自発的な活動などと連携・協力するなどの地域との交流に努める（通所介護、短期入所サービス、特定施設入居者生活介護のみ）。 ● 事業所と同一の建物に居住する利用者にサービスを提供する場合は、その建物に居住する利用者以外の者にも、サービス提供を行うよう努める。 ※訪問系・通所系サービス、福祉用具貸与、特定福祉用具販売のみ
委員会の開催	事業所における業務の効率化、介護サービスの質の向上その他の生産性の向上に資する取り組みの促進を図るため、利用者の安全並びに介護サービスの質の確保および職員の負担軽減に資する方策を検討するための委員会（テレビ電話装置等を活用して行うことができるものとする）を定期的に開催しなければならない。 ※短期入所サービス、特定施設入居者生活介護のみ ※2027（令和9）年3月31日まで努力義務
事故発生時の対応	● サービスの提供により事故が発生した場合、市町村、利用者の家族、居宅介護支援事業者などに連絡し必要な措置を講じる。 ● とった処置などについては記録する。 ● 賠償すべき事故が発生した場合には、すみやかに賠償する。
虐待の防止	虐待の発生またはその再発を防止するため、虐待の防止のための対策を検討する委員会を定期的に開催し、その結果を従業者へ周知徹底するとともに、虐待の防止のための指針の整備、研修の定期的な実施などの措置を講じ、これら措置を適切に実施するための担当者を置く。　※居宅療養管理指導は2027（令和9）年3月31日まで努力義務
会計の区分	事業所ごとに経理を区分し、各サービスの事業の会計とその他の事業の会計とを区分する。

記録の整備	従業者・設備・備品・会計に関する諸記録を整備しておかなければならない。サービス提供に関する諸記録は、サービス提供完結の日から2年間保存しなければならない。
電磁的記録等	●書面に代えて、電磁的記録を用いることができる。 ●相手方の承諾を得て、交付、説明、同意、承諾、締結などについて、書面に代えて電磁的方法により行うことができる。

5 介護予防サービス事業の基準

　基本的に居宅サービス事業の基準と同様のものが定められていますが、基本方針には、「利用者の生活機能の維持または向上をめざすようサービスを提供すること」が規定され、基本取扱方針では、「利用者がその有する能力を最大限活用することができるような方法によるサービス提供に努め、利用者が有する能力を阻害するなどの不適切なサービスの提供を行わないよう配慮する」など、介護予防のためのサービスであることが強調されています。

6 地域密着型（介護予防）サービス事業の基準

(1) 市町村独自の基準

　市町村は、**厚生労働省令の基準に代えて市町村独自の基準を設定**することができます。独自の基準を設定する際には、あらかじめ被保険者その他関係者の意見を反映させ、学識経験者の知見を活用するために必要な措置を講じる必要があります。

(2) 運営基準における運営推進会議などの設置

　運営基準の多くは、おおむね指定居宅サービス事業の基準と同趣旨のものが定められています。

　また、固有の規定として、「地域との連携など」において事業者に運営推進会議（定期巡回・随時対応型訪問介護看護では同様の機能をもつ介護・医療連携推進会議）の設置が義務づけられています（夜間対応型訪問介護を除く）。

　会議は利用者や家族、市町村や地域包括支援センターの職員、地域住民の代表者などから構成され、おおむね2か月に1回以上（通所系サービス、定期巡回・随時対応型訪問介護看護ではおおむね6か月に1回以上、療養通所介護ではおおむね12か月に1回以上）開催して活動状況を報告して評価を受けるとともに、その記録を公表することとされています。

+1 プラスワン

介護予防サービス事業の基準

「指定介護予防サービス等の事業の人員、設備及び運営並びに指定介護予防サービス等に係る介護予防のための効果的な支援の方法に関する基準」として規定される。

+1 プラスワン

地域密着型（介護予防）サービス事業の基準

「指定地域密着型サービスの事業の人員、設備及び運営に関する基準」「指定地域密着型介護予防サービスの事業の人員、設備及び運営並びに指定地域密着型介護予防サービスに係る介護予防のための効果的な支援の方法に関する基準」として規定される。

居宅介護支援の基準はレッスン25と26、介護予防支援の基準はレッスン27と28、介護保険施設の基準の共通事項については、レッスン29で学習します。

なお、会議は一定の条件を満たす場合は、複数事業所での合同開催が認められています。

チャレンジ！ 過去＆予想問題

できたら チェック ☑

	問　題		解　答
□1	利用申込者または家族に対して、あらかじめ従業者の体制その他の重要事項について、口頭で説明し、同意を得なければならない。 予想	✕	必ず文書で説明する
□2	事業所の通常の事業の実施地域外である場合は、サービス提供を拒否できる。 予想	〇	
□3	利用者に不正な受給があるときなどは、意見をつけて市町村および居宅介護支援事業者へ通知する。 予想	✕	居宅介護支援事業者への通知は義務づけられていない
□4	指定訪問介護事業者は、要介護認定を申請していない者については、必要な協力を行わなければならない。 予想	〇	
□5	運営規程の概要などの重要事項について、サービス開始時に利用者に説明がなされていれば、事業所に文書を掲示する必要はない。 予想	✕	掲示しなければならない
□6	指定居宅サービス事業者は、家族の承諾を得れば、利用者の個人情報を関係者に開示することができる。 予想	✕	あらかじめ利用者本人の文書による承諾が必要
□7	サービスの提供により、事故が発生した場合は、すみやかに都道府県および利用者の家族に連絡を行わなければならない。 予想	✕	市町村および利用者の家族、居宅介護支援事業者などへ連絡する
□8	指定訪問介護事業者は、苦情受付窓口の設置等の必要な措置を講じなければならない。 R4	〇	
□9	訪問入浴介護事業者は、居宅介護支援事業者から個別サービス計画の提出の求めがあった場合、計画を提出するように努める。 予想	✕	訪問入浴介護では、個別サービス計画の作成および提出についての規定はない
□10	指定居宅サービス事業者は、感染症や非常災害の発生時において、利用者に継続的にサービスを提供するための業務継続計画を策定しなければならない。 予想	〇	

介護サービス情報の公表など

レッスンのポイント

- ●事業者などは介護サービス情報を公開する義務がある
- ●介護サービス情報は都道府県知事に報告する
- ●都道府県知事は必要に応じて調査を行う
- ●都道府県知事は事業者に報告命令や調査命令ができる

1 介護サービス情報の公表

　利用者が適切に介護サービスを比較検討し選択できるよう、介護サービス事業者（介護サービスを行う事業者と施設）は、介護サービス情報の公表が義務づけられています。

◉公表のしくみ

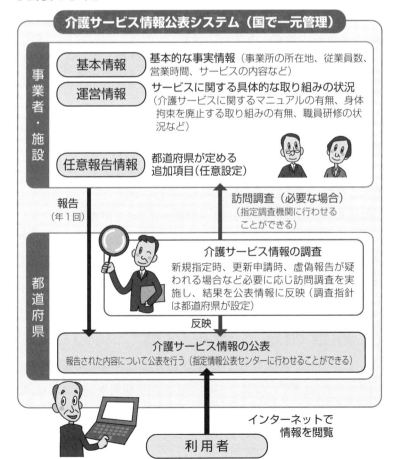

＋1 プラスワン

公表対象となるサービス
基本的にすべてのサービスが公表対象だが、居宅療養管理指導、養護老人ホームの行う（介護予防）特定施設入居者生活介護、介護予防支援などは対象外とされている。

2 公表の手続きと公表内容

（1）介護サービス情報の報告と報告内容

　介護サービス事業者は、①**介護サービスの提供を開始**するとき、②都道府県知事が毎年定める報告計画に基づき定期的に年1回程度、介護サービス情報を都道府県知事に報告しなければなりません。

　報告すべき介護サービス情報には、基本情報と運営情報があり、上記①の場合は基本情報を、上記②の場合は基本情報と運営情報を報告します。このほか、都道府県独自の追加項目である任意報告情報があり、都道府県知事は、介護サービス事業者から任意で提供を受けた場合は、公表を行うよう配慮します。

● **報告される介護サービス情報の主な内容**

基本情報	事業者や事業所の名称、所在地、職員の体制、事業所等の運営方針、介護サービスの内容、提供実績、床面積、設備、利用料金、サービス提供時間、苦情対応窓口の状況など
運営情報	下記のために講じている措置など 利用者等の権利擁護等、介護サービスの質の確保、相談・苦情等の対応、介護サービスの内容の評価・改善等、介護サービスの質の確保・透明性の確保等のために実施している外部の者等との連携、適切な事業運営の確保（事業所等の財務状況含む）、安全管理および衛生管理、情報管理・個人情報保護等

（2）介護サービス情報の公表と必要時の調査

　介護サービス情報の報告を受けた都道府県知事は、その報告の内容を公表し、**必要がある場合**は、その介護サービス情報について都道府県の定める指針に従い調査をすることができます。

　都道府県知事が、介護サービス事業者の報告後に調査を行った場合は、その調査の結果を公表することをもって、報告の内容を公表したものとすることができます。

3 調査命令・指定の取り消しなど

（1）介護サービス事業者が報告等を行わないなどの場合

　都道府県知事は、介護サービス事業者が報告**を行わない**とき、虚偽の報告**をした**とき、調査**を受けなかった**ときなどは、期間を定めて報告や報告内容の是正、調査を受けることを**命じる**ことができます。これらの命令に従わない場合は、介護サービス事業者

（都道府県知事では指定権限のある事業者等のみ）に対して指定・許可の取り消し、または期間を定めて指定・許可の全部もしくは一部の効力の停止をすることができます。

（2）市町村長への通知

都道府県知事は、地域密着型サービスなど市町村長が指定する介護サービス事業者に対しては、①調査命令などを行ったとき、②命令に従わず、指定・許可の取り消しや効力の停止が適当であるときに、その旨を理由をつけて市町村長に通知しなければなりません。

◢ 指定調査機関と指定情報公表センター

都道府県知事は、介護サービス情報の報告内容の調査事務を、都道府県ごとに指定する指定調査機関に行わせることができます。指定調査機関による調査は、公正かつ全国的に一定の基準で行われなければなりません。

また、都道府県知事は、介護サービス情報の公表事務の全部または一部を、都道府県ごとに指定する指定情報公表センターに行わせることができます。

指定調査機関および指定情報公表センターには秘密保持義務が課されます。

◢ 介護サービス事業者経営情報の調査・分析など

（1）介護サービス事業者経営情報の調査および分析・公表

都道府県知事は、地域において必要とされる介護サービスの確保のため、介護サービス事業者の収益および費用の内容、職員の職種別人員数などの介護サービス事業者経営情報について調査・分析を行い、その内容を公表するよう努めます。

介護サービス事業者は、定期的に、介護サービス事業者経営情報を都道府県知事に報告しなければなりません。

厚生労働大臣は、介護サービス事業者経営情報を収集・整理し、整理した情報の分析の結果を国民にインターネットなどの利用を通じて迅速に提供することができるよう必要な施策を実施します。また、必要なときは、都道府県知事に対し、介護サービス事業者の活動の状況などに関する情報の提供を求めることができます。

指定の取り消しや効力の停止は、指定をした都道府県知事または市町村長しかできません。

＋1 プラスワン

調査の方法
調査員（調査員養成研修課程修了者で、都道府県知事が作成する調査員名簿に登録されている者）1名以上で介護サービス事業者を訪問し、代表者に対して面接調査を行う。ただし、都道府県知事が定める方法で調査を行うこともできる。

（2）報告命令・指定の取り消しなど

　都道府県知事は、介護サービス事業者が報告を行わない、または虚偽の報告をしたときは、期間を定めて報告や報告内容の是正を命じることができます。この命令に従わない事業者には、指定・許可の取り消し、または期間を定めて指定・許可の全部もしくは一部の効力を停止することができます。

　なお、市町村長が指定を行った事業者に対しては、①報告命令を行ったとき、②報告命令に従わず、指定の取り消し等が適当であるときに、その旨を市町村長に通知しなければなりません。

\\ チャレンジ！ //
過去＆予想問題

できたら
チェック ✓

	問題	解答
□1	指定居宅介護支援事業者は、介護サービス情報をその事業所の所在地の市町村長に報告する。 R4	✕ 都道府県知事に報告
□2	介護サービス事業者が報告する介護サービス情報には、第三者による評価の実施状況が含まれる。 R1	○
□3	介護サービス事業者が介護サービス提供開始時に報告すべき介護サービス情報には、安全管理および衛生管理のために講じている措置が含まれる。 予想	✕ 運営情報であり、介護サービス提供開始時には報告しない
□4	指定地域密着型サービス事業者が報告命令に従わない場合、都道府県知事は指定の取り消しを行う。 予想	✕ 指定取り消しは市町村長
□5	都道府県知事は、介護サービス情報の報告にかかる調査事務を指定調査機関に行わせることができる。 予想	○
□6	指定調査機関および指定情報公表センターは、国が指定する。 予想	✕ 都道府県知事が指定
□7	指定調査機関の調査員は、都道府県知事が作成する調査員名簿に登録されている者でなければならない。 予想	○
□8	介護サービス事業者は、介護サービス事業者経営情報を所在地の市町村長に報告しなければならない。 予想	✕ 都道府県知事に報告
□9	都道府県知事は、介護サービス事業者の介護サービス事業者経営情報について調査・分析を行う。 予想	○
□10	市町村長は、介護サービス事業者経営情報を収集・整理する。 予想	✕ 市町村長ではなく厚生労働大臣

Lesson
18

重要度
A
★★★

地域支援事業

レッスンの
ポイント

- 地域支援事業は、すべての市町村が行う事業である
- 介護予防・日常生活支援総合事業と包括的支援事業は必須事業である
- 任意事業には家族介護支援事業などがある
- 市町村は保健福祉事業を実施できる

❶ 地域支援事業の概要

地域支援事業は、被保険者が要介護状態等になることを予防するとともに、要介護状態等になった場合においても、可能なかぎり、地域において自立した日常生活を営むことができるよう支援するため、すべての市町村が保険給付とは別に行う事業です。

コっでた!

R5 問13
R3 問14
R1 問12

◉地域支援事業の構成

<table>
<tr><th colspan="2"></th><th>事業内容</th><th></th><th>対象</th></tr>
<tr><td rowspan="4">必須事業</td><td rowspan="2">介護予防・日常生活支援総合事業</td><td colspan="2">● 介護予防・生活支援サービス事業（第1号事業）
・第1号訪問事業　　・第1号通所事業
・第1号生活支援事業　・第1号介護予防支援事業</td><td>要支援者等</td></tr>
<tr><td colspan="2">● 一般介護予防事業
・介護予防把握事業・介護予防普及啓発事業
・地域介護予防活動支援事業・一般介護予防事業
　評価事業・地域リハビリテーション活動支援事業</td><td>第1号被保険者</td></tr>
<tr><td rowspan="2">包括的支援事業</td><td>● 第1号介護予防支援事業（要支援者以外）
● 総合相談支援業務
● 権利擁護業務
● 包括的・継続的ケアマネジメント支援業務
　（地域ケア会議推進事業）</td><td>地域包括支援センターの運営</td><td rowspan="2">被保険者</td></tr>
<tr><td>● 在宅医療・介護連携推進事業
● 生活支援体制整備事業
● 認知症総合支援事業</td><td>社会保障充実分</td></tr>
<tr><td>任意事業</td><td>任意事業</td><td colspan="2">● 介護給付等費用適正化事業
● 家族介護支援事業
● その他の事業</td><td>被保険者や介護者など</td></tr>
</table>

※地域ケア会議の推進にかかる業務は、法律上は包括的・継続的ケアマネジメント支援業務の一部として行われるが、地域ケア会議の実施にかかる費用は、「地域ケア会議推進事業」として社会保障充実分で計上される。

ココでた！
| R4 問11 | R3 問14 |
| R2 問10 | R1 問19 |

+1 プラスワン

多様な提供主体
市町村の直接実施、委託による実施、市町村の指定事業者による専門的なサービス提供、NPOなど住民主体の支援者への市町村の補助（助成）による実施など。

 用 語

基本チェックリスト
生活機能、運動、口腔、栄養状態、認知機能などの25項目から構成される。

2 介護予防・日常生活支援総合事業

介護予防・日常生活支援総合事業では、地域の実情に応じ、多様な提供主体により柔軟なサービス提供を行います。

この事業のうち、介護予防・生活支援サービス事業は、認定を受けた要支援者または基本チェックリストに該当した第1号被保険者、および要介護者（要介護認定前から介護予防・生活支援サービス事業〔従来の介護予防訪問介護・介護予防通所介護相当サービス、短期集中予防サービスを除く〕を利用する者〔継続利用要介護者〕にかぎる）が対象となります。

一般介護予防事業は、すべての第1号被保険者とその支援のための活動にかかわる人を対象とします。

市町村や地域包括支援センターの窓口では、相談に来た被保険者に、総合事業の目的や内容、手続きなどについて説明して基本チェックリストを実施し、利用の振りわけなどを行います。

●総合事業の利用

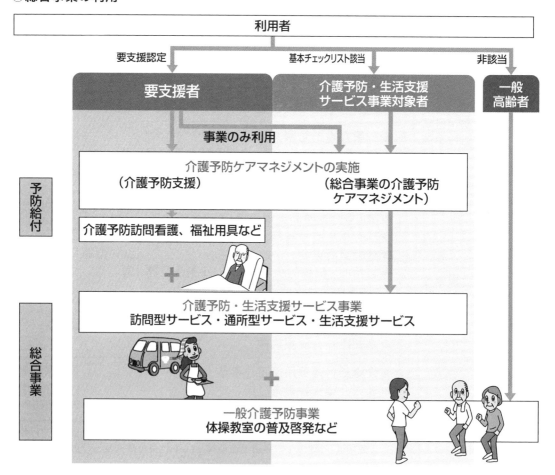

◉介護予防・生活支援サービス事業の内訳

①訪問型サービス（第1号訪問事業）

要支援者等の居宅において、掃除、洗濯などの日常生活上の支援を行う。
【例】
- 従来の介護予防訪問介護相当のサービス→訪問介護員による身体介護、生活援助。予防給付の基準を基本とし、指定事業者が実施。
- それ以外の多様なサービス（下表）

訪問型サービスA	緩和した基準のサービス→生活援助など。予防給付よりも緩和した基準で指定事業者や委託事業者が実施。
訪問型サービスB	住民主体による支援→住民主体の自主活動（ボランティア）として行う生活援助など。最低限の基準により、市町村の補助により実施する。
訪問型サービスC	専門職による短期集中予防サービス→市町村の保健師などによる居宅での相談指導など。内容に応じた独自の基準で、市町村の直接実施や委託による実施。
訪問型サービスD	移動支援→移動支援や移送前後の生活支援など。方法は訪問型サービスBに準じる。

②通所型サービス（第1号通所事業）

施設において、日常生活上の支援や機能訓練を行う。
【例】
- 従来の介護予防通所介護相当のサービス→予防給付の基準を基本とし、指定事業者が実施する。生活機能向上のための機能訓練など。
- それ以外の多様なサービス（下表）

通所型サービスA	緩和した基準のサービス→ミニデイサービス、運動、レクリエーションなど。予防給付よりも緩和した基準で指定事業者や委託事業者が実施。
通所型サービスB	住民主体による支援→体操、運動等の活動など、自主的な通いの場。最低限の基準により、市町村の補助により実施。
通所型サービスC	専門職による短期集中予防サービス→運動器の機能向上や栄養改善プログラムなど。内容に応じた独自の基準で、市町村の直接実施や委託による実施。

③その他生活支援サービス（第1号生活支援事業）

介護予防サービスや訪問型・通所型サービスと一体的に行われる場合に効果があると認められる、厚生労働省令に定める下記のサービスを行う。
- 栄養改善などを目的とした配食。
- 定期的な安否確認と緊急時の対応（住民ボランティアなどが行う訪問による見守り）。
- その他介護予防と自立した日常生活の支援のための市町村が定めるもの（訪問型サービス・通所型サービスの一体的提供など）。

④介護予防ケアマネジメント（第1号介護予防支援事業）

総合事業のみを利用する要支援者等を対象に、総合事業のサービスを適切に提供できるよう、市町村または市町村の委託を受けた地域包括支援センターが介護予防ケアマネジメントを実施する。なお、地域包括支援センターは、業務の一部を指定居宅介護支援事業者に委託することができる。利用者の状態や希望に応じ、下表のケアマネジメントが想定される。

ケアマネジメントA	介護予防支援と同様の原則的なプロセス。主に訪問型サービス・通所型サービスにおいて指定事業者のサービスを利用する場合、短期集中予防サービスを利用する場合など。
ケアマネジメントB	サービス担当者会議やモニタリングを適宜省略。指定事業者以外の多様なサービスを利用する場合など。
ケアマネジメントC	サービス開始時にアセスメントを行い、結果を利用者と共有。住民主体のサービス利用など、補助や助成のサービス利用、その他生活支援サービスを利用する場合など。

●一般介護予防事業の内訳

介護予防把握事業	地域の実情に応じて収集した情報等の活用により、閉じこもり等の支援を要する者を把握し、介護予防活動へつなげる。
介護予防普及啓発事業	介護予防活動の普及・啓発を行う。体操教室や講演会などの開催、介護予防の普及啓発のためのパンフレット作成、介護予防手帳の配布など。
地域介護予防活動支援事業	地域における住民主体の介護予防活動の育成・支援を行う。介護予防に関するボランティアなどの人材育成の研修、社会参加活動を通じた地域活動の実施、ボランティア活動を行った場合のポイントの付与など。
一般介護予防事業評価事業	介護保険事業計画に定める目標値の達成状況等の検証を行い、一般介護予防事業を評価。
地域リハビリテーション活動支援事業	介護予防の取り組みを機能強化するため、通所、訪問、地域ケア会議、住民主体の通いの場などでリハビリテーション専門職等が助言などを行う。

ココでた！

R4 問12
R1 問12

＋1 プラスワン

包括的支援事業の委託
老人介護支援センターの設置者、医療法人、社会福祉法人、特定非営利活動法人など市町村が適当と認めた者。

地域包括支援センター
→ P118

3 包括的支援事業

　包括的支援事業は、第1号被保険者・第2号被保険者を対象とした市町村の**必須事業**です。

　包括的支援事業は、市町村または市町村から委託を受けた者が実施します。①第1号介護予防支援事業、②総合相談支援業務、③権利擁護業務、④包括的・継続的ケアマネジメント支援業務については、市町村が実施方針を示したうえで、法人に一括して**委託**する必要があります。市町村または市町村委託を受けた法人が、地域包括支援センターを設置し、①～④の事業（地域ケア会議の実施を含む）を行うことになります。

⑤在宅医療・介護連携推進事業、⑥生活支援体制整備事業、⑦認知症総合支援事業については、分割しての委託や法人以外（地域包括支援センター以外）に委託することも可能です。

◉包括的支援業務の内容

①第1号介護予防支援事業（要支援者以外）	総合事業のサービスを包括的・効率的に提供できるよう、必要な援助を行う。 ※総合事業の介護予防ケアマネジメントとして、一体的に実施。
②総合相談支援業務（事業）	相談支援や関係機関の連絡調整を行う。 ●地域におけるネットワーク構築。 ●高齢者の心身の状況や家族の状況などについての実態把握。 ●高齢者からの初期段階での相談対応、サービスや制度の情報提供や関連機関の紹介など総合相談支援。 ●介護を行う家族などのニーズを踏まえた対応や配慮、家族介護支援事業との連携、地域共生社会の観点に立った包括的な支援。
③権利擁護業務（事業）	虐待の防止や早期発見のための業務その他権利擁護のために必要な援助を行う。 ●成年後見制度の説明や申し立ての支援。 ●老人福祉施設などへの措置入所の支援。 ●高齢者虐待への対応。 ●専門職の連携による困難事例への対応の検討、必要な支援。 ●消費者被害を未然に防止。
④包括的・継続的ケアマネジメント支援業務（事業）	保健医療・福祉の専門家が居宅サービス計画や施設サービス計画、介護予防サービス計画を検証し、被保険者の心身の状況、介護給付等対象サービスの利用状況などを定期的に協議するなどの取り組みを通じて、被保険者が地域で自立した日常生活を送ることができるように包括的・継続的な支援を行う。 ●地域ケア会議を通じての自立支援に資するケアマネジメントの支援、地域の介護支援専門員のネットワークの構築や活用。 ●地域の介護支援専門員への相談対応、支援困難事例についての指導や助言など。

在宅医療・介護連携推進事業などは、地域包括支援センター以外でも実施可能ということだね！

+1プラスワン

重層的支援体制整備事業
市町村は、一般介護予防事業における地域介護予防活動支援事業、包括的支援事業の②～④、⑥については、「重層的支援体制整備事業（→P23）」として実施することができる。

+1プラスワン

介護予防支援事業に関する情報提供の求めなど
市町村長は、介護予防サービス計画の検証の実施にあたり必要なときは、指定介護予防支援事業者に対し、介護予防サービス計画の実施状況その他の事項に関する情報の提供を求めることができる。

地域ケア会議
→ P119

+1 プラスワン

介護情報の収集・提供などにかかる事業の創設
2023（令和5）年の法改正で、被保険者の情報を共有し、活用することを促進する事業が包括的支援事業に位置づけられた。この事業における被保険者の情報の収集、整理、利用または提供に関する事務の全部または一部は支払基金や国保連などに委託できる。施行は公布日（2023年5月19日）から4年以内の政令で定める日。

+1 プラスワン

認知症初期集中支援チーム
保健師、看護師、准看護師、作業療法士、歯科衛生士、精神保健福祉士、社会福祉士、介護福祉士などの専門職が2人以上、認知症などの専門医療の経験がある認知症サポート医1人から構成される。
→ P256

⑤在宅医療・介護連携推進事業	在宅医療と介護が切れ目なく提供される体制を構築するため、次のような取り組みを行う。 ● 地域の医療・介護の資源の把握。 ● 在宅医療・介護連携の課題の抽出と対応策の検討。 ● 切れ目のない在宅医療と在宅介護の提供体制の構築推進。 ● 在宅医療・介護連携に関する相談支援。 ● 地域住民への普及啓発。 ● 医療・介護関係者の情報共有の支援。 ● 医療・介護関係者の研修。 ● 評価の実施、改善の実施。
⑥生活支援体制整備事業	高齢者の社会参加および生活支援の充実を推進するため、次の配置などを行う。 ①生活支援コーディネーター（地域支え合い推進員）の配置 　生活支援コーディネーターが、サービスの創出や担い手の養成、活動場所の確保などの資源開発、関係者間の情報共有などのネットワーク構築、ニーズと取り組みのマッチングを行う。 ②協議体の設置 　生活支援コーディネーターと多様な提供主体が参画して定期的な情報の共有・連携強化を行う場を設置する。 ③就労的活動支援コーディネーター（就労的活動支援員）の配置 　就労的活動支援コーディネーターが、就労的活動の取り組みを実施したい事業者等と就労的活動の場を提供できる民間企業等をマッチングし、役割がある形での高齢者の社会参加等を促進する。
⑦認知症総合支援事業	認知症の早期における症状の悪化の防止のための支援や、認知症の人またはその疑いのある人に対する総合的な支援を行う。次の3つの事業からなる。 ①認知症初期集中支援推進事業 　認知症初期集中支援チームを配置し、医療・介護の専門職が、認知症が疑われる人や認知症の人、その家族を訪問し、初期の支援を包括的・集中的に実施する。 ②認知症地域支援・ケア向上事業 　認知症地域支援推進員を中心として、医療機関、介護サービス事業者、地域の支援関係者の連携づくり、相談支援や支援

⑦認知症総合支援事業	体制を構築するための取り組み、認知症対応力向上、多職種協働のための研修、認知症の人と家族への一体的支援などに関する事業実施の企画・調整などを行う。 ③認知症サポーター活動促進・地域づくり推進事業 チームオレンジコーディネーターを配置して、認知症の人やその家族の支援ニーズと認知症サポーターを中心とした支援をつなぐしくみであるチームオレンジを整備し、その運営を支援して、「共生」の地域づくりを推進する。

注目！

認知症総合支援事業では、2020（令和2）年度から配置されているチームオレンジコーディネーターにも着目しよう。

4 任意事業の内容

任意事業は、次の3つの事業から構成され、市町村が地域の実情に応じて実施することができます。

●任意事業

介護給付等費用適正化事業	介護給付・予防給付の費用の適正化を図る事業。 ●主要介護給付等費用適正化事業（認定調査状況チェック、ケアプランの点検、住宅改修等の点検、医療情報との突合など）
家族介護支援事業	介護方法の指導など、要介護者を介護する人を支援するための事業。 ●認知症高齢者見守り事業 ●介護教室の開催 ●家族介護継続支援事業
その他の事業	介護保険事業の運営安定化のための事業や、被保険者が地域で自立した日常生活が送れるよう支援する事業。 ●成年後見制度利用支援事業 ●福祉用具・住宅改修支援事業 ●認知症対応型共同生活介護事業所の家賃等助成事業 ●認知症サポーター等養成事業 ●重度のALS患者の入院におけるコミュニケーション支援事業 ●地域自立生活支援事業（介護サービス相談員派遣等事業など）

コっでた！
R2 問14

+1プラスワン

任意事業の委託
任意事業の全部または一部について、老人福祉法上の老人介護支援センターの設置者などに委託が可能。

+1 プラスワン

住所地特例適用被保険者については、住所地の市町村が地域支援事業を実施する（任意事業は保険者の市町村も実施可能）が、費用の負担は保険者である市町村である。

高齢者保健事業は、後期高齢者医療広域連合が実施主体ですが、その実施を市町村に委託できます。

財源
→ P128

5 地域支援事業の実施

(1) 地域支援事業の実施

　市町村が地域支援事業を実施するにあたっては、市町村での介護予防に関する事業の実施状況や介護保険の運営状況、75歳以上**の被保険者の数**などを勘案して、**政令で定める額の範囲内**で行わなければなりません。

　また、市町村は介護保険等関連情報（→ P123）その他必要な情報を活用し、適切・有効に地域支援事業を実施するよう努めるほか、後期高齢者医療広域連合との連携を図り、高齢者保健事業および国民健康保険保健事業と一体的に実施するよう努めます。地域支援事業を行うにあたり必要な場合は、ほかの市町村や後期高齢者医療広域連合に対し、被保険者の保健医療・福祉サービス情報や医療・健診情報などの提供を求めることができます。

(2) 地域支援事業の財源と利用料

　財源は、公費と保険料で負担しますが、包括的支援事業・任意事業では第2号保険料の負担はありません。

　利用料に関する事項は、事業の内容や地域の実情に応じて市町村**が決定**し、市町村および委託を受けた者・指定事業者は地域支援事業の利用者に対し、利用料を請求することができます（介護予防把握事業にかかる費用を除く）。

6 保健福祉事業

　市町村は、地域支援事業に加え、第1号被保険者の保険料を財源として、次の保健福祉事業を行うことができます。

+1 プラスワン

保健福祉事業の実施
地域支援事業は、政令で定める額の範囲内で行うが、これに加えて第1号被保険者の保険料を財源に、各市町村で保健福祉事業を実施することも可能になっている。

- 要介護者を介護する人を支援する事業（家族介護教室など）。
- 被保険者が要介護状態等になることを予防**する事業**（介護予防教室など）。
- 保険給付**のために必要な事業**（居宅サービス事業、居宅介護支援事業、介護保険施設の運営など）。
- 被保険者が介護保険サービスを利用する際に必要となる資金を貸し付ける事業など。

チャレンジ！ 過去&予想問題

できたら
チェック ☑

	問　題	解　答
☐1	（地域支援事業の包括的支援事業として正しいもの）一般介護予防事業　**R5**	✕ 一般介護予防事業は介護予防・日常生活支援総合事業
☐2	介護予防・日常生活支援総合事業は、市町村の判断により任意で実施する。　**予想**	✕ 必須事業
☐3	介護予防・日常生活支援総合事業の一般介護予防事業は、第2号被保険者は対象とならない。　**予想**	◯
☐4	介護予防・日常生活支援総合事業における通所型サービスは、市町村の保健・医療専門職による運動器の機能向上に限定して実施される。　**R2**	✕ 従来の介護予防通所介護相当も含め、多様なサービスを実施
☐5	（第1号介護予防支援事業の実施について正しいもの）地域包括支援センターは、指定居宅介護支援事業所に委託することができない。　**R1**	✕ 委託することができる
☐6	一般介護予防事業には、地域リハビリテーション活動支援事業が含まれる。　**予想**	◯
☐7	包括的支援事業は、第1号被保険者および第2号被保険者を対象とする。　**予想**	◯
☐8	（包括的支援事業の各事業において配置することとされている者）チームオレンジコーディネーター　**R4**	◯
☐9	（地域支援事業の在宅医療・介護連携推進事業として市町村が実施すること）在宅医療・介護連携に関する相談支援　**予想**	◯
☐10	生活支援体制整備事業では、就労的活動支援コーディネーターを配置する。　**予想**	◯
☐11	認知症総合支援事業の内容には、協議体の設置が含まれる。　**予想**	✕ 生活支援体制整備事業において行われる
☐12	（地域支援事業の任意事業として正しいもの）地域リハビリテーション活動支援事業　**R2**	✕ 一般介護予防事業である
☐13	地域支援事業の実施においては、その市町村における40歳以上の被保険者の数などを勘案して行われる。　**予想**	✕ 75歳以上の被保険者の数
☐14	地域支援事業の利用料は、市町村が決定する。　**予想**	◯

地域包括支援センター

レッスンのポイント

- 地域包括支援センターには直営型と委託型がある
- 包括的支援事業や介護予防ケアマネジメントを実施
- 市町村は地域ケア会議を設置するよう努める
- 地域ケア会議には、5つの機能がある

▋1 地域包括支援センターの設置

地域包括支援センターは、地域の高齢者の心身の健康の保持、生活の安定のために必要な援助を行うことにより、保健・医療の向上、福祉の増進を包括的に支援する中核的機関です。市町村が直接設置する（直営型）ほか、**市町村により包括的支援事業の委託を受けた法人**が設置することができます（委託型）。

地域包括支援センターの設置・運営に関しては、市町村が設置する地域包括支援センター運営協議会が関与します。地域包括支援センターは、地域包括支援センター運営協議会の意見を踏まえて、適切、公正かつ中立な運営を確保することとされています。

▋2 地域包括支援センターの業務

地域包括支援センターは、地域支援事業の包括的支援**事業**を行うほか、介護予防ケアマネジメント（第1号介護予防支援事業）、一般介護予防事業、任意事業を行います。また、指定介護予防支援事業者として、介護予防支援も行います。

また、地域包括支援センターの設置者は、総合相談支援業務および第1号介護予防支援事業、指定介護予防支援の業務の一部について、指定居宅介護支援事業者に委託することができます。

+1 プラスワン

条例に定める基準
地域包括支援センターの基準は、法改正により、2014（平成26）年度から、市町村の条例で定めることになった。ただし、職員の人員数と配置基準については、国の基準に「従うべき基準」とされ、異なる基準とすることはできない。

▋3 地域包括支援センターの職員配置、義務など

（1）職員配置基準

地域包括支援センターは、包括的支援事業を実施するために必要な条例**に定める基準**を遵守します。職員は、原則として保健師・社会福祉士・主任介護支援専門員（3職種の確保が困難な場合は

これらに準ずる者）が各1人配置され、相互に協働しながら業務を行います。なお、地域包括支援センターの設置者、役職員などには、業務で知り得た秘密についての守秘義務が課せられます。

(2) 設置者による評価義務等

地域包括支援センターの設置者は、自ら**事業の質の評価を行う**ことなどにより、事業の質の向上を図らなければなりません。

そして包括的支援事業の効果的な実施のために、医療機関や民生委員、生活支援等のための事業を行う者などとの連携に努めます。

(3) 市町村による事業の実施状況の評価と情報の公開

市町村は、定期的に地域包括支援センターの事業の実施状況について評価を行います。また、地域包括支援センターが設置されたときなどは、事業の内容と運営状況に関する情報を公表するよう努めます。

4 地域ケア会議

(1) 地域ケア会議の設置

2014（平成26）年の介護保険制度改正で、包括的・継続的ケアマネジメント支援業務の効果的な実施のために、市町村は、介護支援専門員、保健医療・福祉の専門家、民生委員、その他の関係者などにより構成される地域ケア会議**を設置するよう努めなければならない**ことが法律に規定されました。

◉地域ケア会議の5つの機能

①個別課題の解決	自立支援に資するケアマネジメントの支援、地域の介護支援専門員への支援困難事例に関する相談・助言
②地域包括支援ネットワークの構築	自立支援に資するケアマネジメントの普及、関係者の共通認識、住民との情報共有、課題の優先度の判断
③地域課題の発見	潜在ニーズの顕在化と相互の関連付け
④地域づくり・資源開発	インフォーマルサービスなど地域で必要な資源を開発
⑤政策の形成	地域に必要な取り組みを明らかにし、政策を立案、提言していく

+1プラスワン

評価義務
2017年の制度改正で、地域包括支援センターの設置者と市町村が、事業の評価を行うことが義務づけられた。

ココでた！
R5 問14

地域ケア会議については、それまで介護保険法ではなく、通知に規定されていました。法定化することで、地域ケア会議の実効性を高め、地域包括ケアシステムを推進するねらいがあるのです。

119

+1 プラスワン

地域ケア会議
主に地域包括支援センターで個別ケースの検討会議（地域ケア個別会議）を行い、主に市町村で代表者レベルの会議（地域ケア推進会議）を開催する重層構造になっている。

+1 プラスワン

居宅サービス計画の届出
介護支援専門員が、居宅サービス計画に通常の利用状況とかけ離れた回数（厚生労働大臣の定める回数以上）の生活援助を位置づける場合は、その計画を市町村に届け出なければならない。届け出られた計画は、地域ケア会議で検討される。

→ P157、158

地域ケア会議は市町村または地域包括支援センターが開催し、支援困難事例など個別ケースの支援内容の検討を通じて、①地域の介護支援専門員の、自立支援に資するケアマネジメント支援、②地域包括支援ネットワークの構築、③地域課題の把握を行い、これらの検討を通じて蓄積された地域課題を、さらに地域の社会資源の開発や必要な政策形成に反映していきます。

◉地域ケア会議で検討する事項

- ●支援対象被保険者の健康上および生活上の課題の解決に資する支援の内容に関する事項
- ●指定居宅介護支援事業者により届け出られた居宅サービス計画に関する事項
- ●地域における介護の提供に携わる者その他の関係者の連携の強化に関する事項
- ●支援対象被保険者に共通する課題の把握に関する事項
- ●地域における介護の提供に必要な社会資源の改善および開発に関する事項
- ●地域における自立した日常生活の支援のために必要な施策および事業に関する事項

◉地域ケア会議の概要

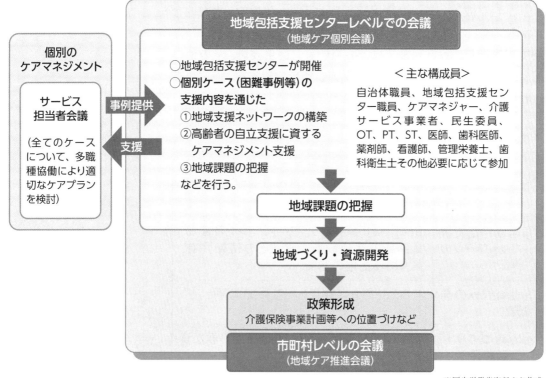

※厚生労働省資料より作成

(2) 関係者への必要な協力

　地域ケア会議で必要な場合は、関係者などに資料・情報の提供、意見の開陳などの必要な協力を求めることができます。関係者などは、これらに協力するよう努めなければなりません。また、会議の事務に従事する人には、知り得た情報についての守秘義務が課せられます。

地域ケア会議への協力
→ P159

\\ チャレンジ！ //
過去＆予想問題

できたら
チェック ☑

	問題	解答
□1	（地域包括支援センターについて）市町村は、直接設置できない。 予想	✕ 設置できる（直営型）
□2	地域包括支援センターの設置・運営に関しては、都道府県が関与する。 予想	✕ 地域包括支援センター運営協議会が関与
□3	（地域包括支援センターの業務として正しいもの）居宅介護支援の実施 予想	✕ 介護予防支援を実施する
□4	（地域包括支援センターの業務として正しいもの）一般介護予防事業の実施 予想	○
□5	地域包括支援センターには、看護師を配置しなければならない。 予想	✕ 保健師、社会福祉士、主任介護支援専門員を配置
□6	地域包括支援センターの設置者には、業務上の守秘義務は課せられない。 予想	✕ 課せられる
□7	地域包括支援センターの設置者は、事業の質の向上を図るよう努めなければならない。 予想	✕ 努力義務ではなく義務
□8	市町村は、定期的に地域包括支援センターの事業の実施状況について評価を行わなければならない。 予想	○
□9	市町村は、地域ケア会議を設置するよう努める。 予想	○
□10	（地域ケア会議の機能として正しいもの）消費者被害の未然防止 予想	✕ 地域ケア会議の機能ではない
□11	（地域ケア会議の機能として正しいもの）地域づくり・資源開発 R5	○
□12	地域ケア会議では、指定居宅介護支援事業者から届け出られた居宅サービス計画を検討する。 予想	○

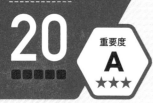

Lesson
20
重要度
A
★★★

介護保険事業計画

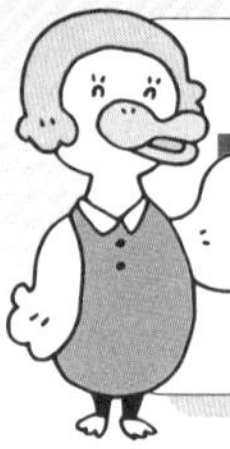

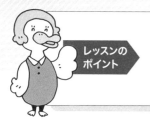

レッスンのポイント

- 3年を1期とした計画作成
- 市町村介護保険事業計画に定める事項
- 都道府県介護保険事業支援計画に定める事項
- 老人福祉計画との一体的作成などほかの計画との関係

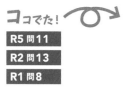

ココでた!
R5 問11
R2 問13
R1 問8

1 国の基本指針など

(1) 国の基本指針

厚生労働大臣は、「地域における医療及び介護の総合的な確保の促進に関する法律」（医療介護総合確保法）に規定する総合確保方針に即して、基本指針（「介護保険事業に係る保険給付の円滑な実施を確保するための基本的な指針」）を定めます。

この基本指針を定め、または変更する際には、あらかじめ、総務大臣**その他関係行政機関の長に協議**をし、作成・変更した基本指針は公表する必要があります。

◉国・市町村・都道府県の関係

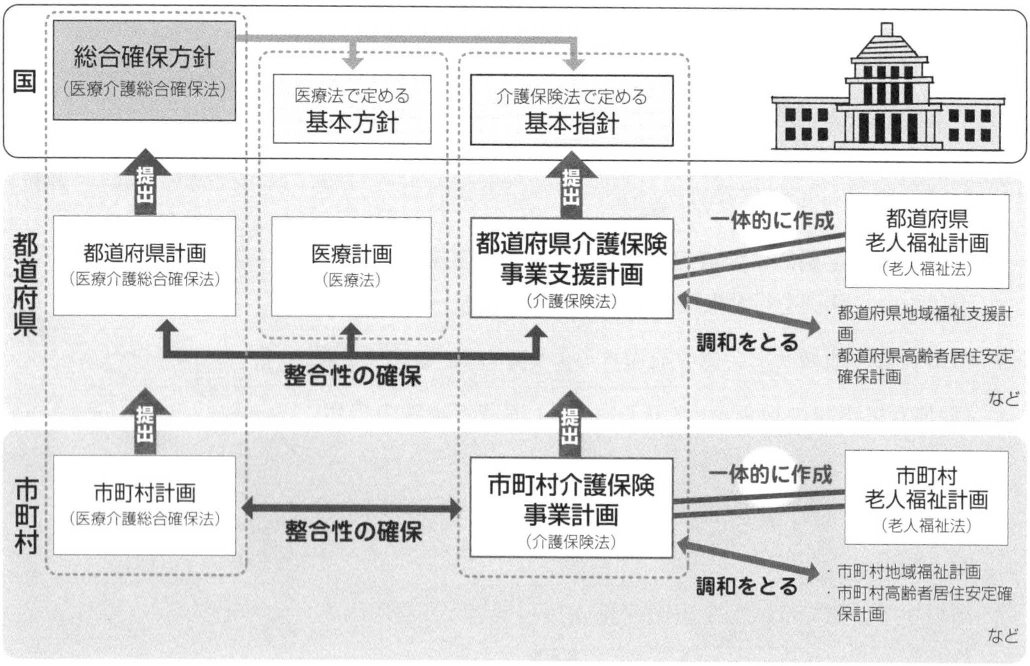

※厚生労働省資料を改変

基本指針には、主に次のことが定められます。

- ●介護給付等対象サービスの提供体制の確保および地域支援事業の実施に関する基本的事項。
- ●市町村介護保険事業計画において、介護サービスの種類ごとの量の見込みを定めるにあたって参酌すべき標準。
- ●その他市町村および都道府県の計画作成に関する事項。

また、国は、市町村や都道府県に対して、介護保険事業（支援）計画の円滑な実施のために**必要な情報の提供や助言などの援助を行う**よう努めることとされています。

② 介護保険等関連情報の調査・分析・公表

コこでた！
R5 問10

（1）国による調査・分析・公表

厚生労働大臣は、市町村介護保険事業計画および都道府県介護保険事業支援計画の作成や実施、評価と国民の健康の保持増進・その能力の維持向上に資するため、次の介護保険等関連情報のうち、①、②については調査・分析を行い、その結果を公表します。③、④については調査・分析を行い、その結果を公表するように努めます。

- ①介護給付等に要する費用の額に関する地域別、年齢別または要介護認定等別の状況など。
- ②被保険者の要介護認定等における調査に関する状況など。
- ③訪問介護、訪問入浴介護などのサービスを利用する要介護者等の心身の状況等、そのサービス内容など。
- ④地域支援事業の実施の状況、基本チェックリスト情報など。

③と④については、2020年の改正で追加されました。国が行う調査・分析・公表は、①と②は義務、③と④は努力義務と覚えましょう。

市町村は、厚生労働大臣に対し、上記の①、②について調査・分析に必要な情報を提供しなければなりません。

また、厚生労働大臣は、必要に応じ、都道府県、市町村、介護サービス事業者、特定介護予防・日常生活支援総合事業を行う者に対し、介護保険等関連情報を提供するよう求めることができます。

（2）地域課題の分析などを反映した計画作成

市町村および都道府県は、国が公表した介護保険等関連情報、介護保険の実施状況などから地域の課題を分析・勘案して市町村介護保険事業計画・都道府県介護保険事業支援計画を作成する

よう努めます。

　また、市町村および都道府県は、計画作成にあたり、住民の加齢に伴う身体的・精神的・社会的な特性を踏まえた医療および介護の効果的・効率的な提供の重要性にも留意します。

（3）自立支援等施策の実績評価・公表

　市町村は、介護保険事業計画に定めた、自立支援等施策（下表の③参照）の実施状況と目標の達成状況に関する調査・分析・評価を行い、その結果を公表するよう努めます。都道府県も市町村の自立支援等施策の支援のための施策の実施状況と目標の達成状況に関する調査・分析・評価を行い、その結果を公表するよう努めます。また評価の結果は、市町村長は都道府県知事に、都道府県知事は厚生労働大臣にそれぞれ報告します。

(4) 国の交付金

　国は、予算の範囲内で、市町村による自立支援等施策の取り組みと、都道府県による市町村の自立支援等施策の取り組みを支援する事業を支援するため、市町村・都道府県に対し、交付金を交付します。

コ{コでた!}
R3 問13
R1 問8

3 市町村介護保険事業計画

　市町村は、国の基本指針に即して、**3年**を**1期**とした市町村介護保険事業計画を定めます。

　市町村介護保険事業計画は、その**市町村の区域における**人口構造の変化**の見通し**、要介護者等**の人数や**サービス利用の意向**などを勘案して作成**されなければなりません。

●市町村介護保険事業計画に定める事項

定めるべき事項
①市町村が定める区域（日常生活圏域）ごとの各年度の下記の必要利用定員総数その他の介護給付等対象サービスの種類ごとの量の見込み。 　● 認知症対応型共同生活介護 　● 地域密着型特定施設入居者生活介護 　● 地域密着型介護老人福祉施設入所者生活介護 ②各年度の、地域支援事業の量の見込み。 ③被保険者の地域における自立した日常生活の支援、要介護状態等となることの予防または要介護状態等の軽減・悪化の防止、介護給付等に要する費用の適正化に関し、市町村が取り組むべき施策（自立支援等施策）に関する事項、およびこれらの目標に関する事項。

定めるよう努める事項

- 前記①の必要利用定員総数その他の介護給付等対象サービスの種類ごとの量の見込み量確保のための方策。
- 各年度の、地域支援事業にかかる費用の額および見込み量確保のための方策。
- 介護給付等対象サービスの種類ごとの量、保険給付に要する費用の額、地域支援事業の量、地域支援事業に要する費用の額、保険料の水準に関する中長期的な推計。
- 介護支援専門員その他の介護給付等対象サービスおよび地域支援事業の従事者の確保および資質の向上に資する都道府県と連携した取り組みに関する事項。
- 介護給付等対象サービスの提供または地域支援事業の実施のための事業所・施設における業務の効率化、介護サービスの質の向上その他の生産性の向上に資する都道府県と連携した取り組みに関する事項。
- 事業者間の連携確保に関する事業、その他の介護給付等対象サービスの円滑な提供・地域支援事業の円滑な実施を図るための事業に関する事項。
- 認知症である被保険者の地域における自立した日常生活の支援に関する事項、教育、地域づくり、雇用に関する施策その他の関連施策との有機的な連携に関する事項その他の認知症に関する施策の総合的な推進に関する事項。
- 市町村が定める区域ごとの有料老人ホーム、サービス付き高齢者向け住宅それぞれの入居定員総数（特定施設入居者生活介護等の指定を受けていないものにかぎる）。
- 地域支援事業と高齢者保健事業および国民健康保険保健事業の一体的な実施に関する事項、居宅の要介護者・要支援者にかかる医療その他の医療との連携に関する事項、高齢者の居住にかかる施策との連携に関する事項、その他の被保険者の地域における自立した日常生活の支援のため必要な事項。

市町村介護保険事業計画を策定・変更する際には、あらかじめ、被保険者の意見**を反映させるために、必要な措置を講じる必要**があります。また、「定めるべき事項①～②」については、あらかじめ、都道府県の意見**を聴き**、策定・変更した計画は、遅滞なく、都道府県知事**に提出**しなければなりません。

+1 プラスワン

必要な措置
被保険者代表を交えた介護保険事業計画作成委員会の設置、公聴会や説明会の実施など。

４ 都道府県介護保険事業支援計画

都道府県は、国の基本指針に即して3年**を1期**とした都道府県介護保険事業支援計画を定めます。策定・変更した計画は、厚生労働大臣**に提出**しなければなりません。

定めるべき事項
①都道府県が定める区域（老人福祉圏域）ごとの各年度の下記の必要利用（入所）定員総数その他の介護給付等対象サービスの量の見込み。 　●介護専用型特定施設入居者生活介護　　●地域密着型特定施設入居者生活介護 　●地域密着型介護老人福祉施設入所者生活介護 　●介護保険施設（種類ごと） ②都道府県内の市町村による自立支援等施策への支援に関し、都道府県が取り組むべき施策とこれらの目標に関する事項。

定めるよう努める事項
●介護保険施設などにおける**生活環境の改善を図るための事業に関する事項**。 ●介護サービス情報の公表に関する事項。 ●介護支援専門員その他の介護給付等対象サービスや地域支援事業の従事者の確保および資質の向上に**資する事業に関する事項**。 ●介護給付等対象サービスの提供または地域支援事業の実施のための事業所・施設における業務の効率化、介護サービスの質の向上その他の生産性の向上に資する事項。 ●介護保険施設相互間の連携確保に関する事業、その他の介護給付等対象サービスの円滑な提供を図るための事業に関する事項。 ●介護予防・日常生活支援総合事業および包括的支援事業に関する、市町村相互間の連絡調整を行う事業に関する事項。 ●都道府県が定める区域ごとの有料老人ホームおよびサービス付き高齢者向け住宅のそれぞれの入居定員総数（特定施設入居者生活介護等の指定を受けていないものにかぎる）。

定めることのできる事項
●都道府県が定める区域ごとの、各年度の混合型特定施設入居者生活介護にかかる必要利用定員総数。

ココでた！
R1 問8

5 介護保険事業計画とほかの計画との関係

　市町村介護保険事業計画は、老人福祉法に規定する市町村老人福祉計画と一体のものとして作成されます。また、医療介護総合確保法に規定する市町村計画と整合性を確保し、社会福祉法に規定する市町村地域福祉計画、高齢者の居住の安定確保に関する法律に規定する市町村高齢者居住安定確保計画などと調和が保たれたものとして作成されなければなりません。

　都道府県介護保険事業支援計画も、老人福祉法に規定する都道府県老人福祉計画と一体のものとして作成されます。また、医療法に規定する医療計画、医療介護総合確保法に規定する都道府県計画と整合性を確保し、社会福祉法に規定する都道府県地域福祉支援計画や高齢者の居住の安定確保に関する法律に規定する都道府県高齢者居住安定確保計画などと調和が保たれたもの

として作成されなければなりません。

●ほかの計画との関係

	一体的作成	整合性の確保	調和をとる
市町村介護保険事業計画	●市町村老人福祉計画	●市町村計画	●市町村地域福祉計画 ●市町村高齢者居住安定確保計画　など
都道府県介護保険事業支援計画	●都道府県老人福祉計画	●医療計画 ●都道府県計画	●都道府県地域福祉支援計画 ●都道府県高齢者居住安定確保計画　など

\\ チャレンジ！ //
過去＆予想問題
できたらチェック ✓

	問題	解答
□1	国が定める基本指針には、地域支援事業の実施に関する基本的事項が含まれる。 予想	○
□2	厚生労働大臣は、被保険者の要介護認定及び要支援認定における調査に関する状況について調査及び分析を行い、その結果を公表するものとする。 R5	○
□3	市町村介護保険事業計画は、その市町村の区域における人口構造の変化の見通し、要介護者等の人数やサービス利用の意向等を勘案して作成されなければならない。 予想	○
□4	（市町村介護保険事業計画に定めるべき事項は）介護医療院の必要入所定員総数 予想	✕ 都道府県介護保険事業支援計画で定める
□5	（市町村介護保険事業計画を）変更したときは、遅滞なく、都道府県知事に提出しなければならない。 R1	○
□6	都道府県介護保険事業支援計画では、地域支援事業の量の見込みを定める。 予想	✕ 市町村介護保険事業計画で定める
□7	都道府県介護保険事業支援計画は、医療法に規定する医療計画と一体的に作成される。 予想	✕ 整合性を確保
□8	（市町村介護保険事業計画は）市町村地域福祉計画と調和が保たれたものでなければならない。 R1	○

Lesson

21

重要度 **A** ★★★

保険財政

レッスンの
ポイント

- ●介護保険の財源は保険料5割と公費5割
- ●第1号保険料と第2号保険料の負担割合は人口比と同じ
- ●市町村の財政力格差のため調整交付金が交付される
- ●財政安定化基金は市町村に資金の貸付・交付を行う

R4 問9

R3 問12

R2 問12

+1 プラスワン

会計区分

市町村は、介護保険の費
用として特別会計（→
P35）を設けるが、介護
保険の事務費は一般財源
で賄う。

📖 **用 語**

施設等給付費

都道府県知事に指定権
限のある介護保険施設、
（介護予防）特定施設に
かかる給付費。居宅給付
費は、施設等給付費以
外の給付費。

R4 問9 | **R3 問12**

R2 問12 | **R1 問10**

1 財源の負担割合

　介護費用から利用者負担分を除いた介護給付費（介護給付と予防給付の費用）は、公費（国、都道府県、市町村）50％と保険料50％で賄います。

　保険料の負担割合は、第1号被保険者と第2号被保険者の人口比に応じ、**1人あたりの平均的な保険料がほぼ同じ水準**になるように、3年ごとに第2号被保険者の負担率が国の政令により改定されます。全体の負担割合の内訳は、次のようになります。

◉介護給付費と地域支援事業の負担割合（2024～2026年度）

		介護給付費		地域支援事業	
		居宅給付費	施設等給付費	総合事業	総合事業以外
公費	国	25%※	20%※	25%※	38.5%
	都道府県	12.5%	17.5%	12.5%	19.25%
	市町村	12.5%	12.5%	12.5%	19.25%
保険料	第1号保険料	23%	23%	23%	23%
	第2号保険料	27%	27%	27%	なし

※調整交付金を含む

2 調整交付金

　国の負担分は、すべての市町村に一律に交付される定率負担金と、**市町村の財政力の格差に応じて傾斜的に交付**される調整交付金（総額で保険給付費の5％）から構成されます。このため、市町村の財政力によっては、5％未満となったり、5％以上となった

りします。調整交付金は、下記を考慮して算定されます。

● 調整交付金の内訳

普通調整 交付金	● 後期高齢者の加入割合 ● 第1号被保険者の所得水準の分布状況
特別調整 交付金	災害時などの保険料減免や定率負担の減免による 保険料減収などやむを得ない特別の事情がある場合。

● 負担の全体像

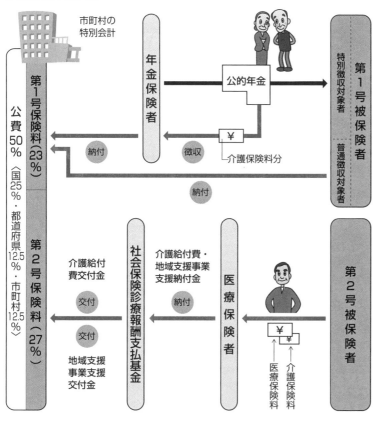

3 第1号被保険者の保険料の算定

　第1号被保険者の保険料率は、各市町村が政令で定める基準に従い、3年ごとに条例で定めます。

　保険料率は、被保険者の所得水準に応じた、原則13段階の所得段階別定額保険料で、これにより個別の保険料額が算出されます。各市町村が所得段階をさらに細分化したり、各段階の保険料率を変更したりすることも可能です。

+1 プラスワン

調整交付金
2014（平成26）年法改正で、総合事業についても、調整交付金が支給されることになった。

コ**コでた！**
R4 問10
R2 問11
R1 問9

● 所得段階別の定額の保険料

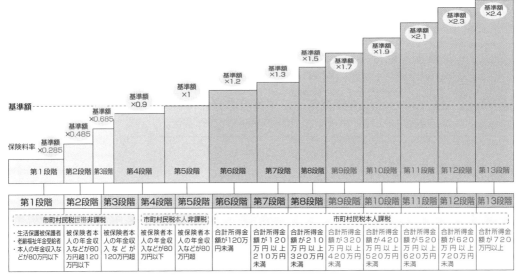

注1：基準額と各段階の割合は、市町村により異なる。
注2：市町村は、各保険料段階の保険料率の変更、市町村民税課税層の多段階化が可能。

ココでた！
R4 問10
R2 問11
R1 問9

④ 第1号被保険者の保険料の徴収

　第1号被保険者の保険料の徴収は、**年金保険者を通して徴収（年金からの天引き）**する特別徴収が**原則**です。特別徴収に該当しない場合に、**市町村が直接徴収する**普通徴収が行われます。

　なお、生活保護受給者である第1号被保険者の場合、保護の目的を達成するために必要があるときは、福祉事務所などの**保護の実施機関が被保護者に代わって直接市町村に介護保険料を支払う**ことができます。

● 特別徴収と普通徴収の違い

	特別徴収	普通徴収
対象者	老齢・退職年金、遺族年金、障害年金の受給者（年額18万円以上）	● 無年金者 ● 低年金者（年額18万円未満）
徴収の手順	年金保険者が、特別徴収対象者を把握し、市町村に通知→市町村が年金保険者に保険料額などを通知して徴収を依頼→年金保険者が年金から天引き→市町村に納付	市町村が、納入通知書を送付し、保険料の納付を求める ※収納事務は指定公金事務取扱者（コンビニエンスストアなど）に委託可 ※法律上、第1号被保険者の配偶者および世帯主には、保険料の連帯納付義務が課されている
納期	年金の支払い回数に応じる	条例により定める

5 第2号被保険者の保険料の算定と徴収

（1）算定と徴収の流れなど

医療保険者は、被保険者から介護保険料を医療保険料と一体的に徴収し、支払基金に介護給付費・地域支援事業支援納付金として納付します。

支払基金は、すべての医療保険者から集めた納付金を、各市町村の特別会計に介護給付費交付金と地域支援事業支援交付金として定率交付（27%）するというしくみになっています。

（2）健康保険における事業主負担など

健康保険の場合、介護保険料は、医療保険料と同様、事業主負担が行われます。

また、40歳未満であっても、40歳以上の被扶養者がいるなど（特定被保険者）の場合は、介護保険料を算定することができます。

なお、一定の要件を満たし、厚生労働大臣の承認を受けた健康保険組合は、上記の保険料率を採用せず所得段階別の定額の保険料額（特別介護保険料額）を設定することができます。

6 滞納者に対する措置

市町村は、要介護認定等を受けている第1号被保険者が保険料を滞納している場合に段階的な措置をとることができます。

具体的には、次のような流れで措置がとられます。

①1年以上滞納→保険給付の償還払い化

②1年6か月以上滞納→保険給付の一時差し止め

③なお納付しない→滞納保険料と保険給付との相殺の措置

● 段階的な措置

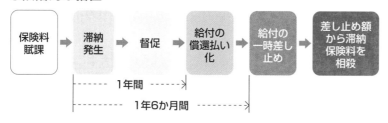

コ コ でた！

R4 問9
R2 問11
R2 問12

＋1 プラスワン

総報酬割
医療保険者が支払基金に納付する納付金は、これまで各医療保険者の加入者である第2号被保険者の人数に応じたものとなっていた。しかし、所得の多寡なども考慮し、2017（平成29）年8月から、医療保険の被用者保険間では、加入者の報酬額に比例したもの（総報酬割）となった。

コ コ でた！

R5 問17

＋1 プラスワン

先取特権の順位
介護保険の保険料その他介護保険法の規定に基づく徴収金の先取特権（債権者が債務者に優先的に徴収する権利）は、国税および地方税に次ぐものとされる。

介護支援分野

Lesson 21　★★★　保険財政

徴収金を徴収する権利
の消滅時効は2年だっ
たね。P77を復習しよ
う。

コでた！

R4 問10
R1 問9

＋1 プラスワン

低所得者への独自減免の
基準

下記は認められない。
①保険料の全額免除、
②収入のみに着目した一
律減免、③一般財源によ
る保険料減免分の補てん

コでた！

R3 問11

ただし、災害その他特別な事情がある場合には、これらの措置は行われません。

また、要介護認定等を受けた被保険者に、認定前に保険料の滞納があり、**時効により徴収権が消滅した期間**がある場合は、消滅した期間に応じ、**給付率は**7割（3割負担の対象者は6割）**に引き下げられます**。

その期間は高額介護（予防）サービス費、高額医療合算介護（予防）サービス費、（特例）特定入所者介護（予防）サービス費は支給されません。

7 保険料の減免

市町村は、災害により一時的に負担能力が低下したなどの特別な理由がある者に対し、条例により保険料の減免や徴収の一時猶予を行うことができます。

減免の具体的な事由や条件については条例に定められますが、低所得の第1号被保険者に独自に減免する場合は、一定の要件を守ることとされています。

8 財政安定化基金

保険財政の安定化を図るため、財政安定化基金が都道府県に設置され、資金の交付・貸付を行います。財源は、国、都道府県、市町村（第1号保険料を財源）が**3分の1ずつ**負担します。

●財政安定化基金の事業

交付 （3年度目）	介護保険事業計画の計画期間を通し、通常の努力をしてもなお保険料収納率が悪化し、財政不足が生じた場合、3年度目に不足額の2分の1を基準として市町村に交付される（残りの不足額は貸付）。
貸付 （年度ごと）	見込みを上回る介護給付費の増大などにより財政不足が生じた場合、市町村に必要な資金を貸付する。

貸付の場合、市町村は借り入れを受けた金額を、次の計画期間（3年間）に第1号保険料に算入し、基金に対して3年間で分割償還します（無利子）。

第1号保険料で賄われるものには、財政安定化基金のほか、市町村特別給付や保健福祉事業、支給限度基準額の上乗せもあります。試験対策にまとめて覚えましょう。

9 市町村相互財政安定化事業

　複数の市町村が相互に財政安定化を図ることを目的に、市町村相互財政安定化事業を行うことができます。具体的には、複数の参加市町村が、共通の調整保険料率を設定します。そして保険料収入額が黒字になった市町村は、赤字が生じた市町村にその分を交付することにより、相互の財政調整を行います。

 \\ チャレンジ！ //

過去＆予想問題

できたらチェック ☑

	問題	解答
□1	国は、介護給付および予防給付に要する費用の30%を負担する。 **R4**	✕ 居宅給付費で25%、施設等給付費で20%
□2	第1号被保険者と第2号被保険者の保険料負担割合は、同じである。 **予想**	✕ 人口比に応じたものになっている
□3	特別調整交付金は、第1号被保険者総数に占める後期高齢者の加入割合などにより、市町村ごとに算定される。 **R3**	✕ 設問の内容は普通調整交付金
□4	（介護保険における第1号被保険者の保険料について）政令で定める基準に従い市町村が条例で定める。 **R4**	○
□5	所得段階別定額保険料の所得区分は6段階が基本とされている。 **予想**	✕ 9段階
□6	障害年金の受給者は、第1号被保険者の保険料に係る特別徴収の対象とならない。 **予想**	✕ 対象となる
□7	（介護保険における第1号被保険者の保険料について）普通徴収の方法によって徴収する保険料については、世帯主に連帯納付義務がある。 **R4**	○
□8	健康保険および国民健康保険の被保険者にかかる介護保険料には、事業主負担がある。 **予想**	✕ 国民健康保険にはない
□9	第2号被保険者の保険料負担分は、各医療保険者から各市町村に交付される。 **R2**	✕ 社会保険診療報酬支払基金から交付
□10	保険料を滞納している第1号被保険者でも、保険給付が差し止めされることはない。 **予想**	✕ 1年6か月以上滞納すると差し止め
□11	保険料減免の対象者は、政令で定められる。 **R1**	✕ 条例で定められる
□12	（財政安定化基金の）財源には、第2号被保険者の保険料も充当する。 **R3**	✕ 第1号被保険者の保険料のみ

国保連の業務

レッスンの
ポイント
- 市町村の委託を受けて介護給付費の審査・支払い業務を行う
- 市町村の委託を受けて総合事業の費用の審査・支払い業務を行う
- 苦情処理にかかる業務を行う
- 指定居宅サービス事業などを行う

コ**コでた！**
R4 問13

1 国保連の介護保険事業にかかる業務

国民健康保険団体連合会（国保連）は、都道府県単位で設置され、介護保険事業にかかる次の業務を行います。

国保連では、審査・支払い業務のため介護給付費等審査委員会を設置します。詳細はP76、77で解説しています。あわせて学習しましょう。

- 市町村の委託を受けて行う介護給付費の審査・支払い業務。
- 市町村の委託を受けて行う介護予防・日常生活支援総合事業の第1号事業支給費、総合事業実施に必要な費用の審査・支払い業務。
- 苦情処理にかかる業務（独立業務）。
- 市町村から委託を受けて行う第三者行為への損害賠償金の徴収・収納の事務（第三者行為求償事務）。
- 指定居宅サービス、指定地域密着型サービス、指定居宅介護支援、指定介護予防サービス、指定地域密着型介護予防サービスの事業や介護保険施設の運営。
- その他、**介護保険事業の円滑な運営に資する事業**（市町村事務の共同電算処理、被保険者にかかる介護情報等を共有・活用することを促進する事業における事務など※）。

※施行は公布日（2023年5月19日）から4年以内の政令で定める日

コ**コでた！**
R4 問13
R4 問15

2 国保連による苦情処理の業務

国保連では、介護サービス利用者の、サービスに関する苦情の受け付けや相談を行います。中立性・公平性を確保するため、市町村からの委託ではなく**国保連の**独立**した業務**となります。

苦情の受け付けは、市町村の窓口や居宅介護支援事業者などでも行います。国保連では、事務局を設置し、学識経験者を苦情

処理担当の委員とし、委嘱して苦情処理業務（次ページ表）を行っていきます。

　ただし、国保連には、指定基準に違反している事業者・施設に対し、強制権限**を伴う**立ち入り検査、命令や勧告、**指定の取り消しなどを行う権限はありません。**

●苦情処理業務

苦情の受け付け	申し立ては書面が原則だが、必要に応じて口頭による申し立てを認める。
調査と改善事項の提示	必要に応じて事務局が事業者や介護保険施設の調査を行い、苦情処理担当の委員に報告。苦情処理担当の委員が報告内容を検討し、**改善すべき事項を**提示、その事項を事務局が事業者・施設に提示し、指導や助言を行う。
通知	事務局が申立人に調査結果や指導内容などを通知する。

国保連の業務として、何が「できる」「できない」のか理解しておこう。点の取りやすい項目だよ！

\\ チャレンジ！ //
過去＆予想問題

できたらチェック ☑

	問題	解答
□1	国民健康保険団体連合会は、介護予防・日常生活支援総合事業にかかる審査・支払い業務を行うことはできない。 予想	✕ できる
□2	（介護保険法で定める国民健康保険団体連合会が行う業務として正しいもの）市町村から委託を受けて行う第三者行為求償事務 R4	◯
□3	国民健康保険団体連合会は、介護保険施設を運営することができる。 予想	◯
□4	国民健康保険団体連合会は、指定地域密着型介護予防サービス事業を運営することはできない。 予想	✕ できる
□5	国民健康保険団体連合会は、都道府県から委託を受けて苦情処理を行う。 R4	✕ 委託ではなく独立した業務
□6	国民健康保険団体連合会は、事業者に対する必要な指導および助言を行う。 R4	◯
□7	国民健康保険団体連合会は、指定居宅サービス事業者に対する勧告や命令を行うことができる。 予想	✕ できない

介護保険審査会

レッスンの
ポイント

- 審査請求の対象となるのは市町村の保険給付等に関する処分
- 委員は都道府県知事が任命する
- 審理対象により合議体の構成が異なる
- 専門調査員を設置できる

+1 プラスワン

不服申し立て
行政処分への不服申し立ては、行政不服審査法に基づき行政庁（市町村等）が行うが、介護保険法では、中立性・公正性の確保などから第三者機関である介護保険審査会が扱う。

ココでた！
R5 問16
R2 問15
R1 問14

1 介護保険審査会による不服審査

　被保険者は、**市町村の行う要介護認定等や保険料の徴収など**
について不服がある場合、介護保険審査会に審査請求を行うこと
ができます。

　介護保険審査会は、行政から独立する専門の第三者機関です。
都道府県知事の附属機関として各都道府県に1つずつ設置され、
被保険者の不服申し立てを受理し、審理・裁決を行います。

2 審査請求ができる事項

　審査請求が認められているのは、市町村が行った、次の処分に
関する事項です。

- 保険給付に関する処分（被保険者証の交付の請求に関する処分、要介護認定等に関する処分を含む）
- 保険料その他介護保険法の規定による徴収金に関する処分（ただし財政安定化基金拠出金、介護給付費・地域支援事業支援納付金およびその納付金を滞納した場合の延滞金に関する処分を除く）

3 介護保険審査会の委員

　介護保険審査会の委員は都道府県知事**が任命**し、次のように
定められています。

● 介護保険審査会の委員

委員の定数	●市町村代表委員　3人 ●被保険者代表委員　3人 ●公益代表委員　3人以上
会長選任	委員による選挙で公益代表委員から1人選任
委員の任期	3年（再任されることができる）
委員の身分	特別職に属する地方公務員（非常勤）
その他	守秘義務がある（違反した場合は、罰則適用）

+1 プラスワン

公益代表委員の定数
各都道府県の規模や認定に関する処分の件数に応じて、必要数の合議体を設置できる員数を都道府県が条例で定める。

4 審理・裁決

（1）審査請求を審理・裁決する合議体

　介護保険審査会における審査は、原則として、介護保険審査会が指名する委員で構成する合議体により行われます。

　要介護認定等に関する処分の審査請求は、**公益代表委員で構成される合議体**で取り扱います。

　また、要介護認定等以外の処分の審査請求は、**公益代表委員3人**（会長1人を含む）、**市町村代表委員3人**、被保険者**代表委員3人の合議体**で取り扱います。

● 審査・請求を行う合議体の構成

（2）専門調査員

　要介護・要支援認定の審査請求の処理を迅速に、また正確に行うため、**保健・医療・福祉の学識経験者を**専門調査員として設置することができます。専門調査員は、**都道府県知事が任命**し、その身分は非常勤特別職の地方公務員です。

　介護認定審査会の委員と同様、守秘義務が課されます。

5 被保険者の訴訟

被保険者が審査請求の対象となる処分の取り消しを裁判所に訴える場合は、**介護保険審査会の裁決を経た**あとでなければなりません。ただし、審査請求を行った日から3か月を過ぎても裁決がないときなどは、裁決なしで提起することが行政事件訴訟法で認められています。

＼ チャレンジ！ ／
過去&予想問題

できたら
チェック ☑

問 題	解 答
□1 介護保険審査会は、国保連が設置する。 予想	✕ 都道府県が設置
□2 （介護保険審査会への審査請求が認められるものとして正しいもの）市町村特別給付に関する処分 R1	◯
□3 （介護保険審査会への審査請求が認められるものとして正しいもの）サービス事業者への苦情申立て 予想	✕ 認められない
□4 （介護保険審査会への審査請求が認められるものとして正しいもの）居宅介護支援事業者から支払われる給与について不服がある介護支援専門員 R2	✕ 認められない
□5 介護保険審査会の委員には、市町村代表委員が含まれない。 予想	✕ 含まれる
□6 介護保険審査会の委員の任期は2年である。 予想	✕ 3年
□7 介護保険審査会の会長は、被保険者代表委員から選出する。 予想	✕ 公益代表委員から選出
□8 審査は、都道府県知事が指名する委員で構成される合議体で行われる。 予想	✕ 介護保険審査会が指名
□9 要介護認定の審査請求事件は、被保険者代表委員が取り扱う。 予想	✕ 公益代表委員から構成される合議体
□10 被保険者が審査請求の対象となる処分の取り消しを裁判所に訴える場合は、介護保険審査会の裁決後でなければならない。 予想	◯

Lesson 24

重要度 **B**
★★★

介護支援専門員

レッスンの
ポイント

- ●ケアマネジメントは、ニーズと社会資源を結びつける支援方法である
- ●介護支援専門員は、利用者・家族の自立を支援する
- ●地域包括ケアシステムと介護支援専門員の役割を理解する
- ●介護支援専門員の義務規定を理解する

■1 介護保険制度とケアマネジメント

　ケアマネジメントは、何らかの支援を必要とする人のニーズと社会資源を結びつける支援方法です。

　介護保険制度には、このケアマネジメントが導入され、利用者は、基本的にケアマネジメントに基づきサービスを利用しています。そして、このケアマネジメントを担う専門職として、介護支援専門員（ケアマネジャー）が位置づけられています。

◉介護支援専門員の定義（法第7条第5項〔要旨〕）

> 介護支援専門員とは、要介護者等からの相談に応じ、要介護者等がその心身の状況等に応じ適切な介護給付等のサービスまたは特定介護予防・日常生活支援総合事業を利用できるよう、市町村、サービス提供事業者や施設、特定介護予防・日常生活支援総合事業を行う者等と連絡調整等を行う者であって、要介護者等が自立した日常生活を営むのに必要な援助に関する専門的知識や技術を有する者として、介護支援専門員証の交付を受けた者。

■2 介護支援専門員の役割と基本倫理・理念

　介護支援専門員は、介護保険制度の基本理念である利用者の尊厳の保持、自立支援を実現するために、地域包括ケアシステムのなかにおいて、さまざまな専門職と連携（多職種連携）して、必要な社会資源を利用者につなげ支援していく役割を担います。

(1) 自立支援と自己決定の支援

　要介護状態等になっても、高齢者が尊厳を保持しながら、主体

📖 **用語**

社会資源
利用者のニーズを実現したり、問題解決するために活用される各種の制度・施設・機関・設備・資金・物質・法律・情報・集団・個人の有する知識や技術などの総称。

ココでた！

R4 問1
R1 問16

用 語

自立
他者の助けを借りずに自分で物事を行うことができること。

自律
他者からのコントロールを受けずに自分で判断し行動できること。

ストレングス
個人のストレングスは、その人のもつ意欲、能力、願望など。環境のストレングスは、その人を取り巻く社会関係や資源など。

エンパワメント
本来もっている力であるストレングスを発揮できるように支援すること。

介護する家族は、悩みやストレスを抱え、仕事との両立が難しくなり離職を考える人もいます。家族の状況についてもしっかりアセスメントをすることが大切になります。

地域ケア会議
→ P119

的に自分らしく、身体的にも精神的にも自立（自律）した日常生活を送れるように支援します。以下がそのポイントです。

- 利用者の主体性を尊重し、利用者が望む暮らしを実現するために自己決定ができるよう支援する。
- 利用者の人権を尊重し、権利擁護の視点をもつ。利用者がサービス提供者などに対して適切に意思表示できないなどの場合は、利用者の意向を代弁する。
- 利用者のストレングスを引き出し、それを最大限に発揮できるように支援（エンパワメント）する。
- 利用者の要介護状態等の軽減または悪化の防止に役立つような支援を行う。

（2）家族への支援の視点

家族への支援では、アセスメントにより、家族のケア能力、潜在的可能性を見きわめます。そして、介護負担を軽減し、家族一人ひとりの自己実現（就労の継続や趣味など社会活動の実現を含む）が図られるよう支援します。状況に応じ、家族への支援のための施策（育児・介護休業法、高齢者虐待防止法など）について情報提供をしていきます。

（3）生活の継続性

次の2つの視点から、利用者の生活の継続性を支援します。
① **時間経過を踏まえた生活の継続性**……利用者を、過去、現在、未来という連続した時間の経過の中でとらえる。
② **援助の継続性の視点**……チームメンバーが協働して、利用者に必要な援助が継続して提供できるようにする。

（4）チームアプローチと適切なサービス利用の視点

多職種によるチームアプローチでは、信頼関係が構築されていること、情報や目標が共有されていること、専門職がそれぞれの専門性を発揮すること、そして何よりも互いの専門性や役割を尊重し合う対等な関係であることが大切です。

（5）地域包括ケアシステムの推進

介護支援専門員は、介護や支援が必要となった高齢者の状況を最も知る立場にあります。不足していると感じられる社会資源を発見した場合は、保険者や地域包括支援センターに報告して地域ケ

ア会議の開催を要請するなど、社会資源の開発のきっかけづくりを
することも大切な役割となります。

◉その他介護支援専門員に求められる姿勢

公平性	● 利用者の価値観を尊重し、利用者と介護支援専門員が対等な関係を維持する。自らの感情や価値観に左右されないように、自己覚知（自らを知る）に努め、意識的に感情や行動をコントロールする。また、利用者と個人的な関係になることを避ける。 ● 地域のサービスは、均等に利用者に分配するのではなく、利用者のニーズに応じて適切に分配する。
中立性	利用者や家族の間で、またサービス提供機関との間で中立性を保つ。特定の者や機関の利益のために働くようなことがあってはならない。
社会的責任の自覚	介護支援専門員は、利用者の友人ではなく、専門的援助を行う支援者である。その活動には社会的な責任を伴うことを自覚する。
個人情報の保護	利用者の情報を、利用者の了解なしに、問題解決という目的のため以外に口外することがあってはならない。

3 介護支援専門員の実務

(1) 介護支援専門員証の交付と更新

　介護支援専門員として実務を行うためには、一定の法定資格保
有者または相談援助業務従事者が一定の実務経験を満たし、都
道府県知事が行う介護支援専門員実務研修受講試験に合格し、実
務研修を修了して、都道府県知事から登録と介護支援専門員証の
交付を受けることが必要です。

　介護支援専門員証の**有効期間は5年**です。更新する場合は、原
則的に都道府県知事が行う更新研修を受けなければなりません。
登録後5年を超えている人は、再研修を受ける必要があります。

(2) 登録の移転

　介護支援専門員証の交付を受けたあとに、他都道府県に登録を
移転した場合は、その介護支援専門員証は効力を失うため、移転先
の都道府県知事に申請し、介護支援専門員証の交付を受けます。
新しい介護支援専門員証の有効期間は、前の介護支援専門員証
の有効期間の残りの期間となります。

コゴでた！

R4 問6

R3 問10

+1 プラスワン

登録の欠格事由
● 心身の故障により介護
支援専門員の業務を適
正に行うことができない
者として厚生労働省令
で定めるもの
● 拘禁刑を受けその執行
が終わっていない者
● 申請前5年以内に居宅
サービスなどに関し不正
または著しく不当な行為
をした者
● 5年以内に登録の消除
を受けた者　など

**介護支援専門員証の提
示**
業務を行うにあたり、関係
者から請求があったときは、
介護支援専門員証を提示
しなければならない。

ココでた！

R3 問10

R1 問7

4 介護支援専門員の義務など

介護支援専門員の義務などが法律に定められています。

◉**介護支援専門員の義務など**

基本取扱方針
→ P146

公正・誠実な業務遂行義務	要介護者等の人格を尊重し、常に要介護者等の立場に立って、提供するサービスや事業が特定の種類や事業者・施設に不当に偏ることがないよう、公正かつ誠実に業務を行わなければならない。
基準遵守義務	厚生労働省令で定める基準（指定居宅介護支援等基準の**基本取扱方針**を指す）に従って、業務を行わなければならない。
資質向上努力義務	要介護者等が自立した日常生活を営むのに必要な援助に関する専門的知識・技術の水準を向上させ、その資質の向上を図るよう努めなければならない。
名義貸しの禁止など	介護支援専門員証を不正に使用したり、他人にその名義を貸したりして、介護支援専門員の業務のため、使用させてはならない。
信用失墜行為の禁止	介護支援専門員の信用を傷つけるような行為をしてはならない。
秘密保持義務	正当な理由なしに、その業務について知り得た人の秘密を漏らしてはならない。介護支援専門員でなくなったあとも同様である。

5 都道府県知事による命令と登録の消除

（1）命令

都道府県知事は、介護支援専門員の業務が適正に実施されるように、次のような指示や命令を行うことができます。

- 介護支援専門員に業務について必要な報告を求めること。
- 介護支援専門員が公正・誠実な業務遂行義務、基準遵守義務に違反している場合、介護支援専門員証未交付者が介護支援専門員として業務を行った場合は、必要な指示をしたり、指定する研修を受けたりするよう命令すること。
- 介護支援専門員が、前述の指示、命令に従わない場合は、1年以内の期限を定めて業務禁止処分をすること。

ココでた！

R4 問6

+1 プラスワン

介護支援専門員証の返納
介護支援専門員は、登録が消除されたとき、介護支援専門員証が効力を失ったときは、介護支援専門員証をその交付を受けた都道府県知事にすみやかに返納する義務がある。違反した場合は、10万円以下の過料に処せられる。

（2）登録の消除

都道府県知事は、本人から登録消除の申請があった場合、本人の死亡や心身の故障にかかる届出があった場合、不正のため実務研修受講試験の合格を取り消された場合などには、介護支援専門員の登録を消除しなければなりません。

また、次の場合も職権で登録の消除をしなければなりません。

- ●介護支援専門員が一定の欠格事由に該当する場合。
- ●不正な手段で登録を受けた場合。
- ●不正な手段で介護支援専門員証の交付を受けた場合。
- ●都道府県知事の業務禁止処分に違反をした場合。
- ●介護支援専門員証の交付を受けていない者が、一定の欠格事由に該当した場合、不正の手段により登録を受けた場合、介護支援専門員として業務を行い、情状が特に重い場合。

+1 プラスワン

都道府県知事が登録を消除することができる場合

介護支援専門員の義務など（P142の表参照、資質向上努力義務を除く）に違反した場合、都道府県知事の業務報告命令に対して報告拒否・虚偽報告をした場合、都道府県知事の指示・研修命令に違反し、情状が重い場合。

チャレンジ！ 過去＆予想問題

できたらチェック ☑

	問題	解答
□1	（介護支援専門員の定義に含まれるもの）実務研修の修了証明書の交付を受けた者 予想	✕ 介護支援専門員証の交付を受けた者
□2	（介護保険制度の考え方として適切なもの）要介護者の尊厳を保持し、自立した日常生活を営むことを目指す。 R4	◯
□3	介護支援専門員は、家族の自己実現について考慮する必要はない。 予想	✕ 家族の自己実現も図られるよう支援する
□4	介護支援専門員証の有効期間は、5年である。 R3	◯
□5	（介護支援専門員の義務として正しいもの）認知症に関する施策を総合的に推進しなければならない。 R1	✕ 国や地方公共団体の努力義務である
□6	（介護支援専門員について正しいもの）その業務のために正当な理由がある場合にかぎり、その名義を他人に使用させることができる。 R3	✕ 名義貸しは禁止である
□7	都道府県知事は、介護支援専門員が公正・誠実な業務遂行義務などに違反している場合には、必要な指示を行い、指定する研修を受けるよう命ずることができる。 予想	◯

重要度
A
★★★

居宅介護支援事業の基準

レッスンの
ポイント

- 事業所には1人以上の常勤の介護支援専門員
- サービス内容・手続きの説明と同意が必要
- 利用者の意思を踏まえた申請代行などの援助を行う
- 居宅サービス事業者などからの利益収受の禁止

居宅介護支援事業を行ううえで守るべき基準として、「指定居宅介護支援等の事業の人員及び運営に関する基準」が市町村の条例により定められます。なお、設備基準はなく、必要な設備については運営基準に含まれます。

コこでた！
R5 問20

1 居宅介護支援事業の基本方針

基本方針として、次の内容が規定されています。

- 可能なかぎり居宅で、その有する能力に応じ自立した日常生活を送れるよう配慮する。
- 利用者の心身の状況や環境などに応じて利用者の選択に基づき、適切な保健医療サービスと福祉サービスが、多様な事業者から総合的・効率的に提供されるよう配慮する。
- 利用者の意思・人格を尊重し、常に利用者の立場に立って、サービスが特定の種類や事業者に不当に偏することがないよう公正中立に行う。
- 市町村、地域包括支援センター、老人介護支援センター、ほかの指定居宅介護支援事業者、指定介護予防支援事業者、介護保険施設、障害者総合支援法に規定する指定特定相談支援事業者等との連携に努める。
- 利用者の人権の擁護、虐待の防止等のため必要な体制の整備を行うとともに、従業者に対し研修を実施するなどの措置を講じる。
- サービスを提供するにあたっては、介護保険等関連情報その他必要な情報を活用し、適切かつ有効に行うよう努める。

基本方針は、キーワードとなるべき内容・用語を意識しながら、要旨を理解することが、試験対策として有効だよ。

② 居宅介護支援事業の人員基準

コ コでた！
R3 問19
R1 問6

◉人員基準（事業所ごとに配置）

介護支援専門員	● 常勤で1人以上。 ● 利用者44人（ケアプランデータ連携システムを利用し、かつ、事務職員を配置している場合は49人）またはその端数を増すごとに1人を基準とする。 ● 増員については、非常勤でも可。
管理者	● 常勤の主任介護支援専門員でなければならない。※ ● 支障なければ、介護支援専門員との兼務やほかの事業所の職務との兼務可能。

※2027（令和9）年3月31日まで要件適用が猶予。また、やむを得ない理由がある場合は、介護支援専門員でも可。

③ 居宅介護支援事業の主な運営基準

コ コでた！
R4 問20　R3 問19
R3 問20　R2 問21
R1 問6　R1 問15
R1 問38

　運営基準（一部解釈通知を含む）から、特に居宅介護支援に固有の部分についてみていきます。説明のないものは、指定居宅サービス事業者の運営基準と同趣旨のものが規定されています。

◉サービスの提供などに関する規定

内容および手続きの説明と同意	● 居宅サービス計画は基本方針と利用者の希望に基づき作成されるものであり、**利用者の主体的な参加**が重要であること、利用者は複数の指定居宅サービス事業者等の紹介を求めることができることにつき、説明を行い、理解を得なければならない。 ● 前6か月間に作成された居宅サービス計画における訪問介護、通所介護、福祉用具貸与、地域密着型通所介護の各サービスの割合や、それらサービスごとの同一の事業者によって提供されたものが占める割合などについて説明を行い、理解を得るよう努めなければならない。 ● 指定居宅介護支援の提供の開始に際し、あらかじめ、利用者またはその家族に対し、利用者が病院・診療所に入院する必要が生じた場合には、介護支援専門員の氏名・連絡先をその病院・診療所に伝えるよう求めなければならない。 その他居宅サービス事業の基準と同じである（➡ P98）。
提供拒否の禁止	下記の正当な理由なく、サービス提供を拒んではならない。 ● 事業所の現員では利用申し込みに応じきれない。 ● 利用申込者の居住地が事業所の通常の事業の実施地域外である。 ● 利用申込者がほかの居宅介護支援事業者にもあわせて依頼をしていることが明らかである。
要介護認定の申請にかかる援助	被保険者の要介護認定申請について、被保険者から要介護認定の申請の代行を依頼された場合などにおいては、利用者の意思を踏まえ、必要な協力を行わなければならない。 その他居宅サービス事業の基準と同じである（➡ P99）。

受給資格等の確認 (→ P98)	
サービス提供困難時の対応	利用申込者に対し適切なサービスの提供が困難な場合は、他の指定居宅介護支援事業者の紹介その他の必要な措置を講じる。
身分を証する書類の携行 (→ P99)	
利用料等の受領	利用者の選定により通常の事業の実施地域以外の居宅を訪問して居宅介護支援を行う場合は、その交通費を請求することができる。 その他居宅サービス事業の基準と同趣旨である (→ P99)。
保険給付の請求のための証明書の交付	利用料の支払いを受けた場合は、その利用料の額などを記載した指定居宅介護支援提供証明書を利用者に交付する。

◉居宅サービス計画の作成に関する基準

指定居宅介護支援の基本取扱方針	● サービスは要介護状態の軽減または悪化の防止に資するよう行われるとともに、医療サービスとの連携に十分配慮して行う。 ● 事業者は、自ら提供するサービスの質の評価を行い、常にその改善を図る。
指定居宅介護支援の具体的取扱方針	身体的拘束等の禁止と記録、居宅介護支援の一連の業務や介護支援専門員の責務を明らかにしたもの（内容はレッスン26参照）。
法定代理受領サービスにかかる報告	毎月、市町村（国保連）に法定代理受領サービスや基準該当居宅サービスに関する情報を記載した文書（給付管理票）を提出。
利用者に対する居宅サービス計画などの書類の交付	下記の場合に、直近の居宅サービス計画とその実施状況に関する書類を利用者に交付する。 ● 利用者がほかの居宅介護支援事業者の利用を希望している。 ● 要介護認定を受けている利用者が要支援認定を受けた。 ● そのほか申し出があった場合。

◉その他の規定

利用者に関する市町村への通知 (→ P100)
管理者の責務 (→ P100)
運営規程 (→ P100)
勤務体制の確保 (→ P101) ※認知症介護基礎研修にかかる規定はない
業務継続計画の策定など (→ P101)
設備および備品など 指定居宅介護支援の提供に必要な設備および備品を備える。専用の事務室は、明確に区分され、業務に支障がなければほかの事業との同一の事務室でも差し支えないが、相談、サービス担当者会議などに対応する適切なスペースを確保する。

従業者の健康管理	事業者は、介護支援専門員の清潔の保持と健康の管理を行わなければならない。
感染症の予防およびまん延の防止のための措置	感染症の発生・まん延防止のため、感染対策委員会をおおむね6か月に1回以上開催し、その結果を従業者に周知徹底するとともに、感染症の予防およびまん延の防止のための指針を整備し、研修および訓練を定期的に実施する。
掲示 (➡ P101)	
秘密保持 (➡ P102)	
広告 (➡ P102)	
居宅サービス事業者等からの利益収受の禁止	● 事業者および事業所の管理者は、介護支援専門員に特定の居宅サービス事業者などのサービスを居宅サービス計画に位置づけるよう指示等を行ってはならない。 ● 介護支援専門員は、利用者に対し、特定の居宅サービス事業者などによるサービスを利用するよう指示等を行ってはならない。 ● 利用者に特定の居宅サービス事業者などによるサービスを利用させる対償として、事業者などから金品その他財産上の利益を収受してはならない。
苦情処理	自ら提供した居宅介護支援のほか、居宅サービス計画に位置づけた居宅サービスなどについての苦情にも迅速かつ適切に対応しなければならない。 その他居宅サービス事業の基準と同趣旨である (➡ P102)。
事故発生時の対応 (➡ P102)	
虐待の防止 (➡ P102)	
会計の区分 (➡ P102)	
記録の整備	従業者・設備・備品・会計に関する諸記録を整備する。 利用者に対する下記の指定居宅介護支援の提供に関する記録を整備し、その完結の日から2年間保存する。 ● 指定居宅サービス事業者などとの連絡調整に関する記録 ● 居宅サービス計画、アセスメントの結果の記録、サービス担当者会議等の記録、モニタリングの結果を記録した、個々の利用者ごとの居宅介護支援台帳 ● 身体的拘束等に関する記録 ● 市町村への通知にかかる記録　　● 苦情の内容等の記録 ● 事故の状況および事故に際してとった処置についての記録
電磁的記録等 (➡ P103)	

+1 プラスワン

取り扱い件数
1か月あたりの居宅介護支援の利用者数に介護予防支援の利用者数（3分の1で算定）を足して、事業所の介護支援専門員数で割った1人あたりの件数。

入院時や通院時の情報連携などはチェックポイントだよ！

4 居宅介護支援の介護報酬

居宅介護サービス計画費の額（介護報酬では居宅介護支援費）は、**厚生労働大臣が定める基準**（「指定居宅介護支援に要する費用の額の算定に関する基準」）により算定されます（10割給付）。

居宅介護支援費の基本報酬は、1か月につき、要介護度（要介護1・2、要介護3〜5の2段階）と取り扱い件数に応じて算定されます。また、介護支援専門員の1人あたりの**取り扱い件数が45件**（ケアプラン連携データシステムの活用および事務職員の配置をしている事業者の場合は**50件**）**以上となる場合**、超過部分は減額した報酬が適用されます。

●**主な加算**

	初回加算
加算	新規の居宅サービス計画作成、要支援者が要介護認定を受けた場合や、要介護状態区分が**2区分以上変更された**場合に、居宅サービス計画を作成した場合。
	特定事業所加算
	中重度者や支援困難ケースへの積極的な対応や、専門性の高い人材を確保し、必要に応じて多様な主体が提供する生活支援のサービスが包括的に提供されるような居宅サービス計画の作成など、一定の要件を満たしている場合。
	特定事業所医療介護連携加算
	特定事業所加算を算定し、病院などとの連携やターミナルケアマネジメント加算の算定状況などの要件を満たす場合。
	退院・退所加算
	利用者の退院・退所にあたり、病院や施設の職員と面談を行い、利用者に関する必要な情報の共有を行って居宅サービス計画を作成し、サービスの調整を行った場合。入院・入所期間中に1回を限度に算定。初回加算との同時算定不可。
	通院時情報連携加算
	利用者が病院・診療所で医師**または**歯科医師の診察を受けるときに介護支援専門員が利用者の同意を得たうえで同席し、医師等に利用者の心身の状況や生活環境など必要な情報提供を行うとともに、医師等から利用者に関する必要な情報提供を受けて居宅サービス計画に記録した場合。
	入院時情報連携加算
	利用者の入院にあたり、病院・診療所の職員に、利用者に関する必要な情報を、介護支援専門員が（Ⅰ）入院当日中に提供、（Ⅱ）入院後**3日以内**に提供、した場合に1か月に1回を限度に算定。※情報の提供方法は問わない

	緊急時等居宅カンファレンス加算
加算	病院または診療所の求めにより、その病院・診療所の医師・看護師などとともに利用者の居宅を訪問し、カンファレンスを行い、必要に応じて居宅サービスなどの利用調整を行った場合。1か月に2回を限度に算定。
	ターミナルケアマネジメント加算
	在宅で死亡した利用者に対して、終末期医療やケアの方針について利用者・家族の意向を把握したうえで、その死亡日および死亡日前14日以内に2日以上、利用者またはその家族の同意を得て、当該利用者の居宅を訪問し、利用者の心身の状況等を記録して、その情報を主治の医師および居宅サービス事業者に提供した場合。

+1 プラスワン

減算
運営基準減算、特定事業所集中減算、同一敷地内の建物などに居住する利用者の減算、高齢者虐待防止措置未実施減算、業務継続計画未策定減算がある。

\\ チャレンジ！ //
過去＆予想問題

できたら
チェック☑

	問題	解答
□1	事業者は、利用者の人権の擁護、虐待の防止等のため必要な体制の整備を行わなければならない。 R5	○
□2	（指定居宅介護支援等の基本方針として正しいもの）サービスを提供するにあたっては、介護保険等関連情報その他必要な情報を活用し、適切かつ有効に行うよう努めること。 予想	○
□3	利用者が30人の場合には、介護支援専門員は、非常勤で1人置けばよい。 R1	✕ 事業所に常勤で1人以上配置。増員分は非常勤で可
□4	指定居宅介護支援事業者の管理者は、特に資格要件は定められていない。 予想	✕ 原則として主任介護支援専門員とされる
□5	指定居宅介護支援の提供の開始に際し、複数の指定居宅サービス事業者を必ず紹介しなければならない。 R2	✕ 複数の事業者等の紹介を求めることができることを説明し、理解を求める
□6	事業所の現員では利用申込に応じきれない場合には、サービスの提供を拒むことができる。 R1	○
□7	利用者が他の居宅介護支援事業者の利用を希望する場合には、直近の居宅サービス計画とその実施状況に関する書類を利用者へ交付しなければならない。 予想	○
□8	居宅介護支援の介護報酬は、要介護度にかかわりなく設定されている。 予想	✕ 要介護度（2段階）と取り扱い件数に応じて設定

Lesson 26

重要度 **A** ★★★

居宅介護支援

レッスンの
ポイント

● 一連の業務は介護支援専門員が担当する
● 居宅サービス計画の作成にあたり、アセスメントを行う
● 課題分析標準項目の内容について情報を収集する
● 課題分析により、ニーズを導き出す

利用者が生活保護の受給者でも、福祉事務所の職員ではなく、介護支援専門員がケアプランを作成するよ。

1 居宅介護支援

　居宅介護支援は、居宅の要介護者に対するケアマネジメントです。利用者やその家族がもつ**生活全般の解決すべき課題（ニーズ）と社会資源を結びつける**ことで利用者の在宅での自立した生活を支援し、生活の質（QOL）を高めることが目標です。**居宅介護支援の一連の業務**は、居宅介護支援事業所の介護支援専門員が担当し、**ほかの職種が行うことはできません**。

◉ 居宅介護支援の定義（法第8条第24項〔要旨〕）

> 居宅介護支援事業所の介護支援専門員が、居宅の要介護者の依頼を受けて、介護保険のサービスやその他の保健医療・福祉サービスを適切に利用することができるよう、心身の状況やおかれている環境、本人や家族の希望などを勘案して、居宅サービス計画を作成し、その計画に基づいて適切なサービス提供が確保されるよう、サービス事業者などとの連絡調整等を行い、必要に応じて介護保険施設等の紹介などを行う。

コこでた！

R3 問20
R1 問15
R1 問17

2 アセスメント（課題分析）

　アセスメント（課題分析）とは、利用者の有する能力、すでに提供を受けているサービス、そのおかれている環境などの評価を通じて、**利用者が生活の質を維持・向上させていくうえで生じている問題を明らかに**し、利用者が自立した日常生活を営むことができるように支援するうえで**解決すべき課題を把握**する手続きです。

　アセスメントは、利用者が入院中であることなど物理的な理由がある場合を除き、利用者の居宅を訪問し、利用者、家族への面接により行わなければなりません。

　アセスメントに用いられる課題分析票の様式にはさまざまなもの

がありますが、国の定める課題分析標準項目を満たしたものである
必要があります。介護支援専門員の個人的な考え方や手法のみに
よって行われてはなりません。

課題分析標準項目
→ P152

３ 居宅サービス計画（ケアプラン）の作成

　介護支援専門員は、**利用者の**希望とアセスメント**の結果**に基づ
き、利用者の家族の希望や地域におけるサービス提供体制を勘案
したうえで、居宅サービス計画**の原案**を作成します。

　居宅サービス計画には、利用者および家族の生活に対する意向、
総合的な援助の方針、生活全般の解決すべき課題、提供される
サービスの目標（長期目標・短期目標）とその達成時期、サービス
の種類、内容、利用料、サービスを提供するうえでの留意事項な
どを記載します。

コ コ でた！
R3 問20
R1 問17

●居宅介護支援の一連の業務

アセスメント・ニーズの把握

居宅サービス計画原案の作成

サービス担当者会議

居宅サービス計画の修正・確定

居宅サービス計画の交付

継続的なモニタリングと再アセスメント

居宅介護支援の基本的
な流れは、介護予防支
援でも施設介護支援で
も同じです。

●課題分析標準項目

※2023（令和5）年10月16日に一部改正がありました。

	標準項目名	項目の主な内容
基本情報に関する項目	基本情報（受付、利用者等基本情報）	居宅サービス計画作成についての利用者受付情報、利用者の基本情報、利用者以外の家族等の基本情報、居宅サービス計画作成の状況（初回、初回以外）
	これまでの生活と現在の状況	利用者の現在の生活状況、これまでの生活歴など
	利用者の社会保障制度の利用情報	利用者の被保険者情報、年金の受給状況、生活保護受給の有無、障害者手帳の有無、その他の社会保障制度等の利用状況
	現在利用している支援や社会資源の状況	利用者が現在利用している社会資源
	日常生活自立度（障害）	障害高齢者の日常生活自立度について、現在の認定を受けた際の判定（判定結果、確認書類、認定年月日）、介護支援専門員から見た現在の自立度
	日常生活自立度（認知症）	認知症高齢者の日常生活自立度について、現在の認定を受けた際の判定、介護支援専門員から見た現在の自立度
	主訴・意向	利用者、家族等の主訴や意向
	認定情報	利用者の認定結果（要介護状態区分、介護認定審査会の意見、区分支給限度基準額など）
	今回のアセスメントの理由	今回のアセスメントの実施に至った理由（初回、認定更新、区分変更、サービスの変更、退院・退所、入所、転居、生活状況変化、居宅介護支援事業所の変更など）
課題分析（アセスメント）に関する項目	健康状態	利用者の健康状態および心身・受診・服薬に関する状況
	ADL	ADL（寝返り、起き上がり、移乗、歩行、更衣、入浴、トイレ動作など）
	IADL	IADL（調理、掃除、洗濯、買い物、服薬管理、金銭管理など）
	認知機能や判断能力	日常の意思決定を行うための認知機能の程度、判断能力の状況など
	コミュニケーションにおける理解と表出の状況	視覚、聴覚等の能力、意思疎通、コミュニケーション機器・方法など
	生活リズム	1日および1週間の生活リズム・過ごし方、日常的な活動の程度、休息・睡眠の状況
	排泄の状況	排泄の場所・方法、尿・便意の有無、失禁の状況、後始末の状況等、排泄リズム、排泄内容（便秘や下痢の有無など）
	清潔の保持に関する状況	入浴や整容・皮膚や爪・寝具や衣類の状況
	口腔内の状況	歯の状態、義歯の状況、かみ合わせ・口腔内の状態、口腔ケアの状況
	食事摂取の状況	食事摂取の状況、摂食嚥下機能、必要な食事量、食事制限の有無
	社会とのかかわり	家族等とのかかわり、地域とのかかわり、仕事とのかかわり
	家族等の状況	本人の日常生活あるいは意思決定にかかわる家族等の状況、家族等による支援への参加状況、家族等について特に配慮すべき事項
	居住環境	日常生活を行う環境、リスクになりうる状況、自宅周辺の環境など
	その他留意すべき事項・状況	利用者に関連して、特に留意すべき状況（虐待、経済的困窮、身寄りがない、外国人、医療依存度が高い、看取りなど）

4 居宅サービス計画作成の意義

　居宅サービス計画作成においては、**利用者本人の主体的参加**が不可欠となります。介護支援専門員は、利用者や家族、ケアチームと共同し、作成過程を共有して適切な居宅サービス計画を作成していく能力が求められます。

　居宅サービス計画は、次のような意義や方向性をもち作成されます。

- 利用者のニーズが基礎になる「ニーズ優先アプローチ」または「サービス利用者主導アプローチ」をめざす。
- フォーマルサービスやインフォーマルサポートを提供する人々がチームとして統合される。
- 利用者本人と、フォーマルサービスやインフォーマルサポート提供者の各々の役割や責任を明確にする。
- 利用者本人や支援チームの評価が容易になる。
- サービスを遂行するためのガイドとなる。

「サービス優先」ではなく、アセスメントに基づく「ニーズ優先」。利用者の希望を踏まえるとは、利用者の言うサービスをそのまま取り入れるということではありません。

5 居宅サービス計画の書類

　標準様式として、下記の①〜⑦の書類が示されています。このうち、利用者への**説明・同意**や交付を必要とするのは、①〜③、⑥、⑦の書類です。

コ**コでた！**
R5 問21

●居宅サービス計画の標準様式

様式	記載する内容
①居宅サービス計画書(1)（第1表）	支援目標、計画の大きな方向性を設定する。「利用者および家族の生活に対する意向を踏まえた課題分析の結果」「総合的な援助の方針」のほか、利用者の基本情報や介護認定審査会の意見などを記入する。
②居宅サービス計画書(2)（第2表）	具体的な居宅サービス計画の作成。「生活全般の解決すべき課題(ニーズ)」「目標」「援助内容」がある。
③週間サービス計画表（第3表）	第2表の援助内容をもとに、1週間を単位に時間帯ごとのサービス内容や主な日常生活上の活動などを記入。
④サービス担当者会議の要点（第4表）	サービス担当者会議で検討した項目や検討内容、結論などについてなどを記入する。
⑤居宅介護支援経過（第5表）	モニタリングを通じて把握した利用者やその家族の意向、満足度、目標の達成度、事業者との調整内容などを記入する。
⑥サービス利用票（第6表）	居宅サービス計画書の内容をもとに、月単位のスケジュールなどを記入する。
⑦サービス利用票別表（第7表）	支給限度基準額、保険給付額、利用者負担分などを記入する。

コこでた！
R5 問21

+1 プラスワン

介護認定審査会の意見
利用者の被保険者証に
介護認定審査会の意見
やサービスの種類がある場
合は、それも反映する。
→ P59

コこでた！
R5 問21
R3 問21

6 総合的な方針の設定

　「居宅サービス計画書（1）」は、計画の大きな方向性を示すものです。介護支援専門員は、利用者・家族から、要介護状態となったものの、今後どのように暮らしていきたいか、現在の生活がどのようになっているかを一緒に考えてその意向を引き出し、課題分析の結果を反映します。そして、利用者・家族を含むケアチームで「総合的な援助の方針」をまとめます。この方針は、アセスメントの結果を踏まえ、利用者の自立や価値観、生活の質の向上を考慮したものでなくてはなりません。

　また、介護認定審査会の意見が付されている場合は、利用者にその旨を説明し、同意を得て、居宅サービス計画に反映します。

7 ニーズと援助内容の設定など

　「居宅サービス計画書（2）」には、アセスメントで導き出された生活全般の解決すべき課題（ニーズ）と、それを解決するための目標と援助内容を設定していきます。

(1) ニーズ

　ニーズをとらえるためには、課題分析票で得られた利用者の身体・機能的状況、精神・心理的状況、社会・環境的状況に関する情報を整理・理解します。次に、そこから、①生活を送るうえで困っている状態と、②その困っている状態を解決（ときには緩和）する目標・結果を導き出します。この2つの側面を合わせたものがニーズとなります。

　ニーズの把握にあたっては、利用者の意欲や潜在的な能力も含めた評価が大切となります。

　利用者のニーズは、たいていの場合は複数あり、原則としては、**優先順位の高いニーズ**から順に記入していきます。

●アセスメントからのニーズの導き出し方

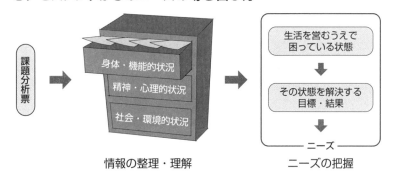

情報の整理・理解　　　ニーズの把握

(2) 目標

　ニーズに対応した長期目標を設定し、ニーズや長期目標に段階的に対応する短期目標を設定します。そしてそれぞれに期間を設定します。期間は、認定の有効期間も考慮します。目標は、具体的な内容で、実際に解決が見込まれるものとする必要があります。

長期目標	最終的に要介護者がめざす目標や、ニーズが実現（解決）したときの結果。
短期目標	長期目標を実現するための、一定期間に実現できる当面の具体的な目標。

(3) 援助内容

　ニーズ、目標を設定したら、短期目標を達成するために必要な「援助内容」を設定していきます。

　このとき、「サービス利用票」、「サービス利用票別表」も仮作成し、**支給限度基準額や利用者負担額も考慮**します。もし、設定したサービスが、利用者やその家族が自己負担できる範囲を超えていた場合は、回数や時間を減らしたり、インフォーマルなサポートに変更したりできるかといった修正を検討する必要があります。

支給限度基準額
→ P78
利用者負担
→ P68

●援助内容の項目

サービス内容	保険給付の対象か否かも記入する。
サービスの種類	サービスを提供する事業所についても記入する。
頻度（回数）	1か月・1週間・1日をサイクルとして、ほかのサービスと調整する。
期間	目標を達成するためにサービスを利用する期間。

8 サービス担当者会議（ケアカンファレンス）

ココでた！
R2 問22

　介護支援専門員は、利用者や家族（家庭内暴力があるなど、参加が望ましくない場合を除く）、サービス担当者や主治医などから構成されるサービス担当者会議を開催して、利用者の状況などに関する情報を共有し、居宅サービス計画の原案内容について、専門的見地**からの意見を求め**ます。

　サービス担当者会議は、居宅サービス計画の新規作成時、変更時、更新認定時や区分変更認定時には、**原則として開催する必要**があります。ただし、利用者（末期の悪性腫瘍患者にかぎる）の心身の状況などにより、主治医の意見を勘案して必要と認める場

+1 プラスワン

やむを得ない理由
①開催の日程調整を行ったが担当者の事由で参加が得られなかった場合、②利用者の希望による居宅サービス計画の軽微な変更（サービス提供日時の変更等）など。

R4 問19

📖 **用語**

個別サービス計画
居宅サービス計画に連動して、各サービス提供事業者が訪問介護計画などの個別サービス計画を作成する。

R4 問21

+1 プラスワン

特段の事情
利用者の事情により居宅を訪問し、面接ができない場合であり、介護支援専門員に起因する事情は含まれない。

+1 プラスワン

業務効率化や業務負担軽減の推進
各種会議でテレビ電話などを活用しての実施が可能。また、居宅サービス計画など書面による交付や説明、同意の取得も、利用者・家族の承諾を得たうえで電磁的記録による対応（メールや電子署名など）が認められている。

合その他のやむを得ない理由がある場合には、**サービス担当者に対する照会などにより意見を求める**ことができます。

また、利用者・家族の同意があれば、テレビ電話などの情報通信機器を活用しての開催も可能となっています。

9 居宅サービス計画の説明・同意・交付

(1) 居宅サービス計画の説明・同意と交付

介護支援専門員は、サービスを保険給付の対象となるかどうか区分したうえで、原案の内容について利用者またはその家族に説明し、文書により利用者の同意を得なければなりません。

確定した居宅サービス計画は、利用者**と各サービスの担当者に**交付します。

(2) 担当者への個別サービス計画の提出の求め

介護支援専門員は、各サービスの担当者から、訪問介護計画などの個別サービス計画**の提出を求め**、居宅サービス計画との連動性や整合性について確認をとる必要があります。

10 モニタリング

介護支援専門員は、居宅サービス計画の作成後も、計画の実施状況の把握（利用者についての継続的なアセスメントを含む）をするモニタリングを行います。そして、必要に応じて、居宅サービス計画の変更や事業者との連絡・調整を行います。

モニタリングは、**特段の事情**のないかぎり、次のとおり行います。

- 少なくとも1か月に1回、利用者の居宅を訪問し、利用者に面接する。
- 少なくとも1か月に1回、モニタリングの結果を記録する。

なお、2024（令和6）年の改正により、テレビ電話装置等を活用したモニタリングを行うことができることになりました。利用者の同意、サービス担当者会議などでの合意があり、少なくとも2か月に1回は利用者の居宅を訪問し面接することが条件となります。

11 再アセスメントと居宅サービス計画の変更

モニタリングによって、利用者のニーズに変化がみられる場合、

またはサービス担当者などから同様の情報を得た場合は、再アセスメント（再課題分析）を行います。そして、再アセスメントに基づいて、最初の手順と同様に、居宅サービス計画の作成など一連の居宅介護支援の業務を行っていきます。

⓬ 居宅サービス計画作成時の留意点

居宅サービス計画の作成に関し、そのほか次のような点に留意して行うことが運営基準に規定されています。

R5 問20　R4 問19
R3 問21　R2 問20
R2 問52　R1 問15

Lesson 26 ★★★ 居宅介護支援

●居宅サービス計画作成にかかわる運営基準

指定居宅介護支援の基本取扱方針	サービスは要介護状態の軽減または悪化の防止に資するよう行われるとともに、医療サービスとの連携に十分配慮して行う。事業者は、自ら提供するサービスの質の評価を行い、常にその改善を図る。
基本的留意点	介護支援専門員は、指定居宅介護支援を懇切丁寧に行うことを旨とし、利用者またはその家族にサービスの提供方法などについて理解しやすいように説明を行う。
継続的かつ計画的な指定居宅サービス等の利用	介護支援専門員は、居宅サービス計画の作成・変更にあたり、継続的な支援という観点に立ち、計画的に指定居宅サービス等の提供が行われるようにする。
総合的な居宅サービス計画の作成	介護支援専門員は、居宅サービス計画の作成・変更にあたっては、利用者の日常生活全般を支援する観点から、介護給付等対象サービス以外の保健医療サービスまたは福祉サービス（市町村が一般施策として行うサービスなど）、地域の住民の自発的な活動によるサービス（見守り、配食、会食など）の利用も含めて居宅サービス計画に位置づけ、総合的な計画となるよう努めなければならない。
利用者自身によるサービスの選択	介護支援専門員は、利用者によるサービスの選択に資するよう、利用者または家族にサービスの内容、利用料などの情報を適正に提供し、特定の指定居宅サービス事業者に不当に偏った情報を提供するようなことや、利用者の選択を求めることなく同一の事業主体のサービスのみによる居宅サービス計画原案を最初から提示するようなことがあってはならない。
介護保険施設への紹介その他の便宜の提供	介護支援専門員は、適切な保健医療・福祉サービスが総合的・効率的に提供された場合でも、利用者が居宅において日常生活を営むことが困難となった場合、または利用者が介護保険施設への入所を希望する場合には、介護保険施設への紹介その他の便宜の提供を行う。

介護保険施設との連携	介護支援専門員は、介護保険施設等から退所しようとする要介護者から居宅介護支援の依頼があった場合には、居宅における生活へ円滑に移行できるよう、**あらかじめ、居宅サービス計画を作成するなどの援助を行う**。
居宅サービス計画の届出	● 介護支援専門員は、居宅サービス計画に厚生労働大臣が定める回数以上の訪問介護（生活援助）を位置づける場合は、その利用の妥当性を検討して居宅サービス計画に訪問介護が必要な理由を記載し、その計画を市町村に届け出なければならない。 ● 介護支援専門員は、区分支給限度基準額の利用割合および訪問介護の利用割合が高い居宅サービス計画を作成する場合で、市町村からの求めがあった場合は、その利用の妥当性を検討して居宅サービス計画に訪問介護が必要な理由を記載し、その計画を市町村に届け出なければならない。
主治医等への情報提供	介護支援専門員は、指定居宅サービス事業者等から情報を得た利用者の服薬状況、口腔機能、その他の利用者の心身または生活状況にかかる情報のうち必要と認めるものを、利用者の同意を得て主治医や歯科医師または薬剤師に提供する。
医療サービス利用の場合の主治医の指示など	● 介護支援専門員は、利用者が訪問看護・通所リハビリテーションなどの医療サービスの利用を希望する場合などには、利用者の同意を得て主治の医師等（主治の医師または歯科医師のこと。以下、主治医）の意見を求めなければならない。 ● 医療サービスは主治医の指示がある場合にかぎり、居宅サービス計画に位置づけることができる。また、医療サービス以外の居宅サービスなどを位置づける場合で、主治医の医学的観点からの留意事項が示されているときは、その留意点を尊重する。 ● 主治医の意見を求めた場合、介護支援専門員は、作成した居宅サービス計画を主治医に交付しなければならない。
短期入所サービスの居宅サービス計画への位置づけ	介護支援専門員は、居宅サービス計画に短期入所生活介護、短期入所療養介護を位置づける場合は、利用者の居宅における自立した日常生活の維持に十分留意するものとし、原則として、利用日数が認定有効期間のおおむね半数を超えないようにする。
福祉用具貸与及び特定福祉用具販売の居宅サービス計画への反映	介護支援専門員は、居宅サービス計画に福祉用具貸与および特定福祉用具販売を位置づける場合は、サービス担当者会議を開催し、計画に福祉用具貸与等が必要な理由を記載しなければならない。なお、福祉用具貸与については、居宅サービス計画作成後、必要に応じて随時サービス担当者会議を開催して、利用者が継続して福祉用具貸与を受ける必要性について専門的意見を聴取するとともに検証し、継続して福祉用具貸与を受ける必要がある場合には、その理由を再び居宅サービス計画に記載しなければならない。

認定審査会意見等の居宅サービス計画への反映	介護支援専門員は、被保険者証に、介護認定審査会の意見やサービスの種類の指定の記載がある場合、利用者にその趣旨を説明（サービスの種類の指定がある場合は、その変更の申請ができることも含む）したうえで、その内容に沿って計画を作成する。
指定介護予防支援事業者との連携	介護支援専門員は、要介護認定を受けている利用者が要支援認定を受けた場合には、すみやかに適切な介護予防サービス計画の作成に着手できるよう、指定介護予防支援事業者とその利用者にかかる必要な情報を提供するなどの連携を図る。
地域ケア会議への協力	指定居宅介護支援事業者は、地域ケア会議から、個別のケアマネジメントの事例の提供などの資料または情報の提供、意見の開陳その他必要な協力の求めがあった場合には、これに協力するよう努めなければならない。

 \\ チャレンジ！ //

過去＆予想問題　できたらチェック☑

	問　題	解　答
☐1	要介護認定を受けた生活保護受給者の居宅サービス計画は、福祉事務所の現業員が作成しなければならない。 予想	✕ 介護支援専門員が作成
☐2	いかなる場合であっても必ず利用者の居宅を訪問し、利用者およびその家族に面接して行わなければならない。 R3	✕ 入院中などの物理的な理由がある場合は除く
☐3	課題分析標準項目には、家族等の状況が含まれる。 予想	〇
☐4	居宅サービス計画書には、標準様式が示されていない。 予想	✕ 標準様式は示されている
☐5	居宅サービス計画の原案の内容について利用者やその家族に対して説明し、口頭で利用者の同意を得るものとする。 R4	✕ 文書で利用者の同意を得る
☐6	確定した居宅サービス計画は、利用者に交付する。 予想	〇
☐7	居宅サービス計画に、訪問リハビリテーションを位置づける場合には、主治の医師等の指示が必要である。 予想	〇
☐8	特定福祉用具販売を居宅サービス計画に位置づける場合は、その必要な理由を記載しなければならない。 予想	〇
☐9	居宅サービス計画に地域ケア会議で定めた回数以上の訪問介護を位置づけるときは、それが必要な理由を居宅サービス計画に記載しなければならない。 R2	✕ 地域ケア会議ではなく厚生労働大臣が定める回数以上の訪問介護
☐10	モニタリングの結果は、少なくとも3か月に1回記録しなければならない。 予想	✕ 少なくとも1か月に1回記録しなければならない
☐11	（指定居宅介護支援にかかるモニタリングについて正しいもの）地域ケア会議に結果を提出しなければならない。 R4	✕ 提出する必要はない

Lesson 27 重要度 A ★★★

介護予防支援事業の基準

レッスンの
ポイント

- 担当職員は、保健師、介護支援専門員、社会福祉士などである。
- 運営基準は、居宅介護支援と同趣旨のものが規定されている
- 地域包括支援センターが行う指定介護予防支援の業務の一部は、指定居宅介護支援事業者に委託できる

　介護予防支援事業の基準（「指定介護予防支援等の事業の人員及び運営並びに指定介護予防支援等にかかる介護予防のための効果的な支援の方法に関する基準」）は、市町村の条例により定められます。

1 介護予防支援事業の基本方針

　居宅介護支援事業の基本指針と同様の趣旨のものが規定されていますが、特に「利用者の自立に向けて設定された目標を達成するため、その目標を踏まえて」多様な事業者からサービスが総合的・効率的に提供されるよう配慮するという点が強調されています。

2 介護予防支援事業の人員基準

R1 問20

◉人員基準

地域包括支援センターの設置者
保健師その他の指定介護予防支援に関する知識を有する職員（担当職員）　1人以上 ※担当職員とは、①保健師、②介護支援専門員、③社会福祉士、④経験ある看護師、⑤高齢者保健福祉に関する相談業務などに3年以上従事した社会福祉主事、のいずれかの者
管理者　常勤専従　※支障なければ兼務可

指定居宅介護支援事業者
介護支援専門員　1人以上
管理者　原則として常勤専従の主任介護支援専門員。※支障なければ兼務可

人員基準は頻出！担当職員の職種や管理者の専門資格の要件がない点、兼務が可能な点などよく理解しておきましょう。

3 介護予防支援事業の主な運営基準

　居宅介護支援事業の基準と同趣旨のものが規定されていますが、異なる点として、「介護予防のための効果的な支援の方法に関する基準」「指定介護予防支援の業務の委託」があります。

(1) 介護予防のための効果的な支援の方法に関する基準

　基本取扱方針、具体的取扱方針、介護予防支援の提供にあたっての留意点から構成されます。その多くは、居宅介護支援の基準と同様ですが、異なる点もあります。詳細は、次のレッスンの内容で学習します。

(2) 指定介護予防支援の業務の委託

　地域包括支援センターの設置者である指定介護予防支援事業者は、介護予防支援の業務の一部を、指定居宅介護支援事業者に委託することができます。委託する場合は、あらかじめ市町村に届け出ます。

　運営基準(一部解釈通知含む)には、委託をする際に遵守すべき事項として、以下の内容が規定されています。

- 委託にあたっては、中立性・公平性を確保するためあらかじめ地域包括支援センター運営協議会の議を経る。
- 受託する居宅介護支援事業者が、本来行うべき居宅介護支援業務の適正な実施に影響を及ぼすことのないよう、委託する業務量などに配慮する。
- 委託先の居宅介護支援事業者は、介護予防支援の業務に関する知識および能力を有する介護支援専門員が従事する事業者でなければならない。

(3) 地域包括支援センターへの情報提供の求め

　2024(令和6)年度から、指定居宅介護支援事業者も地域包括支援センターの設置者と同様に、市町村長の指定を受けて指定介護予防支援事業者となり、指定介護予防支援を実施することができるようになりました。また、指定居宅介護支援事業者である指定介護予防支援事業者は、指定介護予防支援の事業の適切・有効な実施のために必要があるときは、地域包括支援センターに対し、必要な助言を求めることができます。

+1 プラスワン

委託の場合
指定居宅介護支援事業者が委託により指定介護予防支援の業務の一部を行う場合は、地域包括支援センターが介護予防サービス計画原案の内容、指定居宅介護支援事業者が行う評価についての確認、今後の方針の決定など必要な援助や指導を行います。

4 介護予防支援の介護報酬

　介護予防サービス計画費の額（介護予防支援費）は、厚生労働大臣が定める基準（「指定介護予防支援に要する費用の額の算定に関する基準」）により算定されます（10割給付）。

　介護予防支援費は、1か月につき算定します。

◉主な加算・減算

加算	**初回加算**
	新規に介護予防サービス計画を作成する場合。
	委託連携加算（地域包括支援センターのみ）
	地域包括支援センターが指定介護予防支援を指定居宅介護支援事業所に委託する際、利用者の必要な情報を指定居宅介護支援事業所に提供し、介護予防サービス計画の作成などに協力した場合。
減算	●高齢者虐待防止措置未実施減算 ●業務継続計画未策定減算

＼ チャレンジ！ ／
過去＆予想問題
できたらチェック ☑

	問 題	解 答
□1	担当職員は、保健師、介護支援専門員、社会福祉士のいずれかでなくてはならない。 予想	✕ 経験ある看護師なども可
□2	（指定介護予防支援の）事業所の管理者については、地域包括支援センターの業務との兼務は認められない。 R1	✕ 業務に支障がなければ認められる
□3	指定介護予防支援事業所には、常勤の管理者を置かなければならない。 予想	◯
□4	地域包括支援センターの設置者である指定介護予防支援事業者は、業務の一部を指定居宅介護支援事業者に委託できる。 予想	◯
□5	指定介護予防支援の委託にあたっては、地域包括支援センター運営協議会の議を経なければならない。 予想	◯
□6	指定居宅介護支援事業者に委託する件数には、上限が設定されている。 予想	✕ 上限はないが委託する業務量に配慮する
□7	介護予防支援では、運営基準減算が設定されている。 予想	✕ 減算の設定はない

Lesson 28 重要度 A ★★★ 介護予防ケアマネジメント

レッスンのポイント

- ●目標志向型の介護予防サービス計画を作成する
- ●アセスメントは4つの領域ごとに行う
- ●介護予防ケアプランには利用者のセルフケアも盛り込む
- ●目標の達成状況について評価をする

1 介護予防支援

　介護予防支援は、居宅の要支援者に対する介護予防ケアマネジメントです。要介護状態等となることの予防や、要介護状態等になっても重症化を予防し、維持・改善することが目的です。介護予防支援の一連の業務は、介護予防支援事業所（地域包括支援センターまたは指定居宅介護支援事業所）が担当します。

◉介護予防支援の定義（法第8条の2第16項（要旨））

地域包括支援センターの担当職員および指定居宅介護支援事業所の介護支援専門員が、居宅の要支援者の依頼を受けて、介護保険のサービスやその他の介護予防に資する保健医療サービス・福祉サービスを適切に利用することができるよう、その心身の状況やおかれている環境、本人や家族の希望などを勘案して、介護予防サービス計画を作成し、その計画に基づいて適切なサービス提供が確保されるよう、事業者や介護予防・日常生活支援総合事業を行う者などとの連絡調整その他の便宜の提供を行う。

2 介護予防支援のプロセス

　予防給付における介護予防支援と地域支援事業における介護予防ケアマネジメントは、連続性・一貫性をもった支援が行われます。

　介護予防支援は、原則的なケアマネジメントプロセスで行われますが、地域支援事業の介護予防ケアマネジメントは、利用者の状態や基本チェックリストの結果、本人の希望などを踏まえて、原則的なケアマネジメントプロセス、簡略化したケアマネジメントプロセス、初回のみのケアマネジメントプロセスの3つから選ぶことができます。

地域支援事業の介護予防ケアマネジメント
→ P112

●介護予防ケアマネジメントの利用とプロセス

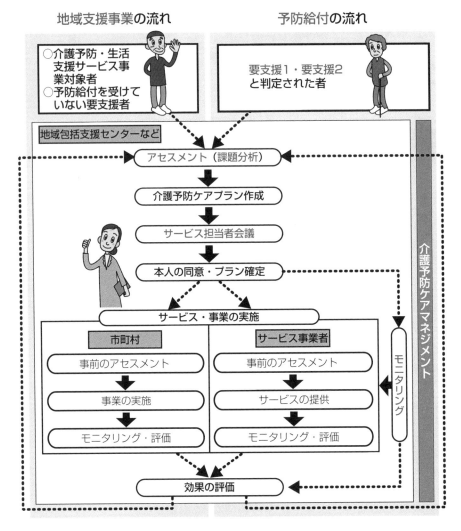

| 地域支援事業の流れ | 予防給付の流れ |

○介護予防・生活支援サービス事業対象者
○予防給付を受けていない要支援者

要支援1・要支援2と判定された者

地域包括支援センターなど

アセスメント（課題分析）

介護予防ケアプラン作成

サービス担当者会議

本人の同意・プラン確定

サービス・事業の実施

市町村
事前のアセスメント
事業の実施
モニタリング・評価

サービス事業者
事前のアセスメント
サービスの提供
モニタリング・評価

モニタリング

効果の評価

介護予防ケアマネジメント

ココでた！
R1 問20

❸ 介護予防支援の実施上の留意点

　介護予防の効果を最大限に発揮できるよう、「介護予防支援の提供に当たっての留意点」として次のようなことが規定されています。

● 単に運動機能や栄養状態、口腔機能といった**特定の機能の改善**だけをめざすのではなく、機能の改善や環境の調整などを通じて、日常生活の自立のための取り組みを**総合的**に支援し、生活の質（QOL）の向上をめざす。

● 利用者の**主体的**な取り組みを支援し、常に**生活機能の向上**に対する意欲を高めるように支援する。

● 具体的な日常生活における行為について、利用者の状態の特性を踏まえた目標を、期間を定めて設定し、利用者、サービス提供者等とともに目標を共有する。

- 利用者の自立を最大限に引き出す支援を基本とし、利用者のできる行為は可能なかぎり本人が行うよう配慮する。
- 地域支援事業や介護給付と連続性・一貫性をもった支援を行うよう配慮する。
- 介護予防に資する取り組みを積極的に活用し、介護予防サービス計画は、利用者の個別性を重視した効果的なものとする。また、機能の改善後もその状態の維持への支援に努める。

また、「基本取扱方針」として、次の点が規定されています。

- サービスは利用者の介護予防に資するよう行われるとともに、医療サービスとの連携に十分配慮して行う。
- 事業者は、介護予防の効果を最大限に発揮し、利用者が生活機能の改善を実現するための適切なサービスを選択できるよう、目標志向型の介護予防サービス計画を策定する。
- 事業者は、自ら提供するサービスの質の評価を行い、常にその改善を図る。

「介護予防サービス・支援計画書」は、アセスメントの過程、合意形成までの過程、ケアプランの過程のすべての要素が盛り込まれ、左から右へ書き進めるように構成されています。

4 介護予防ケアマネジメントの関連様式

介護予防支援の関連様式として、次のものが示されています。地域支援事業でもほぼ同じ様式のものを使います。

●介護予防支援の関連様式

様式	記載する内容
利用者基本情報	認定情報、日常生活自立度、障害等認定、住居環境、経済状況（生活保護受給の有無を含む）などの基本情報と、介護予防に関する事項、現病歴・既往歴などを記載する。
介護予防サービス・支援計画書	この様式には、①4つのアセスメント領域ごとの課題と総合的課題を引き出すまでのアセスメント過程、②専門職、利用者・家族の合意形成までの過程、③目標、支援計画などケアプランの過程の3つの要素が含まれる。
介護予防支援経過記録	介護予防支援の経過を記録する。サービス担当者会議の記録、モニタリングの実施状況も記載する。
介護予防支援・サービス評価表	介護予防サービス・支援計画書に設定した「期間」が終了する前などに作成し、サービスの目標が達成されたかなどの評価と今後の支援方針を記載する。

「介護予防サービス・支援計画書」の「アセスメント領域と現在の状況」「本人・家族の意欲・意向」「領域における課題（背景・原因）」「総合的課題」までが、アセスメントの過程です。

5 アセスメント（課題分析）

　基本チェックリスト、主治医意見書などの書類、居宅への訪問面接などにより、利用者の生活機能や健康状態、おかれている環境などの情報を収集します。そして、①運動・移動、②日常生活（家庭生活）、③社会参加・対人関係・コミュニケーション、④健康管理についての4つの領域ごとに、生活機能低下の原因や背景について分析し、課題を明らかにします。アセスメントでは、次のような点に留意します。

> ● 利用者の困りごとの要因や背景を一緒に考える。
> ● 客観的な状況だけではなく、そのことに対する利用者や家族の思いや考えを聞き取る。
> ● 支障が生じている生活行為について、「できている」ことにも着目し、どこができてどこに支援が必要なのか詳細にアセスメントする。
> ● 利用者の現在の状況だけではなく、状態が今後どのように変化していくかという予測をもつ。

　そして、各領域の共通の原因や背景を見つけて、支援すべき生活全体の「総合的課題」を導き出していきます。

6 介護予防サービス計画の作成

(1) 総合的課題に対する合意形成

　課題分析から得られた総合的課題に基づき、計画作成者の専門的観点から、最も適切と考えられる目標とその達成のための具体策について提案します（「課題に対する目標と具体策の提案」欄に記載）。目標は、利用者が一定の期間に達成可能であり、利用者の価値観や好みを十分考慮したものであることが重要です。

　この提案に対する利用者・家族の意向を確認し、「具体策についての意向」に記載します。

(2) 合意した目標の設定と支援計画の作成

　計画作成者の提案と、利用者・家族の意向をすり合わせ、合意が得られた「目標」を記載します。そして、その目標を達成するための具体的な「支援計画」を設定して記載します。この「目標」から「支援計画」までが、合意された介護予防サービス・支援計画となります。支援計画には、次のようなことを盛り込みます。

コ コ ででた！

R4 問22
R2 問23
R1 問20

＋1 プラスワン

「本来行うべき支援ができない場合」
利用者や家族の合意が得られない場合や、本来必要な社会資源が地域にない場合に、今後の支援の方向性や方策を記載する。

「目標とする生活」
「目標」と関連して、利用者とともに、生きがいや楽しみを話し合い、今後の生活で達成したい目標を「目標とする生活」の「1年」の欄に記載する。

- ●目標、目標についての支援のポイント。
- ●本人のセルフケア（健康管理や生活習慣の改善など利用者本人が自ら取り組むことや、できること）や家族**の支援**、地域のボランティア、近隣住民の協力などのインフォーマルサービス。
- ●介護保険による支援内容。

(3) 予防給付における運営基準での留意点

　下記の内容は居宅介護支援と同じなので、確認しておきましょう。

- ●総合的な介護予防サービス計画の作成
- ●利用者自身によるサービスの選択
- ●担当者に対する個別サービス計画の提出依頼
- ●介護保険施設への紹介その他の便宜の提供
- ●介護保険施設との連携
- ●医療サービス利用の場合の主治医の指示など
- ●主治医等への情報提供
- ●介護予防短期入所サービスの介護予防サービス計画への位置づけ
- ●介護予防福祉用具貸与および特定介護予防福祉用具販売の介護予防サービス計画への反映
- ●介護認定審査会意見等の介護予防サービス計画への反映
- ●地域ケア会議への協力

この部分も意外とよく試験に出るので、居宅介護支援のレッスン（P157〜P159）で確認しておこう！

7 サービス担当者会議の開催

　サービス担当者会議は、担当職員または介護支援専門員が主催者となり、利用者や家族、サービスや事業の担当者、主治医、インフォーマルサービスの提供者などの出席を求めて行います。

　開催場所は、主治医の診療所や地域包括支援センターなど、利用者や参加者の集まりやすい場所となるようくふうします。会議では、作成した介護予防サービス計画の原案の内容について、専門的見地からの意見を求めます。そして必要に応じて修正を行い、最終的に、介護予防サービス計画の内容を決定します。

　サービス担当者会議は、原則として介護予防サービス計画の新規作成時や変更時、利用者の更新認定時や区分変更認定時に、やむを得ない場合を除き必ず開催します。

サービス担当者会議の要旨は、居宅介護支援と同じです。

🔟 介護予防サービス計画の説明・同意・交付

担当職員または介護支援専門員は、計画原案を利用者・家族に説明し、文書により利用者の同意を得ます。確定した計画は、利用者とサービス担当者に交付します。

また、計画に位置づけたサービス事業者の担当者に対して、個別サービス計画の提出を求めます。

コ コでた!
R4 問22

🔟 報告聴取

担当職員または介護支援専門員は、各事業者に**個別サービス計画**の作成を指導するとともに、サービスの提供状況や利用者の状態などに関する報告を少なくとも**1か月**に**1回**は**聴取**（報告聴取）します。

コ コでた!
R1 問20

🔟 モニタリング

担当職員または介護支援専門員は、介護予防サービス計画作成後も、設定された目標を踏まえて利用者自身の生活機能や課題が変化していないかなど、介護予防サービス計画の**実施状況の把握**(モニタリング) を行います。モニタリングは、特段の事情のないかぎり、次のような方針で行います。

> - 少なくともサービス提供開始月の翌月から起算して3か月に1回、および**サービス**の評価期間が終了する月、利用者の状況に著しい変化があったときには利用者の居宅を訪問して面接する。
> - 利用者宅を訪問しない月でも、介護予防通所リハビリテーション事業所等を訪問するなどの方法により利用者と面接するように努め、面接ができない場合には、電話連絡などにより、利用者自身にサービスの実施状況などについて確認を行う。
> - これらのモニタリングの結果については、少なくとも1か月に1回は記録する。

設定された目標との関係を踏まえつつ、利用者の生活機能の状況や課題の変化が認められる場合などは、必要に応じて介護予防サービス計画の変更、計画に位置づけたサービス事業者などとの連絡、調整を行います。

+1 プラスワン

オンラインモニタリング
利用者の同意、サービス担当者会議等での合意があり、少なくとも6か月に1回は利用者の居宅を訪問する場合は、利用者の居宅を訪問しない期間において、テレビ電話装置等を活用して利用者に面接することができる。

11 評価

ココでた！
R4 問22

　介護予防サービス計画に位置づけた期間が終了するときには、計画の**目標の達成状況について**評価をし、今後の方針を決定します。そして、必要に応じて今後の介護予防サービス計画の見直しを行います。

\\ チャレンジ！ //

過去＆予想問題

できたらチェック ☑

	問 題	解 答
☐1	介護予防サービス計画は、保健師が作成しなければならない。 予想	✕ 保健師にかぎらない
☐2	介護予防支援は、単に運動機能や栄養状態、口腔機能といった特定の機能の改善に特化して行うものではない。 予想	○
☐3	介護予防サービス計画は、問題志向型で策定しなければならない。 予想	✕ 目標志向型
☐4	（介護予防サービス・支援計画書作成におけるアセスメント領域に含まれるもの）問題行動 予想	✕ 含まれない
☐5	（介護予防サービス・支援計画書の）「課題に対する目標と具体策の提案」欄には、利用者や家族の意向を踏まえた目標と具体策を記載する。 R2	✕ 計画作成者の専門的観点から提案する目標と具体策を記載する
☐6	介護予防サービス・支援計画書には、「本人のセルフケア」を盛り込む。 予想	○
☐7	主治医の指示がなければ、介護予防訪問リハビリテーションを位置付けることはできない。 予想	○
☐8	地域ケア会議から個別のケアマネジメントの事例の提供の求めがあった場合には、これに協力するよう努めなければならない。 予想	○
☐9	サービス担当者会議は、利用者が要支援更新認定を受けたときは、やむを得ない場合を除き、開催する。 予想	○
☐10	介護予防サービス計画は、市町村に交付しなければならない。 予想	✕ 利用者とサービス担当者に交付
☐11	計画に位置づけた期間が終了するときは、当該計画の目標の達成状況について評価しなければならない。 R4	○

介護保険施設の基準

レッスンの
ポイント

- 介護保険施設には、介護支援専門員が1人以上必置
- 身体的拘束等の禁止や委員会の開催などが規定されている
- 感染対策委員会を3か月に1回以上開催する
- 事故発生防止のための委員会を開催する

 用 語

介護保険施設
指定介護老人福祉施設
（いわゆる特養）、介護老
人保健施設（いわゆる老
健）、介護医療院（2017
年法改正で新設）。

1 介護保険施設

　介護保険施設では、入所者に施設サービスを提供します。施設
ごとに、「指定介護老人福祉施設の人員、設備及び運営に関する
基準」などの人員・設備・運営基準が都道府県知事の条例により
定められます。

2 介護保険施設の基本方針

　次のことが共通して規定されています。

- 施設サービス計画に基づき、可能なかぎり、居宅における
生活への復帰を念頭においてサービスを行うことにより、入
所者がその有する能力に応じ自立した日常生活を営むこと
ができるようにすることをめざす。
- 入所者の意思・人格を尊重し、常に入所者の立場に立っ
たサービスを提供するように努める。
- 明るく家庭的な雰囲気を有し、地域や家庭との結びつき
を重視した運営を行い、市町村、居宅介護支援事業者、居
宅サービス事業者、他の介護保険施設その他の保健医療
サービスまたは福祉サービスを提供する者との密接な連携に
努める。
- 入所者の人権の擁護、虐待の防止等のため必要な体制の
整備を行うとともに、従業者に対し研修を実施するなどの措
置を講じる。
- サービスを提供するにあたっては、介護保険等関連情報そ
の他必要な情報を活用し、適切かつ有効に行うよう努める。

❸ 介護保険施設の人員基準

　人員基準は施設ごとに異なりますが、介護支援専門員は必ず常勤で1人以上配置されます。

❹ 介護保険施設の運営基準

　運営基準（一部解釈通知を含む）から、特に固有の部分で、介護保険施設に共通して規定されているものについてみていきます。

ココでた！
R5 問44

●介護保険施設の基準の共通事項（固有の部分）

提供拒否の禁止	● 正当な理由なく、入所を拒否することはできない。特に、要介護度や所得の多寡を理由にサービスの提供を拒否することを禁止する。 ● 正当な理由とは、入院治療の必要がある場合その他入所者に対し自ら適切なサービスを提供することが困難な場合である。
入退所	● 入所待ちの申込者がいる場合、介護の必要の程度や家族の状況などを勘案し、サービスを受ける必要性の高い人を優先的に入所させるよう努める。 ● 入所時に、居宅介護支援事業者への照会などにより、入所者の心身の状況、生活歴、病歴、サービスの利用状況などを把握する。 ● 入所者が居宅において日常生活を営むことができるかどうかについて定期的に検討しなければならない。 ● 退所時に、居宅サービス計画作成援助のため、居宅介護支援事業者に対する情報の提供やサービス事業者との連携に努める。
身体的拘束等の禁止	● 入所者または他の入所者等の生命または身体を保護するため緊急やむを得ない場合を除き、身体的拘束その他入所者の行動を制限する行為（身体的拘束等）を行ってはならない。行う場合は、その態様および時間、入所者の心身の状況と緊急やむを得ない理由を記録しなければならない。 ● 身体的拘束等の適正化を図るため、身体的拘束等の適正化のための対策を検討する委員会を3か月に1回以上開催し、その結果を周知徹底する。また、身体的拘束等の適正化のための指針を整備し、従業者に身体的拘束等の適正化のための研修を定期的に実施する。
衛生管理など	● 施設、食器その他の設備または飲用に供する水について衛生的な管理に努め、または衛生上必要な措置を講じる。 ● 感染症または食中毒の発生やまん延を防ぐために、感染症および食中毒の予防およびまん延の防止のための対策を検討する委員会（感染対策委員会）をおおむね3か月に1回以上開催し、その結果を従業者に周知徹底する。 ● 感染症および食中毒の予防およびまん延の防止のための指針を整備し、従業者の研修および訓練を定期的に実施する。

事故発生の防止および発生時の対応	● 事故発生時の対応などの指針を整備し、事故発生の報告、分析、改善策の従業者への周知徹底を図る体制を整備する。 ● 事故発生防止のための委員会（事故防止検討委員会）および従業者への研修を定期的に行う。 ● 上記の措置を実施するための担当者を置く。 ※その他の対応については、居宅サービス事業と同様。→ P100
栄養管理	入所者の栄養状態の維持および改善を図り、自立した日常生活を営むことができるよう、各入所者の状態に応じた栄養管理を計画的に行う。
口腔衛生の管理	入所者の口腔の健康の保持を図り、自立した日常生活を営むことができるよう、口腔衛生の管理体制を整備し、各入所者の状態に応じた口腔衛生の管理を計画的に行う。
協力医療機関など	● あらかじめ、次の①〜③の要件を満たす協力医療機関（③の要件は病院に限る）を定めておかなければならない。複数の医療機関を協力医療機関として定め、各要件を満たすこととしても差しつかえない。 ※2027（令和9）年3月31日までは努力義務 ① 入所者の病状が急変した場合等において医師または看護職員が相談対応を行う体制を、常時確保している。 ② 施設から診療の求めがあった場合において診療を行う体制を、常時確保している。 ③ 入所者の病状が急変した場合等において、施設の医師または協力医療機関その他の医療機関の医師が診療を行い、入院を要すると認められた入所者の入院を原則として受け入れる体制を確保している。 ● 1年に1回以上、協力医療機関との間で、入所者の病状が急変した場合などの対応を確認するとともに、指定・許可を行った都道府県知事に協力医療機関の名称等を届け出なければならない。 ● 感染症法に規定する第二種協定指定医療機関※との間で、新興感染症の発生時等の対応を取り決めるように努める。 ● 協力医療機関が第二種協定指定医療機関である場合は、その第二種協定指定医療機関との間で、新興感染症の発生時等の対応について協議を行わなければならない。 ● 入所者が協力医療機関その他の医療機関に入院したあとに、入所者の病状が軽快し、退院が可能となった場合は、すみやかに再入所させることができるように努める。 ● あらかじめ、協力歯科医療機関を定めておくよう努める。 ※第二種協定指定医療機関：医療措置協定などに基づき、発熱外来や宿泊・自宅療養者などの外来医療・在宅医療を担当する医療機関として都道府県知事から指定を受けた病院、診療所、薬局、訪問看護事業所。

◉居宅サービス事業者とほぼ同じ趣旨の基準

- ●内容および手続きの説明と同意
- ●サービス提供困難時の対応
- ●受給資格などの確認　●要介護認定の申請にかかる援助
- ●保険給付の請求のための証明書の交付
- ●入所者に関する市町村への通知
- ●管理者の責務　●勤務体制の確保など
- ●業務継続計画の策定など　●掲示　●秘密保持など
- ●定員の遵守　●非常災害対策
- ●居宅介護支援事業者に対する利益供与などの禁止
- ●苦情処理　●地域との連携など（同一建物にかかる規定を除く）
- ●委員会の開催　●虐待の防止　●会計の区分
- ●記録の整備

居宅サービス事業の基準
➡ P98

要介護認定の申請援助は、居宅介護支援の基準（➡ P145）も参照してください。

 ＼＼ チャレンジ！ ／／
過去＆予想問題

できたら
チェック ☑

	問題	解答
□1	入所者の退所にあたっては、市町村との連携に努めなければならない。 予想	✕ 居宅介護支援事業者との連携に努める
□2	入所者の部屋に外から鍵をかける行為は身体的拘束に当たらない。 予想	✕ 行動の制限であり身体的拘束にあたる
□3	感染症や食中毒の予防・まん延防止のため、その対策を検討する委員会をおおむね6か月に1回以上開催する。 予想	✕ 3か月に1回以上
□4	事故発生の防止のための委員会および従業者に対する研修を定期的に行う。 予想	◯
□5	入所者の栄養管理を計画的に行うよう努めなければならない。 予想	✕ 努力義務ではなく義務
□6	口腔衛生の管理体制を整備し、各入所者の状態に応じた口腔衛生の管理を計画的に行わなければならない。 R5	◯
□7	1年に1回以上、協力医療機関との間で、入所者の病状が急変した場合等の対応を確認するとともに、協力医療機関の名称等を公示しなければならない。 予想	✕ 公示ではなく都道府県知事に届け出る
□8	虐待の防止のための対策を検討する委員会を定期的に開催するとともに、その結果について、介護職員その他の従業者に周知徹底を図らなければならない。 予想	◯

介護支援分野

Lesson 29　★★★　介護保険施設の基準

Lesson 30 重要度 B ★★★ 施設介護支援

レッスンの
ポイント

● 施設サービス計画は、個別援助計画のマスタープランである
● 入所判定委員会により入所が決定される
● アセスメントは、課題分析標準項目に沿う
● 施設サービス計画には地域住民の自発的な活動なども含める

+1 プラスワン

施設介護支援
施設介護支援は、施設サービスの一環として行われるもので、施設介護サービス計画費のなかに含まれる。その基本的なプロセスは、居宅介護支援と同様である。

1 施設介護支援

　介護保険施設の入所者に対しては、施設の介護支援専門員（計画担当**介護支援専門員**）がアセスメントや施設サービス計画の作成、モニタリングなど一連のケアマネジメント（施設介護支援）を行います。施設では、利用者に栄養ケア計画などさまざまな個別援助計画が作成されますが、施設サービス計画は、その基本計画（マスタープラン）となります。

2 インテーク

　施設介護支援のプロセスは、居宅介護支援とほぼ同じですが、入所前の申し込みを受け契約するまでの**インテーク段階から、多くの情報が収集**されます。
　施設への入所は、**サービスを受ける必要性の高い人が優先**されます。このため、定員よりも入所申込者が多い場合は施設が設置する入所判定委員会が入所申込者の入所の検討や決定を行います。
　入所が決定した利用者や家族には、居宅を訪問して面接を行い、提供するサービスについての説明・同意を経て入所契約を結びます。なお、利用者への面接は、入所後にも行われます。

コㅁでた！
R5 問22
R1 問18

3 アセスメント（課題分析）

　計画担当介護支援専門員は、入所者や家族と面接して、入所者が生活の質を向上させるうえで生じている問題点を明らかにし、入所者が自立した生活を営むうえで解決すべき課題を把握する、アセスメント（課題分析）を行います。

174

課題分析票の様式は施設独自のものを用いることができますが、その内容は居宅介護支援と同様に、**国の**課題分析標準項目**を満たしたもの**でなければなりません。

4 施設サービス計画の作成

計画担当介護支援専門員は、アセスメントの結果に基づき、入所者や家族の希望を勘案して施設サービス計画の原案を作成します。「施設サービス計画書(1)」には、入所者および家族の生活に対する意向、総合的な援助の方針、「施設サービス計画書(2)」には、生活全般の解決すべき課題(ニーズ)、サービスの目標(長期目標、短期目標)とその達成期間、援助内容(行事や日課も含む)、サービスを提供するうえでの留意事項などを記載します。また、介護給付等対象サービス以外の地域住民の自発的活動(話し相手、会食など)によるサービスなども含めて施設サービス計画に位置づけ、総合的な計画となるよう配慮します。

5 サービス担当者会議の開催

計画担当介護支援専門員は、施設サービス計画の原案について、サービス担当者会議**の開催または**担当者に対する照会などにより、専門的な見地から意見を求め、調整を図ります。

サービス担当者会議の開催または担当者に対する照会などは、入所者の更新認定や区分変更認定の際にも行う必要があります。

6 施設サービス計画の説明・同意・交付

施設サービス計画原案の内容については、入所者または家族に説明し、入所者からあらかじめ文書による同意を得ます。そして、完成した施設サービス計画を入所者に交付します。

7 モニタリングと再アセスメント

施設サービス計画作成後も、実施状況の把握(モニタリング)を行い、必要に応じ、施設サービス計画の変更を行います。モニタリングでは、居宅介護支援のように、回数や頻度に関する規定はなく、定期的に入所者に面接を行い、定期的にモニタリング結果を記録することになっています。

モニタリングの結果、必要がある場合は再アセスメントを行い、

注目!

課題分析標準項目についても問われる可能性がある(→ P152)。

ココでた!

R5 問22
R3 問22
R1 問18

注目!

施設サービス計画書(1)(2)の記載方法や考え方が何度か出題されている。基本は居宅サービス計画と同じため、P151〜153を復習しよう。また、施設では「週間サービス計画表」または「日課計画表」のいずれかを作成する点も押さえておこう。

ココでた!

R5 問22
R1 問18

ココでた!

R5 問22
R1 問18

施設サービス計画の見直しを行っていきます。

8 計画担当介護支援専門員の責務

計画担当介護支援専門員は、施設サービス計画の作成にかかわる一連の業務のほか、責務として次の事項を行います。

- 入所者の入所時に、居宅介護支援事業者に照会などをし、心身の状況、生活歴、病歴、指定居宅サービスの利用状況などを把握する。
- **退所への定期的な検討**……入所者の心身の状況などを把握し、従業者との協議や、必要な援助をする。
- **入所者の退所時**に、居宅介護支援事業者へ情報を提供し、居宅サービス計画の作成を援助する。保健医療・福祉サービス提供者と**密接に連携**する。
- **記録**……身体的拘束等に関する記録（介護老人福祉施設の場合）、苦情の内容、事故の状況と処置について記録する。

入所しても、定期的に在宅復帰の検討を行います。これは、サービス各論でもよく問われるポイントです。

 ＼ チャレンジ！／

過去＆予想問題

できたらチェック ☑

	問題	解答
□1	介護保険施設入所者の施設サービス計画は、計画担当介護支援専門員が作成する。 予想	○
□2	アセスメントは、入所者及びその家族に面接して行わなければならない。 R5	○
□3	課題分析標準項目には、認知機能や判断能力に関する項目は含まれない。 予想	✕ 含まれる
□4	目標の「期間」については、「認定の有効期間」は考慮しない。 R3	✕ 考慮する
□5	施設内のサービスだけで施設サービス計画を作成する。 予想	✕ 地域住民の自発的活動なども位置づける
□6	施設サービス計画の原案を作成するため、原則としてサービス担当者会議を開催しなければならない。 予想	✕ 担当者に対する照会などでもよい
□7	施設サービス計画は本人ではなく家族に交付する。 予想	✕ 本人に交付
□8	3か月に1回のモニタリングが義務づけられている。 予想	✕ 頻度の規定はない

保健医療サービス分野

　加齢に伴って心身の状況は変化し、疾病にかかる確率も高くなります。加齢による心身の変化や疾病に関する知識は、ケアマネジメントを行うにあたって重要なものです。

　ここでは、高齢者によくみられる症状や疾患とその介護・看護の方法、服薬の管理、医療サービスなどについて学習します。

1　老年症候群
2　脳・神経の疾患
3　骨・関節の疾患
4　循環器の疾患
5　消化器・腎臓・尿路の疾患
6　がん・代謝異常による疾患
7　呼吸器の疾患
8　皮膚・目の疾患
9　バイタルサイン
10　検査値
11　食事の介護と口腔ケア
12　排泄の介護
13　褥瘡への対応
14　睡眠の介護
15　入浴・清潔の介護
16　リハビリテーション
17　認知症
18　高齢者の精神障害
19　医学的診断の理解・医療との連携
20　栄養と食生活の支援
21　薬の作用と服薬管理
22　在宅医療管理
23　感染症の予防
24　急変時の対応
25　健康増進と疾病障害の予防
26　ターミナルケア
27　訪問看護
28　訪問リハビリテーション
29　居宅療養管理指導
30　通所リハビリテーション
31　短期入所療養介護
32　定期巡回・随時対応型訪問介護看護
33　看護小規模多機能型居宅介護（複合型サービス）
34　介護老人保健施設
35　介護医療院

老年症候群

**レッスンの
ポイント**

- 高齢期に起こる変化は個人差が大きい
- 健康寿命の延伸、QOLの維持向上が大切
- 後期高齢者には老年症候群が現れやすい
- 老年症候群はQOLを低下させる病態

ココでた！

R5 問26
R2 問26

+1プラスワン

介護が必要となった要因
「令和4（2022）年国民
生活基礎調査」によると、
要介護となった主な原因
で最も多いのは認知症
（23.6％）、次いで脳血管疾
患（19.0％）。要支援では
関節疾患が最も多い
（19.3％）。

老年症候群は、このレ
ッスンで順番にみてい
きましょう。

🔳 高齢者の加齢変化と老年症候群

　加齢に伴い、心身の機能は低下し、さまざまな症状が現れるよ
うになります。老化は、加齢に伴い必然的に起こる「生理的老化」
と、疾病により生じる「病的老化」にわけられます。

　老化には個人差がありますが、75歳頃を境に徐々に自立度が低
下し、脳や神経の疾患、衰弱、骨や関節の疾患など長期の慢性
疾患と老年症候群を併せもつことが多くなります。

　老年症候群は、高齢期の生活機能を低下させ、QOL（生活の
質）を低下させる症状・病態です。原因は多様で身体的要因に加
え、心理的・社会的要因など複数の要因が重なって起こることも
多く、適切な治療と同時に、介護とケアが重要になります。

　また、高齢期には、役割の喪失などで心理的・社会的変化に直
面することが多くなります。こうした高齢期の心身の変化を理解し、
人は生涯発達していく存在として、高齢者の自立を支援していくこ
とが大切です。

●主な老年症候群

- 意識障害・せん妄
- 抑うつ
- 認知機能障害
- 低栄養、食欲不振
- 脱水
- 起立性低血圧
- めまい、ふらつき
- 視聴覚障害
- 廃用症候群
- フレイル、サルコペニア
- 尿失禁
- 手足のしびれ
- 誤嚥、嚥下障害
- 転倒
- 低体温(➡ P220)
- 便秘 ● 貧血
- 骨折（➡ P195）
- 骨粗鬆症（➡ P194）

② 意識障害・せん妄

コ コ で た！
R5 問32

高齢者の意識障害の多くは、①脳血管障害や頭部外傷などの脳の器質的疾患、②薬の**副作用**（向精神薬など）、③低血圧、低血糖、慢性呼吸不全、高血糖、尿毒症などの**重篤**な全身疾患が原因となります。意識障害の一種にせん妄があります。

●せん妄

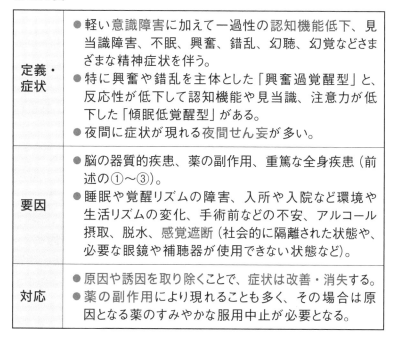

定義・症状	●軽い意識障害に加えて一過性の認知機能低下、見当識障害、不眠、興奮、錯乱、幻聴、幻覚などさまざまな精神症状を伴う。 ●特に興奮や錯乱を主体とした「興奮過覚醒型」と、反応性が低下して認知機能や見当識、注意力が低下した「傾眠低覚醒型」がある。 ●夜間に症状が現れる夜間せん妄が多い。
要因	●脳の器質的疾患、薬の副作用、重篤な全身疾患（前述の①～③）。 ●睡眠や覚醒リズムの障害、入所や入院など環境や生活リズムの変化、手術前などの不安、アルコール摂取、脱水、感覚遮断（社会的に隔離された状態や、必要な眼鏡や補聴器が使用できない状態など）。
対応	●原因や誘因を取り除くことで、症状は改善・消失する。 ●薬の副作用により現れることも多く、その場合は原因となる薬のすみやかな服用中止が必要となる。

せん妄の症状は一過性であることがほとんどで認知症とは区別されるよ。

＋1 プラスワン

薬の副作用
総合感冒薬や胃酸分泌を抑える薬、頻尿の治療薬などはせん妄の原因になることがある。

③ 抑うつ

コ コ で た！
R2 問26

抑うつは、気分や感情が落ち込み、やる気が起きないなどの状態です。抑うつにより閉じこもりがちとなったり、身体活動量が低下したりすることで、ほかの老年症候群を引き起こす原因にもなります。身体的な衰え、機能障害、慢性疾患への罹患、家族との死別、**社会的な役割の**喪失などが要因となり、脳血管障害やパーキンソン病などの疾患や**降圧薬などの薬の副作用で引き起こされる**こともあります。

④ 認知機能障害

認知機能とは、記憶、知識、計算、見当識、理解、判断などの知的な能力の総称です。

一般に、知識は加齢による影響が少なく、学習により取得され

保健医療サービス分野

Lesson 01 ★★★ 老年症候群

用 語

エピソード記憶
個人が経験したできごとに
関する記憶。

る意味記憶は高齢でも保持されるといわれますが、計算能力は加齢により大きく低下します。エピソード記憶では、**最近のできごとに関する記憶が低下する傾向**があります。また、もの忘れは疾患によらない、通常の老化の過程でもみられます。

永続的な記憶の障害があっても、認知機能全般の障害がないものは、健忘症候群といい、睡眠導入剤や抗不安薬などの薬物、アルコールの多飲も原因となります。

コこでた！
R2 問26

5 低栄養と食欲不振

加齢とともに身体が必要とするエネルギーの消費量が減り、食欲が低下することが多く、栄養の不足が問題となります。**栄養が低下すると**、浮腫（ふしゅ）や**貧血を生じやすく免疫機能も低下**し、感染症にかかりやすくなります。

高齢者の低栄養では、たんぱく質とエネルギーが不足している状態が多くみられます。高齢者でも**たんぱく質の必要量は一般成人と変わりません**ので、副食を意識してとる必要があります。

なお、食欲不振では、ジギタリス製剤、認知症治療薬、非ステロイド性消炎鎮痛薬などの**薬物の服用や亜鉛の欠乏**が原因となっていることもあります。亜鉛欠乏症は高齢者に多く、降圧薬、脂質異常症治療薬、抗ヒスタミン薬などの副作用でも引き起こされます。味覚障害の原因ともなりますので注意が必要です。

低栄養
→ P266

低栄養の最も良い指標はアルブミン値です。「レッスン10 検査値」「レッスン 20栄養と食生活の支援」もあわせて確認しましょう。

6 脱水

脱水は、体内の水分が不足している状態をいいます。高齢者の場合、もともと体内の水分量が少なく、**口の渇き（口渇）も自覚しにくい**ため、若年者と比べ脱水になりやすいです。

■原因

水分や食事摂取量**の低下**、糖尿病による高血糖、高血圧、下痢、腎臓病、利尿剤の服用による副作用のほか、認知機能やADL（日常生活動作）の低下により自分での飲水が難しいために脱水となることもあります。

■症状

めまい、だるさ、顔が赤くなるなどのほか、舌の乾燥、排尿回数の減少、体重減少、血圧低下、微熱、頻脈（ひんみゃく）などもみられます。手の甲をつまみあげるとすぐには元に戻らないという皮膚の緊張の低下も特徴的な症状です。脱水が進むと起立性低血圧や全身倦怠（けんたい）感、頭痛、吐き気、食欲不振などをきたし、さらに進行すれば意

コこでた！
R4 問38
R3 問26
R2 問26

起立性低血圧
→ P199

識障害を引き起こします。

■対応

水分を摂取しても症状が続く場合には、受診し、血液検査と点滴による水分と電解質の補充が必要となります。

7 めまい、ふらつき

めまいやふらつきは、耳や脳、全身の疾患によりバランスを保つ機能に障害が起きたときに生じます。高齢者では、内耳の障害である良性発作性頭位めまい症が多く、起立性低血圧、椎骨脳底動脈循環不全、脱水によるめまいも頻度が高いです。また眼疾患や薬の副作用が原因となることもあります。めまいには、回転感（目の前がぐるぐるする）、眼前暗黒感（目の前が暗くなり、場合によっては失神）、浮動感（目の前がふわふわする）などの感覚が含まれ、その原因も感覚ごとに異なります。なかには**脳血管障害や心疾患などの重大な疾患が隠れている**こともあり注意が必要です。

 用語

良性発作性頭位めまい症
本来は内耳にある耳石が三半規管に移動してしまい、頭を動かしたときに、耳石が三半規管を刺激して、激しい回転性めまいを生じる。

◉めまいの感覚と主な原因

感覚	主な原因
回転感	多くは内耳の障害により起こる。メニエール病、良性発作性頭位めまい症、前庭神経炎
眼前暗黒感	起立性低血圧、低血糖、徐脈性不整脈
浮動感	抗不安薬、睡眠薬、筋弛緩薬などの薬の副作用、小脳疾患、パーキンソン病

8 視聴覚障害

 ココでた！
R2 問26

視聴覚障害は、認知機能障害の要因になるといわれています。

◉難聴・耳鳴り・視覚障害の特徴

難聴	難聴には伝音性難聴と感音性難聴、両者が混じった混合性難聴があり、高齢者では感音性難聴の一種である加齢性難聴（老人性難聴ともいう）が多い。治療による改善は期待しにくいため、補聴器の適切な使用が勧められる。耳垢塞栓は伝音性難聴のひとつで、耳垢を除去することで回復する。
耳鳴り	内耳の感覚細胞の障害によるが、高血圧や糖尿病などの全身疾患が原因のこともある。
視覚障害	高齢者によくみられるのは白内障（→ P217）、加齢黄斑変性症（→ P219）、緑内障（→ P218）、糖尿病性網膜症（→ P208）。

181

用語

伝音性難聴
外耳や中耳に障害があり、内耳に音信号が伝わりにくくなるために生じる難聴。

感音性難聴
内耳→聴神経→大脳までの経路（感音系）に原因がある難聴。

R5 問26
R1 問31

フレイル、サルコペニアは、低栄養とも関係が深く注目されているよ。今後も出題の可能性があり要注意。

◉**伝音系と感音系**

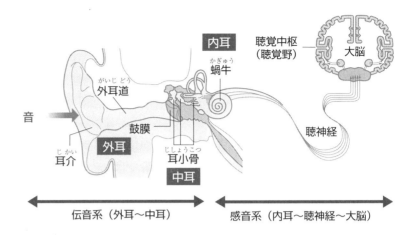

伝音系（外耳〜中耳）　　感音系（内耳〜聴神経〜大脳）

9 フレイル

　フレイル（虚弱）は、高齢になって、**筋力や活動が低下している状態**であり、健康な状態と要介護状態の中間的な段階です。具体的には、次の5項目のうち3項目以上該当するとフレイルとみなされます。進行すると寝たきりや廃用症候群になりやすくなります。

◉**フレイルの診断基準（改訂日本版CHS基準）**

> ① 体重減少：6か月で2kg以上の（意図しない）体重減少
> ② 筋力低下：握力：男性＜28kg、女性＜18kg
> ③ 疲労感　：（ここ2週間）わけもなく疲れたような感じがする
> ④ 歩行速度：通常歩行速度＜1.0m／秒
> ⑤ 身体活動：「軽い運動・体操をしていますか」「定期的な運動・スポーツをしていますか」の2ついずれも「週に1回もしていない」

10 サルコペニア

　サルコペニア（筋肉減弱症）は、老化に伴う筋肉量の減少のほか、最近では、筋力や身体機能の低下までを含めるようになりました。具体的には、①加齢に伴う骨格筋（筋肉）の減少を必須として、②筋力の低下、③身体能力の低下のいずれかを伴う場合に、サルコペニアと診断されます。

　また、簡便なスクリーニング指標に「指輪っかテスト」があります。ふくらはぎの最大部分を両手の親指と人差しで作った輪で囲むもので、このとき「隙間ができる」場合はサルコペニアの危険度が高

いといえます。

⓫ 廃用症候群

　廃用症候群（生活不活発病ともいう）は、**日常生活での**活動性**の低下により、身体**的・**精神**的機能が全般的に低下した状態で**す。予防のためには、安静にするよりもできるかぎり身体を動かすことが大切です。

◉廃用症候群の主な症状

身体	●筋萎縮、筋力低下　●関節の拘縮 ●骨萎縮　●骨粗鬆症　●褥瘡 ●心肺機能低下　●起立性低血圧 ●肺炎　●嚥下障害　●便秘　●尿失禁
精神・神経	●認知機能障害　●抑うつ ●意欲の減退

⓬ 尿失禁

　排尿障害のなかでも、よくみられるのが尿失禁です。尿失禁は、尿が意思に反して漏れてしまうものです。主なものに、切迫性**尿失禁、腹圧性尿失禁、溢流性尿失禁、機能性尿失禁**があります。

◉尿失禁の種類

切迫性尿失禁	主症状は尿意が我慢できない尿意切迫感。原因は脳血管障害や尿路感染症など。切迫性尿失禁に頻尿や夜間頻尿を伴う場合は過活動膀胱ともいう。
腹圧性尿失禁	骨盤底筋の機能低下により、咳、くしゃみなどの腹圧の上昇で失禁する。尿道が短い女性に多い。
溢流性尿失禁	尿が膀胱内に多量にたまり、漏れ出すもの。原因は前立腺肥大による下部尿路閉塞、糖尿病による膀胱収縮障害など。
機能性尿失禁	排尿器官には異常がないが、身体機能の低下、麻痺などの身体障害や認知症などのために、トイレに間に合わない、適切な排尿動作ができない。

廃用症候群の予防的アプローチ
→ P243

+1プラスワン

災害時の支援
災害時には、避難所などで生活活動が制限され、長時間同じ姿勢でいるなどで高齢者は廃用症候群や肺塞栓症（深部静脈血栓症：いわゆるエコノミークラス症候群→P201）を発症するおそれがあり、注意が必要。

ココでた！
R4 問30
R3 問29

+1プラスワン

排尿障害
尿失禁のほか、神経障害により尿が出にくい「神経因性膀胱」、排尿回数が多い「頻尿」などがある。

排便障害
尿失禁と同様に、便失禁には腹圧性便失禁、切迫性便失禁、溢流性便失禁、機能性便失禁がある。

用語

脊髄
脳から背骨の中を通って
伸びている神経の束。脳
から送られる命令を末梢
へ伝達する。

誤嚥性肺炎
→ P212

R3 問34

骨粗鬆症
→ P194

慢性硬膜下血腫
→ P252

⑬ 手足のしびれ

　しびれは、知覚鈍麻だけではなく、異常知覚、運動障害も含みます。原因はさまざまですが、脳血管障害、脊椎（背骨）の障害、糖尿病が多いです。関節リウマチなどによる末梢神経障害を起因とするものもみられます。脳血管障害や脊髄の障害では、運動障害を伴うことも少なくありません。

⑭ 誤嚥、嚥下障害

　嚥下障害は、食物や水分をうまく飲み込めない状態です。高齢者は嚥下反射・咳反射が低下し、誤嚥（食物や唾液が食道ではなく、気道に入ってしまうこと）を起こしやすくなります。誤嚥により誤嚥性肺炎を引き起こすこともあります。高齢者では、誤嚥があっても自覚されない不顕性誤嚥も多く、誤嚥性肺炎となって初めて気づくこともあるため注意が必要です。

⑮ 転倒

　高齢者は、運動機能の低下、薬の影響、視力の低下、認知機能の低下などにより転倒しやすくなります。また、骨粗鬆症などが背景にあるため、**転倒が骨折に結びつきやすく**、骨折による安静などから寝たきりになる場合もあります。転倒による慢性硬膜下血腫の合併にも注意が必要です。

　転倒予防には、高齢者の身体状態を踏まえ、転倒しない環境を整えることが大切です。具体策としては、段差の解消（カーペットの端のめくれや電気コード類、敷居などのわずかな室内段差が転倒の原因となる）、手すりや照明の設置、すべりにくい床材の使用、移動時の見守りなどがあげられます。

16 高齢者の疾患の特徴

コ**コ**でた！
R3 問39
R1 問40

高齢者の全体的な疾患の特徴として以下のものがあります。

- 老年症候群があり、また複数の疾患を併せもち、症状の現れ方には個人差が大きい。
- 症状が非定型的で、症状や徴候がはっきりしない。
- 慢性の疾患が多く、治療も長引きやすい。
- 合併症を起こしやすい。
- 薬の副作用が出やすい。
- 高齢者の予後やQOLが医療だけではなく社会的要因（療養環境、家庭や地域社会の対応など）により大きく影響される。

保健医療サービス分野

Lesson 01 ★★★ 老年症候群

\\ チャレンジ！ //
過去＆予想問題

できたらチェック☑

	問　題	解　答
□1	老年症候群には、認知症は含まれない。 予想	✕ 含まれる
□2	せん妄は、夜間に現れることが多い。 予想	〇
□3	せん妄は感覚を遮断することで予防できることが多い。 予想	✕ 感覚遮断は発生要因となる
□4	高齢者では、エネルギーの消費が多くなるため、食欲が増す。 R2	✕ エネルギー消費量が減り食欲が低下することが多い
□5	亜鉛の欠乏が、食欲不振の原因になることがある。 予想	〇
□6	脱水があっても、めまいやふらつきは生じない。 R3	✕ 生じる
□7	高齢者のめまいは、不整脈などの全身性疾患や薬の副作用が原因となっていることがある。 予想	〇
□8	感音性難聴は、治療による改善が期待できる。 予想	✕ 期待しにくい
□9	フレイルとは、健康な状態と介護を要する状態の中間的な状態である。 R5	〇
□10	廃用症候群は、身体の一部だけではなく、心肺機能低下など全身状態にも影響する。 予想	〇

脳・神経の疾患

コでた！
R3 問39

レッスンの
ポイント

● 脳血管障害では再発予防が重要
● ALSでは眼球運動、知能や知覚神経などは末期までよく保たれる
● パーキンソン病の四大運動症状を理解する
● 脊髄小脳変性症は、上肢運動の拙劣などが特徴

1 脳血管障害（脳卒中）

脳血管障害（脳卒中）は、脳の細胞が壊れ、障害が起こる疾患の総称です。脳の**血管が詰まる**脳梗塞、脳の**血管が破れる**脳出血、くも膜下出血に大きくわけられます。

■症状

いずれも脳細胞に栄養が行かないことにより、運動麻痺、感覚障害、運動障害、呼吸中枢の障害、高次脳機能障害などの脳の局所症状、頭痛、嘔吐、意識障害などの頭蓋内圧亢進症状が現れ、後遺症を残すことが多いです。高次脳機能の障害では、失語、失行、失認、注意障害などの症状が現れます。

+1 プラスワン

片麻痺
脳血管障害の麻痺は一般に、脳の病巣とは反対の片側に現れる（片麻痺）。

●脳血管障害の種類

分類			特徴
血管が詰まる（脳梗塞）	脳血栓	アテローム血栓性脳梗塞	脳の比較的太い血管が動脈硬化により狭くなり、血栓（血の固まり）が形成され詰まる。
		ラクナ梗塞	脳の深部の細い血管が詰まる。
	心原性脳塞栓症		心房細動（心房全体が不規則に小刻みに震える不整脈）などにより心臓内に形成された血栓が、脳の血管に至り詰まる。
血管が破れる	脳出血		脳の細い動脈が破れて出血する。
	くも膜下出血		脳動脈にできたこぶ（動脈瘤）が破れて、脳の表面とくも膜の間に出血する。

■治療

脳血栓、脳塞栓では、発症から4.5時間以内であれば、tPA療法（血栓溶解療法）が有効です。くも膜下出血では動脈瘤手術、脳

出血では状態に応じて血腫除去手術などを行います。急性期治療が終了したら、血圧管理や抗血小板薬など血栓防止の薬物治療と同時に、早期からリハビリテーションを行っていきます。

■予後・生活上の留意点など

脳血管障害は再発しやすく、再発すると後遺症がさらに重くなるため、生活習慣病（高血圧、糖尿病、脂質異常症、肥満など）の予防やコントロールが重要です。

食事の見直し、適度な運動、嗜好（禁煙、飲酒量の調節）に留意し、リハビリテーションや装具療法でADLの向上を図ります。

支援では、血圧管理、服薬の見守り、生活の見守りが重要です。

後遺症により、身体障害者手帳、障害年金、重度心身障害者医療費助成制度が利用できます。

+1プラスワン

血栓防止の薬
血栓予防に使われる抗血小板薬や抗凝固薬には、出血しやすくなる副作用があるため、注意が必要。

2 筋萎縮性側索硬化症（ALS）

筋萎縮性側索硬化症（ALS）は、運動神経細胞が変性消失し、徐々に全身の骨格筋が萎縮していく疾患です。原因不明で、5〜10%の症例は家族性です。遺伝子異常が明らかな場合もあります。

■症状

四肢の筋力低下による生活機能低下、嚥下障害、言語障害などがみられ、数年で四肢麻痺、摂食障害、呼吸麻痺により自立困難となります。ただし眼球**運動**、肛門括約筋、知覚**神経**、記憶力、知能、意識**は末期までよく保たれます。**

■治療・予後・生活上の留意点

進行性で、根本的な治療はできません。病状に応じてリハビリテーションや装具療法を行います。

発語が困難になった場合には、文字盤や意思伝達装置などのコンピュータでコミュニケーションを図ります。末期には胃ろうの造設や人工呼吸器の使用が必要となるため、多職種で連携をとって、急変時の対応などをあらかじめ定めておくことが大切です。

コ**コでた！**
R2問28

3 パーキンソン病

パーキンソン病は、主として50〜60歳代の中高年に発症し、脳の黒質の神経細胞が変性・消失して、ドパミンという神経伝達物質が減少することによって起こります。

コ**コでた！**
R4問39
R2問28

用語

悪性症候群
向精神薬の増量による副作用や、抗パーキンソン病薬の急な服用中止・減量などにより起こる、高熱、意識障害、ふるえ、筋硬直など。

■症状

①振戦、②無動、③筋固縮、④姿勢・歩行障害の四大運動症状（下表参照）のほか、進行すると認知症やうつ状態などの精神症状、起立性低血圧や排尿障害などの自律神経症状も出現し、15～20年の経過でしだいに自立が困難となります。

●四大運動症状

振戦 安静時に手や足がふるえる（安静時振戦）。初発症状として最も多い。 	無動 あらゆる動作が乏しくなる。表情の変化がない仮面様顔貌が現れ、動作が下手になり鈍くなる。 
筋固縮 筋肉が緊張し、筋肉を伸張するとガクガクと歯車のような抵抗を感じる（歯車現象）。 	姿勢・歩行障害 上半身が前屈みになり、手の振りが乏しく小刻みに歩く。転倒しやすくなる。 

■治療

薬物投与が中心です。体外からドパミンを補うL－ドパは最も有効ですが、数年間服用すると有効時間が短くなり、不随意運動（ジスキネジア）、幻覚・妄想など**精神症状の副作用が生じやすくなります**。また、長期間の薬剤服用中に、急に服用を中止・減量すると、悪性症候群が現れることがあり注意が必要です。病気が進行し、薬が効きにくくなった場合は、脳深部刺激療法を行うこともあります。

■予後・生活上の留意点

　動きにくくなる疾患ですが、運動しないでいると廃用症候群が進みます。次のように、全経過を通じてリハビリテーション、生活療法、薬剤の副作用などへの対応がポイントになります。

- 運動療法により下肢の筋力や平衡機能を維持する。
- 音楽療法で気分を改善する。
- 病状が進むと1日のうちで薬が効いている時間と効いていない時間がみられ、症状が変動しやすい。どの時間帯に悪くなるのかを注意する。
- 病状が進むと歩行障害による転倒、嚥下障害から誤嚥性肺炎が起こりやすいため、食材の形態などに留意する。

4 進行性核上性麻痺・大脳皮質基底核変性症

　進行性核上性麻痺、大脳皮質基底核変性症はパーキンソン病と似た症状があり、これらを総称してパーキンソン病関連疾患といいます。いずれも進行性です。

◉原因・症状・治療・留意点

	進行性核上性麻痺	大脳皮質基底核変性症
原因	黒質を含む脳の基底核を中心に脳幹、小脳、前頭葉など広範囲に進行性の変性をきたす。	黒質を含む脳の基底核や大脳皮質に異常をきたす。
症状	いずれもパーキンソン病に似た症状。早期から前頭葉症状を中心とした認知機能低下が現れやすいが、見当識や記憶力は比較的保たれる。進行すると嚥下障害も現れ、誤嚥性肺炎を合併しやすい。	
	症状の左右差は目立たず、筋固縮は体幹に強く現れる。眼球運動障害（垂直方向、特に早期から下方が見えにくい）、姿勢反射異常もあり、初期から転倒しやすい。	症状に左右差があり、半側空間無視など進行性の非対称性失行が特徴。進行すると、転倒を起こしやすい。
治療	薬物療法（パーキンソン病の薬の効力は弱い）、運動療法	
留意点	転倒予防のための生活環境、誤嚥予防のための食事形態、食べ方、姿勢に配慮。	

189

用語

多系統萎縮症
小脳を含む多系統の神経系が障害されている疾患群。小脳症状、パーキンソン症状、自律神経症状が現れる。

皮質性小脳萎縮症
小脳のみが障害されている疾患群で、運動失調が主症状。

+1 プラスワン

指定難病・特定疾病
進行性核上性麻痺、大脳皮質基底核変性症、脊髄小脳変性症、多系統萎縮症は、特定医療費助成制度対象の指定難病。また、いずれも介護保険の特定疾病（→P48、49）に指定されている。

+1 プラスワン

指定難病・特定疾病
ウェルナー症候群など一部の早老症は、特定医療費助成制度対象の指定難病。また、早老症（疾患名にかかわらず）は介護保険の特定疾病（→P48、49）。

5 脊髄小脳変性症

　脊髄小脳変性症は、主に脊髄と小脳（下図参照）に変性をきたす進行性の疾患の総称で、約3割が遺伝性、約7割が遺伝的な関連のない孤発性です。孤発性の脊髄小脳変性症のうち、約65%が多系統萎縮症、約35%が皮質性小脳萎縮症とされます。

■症状

　主症状は小脳性運動失調で、ろれつが回らない、上肢運動の拙劣、動作時のふるえ、歩行がふらつくなどが起こり、日常生活に支障をきたします。自律神経症状（起立性低血圧、排尿障害、発汗異常など）やパーキンソン症状を伴う場合もあります。

■治療・予後・生活上の留意点

　リハビリテーションと生活指導が主体となり、対症的に薬物治療を行います。病状の経過は病型により異なり、個人差もありますが、いずれも自力歩行が困難になっていきます。リハビリテーションや環境整備により、運動能力やADLを維持することが重要です。

● **脳のしくみ**

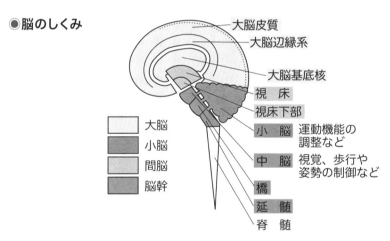

6 早老症

　早老症は、実年齢に比べ、老化現象が全身あるいは特定の臓器に特異的に進む疾患です。原因には染色体や遺伝子の異常があるといわれています。さまざまなものがありますが、このうちウェルナー症候群は常染色体劣性の遺伝性早老性状で、症例の約60%が日本人です。

■症状

　ウェルナー症候群では、低身長となり、20歳頃から早老性の毛髪変化、白内障、皮膚の萎縮・硬化、軟部組織の石灰化、カラス様の顔貌、音声の異常などが現れます。糖尿病や脂質異常症の合併も多く、冠動脈疾患や悪性腫瘍の罹患率も高いです。

■治療・予後・生活上の留意点

　根治的な治療はできず、対症療法が中心となります。

　平均寿命は、幼児から発病するものは10歳代ですが、ウェルナー症候群は40歳代以上とされます。

> ウェルナー症候群の平均寿命は従来40歳代とされていましたが、延びてきていることが報告されています。

\\ チャレンジ！ //
過去＆予想問題

できたら
チェック ☑

	問題	解答
□1	ラクナ梗塞は、脳の太い血管が詰まることにより生じる。 予想	✕ 細い血管
□2	脳塞栓の発症では、心房細動が危険因子となる。 予想	◯
□3	脳卒中は、再発すると後遺症が重くなることがある。 R3	◯
□4	脳出血では、頭蓋内圧亢進症状は一般にみられない。 予想	✕ みられる
□5	脳血栓、脳塞栓の発症から2～3日以内であればtPA療法が有効である。 予想	✕ 発症から4.5時間以内であれば有効
□6	筋萎縮性側索硬化症（ALS）の初期症状は、眼球運動の障害である。 予想	✕ 眼球運動は末期まで保たれる
□7	筋萎縮性側索硬化症（ALS）では、筋力低下による運動障害は生じない。 R2	✕ 四肢の筋力低下による運動障害が生じる
□8	パーキンソン病では、認知障害はみられない。 R2	✕ みられる
□9	パーキンソン病では、進行すると自律神経症状がみられる。 予想	◯
□10	パーキンソン病の場合、転倒しやすいため、運動療法は禁忌である。 R4	✕ 運動療法を行う
□11	悪性症候群は、抗パーキンソン病薬を中止したときや減薬したときに出現する。 予想	◯
□12	進行性核上性麻痺では、認知機能低下は比較的みられない。 予想	✕ 早期から現れやすい
□13	大脳皮質基底核変性症では、症状の左右差は目立たない。 予想	✕ 左右差が目立つ
□14	脊髄小脳変性症の特徴的な症状に失語がある。 予想	✕ 特徴的な症状ではない
□15	ウェルナー症候群の平均寿命は10歳代である。 予想	✕ 40歳代以上

保健医療サービス分野

Lesson 02　★★★　★　脳・神経の疾患

骨・関節の疾患

レッスンの
ポイント

● 変形性膝関節症では、筋力の維持が重要
● 関節リウマチの症状は、関節だけではなく全身症状
● 脊柱管狭窄症の痛みは姿勢に左右される
● 骨粗鬆症は、転倒予防が重要

コここでた！

R4 問39
R2 問28

＋1 プラスワン

特定疾病
両側の膝関節または股関節に著しい変形を伴う変形性関節症は、介護保険の特定疾病（→P48、49）に指定されている。

 用 語

関節穿刺
関節の中に注射針を刺すこと。関節液の採取や除去、薬の注入なども行う。

1 変形性膝関節症

　変形性関節症は関節軟骨がすり減り、周囲組織が変性することにより、関節の変形をきたす疾患です。特に多いのは膝関節に起こる膝関節症です。65歳以上の高齢者の大多数に発症し、女性に多く、肥満、膝の外傷、手術歴などが発症リスクをあげます。予防では、大腿四頭筋（太もも前面の筋肉）を鍛えることが大切です。

■**症状**
　関節の痛み、こわばりが一般的です。こわばりは朝に強く、少し動くと改善します。炎症が強くなると、関節液がたまって腫れ、関節がきしむ摩擦音などがします。痛みにより運動量が減ると筋肉が弱くなり、靱帯が伸びて不安定になります。

■**治療**
　初期段階では鎮痛薬の使用、進行した状態では関節穿刺およびステロイドやヒアルロン酸の注射により痛みを軽減します。肥満の人には減量指導、食事療法、運動療法を行います。

■**予後・生活上の留意点**
　痛みや腫れへの対応と筋力の維持が重要です。
　シャワーやお風呂、温湿布などの加温は痛みに効果があります。水中運動、ストレッチなどの適度な運動を続け、筋力を強化します。

2 関節リウマチ

　関節リウマチは、原因不明の全身の免疫異常により、関節の表面の滑膜が炎症し、さまざまな症状を起こす疾患です。

■**症状**
　初期には、朝のこわばり（起床時に指の関節の屈曲が難しくなる症状が1時間以上続く）、関節の痛みや腫れ（左右対称に出現し、

初期には手指、手関節、肘が多い）、熱感などの症状がみられます。

　進行すると手、肘、肩、股、膝関節の変形・拘縮が起こり、発熱、体重減少、易疲労感、貧血などの全身症状も現れます。血管炎に内臓障害が合併した悪性関節リウマチに発展するものもあり、注意が必要です。

　症状には日内変動があり、特に朝はこわばって動きにくくなります。天候にも左右されやすく、雨の日や寒い日には痛みが強くなります。

■治療

　薬物療法、リハビリテーション、手術療法などを行います。

■予後・生活上の留意点

　ステロイドなど薬剤の長期服用では、感染症、腎障害、骨粗鬆症、間質性肺炎などを合併することがあり、内服薬の効果や副作用に対する理解が重要となります。

　また、転倒予防のための環境整備、安静や保温による、関節保護のための生活指導を行います。日常生活の動作が不自由になるので、装具などの使用による歩行の補助、自助具や福祉機器も積極的に活用します。

❸ 脊柱管狭窄症

　脊柱管狭窄症は、主に腰部の脊柱管が狭くなり、中に入っている馬尾、神経根、脊髄などの神経が圧迫されることでさまざまな症状が出ます。原因として最も多いのは変形性脊椎症です。

■症状

　腰痛、下肢痛、しびれのほか、間欠（歇）性跛行が特徴的です。血管性の間欠性跛行と異なり、座位や前屈位では症状が軽くなります。安静時には症状がないか軽度ですが、狭窄が進むと、会陰部の異常感覚、膀胱直腸障害などを生じます。

■治療

　理学療法、薬物療法を行い、重症例では手術治療が考慮されます。

■予後・生活上の留意点

　痛みは姿勢に左右され、腰を前屈すると脊柱管が広がるため症状が楽になります。また、同一姿勢を長くとらないようにして、腰に負担がかからないようにします。

　鎮痛薬には副作用（胃潰瘍、腎機能障害など）が出ることがあり、飲み過ぎないよう服薬管理を行います。

 用語

拘縮
関節が硬くなり、関節の動く範囲が制限された状態。

+1 プラスワン

指定難病
関節リウマチのうち悪性関節リウマチは、特定医療費助成制度対象の指定難病。

特定疾病
関節リウマチは、介護保険の特定疾病（→ P48、49）に指定されている。

間欠（歇）性跛行
→ P201

+1 プラスワン

指定難病
広範脊柱管狭窄症は、特定医療費助成制度対象の指定難病。

特定疾病
脊柱管狭窄症は、介護保険の特定疾病（→ P48、49）。

保健医療サービス分野

Lesson 03　★★★　骨・関節の疾患

4 後縦靭帯骨化症

+1 プラスワン

指定難病・特定疾病

後縦靭帯骨化症は、特定医療費助成制度対象の指定難病。また、介護保険の特定疾病（→P48、49）。

後縦靭帯は脊椎椎体骨の後ろを頸椎から腰椎まで長く縦走し、椎体骨を連結して脊椎の安定化を図っています。この後縦靭帯が何らかの原因で骨化して脊柱管が狭くなり、**脊髄などの神経を圧迫**して神経障害を起こす疾患が後縦靭帯骨化症です。

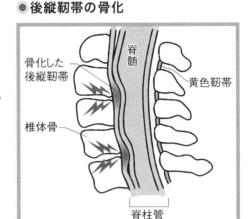

● **後縦靭帯の骨化**

骨化した後縦靭帯／脊髄／黄色靭帯／椎体骨／脊柱管

40歳以上の男性に多く発症します。

■症状

圧迫されている神経の位置により、首・肩・上下肢の痛みやしびれ、感覚鈍麻、手指巧緻性障害、膀胱直腸障害などが起こります。

■治療

保存的治療として、頸部装具の装着やビタミン剤内服、消炎鎮痛剤の内服などが行われます。効果が得られなかったり、進行する場合に手術療法が検討されます。

■予後・生活上の留意点

一般には、骨化が急速に大きくなることはなく、必ずしも進行性ではありません。ただし、外傷を契機に急激に悪化することがあり、転倒などには注意が必要です。

また、**首を強く後ろにそらす姿勢**は、**脊柱管が狭くなり症状が悪化**することがあるため、そのような動作は避けるようにします。特に、理髪店、美容院や歯科治療では注意が必要です。

ココでた！

R4 問39

R2 問28

用 語

骨密度

単位体積あたりの骨量。骨量は18歳頃に最大となり、その後徐々に減っていく。

5 骨粗鬆症

骨は骨吸収（骨が壊れること）と骨形成（新しい骨をつくること）を繰り返していますが、骨粗鬆症は、このバランスが崩れ、骨密度が減少して骨がもろくなり、骨折しやすくなる疾患です。原発性骨粗鬆症と、続発性骨粗鬆症があります。

◉原因

原発性 骨粗鬆症	加齢、女性ホルモン低下（特に閉経）、カルシウム摂取不足、偏食、運動不足、日光浴不足が危険因子となる。特に高齢女性に多い。
続発性 骨粗鬆症	ホルモン異常、低栄養、薬剤の副作用（特にステロイド薬の長期服用）などにより二次的に起こる。

+1 プラスワン

特定疾病
骨折を伴う骨粗鬆症は、介護保険の特定疾病（→ P48、49）。

■症状

立ち上がり時や重い物をもったときの腰背部の痛み、脊椎の変形のほか、身長が縮んだり、転倒で骨折したりといったことが主な症状です。初期には無症状で、骨折してから気づくことが多いため、早期診断が重要です。

■治療

薬物治療では、骨吸収を抑制したり、骨形成を促進したり、骨の基質をつくったりする薬が病態に応じて使われています。このほか、運動療法、食事療法が行われます。

■予後・生活上の留意点

骨折すると痛みや転倒不安から生活不活発になり、寝たきりにつながりやすいため、次の点に留意します。

- 転倒防止の環境整備をする。わずかな段差も解消、足もとにものを置かない。必要に応じ歩行介助用具を使用。
- 適度な運動をする。骨に適切な負荷をかけ、筋力をつける。
- 骨密度を強化する。カルシウムのほか、カルシウムの吸収を助けるビタミンD、ビタミンKなどをバランスよく摂取。

6 大腿骨頸部骨折

高齢者は、骨がもろくなっているところに、視力低下、運動機能の低下、薬剤の副作用などにより転倒し、骨折する危険性が高くなります。骨折で多い部位は、大腿骨頸部、胸腰椎圧迫、橈骨遠位端（手首のあたり）、肋骨、上腕骨近位端（肩）で、特に、大腿骨頸部骨折は**寝たきりにつながりやすく**、注意が必要となります。

■症状

股関節に疼痛が生じ、痛みにより立てなくなります。

■治療

可能であれば手術を行い、術後のリハビリテーションによる早期離床をめざします。

 ココでた！
R3 問34
R3 問38
R1 問31

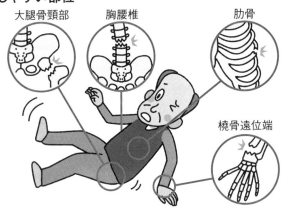

● 骨折しやすい部位

大腿骨頸部　胸腰椎　肋骨

橈骨遠位端

■予後・生活上の留意点

転倒の防止
→ P184

　手術を行っても、高齢者では歩行能力が低下する場合が多いです。骨粗鬆症の予防・治療と、転倒の防止が大切です。また、転倒しても、股関節を保護するヒップ・プロテクターの装着や床材の変更などで骨折リスクを軽減します。

 \\ チャレンジ！ //

過去＆予想問題

できたら
チェック ☑

	問　題	解　答
□1	変形性関節症は、高齢者に多く発症する。 R2	○
□2	関節リウマチの関節の痛みや腫れは左右対称に出現する。 予想	○
□3	脊柱管狭窄症の痛みは姿勢に左右され、腰を前屈すると痛みがやわらぐ。 予想	○
□4	脊柱管狭窄症では、狭窄が進んでも膀胱直腸障害はみられない。 予想	× 狭窄が進むと、膀胱直腸障害などもみられる
□5	後縦靭帯骨化症では、首を前に傾けることにより症状が悪化する場合があるので、そのような動作は避ける。 予想	× 首を強く後ろにそらすことで悪化
□6	高齢者においては、無症状であっても骨粗鬆症の検査を受けることが推奨される。 R4	○
□7	高齢者に多い骨折部位には、大腿骨頸部や胸腰椎が含まれる。 R1	○
□8	骨折した場合、高齢者の場合は安静を保ち、リハビリテーションの開始はできるかぎり遅くから始める。 予想	× 早期からのリハビリテーションが大切

循環器の疾患

レッスンの
ポイント

- 心筋梗塞では、長引く前胸部の痛みがみられる
- 狭心症には、労作性狭心症と異型狭心症がある
- 特定の不整脈には注意が必要である
- 下肢閉塞性動脈疾患では間欠性跛行がみられる

1 心筋梗塞

　心筋梗塞は、心臓の冠動脈が動脈硬化などにより閉塞し、心筋の一部が壊死して心臓のポンプ機能が低下する疾患です。

■症状

　自覚症状は、激しく、また**長引く**前胸部の**痛みとしめつけ感が典型的**です。呼吸困難、左肩への放散痛、頸部の鈍痛、意識障害、感冒様症状や食欲不振などを生じることもあります。しかし、高齢者では自覚症状が非特異的で、痛みを感じないこともあり、発見や診断が遅れることもあります。

　心不全やショック、急性期の不整脈がみられる場合は、致命的となるので一刻も早い医療機関の受診が必要です。

■治療

　発症後短時間であれば、閉塞した冠動脈の再疎通療法が適用となります。

■予後・生活上の留意点

　再発予防のため、喫煙習慣、脂質異常症、動脈硬化、糖尿病、高血圧をコントロールすることが大切です。医師が許可する範囲で運動も日常的に行います。また、薬剤の相互作用に留意し、処方された薬剤が正しく服用できるよう支援します。

2 狭心症

　狭心症は、動脈硬化などにより冠動脈が狭くなり、血流が低下して、心筋が必要とする酸素量を一時的に供給できなくなります。

■症状

　前胸部の圧迫感が特徴的です。労作時（身体を動かしているとき）の心拍数が増加したときに発症する労作性狭心症と、労作の

コ␣ででた！
R3 問38
R1 問31

📖 用 語

放散痛
実際に痛んでいる場所と痛いと感じる場所が違う現象。心臓から脳への神経は左肩からの神経と同じ通り道となるため、左肩のほか、腕、背中に痛みが出ることもある。

ショック
血圧低下による重要臓器の末梢循環が著しく障害された状態。

+1 プラスワン

痛みの長さ
一般に、心筋梗塞では30分以上、狭心症では5〜10分。

コ␣ででた！
R4 問26

用語

ニトログリセリン製剤
狭心症発作時に使用される薬剤。舌の下に入れて口腔粘膜から吸収させる舌下錠のほか、舌下スプレーなどもある。

+1 プラスワン

検査
診断は心電図や冠動脈造影のほか、近年では非侵襲的な方法として、冠動脈CTや心臓MRIなどが増えている。

血圧
→ P221

+1 プラスワン

降圧薬の副作用
降圧薬により、血圧が低下し、起立性低血圧やめまいといった副作用が起こることがある。

血圧の日内変動
通常は起床直後から上昇し、日中に高くなり、睡眠中は下降する。

有無によらず、**冠動脈のれん縮（けいれんと収縮）から生じ**、夜間、未明、睡眠時に発症する異型狭心症があります。

なお、発作が起きていないときには、心電図で異常を認めないことが多いため、診断には詳細な問診や検査が必要となります。

■治療

発作時はニトログリセリン製剤の舌下（ぜっか）投与が有効です。治療は、薬剤内服のほか、カテーテルを用いて冠動脈を拡張する手術、冠動脈の先に別の血管をつなげるバイパス手術が行われます。

狭心症のなかでも、発作頻度が増加してきたもの（増悪（ぞうあく）型）、安静時にも起こるようになったもの（安静型）は不安定狭心症として、心筋梗塞への移行の危険性が高いので、すみやかな治療が必要です。

■予後・生活上の留意点

加齢のほか、広範囲の冠動脈疾患、糖尿病など生活習慣病の危険因子があると予後を悪くします。

生活上では、生活習慣病の予防やコントロールのため、過度の運動や過食、過飲を避け、禁煙し、休養・睡眠を十分にとることが大切です。労作性狭心症では精神的興奮を抑えます。また、発作時に備え、手の届くところにニトログリセリンの舌下錠や舌下スプレーをおいておきます。

3 高血圧症

高血圧症は、血圧が高い状態です。**腎臓や内分泌（ないぶんぴつ）の異常など原因がはっきりしている**二次性高血圧症と、**直接の原因がはっきりしない**本態性（ほんたいせい）高血圧症の2つに分類され、大半は本態性高血圧症です。

■症状

動悸（どうき）、頭痛、頭重感（ずじゅう）、ほてりなどの自覚症状がないことが多く、健診やほかの病気の受診時などに発見されます。

■治療

二次性高血圧症の場合は原因疾患に対する治療、本態性高血圧症では塩分摂取の抑制、肥満の改善などの生活習慣を見直し、不十分な場合は降圧薬による薬物治療を行います。

なお、血圧には日内変動があり、食事や運動、ストレス、気温でも変動します。受診時の緊張で一時的に血圧のあがる白衣高血圧もよくみられます。このため、一度の測定で高血圧症を診断することはできません。

■予後・生活上の留意点

　脳卒中、冠動脈疾患などの原因となり、長期間放置すると**腎硬化症や心肥大などの続発症も引き起こしやすく**なります。

　喫煙、塩分の多い食生活などを改善し、血圧が上がるきっかけをつくらないようにします。

　血圧は変動しやすいため、可能なかぎり、朝夕の2回血圧測定を習慣にします。また、降圧剤は、自己判断で中止しないようにします。

❹ 起立性低血圧

ココでた！
R4 問28
R2 問29

　起立性低血圧は、臥位や座位から急に立ち上がったときなどに**血圧が低下**して起こるもので、ふらつきやめまい、場合によっては眼前暗黒感、失神がみられます。

　原因は、加齢による交感神経系の調節反射の障害で、降圧薬や利尿薬、抗うつ薬、血管拡張薬**などの薬剤の服用**や、飲酒なども原因となります。起立後3分以内で収縮期血圧20mmHg、拡張期血圧10mmHg 以上の低下を認めた場合は、起立性低血圧と診断されます。

❺ 心不全

ココでた！
R4 問26
R3 問38

　心不全は、心臓機能が低下した状態で、心筋梗塞、弁膜症、不整脈、高血圧性の心肥大などが原因疾患となります。

■症状

　主な症状は、呼吸困難、浮腫、食欲低下、尿量低下などです。高齢者では、活動性の低下や見当識障害、認知症の症状として出現し、見過ごされやすいので注意が必要です。

　心不全は夜間に急に増悪して呼吸困難を起こす場合があります。呼吸困難時には、仰臥位（あお向け）ではなく、身体を起こした起座位**または**半座位**にすることで**症状が改善します。

■治療

　運動制限、塩分制限、薬物治療を行います。重症時、急性増悪時には安静と酸素吸入などが必要となります。

■予後・生活上の留意点

　経過と予後は重症度により異なりますが、重度の心不全の場合、予後は悪くなります。生活上は、次の点に留意します。

体重測定
心臓の機能が低下すると血管外に体液がたまる。体液貯留の早期発見には、体重測定が重要。

R2 問29

期外収縮
異常な電気信号により、心臓が本来の周期をはずれて早く収縮するもの。拍動が脈として感じられず、脈が飛んだように感じられる。心房から出てくるものを上室性期外収縮、心房の下の心室から出てくるものを心室性期外収縮という。基本的には治療の必要のないことが多い。

心房細動
心房全体が不規則に小刻みに震える不整脈。心臓（特に左心房）に血栓が生じやすく、脳塞栓の原因になりやすい。
→ P186

閉塞性動脈硬化症は、介護保険の特定疾病（→ P48、49）のひとつ。

- 塩分制限、禁煙をし、飲酒は適量にする。
- 休養、睡眠を十分にとり、風邪などの感染症に気をつける。
- 急性増悪の徴候を見逃さないよう毎日、血圧、脈拍、体重を測定。体重が通常より増えてきたら早期に受診する。
- 慢性心不全では抑うつ状態への対処と、家族の負担感の軽減にも留意する。

6 不整脈

不整脈は、脈拍の速さや拍動のリズムが不規則になるものです。脈が遅くなる徐脈性不整脈、脈が速くなる頻脈性不整脈、脈が不規則になる期外収縮などがあります。

■症状

ほとんどの場合、症状がなく、心臓のポンプ機能を損なうこともありませんが、特定の不整脈には注意が必要です。

■治療

期外収縮などは健康な人でもときどきみられ、すべての不整脈が治療の対象とはなりませんが、血圧低下、意識障害、心不全を伴う不整脈はすみやかな治療が必要です。徐脈性不整脈の場合は、ペースメーカーの植え込み術が年齢を問わず検討されます。

また、心房細動がある場合は、心原性脳塞栓をきたすことがあり、ワーファリンなどの抗凝固薬の服用が推奨されています。ただし服用中は、高齢者では転倒の危険性も高く、腎機能も低下していることが多いため、注意深いモニタリングが必要です。

■予後・生活上の留意点

不整脈は心臓自体の異常のほか、ストレスや睡眠不足、過労、過度の飲酒、喫煙、暴飲暴食など不規則な生活習慣により起こるため、これらを改善します。

7 下肢閉塞性動脈疾患（LEAD）

閉塞性動脈硬化症は、動脈硬化によって血管が狭窄または閉塞し、身体の末梢に十分な血液が送られなくなる病態です。上肢にも起こる場合がありますが、多くは腸骨や大腿動脈に起因する下肢の虚血から起こります。下肢の動脈硬化によるものを下肢閉塞性動脈疾患（LEAD）といいます。

■症状

下肢閉塞性動脈疾患では、**歩いているときに下肢痛を感じ、立**

ち止まって休むと軽減する間欠（歇）性跛行がみられます。

　進行すると、安静時でも疼痛があり、さらに悪化すると四肢末端部の壊死に至ります。

■治療

　抗血小板薬や血管拡張薬の内服、カテーテルを用いた血管拡張術、人工血管によるバイパス手術などが行われますが、進行した状態では根治が困難となります。

■予後・生活上の留意点

　無症候性閉塞性動脈硬化症では、5年の経過で約10％に歩行障害（跛行）の悪化がみられます。ほかの動脈疾患を合併する可能性があるため、注意が必要です。規則正しい生活、禁煙、適度な運動、バランスのよい食事、ストレスの軽減、足のケアが大切です。

+1 プラスワン

肺塞栓症

肺動脈に血栓が詰まるもの。その多くは脚や骨盤の静脈に生じる血栓（深部静脈血栓）が血流に乗って、肺動脈に詰まって発症する。長時間同じ姿勢を続けていると生じやすいことから、エコノミークラス症候群とも呼ばれる。

＼＼ チャレンジ！ ／／
過去＆予想問題

できたら
チェック ☑

	問題	解答	
□1	心筋梗塞の症状は、左肩への放散痛として現れることもある。 予想	○	
□2	心筋梗塞の症状には、必ず強い胸痛がみられる。 R3	✕	高齢者では痛みを感じないこともある
□3	異型狭心症は、激しい労作に伴い発症するのが特徴である。 予想	✕	労作の有無によらず、冠動脈がれん縮することにより発症する
□4	狭心症は、発作がないときは心電図で異常を認めないことが多い。 予想	○	
□5	血圧は、ストレスなどにより変動し、一度の測定で高血圧症の診断はできない。 予想	○	
□6	飲酒は、起立性低血圧の原因とはならない。 R2	✕	薬剤の服用などのほか飲酒も原因となる
□7	心不全による呼吸困難時には、起座位にすると症状が改善することがある。 R4	○	
□8	心房細動がある場合は、心原性脳塞栓をきたすことがある。 予想	○	
□9	不整脈は、健康な人でもみられることがある。 予想	○	
□10	初期の下肢閉塞性動脈疾患では、歩行時に下肢痛が出現するが、立ち止まって休むと痛みが軽減する。 予想	○	

消化器・腎臓・尿路の疾患

レッスンの
ポイント

● 胃潰瘍では食後に痛みが悪化することが多い
● 慢性肝炎には、B型肝炎、C型肝炎が多い
● 潰瘍性大腸炎は長期にわたり寛解と増悪を繰り返す
● 腎不全が重度になると人工透析が必要となる

1 胃・十二指腸潰瘍

　胃・十二指腸潰瘍は、胃酸や消化液の働きにより、胃や十二指腸の壁の一部が欠損した状態（潰瘍）です。ピロリ菌（ヘリコバクター・ピロリ）の感染が原因となることもあります。

◉胃・十二指腸潰瘍と消化器

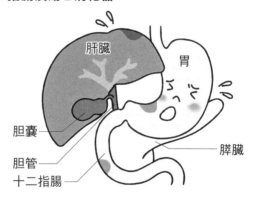

肝臓
胃
胆嚢
胆管
十二指腸
膵臓

短時間での大量出血では、ショック、血圧低下、頻脈となり注意が必要です。

 用語

タール便
黒っぽいコールタールのような便。上部消化管からの出血があると、胃酸と血液が混じって、タール便となる。
→ P287

■症状

　主な症状は上腹部の痛みで、一般的に**胃潰瘍では食後**、十二指腸潰瘍では空腹時に痛みが悪化します。その他の症状として、胸焼け、食欲不振、吐き気、ゲップなどがあります。症状が悪化すると潰瘍から出血し、吐血や下血（タール便）を起こしたり、さらに胃や十二指腸潰瘍に消化管穿孔（消化器の破裂）を起こしたり、重度の腹膜炎を合併することがあります。

■治療

　症状が軽い場合は、薬物療法を行います。ピロリ菌が見つかった場合は除菌が必要なこともあります。吐血や下血を起こした場合は、通常は入院治療します。消化管穿孔を起こした場合は、緊急手術が必要となります。

■予後・生活上の留意点

　潰瘍からの出血は命にかかわることがあり、胃薬で症状をコントロールすることが必要です。ストレスを避け、消化のよい食事をとります。また、吐血や下血などの緊急時にすぐに受診できるよう、支援体制を確立しておくことが大切です。

　ワーファリンなどの抗凝固薬や非ステロイド性消炎鎮痛薬を服用している場合は、潰瘍ができやすくなるため、注意が必要です。

② 胆石症・胆嚢炎・胆管炎

　肝臓でつくられる胆汁が何らかの原因によって固まり、胆嚢や胆管に胆石と呼ばれる石ができてしまうことを胆石症といいます。胆嚢内にある胆石を胆嚢結石、胆管内にある胆石を胆管結石といいます。胆嚢や胆管に細菌が感染して炎症が起きたものは胆嚢炎、胆管炎といいます。

◉胆嚢結石・胆管結石・胆嚢炎・胆管炎の特徴

	胆嚢結石・胆管結石	胆嚢炎・胆管炎
症状	胆嚢結石では、無症状のこともあるが、食後に胆汁の分泌が増え上腹部（みぞおち）の痛み（疝痛発作）が現れることがある。	胆嚢炎では、発熱、右の上腹部の痛み、吐き気など。胆管炎では、悪寒、黄疸、意識障害が起きやすい。重症化すると、敗血症により血圧低下、ショック状態などが現れることがある。
治療	症状がなければ経過観察、あるいは内服治療。症状がある場合、手術で胆嚢を摘出することもある。	絶飲食で抗生物質や鎮痛薬による治療を行う。重症の場合、ドレナージにより胆汁を流しだす。
予後・生活上の留意点	●無症状の胆石では、予後は良好。 ●高齢者では、胆嚢炎や胆管炎が重症化した場合には命にかかわることがあるためすぐに受診。 ●脂っこいものやコレステロールの多い食べものは控える。たんぱく質をある程度とり、不足しないようにする。食物繊維は多くとる。 ●規則正しい生活　●疝痛発作への対応 ●支援体制の確立	

用語

ドレナージ
チューブなどを用いて血液や消化液などを体外に排出する処置。

保健医療サービス分野

Lesson 05　★★★　消化器・腎臓・尿路の疾患

203

肝炎ウイルス
→ P283、290

肝硬変の末期では、血小板数の減少などで出血しやすいのです。

 用語

肝性脳症
意識障害などを中心とした精神神経症状。血中のアンモニア濃度の上昇が原因となるため、アンモニアのもととなるたんぱく質を制限する。

+1 プラスワン

指定難病
潰瘍性大腸炎は、特定医療費助成制度対象の指定難病。

3 肝炎・肝硬変

　肝炎は肝臓に炎症が生じた状態で、肝炎ウイルス、自己免疫疾患、薬剤アレルギーなどにより起こります。A型やE型の肝炎ウイルスは、食物や水を介して経口感染し、急性肝炎の原因となります。

　B型・C型の肝炎ウイルスは、体液（主にB型）や血液を介して感染します。慢性肝炎に移行することも多く（特にC型）、さらに肝硬変や肝臓がんの原因としても多くなっています。

■症状

急性肝炎	全身の倦怠感、食欲不振、腹痛など。
慢性肝炎	肝臓の機能が保たれていれば無症状、肝炎が持続すると肝硬変に移行。
肝硬変	肝細胞が壊れ、肝臓全体が線維化したもの。進行すると肝不全に移行し、食欲不振、全身倦怠感、黄疸、血液中のアルブミン低下による浮腫（むくみ）、腹水などが出現する。また出血が止まりにくくなる。さらに代謝能力が低下すると肝性脳症となり、意識障害が起こる。

■治療

　B型肝炎、C型肝炎では、肝炎ウイルスに対する薬物療法を行います。肝硬変の根本的な治療は、肝移植のみとなります。

■予後・生活上の留意点

　慢性肝炎や肝硬変では、進行を抑え、**肝臓がんの合併を予防**することが重要です。肝硬変では、低血糖を起こしやすいため、就寝前に軽食をとるなどを検討し、服薬状況や食事摂取状況を確認します。病状悪化時の支援体制の確立も重要です。

4 潰瘍性大腸炎

　潰瘍性大腸炎は、直腸から連続的に大腸に炎症が起こり、大腸全体にびらんや潰瘍ができる疾患で、原因は不明です。

■症状

　初期には粘血便、血便、下痢、腹痛などがみられ、持続性・反復性の血性下痢、粘血便が特徴です。重症では貧血、発熱、食欲不振、体重減少などがみられます。

■治療

　軽症から中等症では薬物治療、重症では入院治療します。治療効果がない場合は、手術により大腸を切除することもあります。

■予後・生活上の留意点

　症状は、長期にわたり寛解と増悪を繰り返します。発症時に重症のものは予後が悪いことが多く、大腸がんの発生リスクも高くなるため、定期的な大腸内視鏡検査を行うことが望ましいです。

　症状が悪化しているときは、脂っこいもの、辛いもの、繊維質が多いもの、乳製品、アルコールは控えます。

　服薬状況、食事摂取状況の確認が必要です。

⑤ 腎不全

　腎不全は、腎臓の機能が低下し、体液の恒常性を維持できなくなる状態をいいます。

　脱水や薬剤の副作用（抗生物質、鎮痛薬、利尿薬）などで急激に腎臓の機能が低下する急性腎不全と、糖尿病などさまざまな原因により、慢性的に経過する慢性腎不全があります。

■症状

　乏尿、悪心・嘔吐、浮腫、動悸、全身倦怠感などで、急性腎不全ではけいれん、慢性腎不全では頭痛、多尿も起こります。

■治療

　慢性腎不全では進行を抑え、自覚症状を改善することが中心となります。重度では人工透析が必要になります。

■予後・生活上の留意点

　慢性腎不全は難治性で長期化するため、利用者の抑うつ状態への対応が重要です。摂取カロリーは維持しつつ、たんぱく質、水分、カリウム、食塩を制限します。

⑥ 前立腺肥大症

　前立腺肥大症は、前立腺が肥大し、尿道が圧迫されて排尿障害や腎臓機能の障害を起こすものです。多くは50歳代から症状が出始めます。

■症状

　夜間の頻尿、尿意の切迫感、尿の勢いの低下などが現れ、加齢とともに症状が強くなります。

■治療

　積極的な治療をしないで経過観察となることもあります。

■予後・生活上の留意点

　症状の悪化を防ぐ生活習慣の見直しをします。

　排尿を我慢せず、便秘を予防し、適度に運動します。そして適

用語

寛解
完治ではないが、病気の症状が軽くなったり、なくなっている状態。

コでた！
R4 問26

コでた！
R4 問38

度に水分を摂取し、過度な飲酒は控えます。

また、薬の副作用（風邪薬に入っている抗ヒスタミン薬、向精神薬、抗うつ薬など）で、尿閉を起こすこともあり、服薬状況の確認、医師への相談が必要です。

 \\ チャレンジ！ // 過去＆予想問題

できたら
チェック ☑

問　題	解　答
□1　胃潰瘍はピロリ菌の感染が原因となることもある。 予想	◯
□2　十二指腸潰瘍では、空腹時に腹痛が起こる　 予想	◯
□3　ワーファリンなどの抗凝固薬や鎮痛薬の服用により、潰瘍の進行を改善することができる。 予想	✕ 潰瘍ができやすくなる
□4　消化管穿孔を起こした場合は、安静が必要となる。 予想	✕ 緊急手術が必要
□5　胆嚢炎や胆管炎が命にかかわることはない。 予想	✕ 高齢者では重症化して命にかかわることがある
□6　急性肝炎は、特にＣ型肝炎ウイルスによるものが多い。 予想	✕ 特にＡ型やＥ型の肝炎ウイルスによるものが多い
□7　特にＡ型肝炎ウイルスは、肝臓がんの原因となることが多い。 予想	✕ 特にＣ型肝炎ウイルス
□8　肝硬変は、末期では血小板数が減少し出血しやすい。 予想	◯
□9　肝不全の症状として、食欲不振、全身倦怠感、浮腫がみられる。 予想	◯
□10　潰瘍性大腸炎の病変は局所的で、大腸全体に広がることはない。 予想	✕ 大腸全体にびらんや潰瘍ができる
□11　潰瘍性大腸炎では、粘血便がみられる。 予想	◯
□12　慢性腎不全では、水分やカリウムの摂取量に注意する必要がある。 R4	◯
□13　慢性腎不全の原因のひとつに、糖尿病がある。 予想	◯
□14　前立腺肥大症の場合、尿意を感じたら、早めにトイレに行くよう心がける。 R4	◯

Lesson 06 がん・代謝異常による疾患

重要度 **A** ★★★

レッスンの ポイント
- 肺がん、大腸がんは増加傾向にある
- 糖尿病では血糖コントロールで低血糖を予防することが大切
- 糖尿病の三大合併症は網膜症、腎症、神経障害
- 低ナトリウムでも、高齢者は自覚がないことが多い

1 がん

　がんは、身体の細胞が物理的・化学的に傷害を受け、その修復の過程で一部の細胞が悪性化し、異常に増殖することにより起こります。悪性腫瘍、悪性新生物ともいいます。

　加齢とともに、がんの発症頻度は増加します。臓器別では、胃がん、肺がん、大腸がんの割合が高くなっていますが、胃がんは減少傾向、肺がん、大腸がんは増加傾向にあります。高齢者では多発がんの頻度も上昇します。

■症状

　症状は臓器によって異なりますが、終末期には、臓器を問わず全身倦怠感、食欲不振、痛みなどが多くみられます。ただし高齢者では、若年者と比較してがんの痛みの訴えは少ないといわれます。

■治療

　治療には大きくわけて手術療法、化学療法、放射線療法があり、がんの進行度、身体機能、本人の希望などを勘案しながら、治療方法や治療場所（自宅、緩和ケア病棟、介護保険施設など）を選択します。積極的治療をせず、緩和医療を中心とする場合もあります。

■予後・生活上の留意点

　予後は臓器によりさまざまで、個人差もあります。特に生命予後がおおむね6か月と考えられる末期では、十分な疼痛緩和をし、日常生活を苦痛なく送れるよう支援します。

2 糖尿病

　糖尿病は、インスリンの作用が不足することにより、**血糖値が慢性的に高くなる**疾患です。主に自己免疫の異常などによりインスリンの量が絶対的に足りない1型糖尿病と、生活習慣により相対

📖 **用 語**

多発がん
同時に複数の原発性のがんが生じること。

手術は身体的負担が大きいので、その人の状態や本人の希望も踏まえて、治療方法は慎重に検討されます。

疼痛緩和
→ P273

ココでた！

R4 問26
R1 問31

用語

インスリン
膵臓で作り出されるホルモン。血液中からブドウ糖を取り込み、エネルギーとして利用するのを助ける。

的にインスリンが不足する2型糖尿病、その他の疾患に伴う糖尿病があり、ほとんどは2型糖尿病です。

■症状と三大合併症

　主な症状は口渇（口の渇き）や多飲、多尿などですが、高齢者では、これらの典型的な症状がはっきりと出ないことがあります。また、罹患年数が長く、慢性の高血糖状態が続くと合併症がしばしば起こります。血管障害による合併症は、原因などにより、細小血管症と大血管症にわけられます。

◉糖尿病の合併症

種別	原因	主な合併症
細小血管症	細小血管 （小さく細い血管） の病変	★糖尿病に特徴的な合併症 三大合併症 ●糖尿病性網膜症→進行すると視力低下、失明など ●糖尿病性腎症→進行すると腎不全、人工透析 ●糖尿病性神経障害→進行すると足の潰瘍、壊疽
大血管症	脳、心臓など太い 血管の動脈硬化	★糖尿病やほかの疾病が危険因子となり発症 ●狭心症　　●心筋梗塞　　　●脳梗塞

用語

動脈硬化
動脈の壁が硬く、厚くなり、血管が狭くなる状態。

+1プラスワン

低血糖への対応
すみやかにブドウ糖などの糖質を摂取させる。

用語

シックデイ（Sick Day）
糖尿病以外の病気にかかったときのことをいう。

HDLコレステロール
体内の余分なコレステロールを回収し、肝臓に送って動脈硬化を防ぐため「善玉コレステロール」と呼ばれる。少ないと問題となる。

■治療

　食事療法、運動療法で血糖コントロールを行い、それでもコントロール不良の場合は、薬物療法（血糖降下薬やインスリン注射）を行います。薬物療法では、食事摂取量の低下などによる低血糖症状に注意します。低血糖症状には発汗、動悸、ふるえなどがありますが、高齢者では、無症状のまま意識障害を起こすこともあります。

■予後・生活上の留意点

　2型糖尿病は初期には症状がなく、数年の経過で徐々に進行します。認知症も合併しやすく、自己管理ができなくなることもあります。適切に血糖コントロールができるよう、服薬（内服・注射）の継続支援、食事、運動など生活状況の確認が必要です。また、シックデイでは、血糖コントロールが乱れ、高血糖や低血糖になりやすく、急性合併症を招くこともあるため、特別な注意が必要となります。薬の減量、中止方法などについて情報を共有しておくことが大切です（➡ P273）。

❸ 脂質異常症

　血液中のLDLコレステロールが過剰な高LDLコレステロール血症、HDLコレステロールが減少した低HDLコレステロール血症、

中性脂肪が過剰な高中性脂肪血症にわけられます。

■症状

一般に自覚症状はなく、血液検査で診断されます。

■治療・予後・生活上の留意点

食事療法、運動療法、薬物療法を行います。薬物療法による効果は、加齢に伴い少なくなるとされ、投与は慎重に判断されます。自覚症状がないままに、動脈硬化、脳血管障害、心疾患につながることがあり、注意が必要です。

4 低ナトリウム血症

 コ コ で た！ R3 問26

一般に、低ナトリウム血症とは、血液中のナトリウム濃度が135mEq/L 以下となることです。絶対的なナトリウムの摂取不足のほか、心不全など何らかの原因で体内の水分バランスが崩れ水分が過剰となって、相対的に低ナトリウムが進むことによっても起こります。**不適切な**点滴や服薬、塩分制限なども原因となります。

■症状

症状は嘔気、食欲低下、倦怠感、頭痛、無気力、興奮、見当識障害などから始まりますが、**高齢者は自覚症状がない**こともあり注意が必要です。重度になると痙攣や昏睡、呼吸停止、死亡に至ります。ナトリウム低下が慢性に経過すると、認知機能の低下、QOL の低下、転倒や骨折リスクの上昇があり注意が必要です。

■治療

軽症であれば早急な治療は必要ありませんが、中枢神経症状が出ているような場合は、治療を急ぎます。ナトリウム欠乏の場合は、経口摂取か点滴によるナトリウム補充、水分過剰の場合は、水分制限や利尿薬投与を行います。

5 熱中症

熱中症は、高温・多湿な環境下において、徐々に体内の水分や塩分のバランスが崩れ、体温調節機能がうまく働かなくなり、体内に熱がこもった状態です。屋外の強い日射しの中だけでなく、室内で過ごしているときにも起こることがあり、注意が必要です。

原因は、発汗に伴う脱水、末梢血管の拡張による全身臓器への循環不全、塩分不足による低ナトリウム血症のほか、風邪薬に含まれる抗ヒスタミン薬や抗コリン薬（発汗抑制）が、熱中症の要因となることがあります。

何となく活気がない、食欲がないなどのサインを見逃さないことが大切です。いつのまにか重篤な症状になっていることもありますから。

■症状

めまい、失神、筋肉痛や筋肉の硬直、多量の発汗後の無汗、頭痛、気分不快、嘔気、倦怠感、高体温、重篤になると意識障害といった中枢神経障害が現れ、最悪の場合は死に至ります。

なお、発汗が多いため腋窩温（えきか）は正確でないことがあり、可能であれば深部体温（直腸温か食道温）をチェックします。

■対応・予後・生活上の留意点

意識がない場合は、すぐに救急車を呼び、涼しいところで、首、腋窩、大腿などの太い血管を氷のうで集中的に冷やします。氷がなければ、霧吹きやうちわ、扇風機などで身体を冷やします。

一般に予後は良好ですが、意識障害を伴うような場合では死亡率が高く、神経学的後遺症を残しやすいため、集中治療が必要となることもあります。高齢者は体温調節機能が低下しているため暑さを自覚しにくいです。予防のためには、水分、塩分、糖分の十分な摂取、冷房の適切な使用などの環境調整などが大切です。

全身を氷で冷やしてしまうと、血管が収縮してかえって汗が出にくくなってしまうから気をつけて。

\\ チャレンジ！ //
過去＆予想問題

できたら
チェック ☑

	問題	解答
□1	がんの発症頻度は、加齢に伴い低くなる傾向にある。予想	✕ 高くなる傾向にある
□2	若年者と比較して、高齢者ではがんによる痛みの訴えは少ないといわれる。予想	〇
□3	高齢者では、多発がんの頻度は減少する。予想	✕ 増加する
□4	糖尿病では、血糖値が慢性的に低くなる。予想	✕ 慢性的に高くなる
□5	高齢者の糖尿病では、口渇、多飲、多尿の症状が出現しにくい。R4	〇
□6	インスリン注射をしている場合、低血糖の症状に留意する必要がある。予想	〇
□7	脂質異常症は、一般に自覚症状がみられない。予想	〇
□8	低ナトリウム血症は、水分摂取量の低下で起こりやすい。予想	✕ 水分過剰摂取が原因となる
□9	ナトリウムが欠乏していても、嘔気や頭痛などの自覚症状がないこともある。R3	〇
□10	屋内で熱中症が起こることはない。予想	✕ 屋内外を問わず起こる
□11	抗コリン薬が、熱中症の要因となることがある。予想	〇

Lesson 07

重要度 **B** ★★★

呼吸器の疾患

レッスンの ポイント

- COPDの最大の原因は喫煙である
- 高齢者では、肺炎の症状が非特異的である
- 肺結核は、加齢や免疫力の低下をきっかけに発症
- 喘息は、中年期、高齢期にも多い

1 慢性閉塞性肺疾患（COPD）

慢性閉塞性肺疾患（COPD）は肺気腫と慢性気管支炎の総称です。中高年に多く、有害物質の長期吸入、特に喫煙により、気管支の炎症や肺胞の破壊が起こり、肺の換気機能が低下します。

■症状

慢性の咳、痰、息切れ、呼吸困難（特に労作時）という症状が共通し、喘鳴や喘息のような症状を合併することもあります。全身の炎症、骨格筋の機能障害、栄養障害、骨粗鬆症などの併存症を伴う全身性の疾患です。高齢者では気道感染、肺炎、右心不全などを契機に急激に呼吸不全を起こすことがあり注意が必要です。

■治療

禁煙が治療の基本です。あわせて薬物療法（気管支拡張薬、吸入ステロイド薬など）、呼吸リハビリテーション（口すぼめ呼吸など）を行います。また、感染で重症化するため感染予防、生活指導も重要です。低酸素血症が進行し、ADLが低下した場合には、在宅酸素療法が導入されます。

COPDでは、早期受診により早期治療につなげることが大切です。長期の喫煙歴、慢性の咳や痰などがあれば、COPDを疑います。

■予後・生活上の留意点

進行した段階では、日常生活に支障が出て介助を要することが多くなります。また、感染症により急激に症状が悪化していったん重症化すると、感染症は治っても呼吸機能は以前よりも低下してしまいます。増悪を避けるためには、肺炎球菌ワクチンやインフルエンザワクチンの接種も重要です。

 用語

肺気腫
気管支が枝分かれした先にある肺胞が破壊され、肺の膨張をきたす。

慢性気管支炎
気道からの分泌物が増加し、慢性的に気道が閉塞する。

 用語

口すぼめ呼吸
口をすぼめてゆっくりと息を吐く呼吸法。気道が広がり、息を吐きやすくなるため、息苦しさが軽減する。

在宅酸素療法
→ P277

肺炎球菌ワクチン・インフルエンザワクチン
→ P283、284

211

ココでた!

R3 問34

誤嚥
→ P184

誤嚥性肺炎の予防には、口腔ケアも重要だね!

2 肺炎

　肺炎は、主に細菌やウイルスによって起こります。高齢者には、誤嚥性肺炎が多いです。誤嚥性肺炎は、飲食物の一部が誤嚥により肺に入り感染を起こしたり、口腔内や咽頭の細菌を含む分泌物を繰り返し吸引したりすることにより起こります。

■症状

　主な症状は咳や痰、発熱です。しかし、高齢者の場合にはしばしば次のような特徴がみられます。

- 典型的な肺炎の症状がはっきり出ないことが多い。
- 食欲不振、倦怠感など非特異的な初発症状が多い。
- せん妄、傾眠傾向など精神・神経症状が前面に出ることがある。
- 意識障害やショックなど、症状の急変がみられる。
- 呼吸数の増加、頻脈にも注意が必要。

■治療

　肺炎の経過は速く、死亡原因としても多いため、早期治療が重要です。細菌感染では抗菌薬による治療が中心となります。

■予後・生活上の留意点

　高齢者では再発や再燃を繰り返し、難治化することが多いです。身体の抵抗力をつけ、感染予防が重要となります。

　また、肺炎球菌ワクチンやインフルエンザワクチン、新型コロナウイルスワクチンの接種は、重症化予防にも有効です。

3 肺結核

　肺結核は、結核菌の感染により起こります。高齢者では、以前感染した結核菌が体内に残っている場合もあり、加齢や免疫力の低下をきっかけにして、発症しやすくなります。

■症状

　肺結核の主症状は咳、痰、血痰、喀血、胸痛で、倦怠感、発熱、食欲不振、体重減少などもみられますが、高齢者の場合、これらの症状に乏しいのが特徴です。

　肺結核の診断は胸部X線画像で行い、結核菌感染の診断にはツベルクリン反応が用いられますが、確定診断は3日間連続喀痰採取などにより行います。

■**治療**

治療は原則的に指定医療機関での入院治療となります。抗結核薬の内服で、最短でも6か月の治療期間が必要です。

■**予後・生活上の留意点**

高齢者の場合、治療による副作用が出やすく、合併症のリスクもあり注意が必要となります。なお、集団感染を予防するため、社会福祉施設や医療機関の従事者、社会福祉施設に入所する65歳以上の高齢者には、感染症法に基づき年に1回の定期結核検診が義務づけられています。

肺結核は、感染症法に基づく二類感染症です。医師が肺結核と診断したときは、ただちに最寄りの保健所を経由して都道府県知事に届け出が必要となります。

4 その他の呼吸器感染症

呼吸器感染症には、肺炎、肺結核のほか、いわゆる風邪症候群である急性上気道炎と、急性上気道炎が気管から気管支まで波及した急性気管支炎があります。

◉**急性上気道炎と急性気管支炎**

	急性上気道炎	急性気管支炎
原因・症状	大半はウイルス感染で、自覚症状は発熱、頭痛、全身倦怠感、鼻症状、咽喉症状。	ウイルス感染が多いが、引き続き二次性の細菌感染が起こる場合がある。症状は、急性上気道炎の症状に加えて、咳や痰を伴う。
治療・留意点	抗菌薬は一般的には不要。安静、水分補給により自然治癒する。高齢者では対応が遅れると、下気道感染や食欲不振、脱水などの重症になることもあり、早期介入が重要。	二次性の細菌感染が起こる場合もあり、所見に応じて高齢者では抗菌薬を使用する。症状が長引く場合には、肺炎の合併を鑑別する必要があるため、胸部X線画像で確認する必要がある。

5 喘息

喘息（気管支喘息）は、気管支が炎症し、気道が狭くなるもので、中年期、高齢期の発症も多い病気です。炎症の原因の多くは、ダニやハウスダスト、花粉などのアレルギーがかかわっています。

■**症状**

ゼーゼー、ヒューヒューという喘鳴を伴い息苦しくなります。

■**治療**

発作がないときでも、気管支の炎症は続いているため、日頃から炎症を抑える薬物治療（気管支拡張薬やステロイド薬の吸入）を

+1 プラスワン

特定疾病
気管支喘息も慢性閉塞性肺疾患のひとつとして介護保険の特定疾病（→P48、49）に指定されている。

行います。また、禁煙が重要です。

■予後・生活上の留意点

　50歳以降に発症した場合は治癒(ちゆ)しにくく、アレルギーよりも感染により発作が起こる確率が高くなります。

　発作の誘因となるものをチェックし、その誘因を除去することが大切です。

\\ チャレンジ！ // 過去＆予想問題

できたら
チェック ✓

	問題	解答	
□1	慢性閉塞性肺疾患では、いったん重症化すると呼吸機能は以前よりも低下する。 予想	◯	
□2	慢性閉塞性肺疾患（COPD）では、リハビリテーションは厳禁である。 予想	✕	呼吸リハビリテーションが重要
□3	慢性閉塞性肺疾患（COPD）では、禁煙が治療の基本となる。 予想	◯	
□4	誤嚥性肺炎の予防には、嚥下機能のみを維持すればよい。 R3	✕	口腔ケアも重要
□5	高齢者の肺炎では、若年者よりも高熱になりやすいのが特徴である。 予想	✕	高熱など典型的な症状が現れないことが多い
□6	高齢者の肺炎では、呼吸数の増加や頻脈にも注意が必要である。 予想	◯	
□7	社会福祉施設に入所する65歳以上の高齢者には、毎年1回の定期結核検診が義務づけられている。 予想	◯	
□8	肺結核に若年時に罹患した場合は免疫があるため、高齢時に再発することはない。 予想	✕	高齢になって再燃しやすい
□9	急性上気道炎は、大半はウイルス感染のため、一般に抗菌薬は不要である。 予想	◯	
□10	50歳以降に発症した喘息では、アレルギーよりも感染により発作が起こる場合が多い。 予想	◯	

皮膚・目の疾患

レッスンの
ポイント

- ●ノルウェー疥癬は個室管理が必要
- ●帯状疱疹では、帯状疱疹後神経痛が残ることがある
- ●白内障は水晶体が白く濁り視力が低下する
- ●緑内障では、暗点、視野欠損、視野狭窄が現れる

1 疥癬

疥癬はヒゼンダニが、皮膚のいちばん外側にある角層に寄生して起こる感染症です。普通の疥癬のほか、ダニの数がきわめて多く、手足がごわごわとする、ノルウェー疥癬（角化型疥癬）があります。

■症状

腋窩（わきの下）、指の間、手や手首、腹部、外陰部など皮膚のやわらかいところにできやすく、症状は激しいかゆみ、赤いぼつぼつとした発疹などです。手や手首にできる疥癬トンネルと呼ばれる細長い発疹が特徴的です。

■治療

症状に応じて外用薬による治療や内服治療を行います。普通の疥癬では個室管理は特に必要ありませんが、**ノルウェー疥癬は感染力が非常に強く、一定期間の個室管理が必要**です。

■予後・生活上の留意点

感染してから2週間～1か月の潜伏期間のあとに発症します。ノルウェー疥癬では潜伏期間は7日間前後と短いです。特に病院や施設などでは集団感染することがあり、感染を広げないための対策が重要になります。

ノルウェー疥癬は、ヒゼンダニが皮膚に大量にすみつくんだ。

2 薬疹

薬疹は、薬剤へのアレルギーによる発疹です。**どのような薬剤でも、また使用期間にかかわらず発症する**可能性があり、注意が必要です。

■症状

薬剤使用後、1～2週間で皮膚に発疹が現れることが多いです。

コこでた！
R3 問26

■治療

　薬疹が現れたら、原因と思われる薬剤（被疑薬）を特定し、すみやかに使用を中止することが原則です。

■予後・生活上の留意点

　軽症であれば予後は良好ですが、重症型に進行することもあります。重症の場合は入院治療も検討されます。日常生活においては、どのような薬を使用しているのか正確に把握し、被疑薬の使用中止後も発疹が拡大し、発熱や呼吸苦などの全身症状が出現するような場合は、早期に医師に相談できる体制づくりをしておきます。

3 帯状疱疹

コこでた！
R4 問26

　帯状疱疹は、水痘・帯状疱疹ウイルスの再活性化によって起こります。成人の場合は水痘にすでに罹患していることが多いため、新たに感染することはほとんどありません。

■症状

　通常、発疹の出る数日〜1週間前から痛みが起こります。やがて痛みを感じた場所に浮腫性の紅斑が現れ、間もなく身体の右または左半身に、帯を巻いたような痛みを伴う小さな水ぶくれ（水疱）が集まるようにできます。顔や四肢にできることもしばしばあります。

■治療

　軽症であれば自然に治りますが、高齢者では重症化しやすく、発疹が消えても痛みが長期間残る帯状疱疹後神経痛になったり、潰瘍になったりすることも多いです。重症の場合は入院し、抗ウイルス薬投与、皮膚科外用薬、疼痛治療が並行して行われます。

■疾患の見通しと生活上の留意点

　神経痛が激しいと転倒の危険があります。早期治療をすれば帯状疱疹後神経痛などの後遺症も少ないため、少しでも違和感を感じたらすぐに受診できるよう援助します。予防では、規則正しい生活をして、体力をつけストレスをためないよう留意します。

4 白癬・皮膚カンジダ症

　白癬は、カビの一種である白癬菌が角層に感染して起こります。足にできる白癬は、俗に「水虫」と呼ばれます。

　皮膚カンジダ症も、カビの一種であるカンジダに感染して起こります。常在菌ですが、免疫不全などが起こると増殖して、症状が現れます。おむつの中などの湿った環境を好む傾向にあります。

帯状疱疹を引き起こすウイルスは、子どものころによくかかる水ぼうそうと同じウイルスです。治っても身体のなかに潜んでいて、免疫力が低下したときに再び活性化し、帯状疱疹として出現するんですよ。

●症状、治療、生活上の留意点

	白癬	皮膚カンジダ症
症状	足、股、体幹などにうろこ状のかさつき、発赤やかゆみを伴う場合もある。爪に感染すると白く濁って厚くなる。	発疹、うろこ状のかさつき、かゆみ、腫れ。
治療	●通常は外用薬による治療、重症の場合は内服治療だが、肝機能障害の副作用に注意。 ●爪白癬は内服治療が基本。	
留意点	家族間で感染しやすいため、スリッパや足ふきマットの共用は避ける。	免疫機能が低下していると、カンジダが血流に乗って、心臓弁、脾臓、腎臓、眼などほかの部位に症状が出ることもある。

5 皮脂欠乏症、皮膚掻痒症、脂漏性湿疹

■症状

皮脂の減少により皮膚が乾燥して、かさかさします（皮脂欠乏症）。また、皮膚がかゆくなります（皮膚掻痒症）。皮膚表面に赤みのある発疹とかゆみの出る湿疹ができることもあります。脂漏性湿疹は、鼻や口のまわりなど皮脂の多い場所に、ふけのような付着物を伴う湿疹が出るものです。

■治療

皮脂の欠乏や皮膚のかゆみがある場合は、保湿軟膏で保湿しますが、湿疹で炎症がある場合は、部位に応じた適切な強さのステロイド薬を一時的に使用して炎症を抑えます。脂漏性湿疹では、抗真菌薬外用、保湿剤のほかビタミン薬の内服を行います。

■疾患の見通しと生活上の留意点

本人や家族が根気強く軟膏塗布などの処置を続けていくことが必要です。脂漏性湿疹では、患部を清潔に保ち、生活リズムを整えることも大切です。

+1 プラスワン

ステロイド薬
漫然と長期的に使用しないようにする。

6 白内障

白内障は、水晶体が白く濁って視力が低下する病気です。加齢のほか、紫外線、喫煙、ステロイド薬の長期内服などが危険因子となります。

■症状

初期症状は羞明（まぶしさを過剰に感じる状態）、夜間の視力低下、近見障害で、進行すると単眼複視、高度の視力低下となり、失明に至ることがあります。進行はゆっくりで、自覚したときには、かなり進行していることも多いです。

コ コでた！
R3 問26

■治療

初期の段階では、点眼薬で進行を予防し、経過観察をします。進行し日常生活に支障が出た段階では、手術治療が検討されます。手術治療を行うことで、視力の回復が望めます。

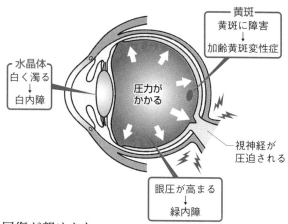

●目の疾患

水晶体
白く濁る
白内障

黄斑
黄斑に障害
加齢黄斑変性症

圧力がかかる

視神経が圧迫される

眼圧が高まる
緑内障

■予後・生活上の留意点

白内障が進行しないように、紫外線や喫煙などの危険因子を避けることが必要です。

7 緑内障

緑内障は、目の房水と呼ばれる液体の流れが阻害されて眼圧が上昇し、視神経と視野が障害される疾患です。ただし、眼圧は正常でも、視神経が障害されて生じる正常眼圧緑内障もあり、日本人には多いです。また、緑内障は日本における失明の原因として最も多くなっています。

■症状

主な症状は部分的に見えない場所（暗点）が生じたり（視野欠損）、視野が狭くなったり（視野狭窄）することです。初期では、片側の目に生じた場合などでは気づきにくく、進行するまで放置されてしまうことも少なくありません。急激に眼圧が上昇すると、眼痛、頭痛、嘔吐などの急性緑内障発作を起こすことがあります。

■治療

眼圧降下薬の点眼をしても十分な効果が得られない場合は、レーザー治療、続いて手術療法を行います。失われた視力・視野障害は回復しないため、早期受診・早期治療が大切です。

■予後・生活上の留意点

緑内障の進行を遅らせることが大切です。栄養バランスのよい食事と十分な睡眠をとり、適度な運動を行います。

耳の疾患については、P181、182を復習しましょう。

用語

房水
目の中の毛様体で作られ、角膜、水晶体など血管のない組織に栄養を与える透明な液体。房水の量が眼圧を左右する。

両方の目で見ているから、片方の目がもう片方の目の見えない部分をカバーしていて気づきにくいんだよ。

8 加齢黄斑変性症

加齢黄斑変性症は、網膜の中心部にある黄斑に障害が生じ、見えにくくなり、高齢者の失明を引き起こす難治性の眼疾患です。萎縮型と滲出型にわけられ、日本人には滲出型が多いです。

■症状

初期の症状は、視野中心部のゆがみ（変視症）で、進行すると中心部が黒くなり（中心暗点）、視力の低下が起こります。初期のゆがみの段階で受診することが失明を防ぐためにも大切です。

■治療

萎縮型には有効な治療法はなく、対症療法が中心となります。滲出型の初期病変では、光線力学療法や抗VEGF抗体療法により、視力が改善することも多くなっています。人工多能性幹細胞（iPS細胞）を用いた再生治療の研究や適応も進められています。

■予後・生活上の留意点

進行度や重症度には個人差があります。十分な治療法がないため、まず予防することが重要です。禁煙のほか、ビタミンC、ビタミンE、βカロチン、亜鉛などを含んだ食事をバランスよくとります。

用語

萎縮型
徐々に黄斑の網膜の細胞が減っていき、ゆっくりと視力が低下する。

滲出型
異常な血管（脈絡膜新生血管）が侵入して網膜が障害される。正常な血管と異なりもろく、出血することもある。

＼＼ チャレンジ！ ／／

過去＆予想問題

できたらチェック ☑

	問題	解答
□1	通常の疥癬はヒゼンダニが原因であるが、ノルウェー疥癬（角化型疥癬）はアレルギーによって生じる。 予想	✕ 通常の疥癬と同様にヒゼンダニが原因
□2	薬疹は、薬剤服用後1～2か月で出ることが多い。 R3	✕ 服用後、1～2週間で出ることが多い
□3	帯状疱疹は、細菌性感染症である。 R4	✕ 水痘・帯状疱疹ウイルスの再活性化
□4	白癬は家族間で感染することも多いため、スリッパや足ふきマットの共用は避ける。 予想	○
□5	白内障は、水晶体の混濁により視力低下をきたす。 R3	○
□6	眼圧が正常でも、視神経が障害される正常眼圧緑内障が日本人には多い。 予想	○
□7	加齢黄斑変性症では、視野が狭くなる視野狭窄が初期の段階から起こる。 予想	✕ 初期には視野中心部のゆがみ、進行すると中心暗点が現れる

バイタルサイン

レッスンの
ポイント

● 低体温では、低栄養などが疑われる
● 異常な脈拍には、頻脈、徐脈がある
● 高齢者は収縮期血圧が高くなる
● 意識レベルは重症度・緊急性の判定に重要

ココでた!

R5 問27	R3 問27
R3 問28	R2 問29
R1 問36	

+1 プラスワン

バイタルサイン
生命の維持にかかわる基本的な情報で、主に体温、脈拍、血圧、意識レベル、呼吸を指す。

測定方法
腋窩検温法のほか、直腸検温法（最も正確な体温を測定）、耳式体温計による方法、口腔検温法がある。

悪性症候群
→ P188

1 体温

(1) 低体温・高体温

　体温は、腋窩部（えきか）などで測定します。高齢者の場合、基礎代謝が低下するため、一般成人よりも体温は低くなる傾向にあります。また、高齢者では**感染症があっても発熱がみられない**こともあり、発熱の程度と重症度は必ずしも一致しません。原因がわからない不明熱が多いのも特徴的です。体温の日内変動（早朝に最も低く、夕方に最も高くなる）も大きくなります。

◉低体温と高体温（発熱）

種類	温度	原因、疑われる疾患
低体温	34℃以下	低温の環境、低栄養、甲状腺機能低下症、薬剤などによる体温調節機能不全など
高体温（発熱）	37℃以上	感染症、がん、膠原病（こうげん）、甲状腺機能亢進症、熱中症、脱水、悪性症候群など

(2) 発熱と熱型

　発熱は、1日の経過などによりタイプがわかれ、これを「熱型」といいます。

◉熱型

熱型	状態	疑われる疾患
稽留熱（けいりゅう）	解熱せずに持続する発熱。1日の変動が1度以内。	肺炎、感染性心膜炎、腫瘍熱（しゅよう）など。

間欠熱 （かんけつ）	急激な発熱と解熱を繰り返す。	敗血症、特に中心静脈栄養法を行っている場合には、カテーテルからの菌血症を疑う。
弛張熱 （しちょう）	完全に解熱せず、微熱になってまた高熱となる。	高齢者ではインフルエンザや肺炎、腫瘍熱。
回帰熱	有熱期と解熱期を繰り返す。	胆道感染症に特徴的。

② 脈拍

脈拍は、通常、手首の親指の付け根にある橈骨動脈（とうこつ）の1分間の拍動数（心臓の拍動の数）を測定します。血圧が低く拍動を触れない場合は、頸動脈（けい）や股動脈（こ）で測定します。100以上を頻脈、50未満を徐脈といい、何らかの異常が疑われます（下表）。高齢になると一般に脈拍数が少なくなりますが、重度の徐脈では、意識障害や失神を伴うことがあります。

コ**コでた！**
R5 問27　R4 問28
R3 問27　R1 問36

● 頻脈と徐脈

種類	疑われる主な疾患
頻脈	感染症、甲状腺機能亢進症、うっ血性心不全、脱水。
徐脈	脳出血による頭蓋内圧亢進に伴う迷走神経刺激、ジギタリス製剤などの薬剤の副作用、甲状腺機能低下症、洞不全症候群など心臓の刺激伝達系の異常。

③ 血圧

血圧とは、血液が血管の動脈壁に与える圧力です。加齢により動脈の血管は硬くなり、特に高齢者は収縮期血圧（最高血圧）が高く、拡張期血圧（最低血圧）が低くなる傾向があります。高齢者は高血圧症（→ P198）となることが多く、また起立性低血圧（→ P199）も起こしやすくなります。

血圧の測定は、最近では、自動血圧計が主流となっています。なお、大動脈疾患、片麻痺や進行した動脈硬化がある場合は、血圧に左右差がみられるため、**左右の上腕で血圧測定を行います**。上腕で測定が困難な場合は、下肢での血圧測定も行われます。

コ**コでた！**
R5 問27　R4 問28
R3 問27　R1 問36

＋1 プラスワン

診察室での血圧推奨値
①一般成人や前期高齢者
　130/80mmHg 未満
②後期高齢者
　140/90mmHg 未満

④ 意識レベル

意識障害の程度とレベルを把握しておくことは、重症度・緊急性の判定において重要です。

コ**コでた！**
R5 問27
R4 問28
R2 問29

保健医療サービス分野

Lesson 09　★★★　バイタルサイン

●意識レベル

	軽度 ➡ ➡ ➡ ➡ ➡			最重度
清明	傾眠	昏迷	半昏睡	昏睡
正常な意識	刺激がないと眠ってしまう	強い刺激でかろうじて開眼	ときどき体動がみられる	自発的運動なく痛覚刺激に反応ない

+1プラスワン

グラスゴー・コーマ・スケール(GCS＝Glasgow Coma Scale)
開眼、言語反応、運動反応の3つの要素について評価を行い、意識レベルを測定する。点数が小さいほど重症である。

　さらに詳細な評価方法として、日本ではジャパン・コーマ・スケール(JCS＝Japan Coma Scale)が多く用いられ、3-3-9度方式とも呼ばれています。数値が大きいほど、意識レベルが低いことを示します。

●ジャパン・コーマ・スケール(JCS＝Japan Coma Scale)

1　刺激しないでも覚醒している状態(1桁の点数で表現)
1　だいたい意識清明だが、いまひとつはっきりしない 2　見当識障害がある 3　自分の名前・生年月日が言えない
2　刺激すると覚醒する状態(2桁の点数で表現)
10　呼びかけで容易に開眼する 20　痛み刺激で開眼する 30　強い刺激を受けてかろうじて開眼する
3　刺激しても覚醒しない状態(3桁の点数で表現)
100　痛み刺激に対し、払いのける動作をする 200　痛み刺激に対し、少し手足を動かしたり顔をしかめたりする 300　痛み刺激にまったく反応しない

コﾞ コでた！

5　呼吸

　高齢者の場合、正常な呼吸数は1分間に15〜20回です。1回換気量(吸入または呼出される空気量)は一般成人と変わりませんが、肺活量(息を最大限吸い込んだあとに肺から吐き出せる空気量)は低下傾向で、残気量(最大限に空気を吐き出したあとに肺に残る空気量)は増加します。

●呼吸状態の悪化と原因など

呼吸状態	原因、徴候
頻呼吸:呼吸数が1分間に25回以上で1回の換気量が少ない。	発熱、心不全、呼吸器疾患。
徐呼吸:呼吸数が1分間に9回以下。	糖尿病性ケトアシドーシス、脳卒中による昏睡。

過呼吸：1回換気量が多い。	過度の不安、ストレスなど。
減呼吸：1回換気量が少ない。	睡眠中にみられる。
チアノーゼ：呼吸状態が悪く皮膚や粘膜（特に爪床や口唇）が青紫色になる。	血液中の酸素欠乏が原因。
起座呼吸：呼吸困難が臥位で増強、起座位または半座位で軽減すること。	左心不全の主要徴候。気管支喘息、肺炎、気管支炎。
口すぼめ呼吸：口をすぼめて息を吐く。それにより、気管支の閉塞を防ぎ呼吸が楽になる。	呼吸のときに胸腔内圧が高まり気管支が狭くなるため。COPD患者によくみられる。
下顎呼吸：顎であえぐような呼吸。	呼吸停止の徴候、1～2時間で亡くなることが多い。
チェーンストークス呼吸：小さい呼吸から徐々に大きな呼吸となったあと、しだいに呼吸が小さくなり、一時的に呼吸停止、という周期を繰り返す。	脳血管障害、心不全など重症の疾患時にみられる。
クスマウル呼吸：異常に深大な呼吸が規則正しく続く。	糖尿病性ケトアシドーシス、尿毒症に特徴的。
ビオー呼吸：無呼吸の状態から急に4、5回の呼吸を行い、再び無呼吸になる。	髄膜炎、脳腫瘍などでみられる。

\\ チャレンジ！ //
過去＆予想問題　　できたらチェック ☑

	問題	解答
☐ 1	稽留熱（けいりゅう）では、急激な発熱と解熱を繰り返す。 R2	✕ 急激な発熱と解熱を繰り返すのは間欠熱
☐ 2	橈骨動脈（とうこつ）で脈が触れない場合には、頸動脈や股動脈で脈拍をみる。 R4	◯
☐ 3	一般に高齢者は、収縮期血圧が高くなるのが特徴である。 予想	◯
☐ 4	大動脈疾患の患者の血圧測定は、左右両方の腕で行う。 R1	◯
☐ 5	3－3－9度方式（JCS）で、刺激しても覚醒しない意識レベルは1桁の点数で表現される。 予想	✕ 3桁の点数
☐ 6	起座呼吸は、気管支喘息の患者にもみられる。 R5	◯

Lesson 10

重要度 **A** ★★★

検査値

レッスンの ポイント

- 高齢者では、低体重が生命予後において重要となる
- 栄養状態の最も有効な指標は血清アルブミン
- CRPは急性の炎症で増加する
- 心電図は循環器系疾患の診断に有用

ココでた！

R5 問28	R4 問29
R3 問28	R2 問30
R1 問37	

＋1 プラスワン

BMI（Body Mass Index）
体重（kg）÷（身長 [m] ×身長 [m]）で算出する。

メタボリックシンドロームの診断
腹部型肥満に高血糖・高血圧・脂質異常症のうち2つ以上該当した状態。

ココでた！

R4 問29
R3 問28
R1 問37

低栄養の指標
→ P266

ココでた！

R5 問28
R4 問29

1 体格

　体格判定の指標となるのがBMIです。高齢者も一般成人と同様に、25以上であれば肥満で、18.5未満は低体重と判定されます。高齢者では、肥満よりも低体重が生命予後においては重要になります。急激な体重減少（6か月で2〜3kg以上または3%以上の体重減少）があった場合は、低栄養を疑います。腹囲はメタボリックシンドロームの診断に使われ、腹囲が男性で85cm以上、女性で90cm以上の場合に腹部型の肥満とされます。上腕周囲長や下腿周囲長は寝たきりなどの場合の低栄養判定に有効です。

　身長は、高齢になると脊椎圧迫骨折などによる脊椎の変形（円背）や膝などの関節が十分に伸びなくなることから、見かけ上は低下していきます。このため、BMIも本来の値より大きい値となります。

2 総たんぱく、アルブミン

　血清中に含まれる、たんぱく質の総量を血清総たんぱくといいます。たんぱく質の主成分はアルブミンです。血清アルブミンは、高齢者の長期にわたる栄養状態や生命予後をみるために、最も有効な指標となります。健康な高齢者では、アルブミンの低下はみられません。低下している場合は、低栄養が疑われ、アルブミンが3.6g/dL以下では骨格筋の消耗が始まっている可能性があります。

3 肝機能

　AST（GOT）、ALT（GPT）、γ-GTPは肝臓などに含まれる酵素で、何らかの障害により肝細胞が破壊されると血液中に放出さ

れ、数値が上昇します。いずれも肝・胆道疾患などをみる指標と
なります。

◉異常値と疑われる疾患

AST	上昇	肝・胆道疾患、心臓疾患、筋疾患、溶血性疾患
ALT	上昇	特に肝・胆道疾患
γ-GTP	上昇	脂肪肝、アルコール性肝炎

4 腎機能

　血清クレアチニン（Cr）と尿素窒素（BUN）はいずれも**腎機能の指標**となり**腎機能が低下すると**上昇します。

　血清クレアチニン値と尿素窒素の比率は、脱水の診断の指標として重要です。

　また、推算糸球体ろ過量（eGFR）から、慢性腎臓病の進行の程度を推定することができます。

　ただし、筋肉量が低下している場合は、血清クレアチニンは低値になるので注意が必要です。

5 血算

　赤血球、白血球、血小板の検査を血算といい、貧血や炎症の判定などに用いられます。

◉異常値と疑われる疾患

ヘモグロビン、ヘマトクリットが減少		鉄欠乏性貧血
赤血球数が減少、ヘマトクリットが上昇		大球性貧血、ビタミンB$_{12}$や葉酸の欠乏
白血球数	増加	細菌感染や炎症、喫煙、副腎皮質ステロイド投与、ストレス、がん、白血病
	減少	体質にもよるが、ウイルス感染、再生不良性貧血
血小板数	増加	炎症
	減少	薬剤の副作用、肝硬変、特発性血小板減少性紫斑病など

AST は、肝臓の疾患以外でも上昇することに着目しましょう！

コｺでた！

R4 問29

R3 問28

R1 問37

📖 用語

血清クレアチニン
たんぱく質が筋肉で分解されてできる老廃物で、腎臓からのみ排泄される。

尿素窒素
腎臓から排泄されるたんぱく質の老廃物。

推算糸球体ろ過量
腎臓のろ過能力を示す。

📖 用語

ヘモグロビン
血液1dL中の血色素のグラム数。

ヘマトクリット
血液中の赤血球の容積の割合を％で示した数値。

特発性血小板減少性紫斑病
明らかな原因がなく血小板が減少し、出血しやすくなる疾患。

R5 問28
R4 問29
R2 問30

+1 プラスワン

糖尿病の診断
空腹時血糖が126 mg/dL 以上または食後血糖（経口糖負荷試験）が200 mg/dL 以上で糖尿病と診断される。

コ コでた！
R5 問28
R2 問30
R1 問37

心室細動
→ P288

R2 問30
R1 問37

 注目！

24時間心電図についての基本的な知識は、押さえておこう。

6 血糖、ヘモグロビン A1c

　血糖値は、糖尿病を診断する際に基本となる検査で、空腹時の血糖値のほか、食後の血糖値（75g 経口糖負荷試験）が測定されます。このほか、ヘモグロビン A1c（HbA1c）もあわせて診断に用いられます。ヘモグロビン A1c は、糖化ヘモグロビンともいい、糖がヘモグロビンと結合している割合を示し、**検査日から過去1〜2か月の平均的な血糖状態を反映**します。

7 CRP

　CRP（C 反応性たんぱく質）は、感染症などの**炎症がある場合に血液中に**増加します。がん、膠原病、心筋梗塞、組織崩壊などでも高値になります。

　なお、同様に炎症の指標となる白血球の場合は、発症直後から数値が上昇しますが、CRP は発症後しばらくたってから（12時間後以降）高値になるという特徴があります。

8 電解質

　ナトリウム、カリウム、クロールなどの電解質は、細胞の浸透圧を調整し、血清中の濃度を一定に保つ役割があります。

　脱水や水分過多、腎機能の障害、降圧薬、利尿薬、強心薬、副腎皮質ステロイド薬などの薬剤投与で異常値となることがあります。

　また、カリウムが高値となる高カリウム血症では、心室細動などの致死性不整脈を引き起こすことがあり、注意が必要です。

9 心電図

　心電図は、不整脈、心筋梗塞、狭心症などの循環器系疾患の診断に有用で、特に脈の結滞や胸痛などの症状がある場合には、必ず行われる検査です。心臓の収縮や拡張の状態、冠状動脈の血流、心筋の異常のほか、カルシウムやカリウムなどの電解質の異常もみることができます。不整脈や狭心症が疑われる場合には、24時間心電図（ホルター心電図）の検査も行われます。

　24時間心電図は、小型軽量の装置を身につけ、日常生活における24時間の心電図を測定するものです。入院したり、安静にしている必要はありません。

10 X線検査

X線検査はX線を用いて身体の中の形状をみることのできる画像検査で、呼吸器疾患や心疾患の診断に有用です。精密検査として超音波検査やCT検査 (コンピュータ断層撮影法) が行われます。

コ コでた！
R3 問28

●検査の種類と診断

胸部X線検査	呼吸器疾患 (COPD、肺がんなど)、心疾患
腹部X線検査	イレウス、消化管穿孔、尿管結石
頭部CT検査	脳血管障害、頭部外傷

+1 プラスワン

MRI
X線を用いない方法。「核磁気共鳴画像法」と呼ばれる、磁石と電磁波を使って断層画像を撮影する。

11 尿検査 (検尿)・便潜血検査

尿検査では、尿糖や尿たんぱくなどの成分を検査します。腎臓病や糖尿病のスクリーニング、尿路感染症の診断に重要です。

便潜血検査は、主に大腸がんの早期発見のために行われ、便に微量の血液が混じっているかを調べます。

コ コでた！
R5 問28

保健医療サービス分野

Lesson 10 ★★★ 検査値

\\ チャレンジ！ // 過去＆予想問題

できたら チェック☑

	問題	解答
□1	BMIが25以上であれば、肥満と判定される。 予想	○
□2	高齢者では膝などの関節が十分に伸びなくなるので、BMI (Body Mass Index) は本来の値より小さくなる。 R2	✕ BMIは本来の値より大きい値となる
□3	血清アルブミンの値は、高齢者の長期にわたる栄養状態をみる指標として有用である。 R4	○
□4	γ-GTP値が上昇したときは、特に心筋梗塞が疑われる。 予想	✕ アルコール性肝炎などが疑われる
□5	細菌感染では、白血球数が減少する。 予想	✕ 上昇する
□6	ヘモグロビンA1cの値は、過去6か月間の平均血糖レベルを反映している。 R2	✕ 過去1〜2か月の平均血糖レベルを反映
□7	CRP (C反応性たんぱく質) は、体内で炎症が起きているときに低下する。 R5	✕ 増加する
□8	24時間心電図 (ホルター心電図) の検査中は、臥床している必要がある。 R1	✕ 臥床している必要はない

食事の介護と口腔ケア

レッスンの
ポイント

● 摂食・嚥下は5つの過程からなる
● 口腔には、そしゃく、嚥下、味覚、発音・発声、呼吸などの機能がある
● そしゃく機能の維持は、全身状態への維持につながる
● 口腔ケアは誤嚥性肺炎の予防につながる

1 食事の目的と機能

　食事には、①身体に必要な栄養素やエネルギーを補給し、**生命や生命活動を維持すること**、②食べることの喜びや楽しみを通して、より高い次元の**身体的・心理的・社会的欲求を満たし、その人がその人らしく生活を送ること**ができるようにすること、という2つの目的があり、できるかぎり口から食べられるよう援助します。

2 摂食・嚥下の流れ

コでた！

R2 問31
R1 問27
R1 問29

◉摂食・嚥下の流れと障害の例

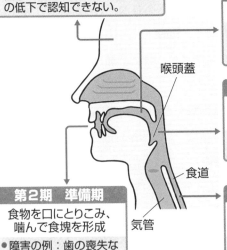

第1期　先行期（認知期）
食物を確認、判断、唾液を分泌
● 障害の例：味覚、嗅覚、視覚の低下で食欲が出ない、認知機能の低下で認知できない。

第3期　口腔期
舌で食塊をのどへ送る
● 障害の例：口腔や顎関節の機能低下で口腔内に残った食塊を誤嚥。

第4期　咽頭期
嚥下反射により、食塊をのどから食道へ送る
● 障害の例：咽頭に食塊が残り誤嚥。

喉頭蓋

第2期　準備期
食物を口にとりこみ、噛んで食塊を形成
● 障害の例：歯の喪失などでそしゃくが不十分。

食道

気管

第5期　食道期
食塊を食道から胃に送り込む
● 障害の例：食塊の送り込みが遅れたり逆流したりしたものを誤嚥。

用語

嚥下反射
呼吸の際には開いている喉頭蓋（喉頭のふた）は、食塊が咽頭（のど）に送られると、下に倒れて気管の入り口をふさぎ、誤嚥を防ぐ。同時に食道の入り口が広がり、食塊が食道に送られる。この一連の働きを嚥下反射という。

食物や唾液は口腔から咽頭、食道を通り、胃へと送り込まれます。この一連の流れを「摂食・嚥下」といい、第1期の先行（認知）期、第2期の準備期、第3期の口腔期、第4期の咽頭期、第5期の食道期という5つの過程からなります。この過程のいずれかに障害のある状態が摂食・嚥下障害です（前ページ図参照）。

3 摂食・嚥下障害と全身への影響

（1）摂食・嚥下障害と誤嚥性肺炎

摂食・嚥下は、中枢神経と末梢神経がかかわり、一連の動きをコントロールしています。摂食・嚥下障害は、食物をうまく口に取り込めず、また食物や水分をうまく飲み込めない状態で、誤嚥（食物や唾液が気道に入る）や窒息の原因となります。

誤嚥は、**嚥下前（口腔期）、嚥下中（咽頭期）、嚥下後（食道期）のいずれでも起こる**ことがあり注意が必要です。嚥下反射の低下などで高齢者は誤嚥が生じやすく、さらに口腔内の細菌感染により、誤嚥性肺炎など全身の疾患にかかりやすくなります。特に気道の感覚が低下している場合、不顕性誤嚥がみられることがあります。夜間に少量ずつ痰などが気道に垂れこむこともあり、注意が必要です。

（2）口腔機能の維持と全身への影響

しっかりと上下の歯の噛み合わせができることは、そしゃく機能や嚥下機能、平衡感覚の保持、瞬発力の発揮に大きな役割を果たします。一方、う歯や歯周病で歯を喪失すると、食べにくさから低栄養につながったり、誤嚥や窒息の要因になったりします。

また、う歯や歯周病が重度になると口腔内細菌が血液を介してほかの臓器に移動し、心内膜炎などの感染症を引き起こすことがあります。

さらに、糖尿病患者では、歯周疾患の悪化により糖尿病性腎症、心筋梗塞を起こしやすいといわれます。口腔環境と心疾患、脳血管疾患、認知症との関係性も研究されています。

（3）服薬と口腔との関係

服薬により口腔内の乾燥、口内炎、カンジダ性口内炎、顎骨壊死が起こるなど、口腔内に影響を与える薬があります。このような薬を使用する際には、特に注意して継続して口腔内を観察していく必要があります。

コⁱでた！
R4 問31
R2 問33
R1 問29

誤嚥
→ P184

+1 プラスワン

嚥下前の誤嚥
嚥下反射が起こる前に、口腔内に残った食塊が気道に入ってしまう。

嚥下中の誤嚥
嚥下反射時に喉頭蓋の閉鎖が弱かったり気道の閉じるタイミングが遅れたりすることで、咽頭に残った食塊が気道に入ってしまう。

嚥下後の誤嚥
嚥下後に喉頭部に残留した食塊の送り込みが遅れたり、逆流したりして気道に入ってしまう。

不顕性誤嚥
→ P184

ココでた！

R2 問31
R1 問27

4 食事のアセスメントと支援

(1) 食事のアセスメント

食事のアセスメントでは、利用者の基本事項を踏まえたうえで、①身体機能、②精神機能、③嗜好・嗜癖・習慣・食生活状況、④食に関する意欲、⑤食に関する知識・技術などの利用者の状態、家族介護者の状態や食に関連する手段などについて、医師、看護師、理学療法士等、管理栄養士、介護福祉士、福祉用具専門相談員などさまざまな職種と連携して情報を収集します。特に、**介護職は利用者の小さな状況の変化に気づきやすいことから、密に**連携をとることが求められます。そして、食事という一連の生活行為のなかで、本人ができることと支援が必要な部分を明確にします。

(2) ケアプラン作成のポイント

利用者の介護や支援にかかわる専門職のすべてが目標を共有し、それぞれの役割をもって連携して課題を解決できるように調整していきます。

● 主な課題と支援方法の例

主な課題・ニーズ	主な支援方法
摂食・嚥下できない	● 歯科治療（歯科医師） ● 食形態のくふう、誤嚥防止の介護（介護職） ● 摂食・嚥下リハビリテーション（理学療法士・作業療法士）
食事動作や姿勢保持ができない	● リハビリテーション計画作成（理学療法士等） ● テーブルといすの形状や高さ、自助具の活用についてアドバイス（福祉用具専門相談員） ● 前傾姿勢を保てるようにクッションを用いるなど介護のくふう、見守り（介護職）
食事の内容や質が不十分	栄養士などによる訪問指導、食事内容・食事方法・食習慣の点検・指導

ココでた！

R4 問31
R3 問30
R2 問33

5 口腔ケアの効果

(1) 口腔の機能

口腔には、そしゃく、嚥下、味覚、発音・発声、呼吸などの機能があり、生命維持のほか、食を楽しみ、コミュニケーションをとるうえでも重要な役割を担っています。

（2）口腔ケアの効果

口腔ケアにより、次のような効果が望めます。

- 食物残渣を除去し、口臭、う歯・歯周病、粘膜疾患や誤嚥性肺炎を予防する。
- 口腔内を清潔に保ち、刺激により唾液の分泌を促すことで、味覚を正常に保つ。
- 口腔と口腔周囲を動かすこと、嚥下反射を促すことで、オーラルフレイルを予防し、口腔機能を維持・向上させる。

---

6 口腔ケアのアセスメントと支援

（1）口腔ケアのアセスメント

介護支援専門員は、口腔内の状態悪化が食事や嚥下機能のほか、全身状態にも影響する点を踏まえてアセスメントを行うことが大切です。可能であれば食事や口腔ケアの様子を観察するほか、必要に応じて歯科医師、歯科衛生士、言語聴覚士、管理栄養士、介護職など専門職にアセスメントを依頼して情報を収集し、解決すべき課題を明らかにします。

（2）ケアプラン作成のポイント

ケアプラン立案では、清潔保持のほか、口腔機能の維持・向上を含めた支援を念頭におき、多職種が連携して行います。

口腔内に痛み、義歯の不具合などがある場合は、歯科医院への通院か訪問診療をケアプランに位置づけます。摂食・嚥下リハビリテーションは、口腔の動き、嚥下、言語、食事などの多面的な機能評価とそれに対応する支援が必要となります。計画作成後も定期的に口腔ケアに関する課題について評価し、必要があれば計画の見直しを行います。

7 口腔ケアの方法

（1）口腔ケアの指導、見守り

口腔ケアは、毎食後に行うことが基本です。義歯を使用している場合は、義歯をはずして清掃しているか、うがいができているかなどを観察します。セルフケアができる場合は見守りを行い、できるのに行わない場合は声かけで促します。セルフケアが困難な場合には介助者がケアをします。

+1 プラスワン

唾液の働き
唾液には、口腔の清掃、創傷の治癒、義歯の装着時の安定、口腔諸組織の保護作用、味覚誘起、そしゃく・嚥下・発音の補助などさまざまな働きがある。

📖 用語

オーラルフレイル
口腔機能の軽微な低下や食の偏りなどを含む、身体の衰えの一つ。

 コこでた！
R3 問30
R2 問33

 コこでた！
R1 問29

(2) 口腔ケアの方法

取りはずせる義歯ははずし、歯ブラシを使用してブラッシングを行います。特に、麻痺のある人では麻痺のある側に食べかすが残留しやすいので注意が必要です。粘膜部分は洗口（せんこう）により汚れを除去し、できない場合は拭き取りをします。

食前には口腔周囲を動かす口腔ケア、食後には汚れを取り除く口腔ケアを行うのが望ましいです。特にターミナル期には、スポンジブラシや口腔ケア用ウエットティッシュなどでこまめに口腔内を拭（ぬぐ）います。

●口腔ケアの方法

①歯ブラシによるブラッシング	歯垢の除去など清掃効果が最も高い。
②歯間ブラシ・デンタルフロス	歯ブラシが届きにくい歯間部の清掃に使用する。 歯間ブラシ　　デンタルフロス
③舌ブラシ、スポンジブラシなど	舌の清掃に舌ブラシ、口腔粘膜のケアにスポンジブラシ、歯ブラシが使用できない場合にガーゼ、綿棒など。 舌ブラシ　　スポンジブラシ

(3) 義歯の手入れ

取りはずせる義歯は、夜間は取りはずし、研磨剤の入っていない義歯専用の歯磨き剤を使って、歯ブラシにより流水でていねいに磨きます。夜はきれいな水の中に浸しておきます。殺菌・消臭のため、義歯洗浄剤を使用することが望ましいです。

\\ チャレンジ！ // 過去＆予想問題

できたらチェック ☑

	問　題	解　答
□1	食事の目的には、食べることの喜びや楽しみを通して、その人がその人らしく生活を送ることができることも含まれる。 予想	○
□2	摂食・嚥下プロセスの先行期（認知期）は、食べ物をそしゃくする段階である。 R1	✗ 先行期（認知期）は、食物を確認・判断する段階
□3	摂食・嚥下プロセスの咽頭期では、咽頭に食塊が入ると、気道が閉じられて食道に飲み込まれる。 R2	○
□4	摂食・嚥下は、中枢神経と末梢神経により制御されている。 R1	○
□5	誤嚥は、嚥下前でも起こることがある。 予想	○
□6	歯の噛み合わせを保持することは、そしゃく機能や平衡感覚の保持、瞬発力の発揮などに大きく影響している。 予想	○
□7	医師は、食事の介護のアセスメントにかかわる必要はない。 R2	✗ 医師などさまざまな職種からの情報が必要
□8	唾液には、口腔内の自浄作用がある。 R3	○
□9	口腔内・口腔周囲を動かすことは、オーラルフレイル予防につながる。 R4	○
□10	口腔ケアは、誤嚥性肺炎の予防効果は期待できない。 予想	✗ 予防効果がある
□11	口腔ケアには、摂食・嚥下リハビリテーションを行うことは含まれない。 予想	✗ 含まれる
□12	本人から訴えがなくとも、義歯が合わないなど口腔に何らかの問題がある場合には、歯科受診を検討する。 R3	○
□13	口腔ケアは、毎食後に行うことが基本である。 予想	○
□14	口腔内を清掃する際は、義歯ははずさない。 R1	✗ 義歯をはずして行う

排泄の介護

レッスンの
ポイント ▶
- ●排泄障害には排尿障害と排便障害がある
- ●排泄介護では、高齢者の自尊心に配慮する
- ●排尿障害の種類に応じ適切な排泄用具を選ぶ
- ●排泄リズムをつくるためほかの介助内容とあわせて検討する

1 排泄障害への理解

(1) 排泄の機能と排泄障害

　排泄は、体内での物質の代謝の結果生じた不要物を、排尿、排便、発汗などによって体外に排出することで、生命の維持や健康の保持のために不可欠な活動です。

　排泄障害とは、尿意や便意を知覚してから、排尿や排便をするまでのいくつかの連続した行為の一部または全部に障害をきたした状態をいいます。排泄障害には、排尿障害と下痢や便秘などの排便障害があります。

排尿障害
→ P183

(2) 排泄介護の考え方

　排泄は、日常生活のなかでも、複雑でプライベートな営みであり、排泄障害の介護は、介護者のみならず、高齢者にとっても心理的に負担の大きいものとなります。**高齢者の**自尊心**に配慮し、高齢者ができるかぎり**自立**した排泄行動がとれる**ようにきめ細かな対応をすることが求められます。

コ**コでた!**
R3 問29

2 排泄介護のアセスメントと支援

　アセスメントにおいては、利用者の排泄の状態や排尿障害・排便障害の特徴を把握し、利用者の自立度に応じた排泄場所や排泄用具を検討します。排尿・排便コントロールは、生活内容との関係で考え、多職種と連携して食事内容(水分量)や排泄間隔、日中の活動状況などを確認して**排泄リズムを整えられるように支援**します。

　また、家族介護者の排泄介助に伴う身体的・心理的・経済的・社会的影響を理解し、介護者が少しでも楽になれるように支援す

ることが大切です。

ケアプランでは、自立支援の観点が重要です。利用者のプライバシーに配慮し、見守りの方法についても留意します。

なお、排泄障害は、すべてが医学的治療を要するものではありません。課題に応じた適切な支援、環境整備が必要です。

◉**排泄障害の課題と主な支援**

障害	対応
機能性尿失禁	●排泄に関する一連の日常生活動作、トイレへの距離など排泄環境の課題を分析。 ●夜間はポータブルトイレを使用するなど排泄用具を検討。
切迫性尿失禁	膀胱訓練で膀胱の容量を増やすトレーニング。
腹圧性尿失禁	骨盤底筋訓練などで骨盤底筋力を高める。
神経因性膀胱	神経障害により尿が出にくいため、導尿やバルーンカテーテル法を検討。
下痢	便秘に使用する緩下剤で下痢になることもあり、服薬状況を確認。下痢の際は水分補給で脱水を予防する。
便秘	水分補給、適度な運動、自然排便への働きかけ。

介護技術は比較的平易な設問になるので、排泄障害のように正確な知識が問われるものに力を入れるといいよ。P183「尿失禁」もあわせて学習しよう。

保健医療サービス分野

Lesson 12 ★★★ 排泄の介護

 ＼ チャレンジ！ ／ 過去＆予想問題

できたらチェック ☑

	問題		解答
□ 1	排泄介護を行う際には、高齢者の自尊心に配慮することが大切である。 予想	◯	
□ 2	尿失禁は、すべてが医学的治療を必要とする。 予想	✕	医学的治療を要しないものもある
□ 3	食事内容の確認は、排泄のコントロールに必要である。 R3	◯	
□ 4	腹圧性尿失禁では、骨盤底筋訓練が有効である。 予想	◯	
□ 5	高齢者に下痢がある場合は、水分補給は控えなければならない。 予想	✕	脱水予防のために水分補給する

Lesson
13

重要度
A
★★★

褥瘡への対応

レッスンの
ポイント

● 褥瘡の発生には、全身的・局所的・社会的要因がある
● 褥瘡が最もできやすいのは仙骨部である
● 褥瘡の予防には、圧迫除去、清潔、栄養状態の改善
● 圧迫除去には、体位変換のほか体圧分散用具を用いるとよい

ココでた！

R5 問29
R3 問34
R2 問32

褥瘡の発生リスクを軽
減するために、ケアマ
ネジャーとして知ってお
くべき知識は何かとい
う視点が重要です。

ココでた！

R5 問29
R3 問34
R2 問32

1 褥瘡の発生要因

　褥瘡（床ずれ）は、持続的な圧迫、摩擦、ずれなどの外力により
血流が途絶え、皮膚や皮膚組織に障害を起こした状態です。
　加齢などによる皮膚の脆弱化、皮膚の不潔、湿潤、摩擦などの
局所的要因、低栄養などの全身的要因、介護力不足などの社会
的要因が、相互に影響し、褥瘡の発生にかかわっています。

◉**褥瘡の発生要因**

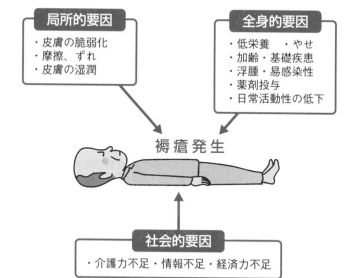

局所的要因
・皮膚の脆弱化 ・摩擦、ずれ ・皮膚の湿潤

全身的要因
・低栄養　・やせ ・加齢・基礎疾患 ・浮腫・易感染性 ・薬剤投与 ・日常活動性の低下

褥 瘡 発 生

社会的要因
・介護力不足・情報不足・経済力不足

2 褥瘡のできやすいところ

(1) 褥瘡のできやすいところ

　褥瘡は、接続的に圧がかかりやすい部位にできやすく、特に仙
骨部に多くみられます。足部、大転子部、下腿部、胸腰椎部、肩
甲骨部、踵部（かかと）、後頭部などもできやすい部位です。

麻痺や認知症で寝返りができない、腰を上げられない、失禁がある、栄養状態が悪い、やせている、感覚障害のある人は、発生リスクが高くなります。

(2) 褥瘡の進行と深度

褥瘡の発生直後から約1、2週間の時期を急性期、それ以降を慢性期と呼びます。発生初期には、紅斑（発赤）が現れます。慢性期になると浅い褥瘡（Ⅱ度）になり、さらに深い褥瘡（Ⅲ度〜Ⅳ度）になると赤みが黒色に変わります。適切な対応により、慢性期に移行せず、赤みが消えて治癒することもあります。

3 褥瘡の予防と対応

褥瘡は、比較的短時間でも発生します。ふだんから皮膚の状態をよく観察しておくことが大切です。いったん生じると治りにくいため、予防のための支援が重要になります。

褥瘡の局所的・全身的・社会的要因と利用者のおかれている状況を踏まえて、リスクアセスメントを行い、主治医、看護職員、薬剤師、栄養士、理学療法士、介護職員など多職種と連携して、褥瘡予防と体調管理のための支援を行います。

● **褥瘡のできやすいところ**

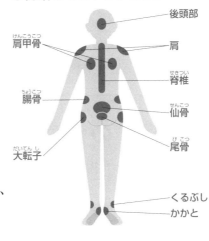

- 後頭部
- 肩甲骨（けんこうこつ）
- 肩
- 脊椎（せきつい）
- 腸骨（ちょうこつ）
- 仙骨（せんこつ）
- 大転子（だいてんし）
- 尾骨（びこつ）
- くるぶし
- かかと

+1 プラスワン

褥瘡の4段階

Ⅰ度	表皮にとどまる。
Ⅱ度	真皮に達する。
Ⅲ度	脂肪組織に達する。
Ⅳ度	筋肉ないし骨組織に達する。

特に車いすの人では、圧がかかる肩甲骨部や臀部にもできやすいよ。

ココでた！

R5 問29
R2 問32

● **褥瘡予防のための支援**

局所対応	圧迫の除去	● 長時間同じ体位をとらないよう体位変換（2時間ごと）を行う。 ● 体位が楽に保てるように、背中や足に枕やクッションをあてがう。 ● 特定の部位に圧力が集中しないようエアーマットなどの体圧分散用具を併用するとよい。ただし、**併用している場合でも体位変換は必要。**
	清潔保持、皮膚の保護	● 圧迫されやすい箇所のスキンケアやマッサージ（発赤部へのマッサージは厳禁）。 ● 入浴により、皮膚を清潔にして血液の循環をよくする。 ● 入浴ができない場合は清拭。 ● 失禁対策。 ● 寝衣・寝具は清潔を保ち、摩擦の少ないやわらかいものを選ぶ。
全身対応	栄養状態の改善	● 栄養バランスをとりながら、たんぱく質やカロリー、ビタミンが不足しないようにする。栄養補助食品も活用。

社会対応	家族や介護者への支援	●介護の知識や技術を指導、必要なサービスや資源の導入。
	多職種連携	褥瘡の経過や状態に応じて、主治医、看護職員、薬剤師、栄養士、理学療法士、介護職員、社会福祉士など多職種と連携して支援を行う。

コ コ で た !
R5 問29

褥瘡の軟膏の塗布は医療行為にあたるので、介護職が行うことはできないんです。

4 褥瘡の治療

　できてしまった褥瘡については、医療職により、消毒、軟膏の塗布、創傷被覆材（ドレッシング材）の使用などの保存的治療のほか、外科的治療（手術療法）が状態に応じて行われます。

　また、褥瘡の創面からは、分泌液や滲出液などにより、たんぱく質などの栄養分が失われますので、十分な栄養補給が必要となります。細菌も繁殖しやすいため、進行した段階では敗血症など感染症の合併症に気をつけます。

\\ チャレンジ！ //
過去＆予想問題
できたらチェック ☑

	問題	解答
□1	排泄物による皮膚の湿潤が加わることで、褥瘡が生じやすくなる。 **R3**	○
□2	半座位や座位では、肩甲骨部には発生しない。 **R2**	✕ 発生しやすい
□3	同一部位への長時間にわたる圧力を減少させるためには、体圧分散用具を用いるとよい。 **R2**	○
□4	血液の循環を促すため、発赤部位について特に丁寧にマッサージを行う必要がある。 **予想**	✕ 発赤部へのマッサージは症状を悪化させる
□5	褥瘡がある場合には、入浴をしてはならない。 **予想**	✕ 入浴により皮膚を清潔にして血液循環をよくする
□6	褥瘡は、細菌感染の原因となる。 **R5**	○
□7	褥瘡の発赤の段階では、介護職が軟膏の塗布を行うことができる。 **予想**	✕ できない

238

Lesson 14 睡眠の介護

重要度 **B** ★★☆

レッスンの
ポイント

- 一般に高齢になると不眠を訴えることが多くなる
- 不眠には入眠困難、中途覚醒、早朝覚醒、熟眠障害がある
- 睡眠時無呼吸症候群などは昼間の眠気の原因となる
- 快適な就眠環境をつくる

1 睡眠の機能と睡眠障害

睡眠には、心身の疲労を回復させ、休息を与え、生活のための活力を蓄えるという機能があり、ノンレム睡眠（脳を休ませる）とレム睡眠（眠りが浅い）という2つの状態を繰り返しています。睡眠が量的・質的に悪化すると、健康上の問題や生活への支障が生じます。

睡眠に関連する多様な病気を睡眠障害といい、なかでも多いのが不眠症です。一般的に高齢者は、不眠を自覚することが多くなります。睡眠時無呼吸症候群やレストレスレッグス症候群などは不眠の原因ともなるため、医師による専門的な診断と治療が必要です。

◉不眠症の種類

入眠困難	寝床に入っても、なかなか寝つけない。
中途覚醒	夜間に目が覚めて、その後眠りにつきにくい。
早朝覚醒	早朝に目が覚めて、その後眠れなくなる。
熟眠障害	睡眠時間はある程度とれているが、睡眠が浅く、すっきりと目覚めることができない。

2 睡眠のアセスメントと支援

不眠症により日中の集中力や注意力が低下し、昼間の転倒・骨折などにつながることもあります。アセスメントにより睡眠を阻害する要因を明確にし、その要因をできるかぎり取り除き、またはコントロールできるよう配慮します。

就寝時は、安眠できるよう就眠環境に配慮し、多量の飲酒やカ

コ コ でた！
R3 問30
R1 問28

+1 プラスワン

睡眠時無呼吸症候群
睡眠中に無呼吸や低呼吸を繰り返して酸素不足となり、中途覚醒や昼間の眠気、熟眠感がないなどの症状が出る。

レストレスレッグス症候群（むずむず脚症候群）
夕方から深夜にかけて、下肢を中心として、むずむずするような不快感や痛みが現れる。

コ コ でた！
R1 問28

フェインなど刺激物の摂取を避けるようにします。眠れない場合は、足浴など足を温めてリラックスを図ることも効果的です。

また、起床時には失われた水分を補給し、1日の規則的な排便リズムにつなげられるよう支援します。日中には、適度な運動をするなど昼夜の生活リズムを整えられるよう配慮し、就寝時、起床時のケアを実施します。

◉不眠症の主な要因

日中の生活	日中の居眠りが多い、活動量が不足している、生活リズムが崩れている。
身体状況	痛み、かゆみ、咳、呼吸困難、頻尿^{ひんにょう}などの身体症状。
疾患の存在	認知症やうつ病など脳の器質的・機能的疾患による睡眠パターンの変化。
精神的不安	抑うつ、ストレス、不安、イライラ。
環境（特に夜間）	就眠時の騒音、温度、湿度、光、寝具が不適切、施設への入所など生活環境の変化。
薬や嗜好品の影響	睡眠薬の多用など薬物の副作用、カフェインを含む飲料（コーヒー、紅茶、緑茶）、多量の飲酒。

よく眠れると思って寝る前にお酒を飲む人もいるけど、眠りが浅くなって、安眠のためには逆効果なんだ。

 \\ チャレンジ！ //

過去＆予想問題

できたらチェック ☑

	問 題	解 答
□1	眠りが浅く、すっきりと目覚められないことを、早朝覚醒という。 R1	✕ 熟眠障害という
□2	予定より早く目覚め、その後眠れなくなってしまうことを熟眠障害という。 R3	✕ 早朝覚醒という
□3	睡眠時無呼吸症候群、レストレスレッグス症候群などは、不眠の原因となる。 予想	◯
□4	不眠症は、痛みやかゆみ、咳、呼吸困難、頻尿などが原因となることがある。 予想	◯
□5	薬の副作用によって、夜間に興奮または覚醒し、不眠になることがある。 R1	◯
□6	起床時の覚醒水準を高めるケアを行うことで、規則的な排便リズムへの効果が期待できる。 R1	◯

Lesson 15

重要度 **B** ★★★

入浴・清潔の介護

レッスンの ポイント

- 清潔保持には、生理的・心理的・社会的意義がある
- アセスメントは、多職種が連携して行う
- プライバシーへの配慮をする
- 清潔の介護は、全身状態を観察する機会にもなる

1 入浴・清潔の介護の意義

清潔とは、汚れがなく衛生的であることで、次の意義があります。

- 生理的な意義→汚れを取り除き、身体を保護し、各機能をより健康的に保持する。
- 心理的な意義→爽快感、やすらぎ、快適な気分が得られ、苦痛や倦怠感を軽減する。
- 社会的な意義→生活や活動への意欲、社会性を高める。

2 入浴・清潔のアセスメントと支援

（1）入浴・清潔のアセスメント

コこでた！
R4 問30
R3 問30

アセスメントは、多職種が連携して行います。情報収集にあたっては、プライバシーへの配慮もしながら、利用者の皮膚の状態の確認や感染症の有無、脱衣所や浴室、浴槽内の動作、姿勢保持の状態、本人の残存能力を活用する見守りや言葉かけなどについて確認します。

特に介護職は、介助を通じて利用者の身体状況を確認する機会が多くあります。サービス提供当日には、介護職によるバイタルチェックが欠かさず行われるようにし、皮膚に発赤がないか、不自然なあざがないか、前回のサービス提供時と比べて変化がないか、入浴前後の水分補給でふらつきがなくなったかなどの小さな変化も含め、介護職によるアセスメントの結果をすみやかに共有できるようにします。

また、当日の状況に応じて、手浴、足浴などの部分浴に変更する可能性があることなど、事前の情報収集も必要になります。

（2）ケアプラン作成と支援のポイント

　入浴・清潔の介護では、利用者の希望を取り入れるほか、必要に応じて、住宅改修や福祉用具の導入を考えます。また、整容は利用者の意欲向上に関連する部分です。利用者の残存能力を活用し、外出や近隣との交流の機会が増える効果があることも考慮します。

●主な入浴・清潔介護の留意点

入浴	全身の保清を図り、血液循環や新陳代謝を促すなどの効果があるが、全身の血液循環の状態（循環動態）への影響が大きいため、入浴前後の身体状態を観察。ヒートショック（急激な温度差により血圧が上昇し、脳血管障害や心疾患を引き起こすこと）、転倒、溺水、やけどなどの事故に留意する。身体状況に応じ、浴室の改修や入浴補助用具の導入など環境整備をする。
清拭	居室の室温を適正に調整する。羞恥心や感染予防のため露出を最小限にする。
手浴、足浴	やけど予防、適温調整、拘縮が強い場合は良肢位を保つ。
洗髪	頭皮および毛髪に異常がないか事前に観察。洗髪後は乾燥させる。
整髪	髪の毛を整える。自費となるが、理美容サービスの利用も考慮する。
洗顔	目、鼻、耳の汚れもきれいに取り除く。
爪切り	特に足指の爪の状態を観察する。
化粧	利用者の社会性を高め、心理的な変化をもたらす意義があることを理解する。

＼＼ チャレンジ！ ／／
過去＆予想問題
できたらチェック ☑

	問題	解答
□1	身体の清潔の援助は、全身の皮膚を観察し、早期に褥瘡や脱水などの異常を発見する機会となる。 予想	○
□2	入浴の際に、新しいあざを見つけても、褥瘡でなければ、そのままにしてもかまわない。 予想	✕ 適切な対応が必要
□3	入浴によって、循環動態に負荷を与えることはないため、心身のリラックスに重点をおいた介護を行う。 予想	✕ 循環動態に負荷を与えるためリスク管理が重要
□4	清拭をするときには、その部屋の温度を確認する。 R4	○
□5	整髪は本人の外出の意欲を高める意義があり、介護保険の給付の対象となっている。 予想	✕ 外出の意欲を高め意義があるが給付対象外

リハビリテーション

レッスンの
ポイント

- 予防的・治療的・維持的リハビリテーションがある
- 予測される危険性に配慮したリハビリテーションを行う
- 失語症では、コミュニケーション環境をくふうする必要がある
- リハビリテーションは機能レベルにあわせ無理なく行う

1 リハビリテーションの機能

リハビリテーションは、その果たす機能と時期によって予防的リハビリテーション、治療的リハビリテーション（急性期・回復期）、維持的リハビリテーションにわけられ、介護保険では維持的リハビリテーションが行われます。

（1）予防的リハビリテーション

膝痛、腰痛、転倒、骨折、加齢による衰弱などにより心身機能の低下が進み、要介護となるリスクが高い人に対し、早期発見、早期対応を重視した介護予防の取り組みを行います。地域支援事業などで実施しています。

（2）治療的リハビリテーション（急性期・回復期）

急性期リハビリテーションでは、**廃用症候群の予防と早期からのセルフケアの自立を目的**として、急性期病床において、発症直後からベッド上の体位保持、定期的な体位変換などが行われます。その後、意識がほぼ回復した状態では、座位訓練、移乗動作などの基本的リハビリテーションを実施します。次に、回復期リハビリテーションでは、回復期リハビリテーション病棟において、最大限の機能回復、ADL の向上と早期社会復帰を目標としたリハビリテーションを実施します。

（3）維持的リハビリテーション

維持的リハビリテーションは、急性期、回復期を終了した段階において、生活機能の維持向上、活動性の向上をめざして行われるリハビリテーションです。活動性が低下し、一度獲得した機能が低下することもあるため、迅速な対応が必要となります。

ココでた！
R5 問30
R4 問33

時期でわけた場合に、維持的リハビリテーションを「生活期リハビリテーション」といったりもします。

維持期リハビリテーションからは、介護保険で対応するよ！

また終末期にも、身体機能の維持や介護負担の軽減、QOL の向上をめざしてリハビリテーションが行われます。

2 ADL、IADL への支援とリスク管理

ADL、IADL の援助では残存能力を積極的に使い、**自助具・福祉用具の活用や居住環境の整備**により、可能なかぎり自立を促し、介助者の負担を軽減します。

また、リハビリテーションを行う際には、予測される危険性（リスク）を理解し、事故が起こったときの対処方法を熟知しておくことが大切です。特に運動が制限される疾病や障害の有無、許容される運動の内容と強度、運動の中止基準についてはよく把握しておきます。

●リハビリテーション中に起こりやすいリスク

運動時	低血糖発作、呼吸困難、痛みの増悪、転倒
食事介助	誤嚥、窒息
医療機器装着	人工呼吸器、酸素吸入時の事故
治療機器取扱中の事故	温熱療法、電気刺激療法、牽引療法、斜面台、平行棒など
感染	飛沫、密な接触、リハビリテーション器具を介した感染など

3 配慮すべき障害・症状

(1) 廃用症候群

廃用症候群は長期化すると改善が難しくなり、何よりも予防的なアプローチが大切になります。

コこでた！
R5 問30

📖 用語

ADL（日常生活動作）
生活を営むうえで不可欠な基本的な動作。一般的には、起居移動、食事、着替え、入浴、排泄、整容の6つをさす。

IADL（手段的日常生活動作）
ADL よりも複雑で高次な行動や行為で、炊事・洗濯・掃除・買い物・金銭管理・趣味活動・車の運転などがある。

コこでた！
R2 問28
R1 問31

廃用症候群
➡ P183
拘縮
➡ P193

●廃用症候群の予防的アプローチ

拘縮の予防	適切な体位の保持、装具などによる良肢位の保持、最低1日に1回関節を動かす、早起きして活動的な生活を促す。
筋力低下・筋萎縮の予防	趣味や余暇活動に積極的に参加し活動的な生活を送る。
褥瘡の予防	定期的な皮膚の観察と体位変換など（➡ P238）。
心肺系の廃用の予防	全身状態に留意しながら早期から段階的に身体を起こしていく。
骨粗鬆症の予防	早期リハビリテーション、活動性の向上。

(2) 痙縮
<ruby>痙縮<rt>けいしゅく</rt></ruby>

筋肉の緊張が異常に高まった状態です。精神的不安、緊張、疲労、天候の変化、尿路感染、尿路結石、褥瘡、痛み、膀胱の充満などで強まるため、これらの要因を把握し、適切に対応します。

(3) 感覚障害

脳卒中、<ruby>脊髄<rt>せきずい</rt></ruby>損傷、末梢神経障害などでは、痛みや温度、手足の動きなどの感覚が鈍くなります。そのため、動作が困難になるほか、手足の位置を確認せずに運動を行い手足を傷つけたり、転倒したりする危険もあります。また、重度になると温度や痛みを感じないため、やけどや褥瘡が起こりやすくなります。特にこたつなどでの低温やけどに注意が必要です。

(4) 運動麻痺

脳や脊髄の病気により生じる中枢性麻痺と末梢神経や筋肉の病気により生じる末梢性麻痺があります。障害部位や程度により現れ方は異なりますが、一般に、中枢性<ruby>麻痺<rt>まひ</rt></ruby>では**手足が突っ張り思うように動かせなくなり**、末梢性麻痺では**力が入らなく**なります。

リハビリテーションを実施するうえでは、あらかじめ運動麻痺の程度や分布、回復の見通しを把握することが大切です。

(5) 痛みやしびれ

高齢者では、肩関節、膝関節の痛み、腰痛、脳卒中に伴う視床痛、糖尿病性末梢神経障害に伴う痛みなどがよくみられます。痛みのため動作が不活発となり、廃用症候群につながることもあるため、積極的に痛みを治療して苦痛をやわらげます。

(6) 歩行障害

歩行障害は、脳卒中、脊髄損傷、パーキンソン病などの神経疾患、変形性関節症や骨折、心臓や肺の疾患によっても起こるため、その原因を見きわめ、歩行訓練、装具・つえの活用、安全な歩行の確立、全身持久力の向上、実用性の向上などを行います。

(7) 精神的問題

特に認知症とうつ状態への対応が重要になります。認知症では回想法などの療法や身体運動の励行、環境整備などで生活のリズムをつくり、活動性の維持・向上を図ります。うつ症状は励ますと逆効果になることがあり、注意が必要です。高齢者では身体症状が前面に立つ仮面うつ病もあり、見逃さず適切に対応します。

+1 プラスワン

脊髄損傷
脊髄の損傷により、感覚麻痺、運動麻痺、排尿・排便障害などが起こる。損傷が上部にあるほど機能障害が重くなり、第4頸椎損傷では、呼吸筋が麻痺する。

+1 プラスワン

痛みの緩和
薬物療法、ブロック療法、運動療法、ストレッチ、温熱療法、姿勢や日常生活の指導など。

注目！

半側空間無視など高次脳機能障害は要チェック。

失語症の障害は話すことだけじゃないんだね。

(8) 失語症と半側空間無視

脳の病変により、失語症、失認、注意障害、記憶障害、遂行機能障害、社会的行動障害などの高次脳機能障害が現れ、日常生活やケアに大きな影響を与えます。

このうち失語症は大脳の言語中枢の障害で、構音器官の障害である構音障害とは原因などが異なることに留意しましょう。

失語症には下記のものがあり、いずれも、コミュニケーション環境をくふうする必要があります。

- ●主に言葉の表出が障害される運動失語
- ●理解が障害される感覚失語
- ●物の名前を呼ぶことが困難となる失名詞失語
- ●復唱が障害される伝導失語
- ●言語機能全般が障害される全失語

失認は、意識障害や感覚麻痺はないのに対象となる物の把握や認識ができなくなるものです。このうち、左片麻痺によくみられるのが左半側空間無視（失認）です。左半分を無視してしまい、左側から話しかけても反応が鈍いため、失認空間への注意を向けるくふうやリハビリテーションを行います。

4 日常生活自立度別のリハビリテーションのポイント

リハビリテーションは、機能レベルにあわせ、日常生活のなかで無理なく続けられる効果的なものを行うことが大切です。

◉「障害高齢者の日常生活自立度」判定基準と援助

ランク		生活状態	援助のポイント
J	独力で外出	何らかの障害を有するが、日常生活はほぼ自立しており、独力で外出する。 1　交通機関などを利用して外出する 2　隣近所へなら外出する	●歩行能力や体力をできるだけ維持・向上させ、活動的な生活が送れるように援助する。
A	屋内はおおむね自立	屋内での生活はおおむね自立しているが、介助なしには外出しない。 1　介助により外出し、日中はほとんどベッドから離れて生活する 2　外出の頻度が少なく、日中は寝たり起きたりの生活をしている	●移動しやすい生活環境の整備、外出機会の確保やリハビリテーションの実施。

B	屋内は車いすで移動	屋内での生活は何らかの介助を要し、日中もベッド上での生活が主体であるが座位を保つ。 1　車いすに移乗し、食事、排泄はベッドから離れて行う 2　介助により車いすに移乗する	●下肢筋力の維持・向上と立位バランス安定のための訓練、段階的歩行訓練を実施。 ●外出機会を確保し、社会的活動性の向上にも配慮。 ●ランクB2では、介護者への介助方法の指導、介護者支援も重要。
C	ベッドでの生活	一日中ベッド上で過ごし、排泄、食事、着替えにおいて介助を要する。 1　自分で寝返りをうつ 2　自力では寝返りもうたない	●健康状態の維持、合併症の予防、介護環境の整備と介護者への支援、社会資源の的確な活用など。

＼＼チャレンジ！／／ 過去＆予想問題

できたらチェック ☑

	問題	解答
□1	急性期病床は、急性期リハビリテーションの提供の場である。 **R5**	〇
□2	回復期リハビリテーション病棟では、多職種による集中的なリハビリテーションが提供される。 **R4**	〇
□3	運動が制限される疾病や障害がある場合には、リハビリテーションを行ってはならない。 **予想**	✕ 許容される運動の内容と強度、運動の中止基準などを把握のうえ行う
□4	リハビリテーション中には、リハビリテーション器具を介した感染に対する注意が必要である。 **予想**	〇
□5	運動に伴って低血糖発作が起こることがある。 **R5**	〇
□6	感覚障害では、低温やけどに注意する。 **予想**	〇
□7	失語症の主な原因は、構音器官の障害である。 **予想**	✕ 大脳の言語中枢の障害
□8	高次脳機能障害における失語症には、話そうとするが言葉が出てこないという症状も含まれる。 **R2**	〇
□9	左半側空間失認では、失認空間に注意を向けないように、リハビリテーションのくふうをする。 **予想**	✕ 左半分の失認空間に注意を向ける

Lesson 17 重要度 A ★★★ 認知症

レッスンの
ポイント

- アルツハイマー型認知症と血管性認知症が多い
- 治療で治るものがあり鑑別診断が重要
- BPSDは個人因子や環境因子の影響を強く受ける
- 認知症施策推進大綱は「共生」と「予防」を車の両輪とする

1 認知症の原因疾患

認知症は、介護保険法では「アルツハイマー病その他の神経変性疾患、脳血管疾患その他の疾患（特定の疾患に分類されないものを含み、厚生労働省令で定める精神疾患を除く）により日常生活に支障が生じる程度にまで認知機能が低下した状態」と定義されています。認知症の原因疾患として多いのは、アルツハイマー型認知症と血管性認知症です。

+1 プラスワン

原因疾患の割合
アルツハイマー型認知症が約7割、血管性認知症が約2割、レビー小体型認知症が4.3%、前頭側頭型認知症が1.0%（出典：「都市部における認知症有病率と認知症の生活機能障害への対応」2013年報告）。

厚生労働省令で定める精神疾患
せん妄、うつ病その他気分障害、精神作用物質による急性中毒またはその依存症、統合失調症、妄想性障害、神経症性障害、知的障害その他これらに類する精神疾患。

●認知症の原因疾患（認知症様の症状をきたす疾患を含む）

神経変性疾患	アルツハイマー型認知症・アルツハイマー病、レビー小体型認知症・レビー小体病、前頭側頭型認知症・前頭側頭葉変性症　など
脳血管障害	血管性認知症
外傷性疾患	脳挫傷、慢性硬膜下血腫*
感染症	進行麻痺（梅毒）、脳膿瘍、単純ヘルペス脳炎後遺症、エイズ
内分泌代謝性疾患	甲状腺機能低下症*、ビタミン B_{12} 欠乏症*
中毒	一酸化炭素中毒後遺症、メチル水銀中毒、慢性アルコール中毒
腫瘍	脳腫瘍（髄膜腫）
その他	正常圧水頭症*、てんかん*

＊早期の治療で回復するため、認知症と定義されないことがある

248

2 認知症の一般的な症状

コロでた！
R4 問32

認知症の症状は、中核症状（認知症状）とBPSD（Behavioral and Psychological Symptoms of Dementia：認知症の行動・心理症状）に大きくわけられます。また、認知症は、その症状により生活障害を引き起こす点にも注意が必要です。

中核症状は、脳の病変により必ず現れる認知症状です。記憶障害、見当識障害、計算力・理解力・判断力・注意力の低下、遂行機能障害（実行機能障害）、失行や失認などがあり、病識の低下や他者の気持ちを理解できないなどの社会的認知（社会脳）の障害も含まれます。

BPSDは、中核症状に加え、性格や生いたちなどの個人因子、住環境やケアの状況などの環境因子の影響を強く受ける症状で、徘徊、暴言などの行動症状、幻覚、妄想などの心理症状があります。BPSDは、発症要因や誘因を取り除き、適切な対応をすることで予防や改善が可能です。

用語

見当識障害
日時・場所・人物などの理解が障害されること。

遂行機能障害
ものごとを総合的に考え、計画し、筋道立てて遂行していくことができなくなること。

●認知症の中核症状とBPSD

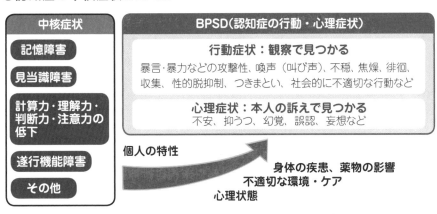

●認知症の進行過程

初期／軽度	健忘が中心で、認知障害によりIADL障害がみられるが、ADLは保たれる。
中期／中等度	聞いたことをすぐ忘れるようになり、ADLに支援が必要になる。
進行期／重度	認知機能障害が重度になり、言葉も減り、コミュニケーションが難しくなる。排尿コントロールも困難になる。
終末期	寝たきりになり、発語はほとんどなく、尿便失禁、嚥下困難となり、いずれは死に至る。

+1プラスワン

BPSDは、認知症の進行初期から現れ、中度に多くなるといわれるが、症状には個人差がある。

保健医療サービス分野

Lesson 17 ★★★ 認知症

用 語

近時記憶
数分から数か月の最近の
記憶。

血管性認知症やレビー
小体型認知症では比較
的病識が保たれます。
記憶障害や見当識障害
以外の認知症の症状に
も着目しましょう。

レビー小体型は、症状
が特徴的なので試験で
も出題されやすいよ！

用 語

レム睡眠行動障害
浅い睡眠であるレム睡眠
のときに体が動き出してし
まう睡眠障害。悪夢によ
り大きな声で叫んだり、暴
れたりする。

3 各認知症の特徴

（1）アルツハイマー型認知症

　アルツハイマー型認知症を引き起こすアルツハイマー病は、脳にアミロイドβとタウたんぱく質が異常に蓄積し、正常な神経細胞が減少していくもので、ゆるやかに進行していきます。

　主症状となる健忘は、初期から現れます。主にエピソード記憶の障害が中心で、近時記憶の**障害が著しい**です。嗅覚低下も初期症状として現れます。病識が低下し、取り繕いが目立ち、見当識障害、注意障害、遂行機能障害なども現れます。適切に対応しないと、もの盗られ妄想などのBPSDを引き起こしやすく、進行すると身体機能が低下していきます。

（2）血管性認知症

　血管性認知症は、脳梗塞や脳出血などが原因で引き起こされる認知症です。近年では広範囲の大脳白質虚血により起こるもの（ビンスワンガー型）が多く、認知反応が遅くなり、アパシー（著しい意欲や自発性の低下）やうつ状態が引き起こされます。大脳基底核に血管性病変があると、パーキンソン症状などの運動障害も伴います。構音障害や嚥下障害も比較的早期からみられます。

　ビンスワンガー型は、アルツハイマー型認知症と同様に、ゆるやかに進行するケースも多いといわれます。

（3）レビー小体型認知症

　レビー小体型認知症は、αシヌクレイン（レビー小体）というたんぱく質が、大脳のほか脳幹部や末梢自律神経系にも広く異常沈着することにより起こります。このため、認知障害だけではなく、多様な症状がみられます。また、症状の変動（覚醒レベルの変動）があり、転倒はアルツハイマー型認知症の10倍多いといわれています。

●レビー小体型認知症の特徴的な症状

①	レム睡眠行動障害	
②	うつ	比較的早期に出現
③	嗅覚低下	
④	パーキンソン症状	
⑤	現実的で詳細な内容の幻視	
⑥	起立性低血圧、血圧の変動、失神、便秘などの自律神経症状	

(4) 前頭側頭型認知症

　脳の前頭葉と側頭葉が集中的に萎縮することに特徴があります。主に前頭葉が萎縮するタイプでは、記憶は比較的保たれるものの、病識を欠き、他人の気持ちの理解や共感ができなくなります。すぐに怒り、反社会的な衝動的行動、同じ行動を繰り返すこと（常同行動）も目立ちます。主に側頭葉が萎縮するタイプでは、物の名前が出てこないなどの意味記憶障害、相貌失認がみられます。いずれも徐々に進行し、活動性が低下していきます。

4 若年性認知症

　若年性認知症は、一般に65歳未満で発症したものをいい、認知症全体の1%程度を占めます。高齢での発症と比べて進行が比較的速く、前頭側頭型認知症の割合も高いです。初期には、うつ病や統合失調症と思われて、診断が遅れる傾向があります。

　就業を続けるのが困難になり、福祉や雇用の施策も活用されにくいため、本人やその家族が経済的な困難に陥りやすくなります。

　就労支援、精神障害者保健福祉手帳の取得や障害年金の申請など利用できる制度についての情報提供も大切になります。

5 認知症とは区別される状態

(1) MCI（軽度認知障害）

　MCI（軽度認知障害）は、健常者と比べて、なんらかの認知機能が以前よりも低下しているが、認知症とはいえない状態です。MCIがすべて認知症に移行するわけではなく、生活習慣を改善し、早期に対策を行うことが重要です。

(2) せん妄

　せん妄はBPSDにしばしば合併しますが、認知症とは区別されます。原因・誘引の除去のほか、薬物治療で症状が消失します。

(3) うつとアパシー、被害妄想

　うつやアパシーが続くと健忘を伴いますが、見当識は保たれており、適切な薬剤や心理療法で軽快します。ただし、認知症の初期症状にうつ症状やアパシーもあるため、鑑別診断が必要です。

　また、老年期には、喪失体験から被害的な妄想が現れやすくなりますが、認知機能は保たれています。妄想がある場合は、老年期の統合失調症との鑑別診断が必要になります。

 用語

相貌失認
顔を見ても、誰だかわからなくなること。

 ココでた！
R4 問32

+1 プラスワン

若年性認知症は、医学的には「初老期の認知症」といい、介護保険の特定疾病（→ P48、49）に指定されている。

 ココでた！
R5 問31

せん妄
→ P179

アパシーにはうつと異なる薬剤が有効なので、見わけて対応することが必要です。

保健医療サービス分野

Lesson 17　★★★　認知症

+1 プラスワン

観察式の評価
認知機能と生活・介護状況から重症度を段階的に評価する臨床認知症評価尺度（CDR）や、アルツハイマー型認知症に特化したFASTなど。

脳血流SPECT
人体に害のない程度の、ごく微量の放射性同位元素をつけた薬を静脈から注射し、脳血流の状態や分布をシンチカメラにより画像表示する検査。脳血流障害の診断に優れる。

6 認知症の評価と診断

　認知機能を簡便に評価する質問式のテストに、長谷川式認知症スケール（HDS-R）とMMSE（Mini-Mental State Examination）が多く使用されています。

　テストの結果などに加え、MRI（核磁気共鳴画像法）、CT（コンピュータ断層撮影法）などの形態画像検査、脳血流SPECT（単一フォトン放射断層撮影）、MIBG心筋シンチグラフィのような機能画像の検査により、認知症の診断と原因疾患の鑑別を行います。

●質問式の評価スケールの特徴

長谷川式認知症スケール（HDS-R）	高齢者のおおよその認知症の有無とその程度を判定する。最高得点は30点で、20点以下では認知症を疑う。
MMSE (Mini-Mental State Examination)	認知症の簡易検査法として諸外国で広く利用されている。施行時間は約10分と短い。最高得点は30点で、23点以下では認知症を疑う。

7 治療可能な認知症の原因疾患

(1) 正常圧水頭症

　正常圧水頭症は、頭の中を流れる脳脊髄液が脳の周囲や脳室内に溜まり、認知機能が低下するものです。三大症状は認知機能障害、すり足で小股に歩く歩行障害、尿失禁です。

　MRIで特徴的な所見がみられ、手術で治療が可能です。

(2) 慢性硬膜下血腫

　頭部打撲などが原因で、硬膜とくも膜との間に小さな出血を生じ、1~3か月かけて徐々に血液がたまって大きな血腫となり、脳を圧迫するものです。**わずかな打撲でも生じ**、転倒や外傷などの既往歴がはっきりしないことも少なくありません。症状は意識障害、認知機能低下、歩行障害などで、早期に**手術で血腫を除去**すれば、**数か月以内にもとの認知機能レベルに戻ります**。

8 認知症の治療

　アルツハイマー型認知症では、アセチルコリンを増やす薬（**ドネペジル**、ガランタミン、リバスチグミン）と、グルタミン酸受容体に

作用するメマンチンが保険適応です。2023（令和5）年12月から
は、脳内の原因タンパク質（アミロイドβ）に直接作用し、進行を抑
制する効果のあるレカネマブも保険適用となりました。レカネマブ
は、MCIから軽度の認知症を対象としています。

　レビー小体型認知症では、ドネペジルが保険適応になっています。
幻覚・妄想には漢方薬の抑肝散が有効なことがあります。

　なお、メマンチンや興奮性BPSDの治療に使われる抗精神病薬
は、過量では認知機能の低下、**意欲や自発性の低下（アパシー）
をきたす**ことがあり、注意が必要です。

9 非薬物療法

　非薬物療法とは、薬物療法以外のすべてをいいます。リハビリテ
ーションのほかさまざまな療法的アプローチがあります。

● **主な療法的アプローチ**

現実見当識練習	リアリティ・オリエンテーションともいう。時間や場所、人物についての正しい情報を繰り返し示すことで、見当識を改善する。
回想法	古い道具や写真などを題材にして、輝いていた時代を思い出し、話してもらうことで自信を取り戻す。
音楽療法	興奮性BPSDや不安に有効。歌ったり演奏したりすると、なおよい。
認知刺激療法	グループで活動の計画を立てるなど頭を使う作業をして、認知機能の向上をめざす。
認知練習	計算、音読、パズルなど。
運動療法	身体活動は、神経細胞を育て、認知症の進行を遅らせる効果がある。

10 パーソン・センタード・ケアと主な介護技法

　パーソン・センタード・ケア（PCC）は、「その人を中心としたケ
ア」の理念です。認知症の人を尊重し、その人の視点や立場に立
ってケアを行います。「与えるケア」ではなく、「心の通うケア」を
重視しています。

　また、認知症の人の行動や状態は、複数の要因との相互作用
であるとして、脳病変、健康状態や感覚機能、個人史、性格、社

+1 プラスワン

治療薬の特徴
アセチルコリンを増やす薬
は、活力や覚醒レベルを
上げる効果がある。メマン
チンは逆に、穏やかにす
る効果がある。

+1 プラスワン

療法的アプローチ
アロマセラピー、アニマル
セラピー、絵画療法、園
芸療法なども行われる。

ココでた！
R4 問32
R2 問34

用語

DCM
資格を得た人がグループホームなどのケア施設に出向き、一定の時間ごとに認知症の人の行動やケアの状況を観察し、評価するもの。ケア担当者にその結果をフィードバックすることにより、全体のケアを見直して質の向上を図る。

会心理学の5つの視点からとらえ、アプローチすることが大切だとしています。この理念に基づき、認知症ケアマッピング（DCM）が介護の現場で活用されています。このほかにも、パーソン・センタード・ケアに通じるさまざまな介護技法があります。

●その他の介護技法

ユマニチュード	「人間らしくある」という意味をもつ。見る、話す、触れる、立つを4つの柱として、知覚、感情、言語による包括的コミュニケーションに基づいたケアの技法。
バリデーション	BPSDにも意味があるととらえ、その人生史に照らして理由を考え、わからなければその行動をまねてみて本人の思いを理解し、共感的態度で接する。認知症の人の状態をコミュニケーション能力や行動によって4つのフェーズにわけてアプローチ。

ココでた！
R5 問31
R2 問34

新オレンジプラン
2015（平成27）年に公表。認知症の人の意思が尊重され、できるかぎり住み慣れた地域のよい環境で自分らしく暮らし続けることができる社会の実現をめざし、7つの柱に沿って具体的な施策と数値目標が掲げられた。

11 認知症施策推進大綱

認知症施策は、「認知症施策推進総合戦略～認知症高齢者等にやさしい地域づくりに向けて～（新オレンジプラン）」に基づき進められてきましたが、2019（令和元）年6月に、新オレンジプランを引き継ぐ「認知症施策推進大綱」が公表され、政府全体で認知症についての総合的な施策を推進することになりました。

対象期間は、団塊の世代が75歳以上となる2025（令和7）年までとされています。

大綱では、認知症の発症を遅らせ、発症後も希望を持って日常生活を過ごせる社会をめざして「共生」と「予防」を車の両輪として据え、次の5つの柱に沿った取り組みが実施されています。

●5つの柱

①普及啓発・本人発信支援
②予防
③医療・ケア・介護サービス・介護者への支援
④認知症バリアフリーの推進・若年性認知症の人への支援・
　社会参加支援
⑤研究開発・産業促進・国際展開

🔢 認知症基本法

「**共生社会の実現を推進するための認知症基本法**（認知症基本法）」が2024（令和6）年1月に施行されました。認知症の人が尊厳を保持しつつ希望をもって暮らすことができるよう、認知症の人を含めた国民一人一人がその個性と能力を十分に発揮し、相互に人格と個性を尊重しつつ支え合いながら共生する活力ある社会（共生社会）の実現を推進することを目的としています。

この法律に定める基本理念等に基づき、国・地方公共団体が一体となって認知症施策の総合的かつ計画的な推進を図ります。政府は、認知症施策推進基本計画を策定する義務があり、都道府県・市町村は、都道府県認知症施策推進計画、市町村認知症施策推進計画をそれぞれ策定する努力義務があります。

◉基本理念（ポイント）

- すべての認知症の人が、基本的人権を享有する個人として、自らの意思で日常生活・社会生活を営むことができる。
- 国民が、認知症に関する正しい知識や理解を深めることができる。
- すべての認知症の人が自己に直接関係する事項に関して意見を表明する機会、社会のあらゆる分野における活動に参画する機会を確保する。
- 認知症の人の意向を十分に尊重しつつ、良質かつ適切な保健医療サービスおよび福祉サービスの切れ目ない提供。
- 研究等の推進、認知症および軽度の認知機能の障害にかかる予防、診断・治療・リハビリテーション、介護方法、社会環境の整備など。
- 教育、地域づくり、雇用、保健、医療、福祉その他の各関連分野における総合的な取り組み。

🔢 認知症の人を支える地域資源

（1）認知症ケアパス

認知症ケアパスは、認知症の容態や段階に応じて、相談先や、いつ、どこで、どのような医療・介護サービスを受ければ良いのかの流れを示したもので、地域の資源マップづくりと並行して進められます。認知症施策推進大綱では、2025（令和7）年までに市町村の作成率100%を目標に掲げています。

ココでた！
R3 問31
R2 問34
R1 問30

認知症サポート医
「認知症サポート医養成研修」を修了し、かかりつけ医に認知症の診療などに関する相談・助言などの支援を行うとともに、専門医療機関や地域包括支援センターなどの関係機関との連携役となる医師。

中等度から重度の認知症では、在宅生活を支える適切な介護サービスと在宅療養支援診療所など医療との連携が重要となります。

認知症初期集中支援チーム
→ P114

＋1 プラスワン

認知症初期集中支援チームの訪問支援対象者
原則として40歳以上で在宅の、認知症が疑われる人か認知症の人で、下記のいずれかに該当。
①医療サービス、介護サービスを受けていない、または中断している人。
②医療サービス、介護サービスを受けているが認知症の行動・心理症状が顕著なため、対応に苦慮している人。

（2）かかりつけ医

かかりつけ医は、適宜、認知症サポート医の支援を受けながら、適切な日常診療を行うとともに、必要に応じて認知症疾患医療センターや地域包括支援センターなどと連携します。認知症早期発見のためには、関係機関が連携して対処することが重要になります。

◉**認知症早期発見のための連携**

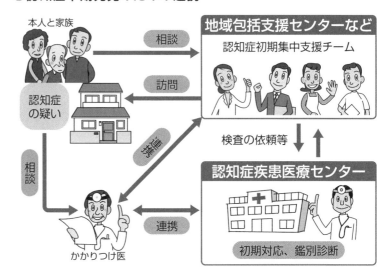

（3）認知症疾患医療センター

認知症疾患医療センターは、都道府県・政令指定都市に設置され、①認知症疾患に関する鑑別診断と初期対応、②BPSDと身体合併症の急性期医療に関する対応、③専門医療相談などの実施、④地域保健医療・介護関係者への研修などを行います。

（4）認知症初期集中支援チーム

認知症初期集中支援チームは、地域包括支援センターや認知症疾患医療センターなどに配置され、認知症が疑われる人や認知症の人、その家族を複数の専門職（保健師や介護福祉士、作業療法士、社会福祉士など）が訪問し、アセスメント、家族支援などの初期の支援を包括的、集中的に行います。

（5）認知症地域支援推進員

認知症地域支援推進員は、市町村や地域包括支援センター、認知症疾患医療センターなどに配置され、地域の支援機関間の連携づくりや、認知症ケアパス、認知症カフェ、社会参加活動などの地域支援体制づくり、認知症の人やその家族を支援する相談業務などを行います。

（6）チームオレンジ

チームオレンジは、ステップアップ講座を受講した認知症サポーターが中心となって支援チームをつくり、認知症の人やその家族に対し、支援ニーズに応じた外出支援、見守り、声かけ、話し相手などの具体的な支援をつなげるものです。支援チームには、認知症の人本人やその家族、医療・介護・福祉専門職なども参加します。チームオレンジの立ち上げや運営支援を担うのがチームオレンジコーディネーターで、地域包括支援センターなどに配置されます。

（7）SOSネットワーク

認知症のSOSネットワークは、**認知症の人が行方不明になったときに、警察だけでなく地域の生活関連団体などが捜索に協力して**すみやかに**行方不明者を見つけるしくみ**です。位置情報を把握できるGPS装置の貸与や購入の補助を行う自治体もあります。

（8）認知症カフェ（オレンジカフェ）

認知症カフェは、認知症の人やその家族が、地域の人や専門職と相互に情報を共有し、お互いを理解しあう場です。また、チームオレンジの活動の場ともなります。現在、各市町村での取り組みが進められています。

（9）若年性認知症施策の強化

都道府県ごとに若年性認知症の人やその家族からの相談に対応する若年性認知症コールセンターが運営され、若年性認知症支援コーディネーターが配置されています。若年性認知症支援コーディネーターは、就労・社会参加のネットワークづくりに加え、認知症地域支援推進員や地域包括支援センターとの広域的なネットワークづくりの役割を担います。具体的には、①本人や家族、企業などからの相談支援、②市町村や関係機関とのネットワークの構築、③若年性認知症の理解の普及・啓発を行います。

+1 プラスワン

認知症サポーター
認知症サポーター養成講座を受けて認知症に関する正しい知識と理解を身につけ、認知症の人やその家族を地域や職域で支援する。チームオレンジなどで活動するためにはステップアップ講座を受講する。

+1 プラスワン

地域の生活関連団体
タクシーやバスの会社、宅配・郵便配達など地域を巡回する人、ガソリンスタンド、コンビニエンスストア、町内会など住民組織、介護サービス事業者など地域の多様な生活関連業者・団体、個人が想定される。

問題	解答
☐1 BPSD（認知症の行動・心理症状）は、住環境などの環境因子の影響を受けない。 R4	✕ 環境因子の影響を強く受ける
☐2 アルツハイマー型認知症は、エピソード記憶の障害が中心である。 予想	〇
☐3 レビー小体型認知症では、起立性低血圧や血圧の変動などの自律神経症状はみられない。 予想	✕ みられる
☐4 前頭側頭型認知症では、常同行動が目立つ。 予想	〇
☐5 若年性認知症は、うつ病など、他の精神疾患と疑われることがある。 R4	〇
☐6 MCI（軽度認知障害）は、すべて認知症に移行する。 R5	✕ すべて認知症に移行するわけではない
☐7 認知症は、知能評価スケールによって診断できる。 予想	✕ CTなどの画像検査が必要
☐8 頭部外傷後1～3か月後に認知障害が認められる場合には、慢性硬膜下血腫の可能性に留意する。 予想	〇
☐9 抗精神病薬が過量だと、意欲や自発性などの低下（アパシー）をきたす場合がある。 R1	〇
☐10 パーソン・センタード・ケアは、介護者本位で効率よく行うケアである。 R4	✕ 認知症の人の視点や立場に立ったケア
☐11 認知症施策推進大綱では、認知症の人本人からの発信支援を推進するよう明記されている。 R2	〇
☐12 認知症基本法に基づき、政府は認知症施策推進基本計画を策定しなければならない。 予想	〇
☐13 認知症初期集中支援チームは、警察と介護事業者や地域の関係団体が協力して認知症の人を捜索するしくみである。 R3	✕ 認知症の人や家族の初期集中支援を行う。設問の内容はSOSネットワーク
☐14 若年性認知症支援コーディネーターは、すべての市町村に配置されている。 R1	✕ 都道府県ごと

高齢者の精神障害

レッスンの
ポイント

- 統合失調症には陽性症状と陰性症状がある
- 高齢者のうつ病は、認知症と間違われることがある
- 高齢者では、身近な人への妄想だけが目立って現れることがある
- 高齢者のアルコール依存症では、認知症を合併することもある

１ 高齢者の精神疾患の特徴

社会的役割の喪失や孤独感、心身機能の低下など、高齢者の精神疾患は、心理社会的な変化が症状に大きく影響します。また、環境の変化への適応力が弱く、入院がきっかけでせん妄が起きたり、心身の不調を起こしたりすることも特徴です。

２ 統合失調症

統合失調症は、思考障害や感覚過敏のために、思考や感覚がまとまらなくなる病気です。青年期に発症しやすく、高齢になって初めて発症することはあまりありません。高齢者では身近な人への妄想だけが目立って現れることがありますが、長く続く妄想があり、ほかに精神症状がない場合は、統合失調症ではなく妄想症（妄想性障害）と診断されます。

■症状

幻覚、幻聴や妄想、滅裂思考、緊張病症状（興奮と無動）、奇異な行動などの陽性症状と、感情鈍麻や無気力、自発性の低下など、精神機能の減退がみられる陰性症状に大きくわけられます。

■治療・支援

薬物療法のほか、心理療法や社会生活スキルトレーニング（SST）などが行われます。周囲の人が病気を正しく理解し、さまざまなサービスを活用して、地域で安心して生活できるよう支援します。

３ うつ病

うつ病は、脳の血流障害、脳内神経伝達物質の異常、身体疾患、配偶者や友人との死別や社会的役割の喪失などの喪失体験、

コでた！
R5 問32
R3 問32

コでた！
R5 問32
R4 問27
R2 問35

+1 プラスワン

妄想性障害
代表的な妄想性障害に遅発パラフレニーがある。女性に多い。人格や感情反応は保たれているが体系化された妄想を主症状とする。受容的で温かな対応が大切になる。

コでた！
R5 問32 R4 問27
R3 問32 R2 問35
R1 問35

うつ病の予防には、適度な運動や栄養バランスのよい食事など健康的な生活習慣も大切です。

孤独などが発症要因になるといわれます。また、高齢者では肺炎や骨折などの病気による安静なども発症のきっかけになることがあります。

■症状

気分の落ち込み（抑うつ気分）、興味または喜びの喪失、意欲の低下、自信の欠乏、自分に価値がないと考える、必要以上に自分を責める、行動ができないなどの症状が出ます。また、食欲減退や睡眠障害、頭痛、肩こり、便秘、口の乾き、体のほてりなどさまざまな身体症状も出やすくなります。症状が進むと希死念慮（死んでしまいたいという気持ち）が強く自殺企図もあるため、自殺予防が重要です。高齢者のうつ病では、**集中力の低下や判断力の低下だけが目立つ**ことがあり、認知症と判断されて診断が遅れることがあります。逆に、認知症の初期に抑うつ気分や意欲低下といった症状が現れてうつ病と間違われることもあり、注意が必要です。

■治療・支援

治療はSSRIなどの抗うつ薬が使用されますが、高齢者では副作用が出やすいため、量や種類は少なくします。生活上の支援では、安易に励ましたりするのは逆効果で、根気強く、受容的な対応をしていきます。

４ 双極症（双極性障害）

双極症は、うつ病と同じうつ状態と躁状態を繰り返す病気です。明らかな躁うつを繰り返すⅠ型と躁状態が軽いⅡ型に分類されています。

■症状

躁状態では気分が高揚し、気力や活動性が高まり、行動の抑制がきかなくなることがあります。逆にうつ状態では、自分を責める気持ちが強くなります。

■治療

薬物治療や心理療法が行われます。

コ コ で た！

R4 問27
R3 問32
R2 問35

５ アルコール関連問題・依存症

依存症は、特定の物や行動に心を奪われ、やめたくても、やめられない状態になる病気です。依存物質の摂取や依存行動を繰り返すうちに心身の健康を害していきます。アルコールやたばこ、大麻、危険ドラッグなどへの依存を物質依存といい、パチンコや競馬

ギャンブル、ゲーム、SNS などへの依存を行動依存といいます。

■高齢者のアルコール依存症

　高齢でのアルコール依存症の発症は、身体的老化や喪失体験、社会的孤立などの環境の変化、家族の死亡などの心理的ストレスがきっかけとなることが多いです。高齢者では、少量のアルコールや薬剤でも脳に影響しやすく、ふらつきや転倒、怒りや暴力などの問題が出やすくなります。また、認知症を合併することもあります。

■アルコール依存症の治療・支援

　離脱症状に対する治療や依存治療が行われます。まず断酒をすることが重要で、薬物療法のほか、病院でアルコールリハビリテーションプログラム（ARP）も行われています。心理療法や断酒会、匿名で話し合うことのできるアルコホーリクス・アノニマス（AA）などの自助グループへの参加も有効です。

 用 語

離脱症状
体内のアルコール減少による不快気分、自律神経症状。

⑥ 神経症（ノイローゼ）

　神経症は、心理的・環境的要因によって起こる、心身の機能障害の総称です。男性よりも女性に多くみられ、さまざまな不安がきっかけとなって発症します。代表的な症状は抑うつ神経症、不安神経症、心気症です。いずれも、「気にしすぎ」といった対応をせず、本人の不安を受けとめる援助を心がけます。

 ココでた！
R4 問27

保健医療サービス分野

Lesson 18　★★★　高齢者の精神障害

\\ チャレンジ！ //
過去＆予想問題

できたら
チェック ☑

	問 題		解 答
□1	高齢者は、急激な環境の変化があっても、環境への適応力は高い。 **R5**	✕	環境の変化への適応力は低い
□2	統合失調症は、高齢期に多発する。 予想	✕	青年期の発症が多い
□3	（老年期うつ病について）家族、友人などの喪失体験も発症のきっかけとなる。 **R1**	◯	
□4	高齢者のうつ病では、集中力や判断力の低下のみが目立つことがある。 予想	◯	
□5	うつ病は、認知症に分類される。 予想	✕	認知症とは別の疾患である
□6	アルコール依存症は、本人の意志で治癒する。 予想	✕	治療が必要である

Lesson 19

重要度 **A** ★★★

医学的診断の理解・医療との連携

レッスンのポイント

- インフォームド・コンセントが基本となる
- EBMとNBMを理解しておく
- 予後とは病気の経過の見通しである
- 介護支援専門員は、医療職に利用者の生活にかかわる情報を伝える

ココでた！

R5 問33	R3 問33
R2 問36	R1 問38

1 インフォームド・コンセントに基づく治療

医学的診断のプロセスでは、通常、主訴（患者が最も困っている症状）と現病歴（主訴のかかわる病状の経過）の聴取から始まり、次に既往歴（過去の病歴）や家族歴（親族などの治療中の病気や既往歴）の確認が行われます。その後、診察や検査をして診断が確定し、治療が開始されます。このプロセスにおいては、患者本人が医師から説明を受けたうえで、その説明に同意するインフォームド・コンセントが重要です。診察や検査は、**患者の身体的負担が小さいものから行う**ことが原則ですが、負担が大きい場合は患者自身がその必要性や利益・不利益などを理解し、納得している必要があります。患者は病気の内容を知り、どのような検査や治療を受けるか、または受けないかを自己決定する権利があります。

◉医学的診断の過程

❷ EBM と NBM

コㇰでた！
R4 問35
R2 問36

エビデンス・ベースド・メディスン（Evidence Based Medicine：EBM）とは論文やデータなど**根拠に基づいた医療**をいいます。医師個人の経験に頼るのではなく、科学的な診断や治療を行ううえで重要な理念です。ナラティブ・ベースド・メディスン（Narrative Based Medicine：NBM）は**個々の人間の感じ方や考え方に耳を傾けて、患者の自己決定を促す医療**です。

❸ 治療内容と予後の理解

コㇰでた！
R5 問33
R2 問36

（1）治療内容の理解

治療には、食事療法、運動療法、薬物療法、手術療法、透析療法、放射線治療などがあります。患者は、いくつかの選択肢のなかから自己決定する必要があり、このためにも治療内容の理解と患者への十分な情報提供が大切になります。介護支援専門員も、患者が適切な治療方法を選択できるよう、第三者的な立場からアドバイスすることもあります。

（2）予後の理解

予後とは**病気の経過の見通し**です。医師は病気の結果を推測し、治療の期間を提示します。医師からの診断と予後の説明があって初めてインフォームド・コンセントが成立する条件がそろいます。

予後の説明は基本的に本人に対して行われますが、認知機能や理解力の低下、心理状態なども考慮し、家族の立ち会いを求めることも必要になります。

予後は、患者が今後の対応と心の準備をするうえで重要で、説明はていねいにわかりやすく行われる必要があります。

❹ 医療職との連携と情報交換

コㇰでた！
R5 問34
R4 問35
R3 問33

介護支援専門員が利用者の支援を行ううえで、医療職との連携は欠かせません。利用者の入院期間中も、退院後に向け医療機関との情報交換を行います。利用者の入院時には、医療機関に利用者の能力（セルフケア力）や家族の介護力、住環境など**退院後の生活にかかわる情報を伝えることが重要**です。これらの情報は、病院側にとっても治療方針を立てたり、退院に向けた準備をしたりするうえで重要となります。

また、居宅介護支援の介護報酬においても、医療との連携を評価する加算が複数設けられています。

保健医療サービス分野

Lesson 19 ★★★ 医学的診断の理解・医療との連携

関連する加算の具体的な要件は、介護支援分野のレッスン25を確認しましょう。

●介護支援専門員と医療機関・医療職とのかかわり

時期	介護支援専門員のかかわり	関連する加算
入院時	・医療機関への情報提供 ・利用者・家族との面談	入院時情報連携加算
退院前	退院前カンファレンスに参加、利用者の入院中の情報を共有し、居宅サービス計画に反映	退院・退所加算
退院日	サービス担当者会議 →退院当日にも介護保険が利用できるよう調整	
退院後	利用者の通院時の同席などで医師等との情報交換	通院時情報連携加算

 チャレンジ！ 過去&予想問題

できたらチェック ☑

	問題	解答	
□1	医学的診断のプロセスでは、主訴の前に、家族歴や既往歴の聴取を行う。 R3	✕	主訴が先
□2	診断は、医師または歯科医師が行う。 R5	〇	
□3	診察や検査は、患者の身体的負担が小さいものから行うことが原則である。 R3	〇	
□4	インフォームド・コンセントは、治療にかかわるものなので、検査には必要とされない。 R1	✕	検査にも必要
□5	EBMとは、個々の人間の感じ方や考え方に耳を傾けて、患者の自己決定を促す医療である。 予想	✕	設問はNBMの説明。EBMは根拠に基づいた医療
□6	予後とは、疾患が今後たどり得る経過のことをいう。 R2	〇	
□7	予後に関する説明では、患者の理解力なども考慮し、必要に応じて家族の立ちあいを求める。 R5	〇	
□8	介護支援専門員は、利用者の入院時に、退院後の利用者・家族の生活について医療機関に伝えることが重要である。 R5	〇	
□9	退院後の居宅サービス計画の立案に役立つ情報には、入院期間中に介護支援専門員に共有される情報が含まれる。 R5	〇	

栄養と食生活の支援

レッスンの
ポイント

● 「食べること」は栄養補給だけではなく大きな楽しみ
● 身体計測、食事や水分摂取量などの客観的データを把握する
● 低栄養の指標は、BMI、体重、血清アルブミンなど
● 認知症高齢者には、食事摂取の促しと安全面への配慮

1 栄養と食生活の支援

　高齢者にとって「食べること」は、単なる栄養補給にとどまらず、大きな楽しみであり、生きがいとなります。また、食べることを通して、社会参加への契機ともなり、QOLの向上にもつながります。良好な栄養をとり、食べる楽しみを続けることは、健康寿命を延ばし、自己実現を可能とするためにも重要となります。

2 栄養と食事のアセスメント

　高齢者の栄養と食に関する問題は、複合的な要因が絡んで生じることが多くあります。解決すべき課題（ニーズ）を明らかにするためには、1日の食事内容、食事の状況や環境、生活パターン、身体状況（疾病の存在、義歯の不適合など）、精神的問題の有無など生活全般の総合的なアセスメントが必要です。

　また、次のような主観的・客観的データにより、高齢者の栄養状態を把握します。

コ コでた！
R4 問36

📖 用 語

健康寿命
日常的に介護を必要とせずに生活できる期間。

コ コでた！
R3 問35

● 確認するデータ

身体計測	体重・身長・BMI、上腕周囲長、下腿周囲長	● いずれも栄養状態を示す。 ● BMIが18.5未満は低体重。 ● 上腕周囲長は、筋肉量や体脂肪量の指標。 ● 下腿周囲長は筋肉量の指標。浮腫の有無の判断目安となる。
	食事摂取量	高齢者は食が細いのはあたり前などと安易に考えずに、何を残すのか、なぜ食事が進まないのかなどを把握する。
	水分摂取量	● 食事摂取量が減少すると水分摂取量の不足も考えられる。 ● 高齢者は口渇感の低下や頻尿などで意識的に水分摂取量を制限していることもある。脱水にも注意。

栄養補給法	経管栄養法や中心静脈栄養法を実施している場合は、栄養補給が十分でない場合もあり、感染症などのリスクも考慮する。
褥瘡の有無	栄養状態の悪化は、褥瘡の発症要因となる。
服薬状況	薬剤の副作用が、口渇による唾液分泌低下、味覚低下、味覚異常、食欲低下、生活機能の低下、ADLの低下、便秘などに影響していることがある。

コ コ でた！
R4 問36

3 高齢者の食事支援のくふう

　高齢者は、味覚、嗅覚、視覚などの低下、歯の喪失によるそしゃく機能低下、活動量の低下などにより、食欲や食事量が低下しやすくなります。また、同居や独居など生活環境などによって支援方法も異なるため、対象者だけでなく家族の状況もアセスメントする必要があります。

◉食事支援の方法

用語

共食
家族や友人、職場の人や地域の人など、誰かと共に食事をすること。

- ●共食のすすめ　→仲間と食べることで食が進むことがある。
- ●加工食品やレトルト食品、冷凍食品の活用。
- ●惣菜のひとくふうで食べやすく栄養もとれるようにする。
- ●電子レンジの活用。
- ●高エネルギーのおやつ利用。
- ●摂食・嚥下機能に合わせた食形態と調理。

4 高齢者の状態別課題と支援

コ コ でた！
R5 問35　R4 問36
R3 問35　R2 問38

低栄養
→ P180

（1）低栄養状態とフレイル

　低栄養の指標は、体重減少、BMIの低下、筋肉量の減少、血清アルブミン値の低下などです。

　高齢者は、さまざまな要因により、エネルギーやたんぱく質が欠乏して低栄養状態に陥りやすくなります。

◉低栄養の主な要因

社会的要因	独居、介護力不足、ネグレクトなど
精神・心理的要因	認知機能障害、うつ、誤嚥・窒息の恐怖など
加齢	嗅覚・味覚障害、食欲低下
疾病	臓器不全、炎症・悪性腫瘍、薬物の副作用など

低栄養状態になると、生活機能が低下し、免疫力も低下して感染症にかかりやすくなります。さらに、筋肉量の減少、基礎代謝の低下、消費エネルギー量の低下、食欲低下などの負の循環を招きやすく、フレイル（虚弱）や要介護状態につながる大きな要因となります。

フレイル
→ P182

　早期に適切な対応をすることが大切です。

◉低栄養への対応

- 食欲がないときには、食べたい食品を食べたいときに少量ずつでも食べられるように心がける。
- 1日3食のほかにおやつ（間食、補食）をとる。

(2) 疾病がある場合（主に生活習慣病）

　高齢者では、低栄養のほか、メタボリックシンドロームなどの過栄養も少なくありません。糖尿病、脂質異常症、高血圧などの生活習慣病への対応が重要です。

メタボリックシンドローム
→ P224

　医師の指示に基づく食事療法、運動療法、薬の適切な服薬、居宅療養管理指導の利用なども検討します。

(3) 認知症高齢者

　認知症高齢者では、食事中の傾眠、失認、拒食、偏食のほか、徘徊、異食、盗食などBPSDへの対応が重要です。

BPSD
→ P249

　食事支援では、食事摂取の促しと安全面への配慮に留意します。具体的には、声かけ、見守りなどの直接の働きかけや、食事場所や食事時間、食器具の変更、姿勢の保持など食事環境への働きかけを行います。

(4) 独居の場合

　高齢者の単身や夫婦のみ世帯では、欠食、偏食、孤食、食材確保の問題により、食事の質が低下しやすい傾向にあります。また、閉じこもりや不活発による食欲不振なども問題となります。

　共食の確保など地域資源の紹介、中食や配食の活用などで対応します。

(5) 口腔に問題がある場合

　高齢者は、歯の欠損によるそしゃく能力の低下や唾液分泌の低下などにより、摂食・嚥下障害を起こしやすくなります。さらに、誤嚥による肺炎や窒息、脱水、低栄養も問題となり、摂食・嚥下障

害のリスクがある高齢者は早期から、多領域の専門職と相談しながら課題を把握して対応します。食事支援では、**誤嚥と窒息を防ぐための**安全確保をして、自力**による**食事摂取の促し**をする**ことがポイントになります。

●口腔に問題がある場合への対応

- 食事姿勢の調整
  - →可能なかぎり座位にし、嚥下しやすいように頭部を前屈させ、下顎（かがく）を引いた姿勢。
- 座席・テーブルの高さや距離の調整、食器・食具の変更
- 飲み込みやすい食品や食形態への変更
  - →液体よりもとろみのある形態や半固形状のもの。パラパラ、パサパサした食品などはむせやすい。
- 食物を口に入れる量の調整
  - →口に入れる1回の量をティースプーン1杯程度などと調整し、食塊が口腔内に残らないようにする。

介護支援専門員は、高齢者の栄養状態を早期に把握し、多様な社会資源を活用して高齢者の栄養と食生活を支援します。

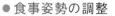

\\ チャレンジ！ //

過去＆予想問題

できたら
チェック ☑

	問題	解答
□1	高齢者にとって、食べることは社会参加の契機ともなる。 予想	○
□2	上腕周囲長は、筋肉量や体脂肪量の指標となる。 予想	○
□3	高齢者は、若年者に比べてエネルギー摂取量が少ないことを当然の前提とする。 R3	✕ 当然の前提としない
□4	食事支援では、介護する家族の状況を考える必要はない。 R4	✕ 家族の状況もアセスメントする
□5	低栄養状態の徴候には、筋肉量の減少、血清たんぱく質の減少などがある。 R3	○
□6	高齢者では、過栄養の問題は起こりにくい。 予想	✕ 過栄養となることも少なくない
□7	認知症の高齢者については、異食、盗食などの摂食行動の有無を把握する。 R3	○
□8	摂食・嚥下機能に合わない食事形態での食事の提供は、誤嚥や窒息を招くことがある。 R2	○

Lesson

21

重要度 **B** ★★★

薬の作用と服薬管理

レッスンの
ポイント

- ●副作用で薬の変更や中止が必要となることもある
- ●加齢による生理・生体機能の変化は薬の作用に影響する
- ●食品と薬の相互作用に留意
- ●状態に応じた薬の形態を考慮する

1 薬の副作用

　病気の改善や治癒など、本来の目的を果たす薬の役割を主作用といいます。一方、本来の目的とは異なり、必要のない作用や好ましくない作用を副作用といいます。副作用は、必ず起こるものではありませんが、医師の処方薬を医師の指示どおり服薬しても、副作用が出る場合もあります。なかには、重篤な下痢や発疹など、薬の変更や中止が必要となることもあり、医療職への連絡などすみやかな対応をします。

ココでた！
R4 問34

2 高齢者の特性と薬の体内での作用

　高齢者は、さまざまな疾患を抱えている場合が多く、複数の薬を併用しているため、薬の相互作用による副作用が起きやすいといえます。また、加齢による生理・生体機能の変化は、薬の生体内での作用に影響を与えます。薬は、主に小腸から吸収され、肝臓で薬物代謝されたあと、血管を通じて身体をめぐり、薬の効果を発揮します。その後、腎臓でろ過されて、主に尿として排泄されます。しかし、肝機能や腎機能が低下していると薬の血中濃度が高まり、薬の作用が増強したり、副作用が強く出たりすることがあります。

ココでた！
R3 問39

+1 プラスワン

高齢者の薬の作用
脂肪の増加、水分や筋肉部分の減少、薬の感受性の低下、免疫力の低下も薬の生体内での作用に大きな変化を与える。

◉加齢変化と薬の作用

栄養状態の悪化		
肝機能の低下 （薬物代謝能の低下）	→ 薬の血中 濃度上昇	→ 薬の作用 増強
腎機能の低下		

コ コ で た !
R5 問35
R4 問34

3 食品などと薬の相互作用

　一般医薬品のほか、健康食品、特定の食品や飲料にも薬の作用に影響を与えるものがありますので、必ず併用してもよいかどうかの確認を行います。

●食品と相互作用

食品	薬	薬の効能	相互作用
納豆、クロレラ、緑色野菜	ワルファリンカリウム（ワーファリン）	抗凝固薬	納豆、クロレラ、緑色野菜に含まれるビタミンKが、抗凝固薬の作用を弱める。
グレープフルーツ	カルシウム拮抗薬	降圧薬	グレープフルーツの酵素が薬の代謝を妨げ、薬の主作用や副作用が増強する。
	タクロリムス、シクロスポリン	免疫抑制剤	
	イトラコナゾール	抗真菌薬	
	ゲフィチニブ	抗がん薬	
牛乳	エトレチナート	角化症治療薬	牛乳により薬の体内への吸収量が増加し、薬の作用が増強する。

コ コ で た !
R4 問34

4 薬の服用上の留意点

(1) 服薬管理能力の確認と情報の共有

　介護支援専門員は、薬剤師や医療職・介護職と連携して、利用者のADL、認知機能、生活環境などを評価して、その服薬管理能力を把握し、ケアチームで情報を共有することが必要です。

(2) 内服薬の服用時の留意点

　食道潰瘍（かいよう）や誤飲などを防ぐために、薬は**できるだけ上半身を起こした状態で、通常は100mL程度の水かぬるま湯で服用**します。
　嚥下（えんげ）障害がある場合は、服薬補助ゼリーやおかゆに混ぜるなどのくふうをします。なお、錠剤やカプセル剤をつぶしたり脱カプセルをすることについては、効果が得られなかったり、苦みや特異臭が生じることがあるため、専門的な判断が必要です。
　粉薬では、オブラートを利用すると飲みやすくなることがあります。ただし、苦味健胃薬（苦い味の胃薬）は、オブラートに包むと効果が十分に発揮されないため注意が必要です。また、薬をアルコールと一緒に飲むことは厳禁です。

+1 プラスワン

寝たきりの要介護者の場合
セミファーラー位（上半身を30度起こした状態）にして、後頭部に枕を置くなど、少しでも嚥下しやすい姿勢になるよう介助が必要。

(3) 薬の形態

薬は、唾液や少量の水で溶けるOD錠（口腔内崩壊錠）や、舌の下に薬を入れ、口腔粘膜から有効成分を急速に吸収させる舌下錠もあります。服薬が困難な場合は、貼付薬などもあり、状態に応じた薬の形態を考慮します。

(4) 服用時間

薬は、決められた服用時間に飲まないと、効果が現れなかったり、副作用が現れたりします。

また、飲み忘れに気づいたときは、原則的にすぐに服用します。ただし、次の服薬時間が近いときは、忘れた分は服用せずに、次の分から飲み、2回分を一度に服用しないようにします。

(5) 服薬管理のくふう

認知機能の低下などがある場合は、適切な服薬管理が困難になるため、お薬カレンダーを活用したり、**医師・薬剤師と相談して薬の一包化をしてもらう**など、管理が容易になるようなくふうをします。また、適切な量の薬を適切な時間に飲めるよう、見守りや声かけなどの服薬援助をしていきます。

視覚や聴覚の低下がある場合は、写真つきの大きな文字で書かれたお薬説明書や薬別に形状の異なる保管容器の使用、服薬動作が困難な場合は、自助具の活用などを検討します。

◉服薬管理のくふう例

●お薬カレンダー

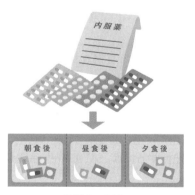

●薬の一包化

(6) 薬の保管

薬は湿気、直射日光、高温を避けて保管します。薬によっては、冷蔵庫に保管しなければ品質が低下するものもありますので、確認が必要です。

OD錠は、舌下錠とは違って、通常の錠剤と同様に消化管から吸収されます。

+1 プラスワン

服用時間による副作用の例
- 経口血糖降下薬→食事をしないで飲むと低血糖症状。
- 一部の骨粗鬆症薬→起床時に服用しないと薬の吸収が低下。

5 薬に関する情報の管理と共有

（1）サービス担当者会議での情報の共有

　サービス担当者会議などで、利用者が服用する薬の目的や作用、主な副作用の症状、緊急時の連絡方法などをケアチーム全体で共有しておくことが大切です。

（2）薬の記録の管理

　お薬手帳は、基本的には薬の記録情報を利用者本人が管理するものです。お薬説明書（添付文書）とあわせて活用することが勧められます。

（3）薬局の連携

　在宅基幹薬局は、通院困難な利用者に対し、居宅を訪問して薬剤管理を担う主たる薬局です。在宅基幹薬局が対応できないときは、連携する在宅協力薬局が利用者を訪問して対応する体制が取られます。

\\ チャレンジ！ //
過去＆予想問題
できたらチェック ✓

	問題		解答
□1	高齢者は、腎機能の低下により薬の作用が弱まることが多い。 予想	✕	腎機能の低下により薬の作用が増強する
□2	医療用医薬品と健康食品の併用による有害な相互作用の可能性について注意が必要である。 R4	〇	
□3	納豆、クロレラ、緑色野菜に含まれるビタミンKは、一部の抗凝固薬の作用を強める。 予想	✕	作用を弱める
□4	高齢者の服薬管理能力を把握するには、ADLや生活環境の評価が必要である。 予想	〇	
□5	内服薬は、通常、水またはぬるま湯で飲む。 R4	〇	
□6	服薬が困難な場合には、貼付薬など状態に応じた薬の形態も考慮する。 予想	〇	
□7	お薬手帳は、サービス担当者が管理し、記録しなければならない。 予想	✕	基本的には利用者本人が管理する

在宅医療管理

レッスンの
ポイント

- インスリン自己注射では低血糖症状に注意する
- 人工透析には血液透析と腹膜透析がある
- 栄養を補う方法には中心静脈栄養法と経管栄養法がある
- 在宅酸素療法では火気は厳禁

1 在宅自己注射

コ コ でた！
R3 問37

　在宅自己注射は、利用者またはその家族が、病気の治療のために在宅で注射をする方法です。

　多く行われているのは、**糖尿病の治療のためのインスリン自己注射**です。そのほか、アナフィラキシーに対するエピネフリン製剤、血友病に対する血液凝固因子製剤、前立腺がんに対する性腺刺激ホルモン放出ホルモン製剤、骨粗鬆症に対する副甲状腺ホルモン製剤などがあります。

　実施する際には、次のような点に留意します。

インスリンの注射では、食事の量が少なかったり、過度の運動をしたりすると、薬が効きすぎて、低血糖症状（→ P208）になることがあるよ。

- 利用者・家族の病気や薬についての理解度と手技の習熟度について確認する。
- 医師の指示を確認し、適切な量を適切な時間、方法、場所で注射できるように支援する。
- シックデイ（体調不良時）の際は、どの程度量を減らすのか、または中止するのか事前に把握し、本人に確認するとともに支援するスタッフで情報を共有する。
- 体調不良時や体調に変化があったときの対応や緊急時の連絡先を確認する。

2 悪性腫瘍疼痛管理

コ コ でた！
R3 問37

　悪性腫瘍疼痛管理は、がんの痛みへの対応です。痛みは、身体的な側面だけでなく、精神的な側面などからも考えることが重要です。治療には、しばしば医療用麻薬が使われます。**麻薬の副作用には主に吐き気、嘔吐、便秘、眠気、まれにせん妄があるので、**

+1 プラスワン

麻薬の処方
医療用麻薬は、都道府県知事から麻薬施用者の免許を受けた医師のみが処方せんを交付できる。

用語

バッカル錠
ほおと歯茎の間にはさみ、唾液でゆっくりと溶かして口腔粘膜から吸収させる薬。

ココでた！
| R4 問37 |
| R2 問40 |
| R1 問34 |

注意が必要です。薬の形式は、経口薬、貼り薬、座薬、舌下錠、バッカル錠、注射薬があります。また、自動注入ポンプを用いて、注射薬の量をきめ細かく調整し、継続的に投与していく方法もあり、病状に応じて投与方法を変更していきます。

実施の際には、次の点に留意します。

- 薬の飲み間違いに注意。確実に内服をできるようにし、副作用が出た場合に早期対応できる体制をつくる。
- 自動注入ポンプを用いる際は、トラブル発生時の対応方法（連絡先）を明確にし、利用者、介護者、支援するスタッフで共有しておく。

❸ 人工透析

腎臓の代わりに老廃物の除去、水分調節、電解質調節を行うのが人工透析です。人工透析には血液透析と腹膜透析の2つの方法があります。

●血液透析と腹膜透析

●血液透析

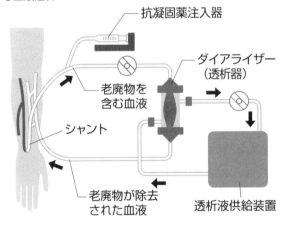

●腹膜透析

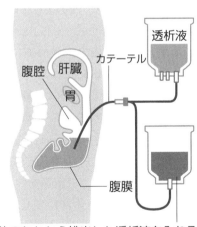

体のなかから排出した透析液を入れる

用語

シャント
静脈と動脈を自己血管または人工血管でつなぎあわせた部位。

血液透析は、透析施設に**週2〜3回通院**して、透析器により4〜5時間かけて血液を浄化する方法です。利用にあたり血液の通過口であるシャントを手首などにつくる必要があります。

腹膜透析は、腹膜を通して、老廃物や水分を除去する方法です。**通院は月1〜2回**で、在宅で利用者や介護者が毎日、1回あたり30分程度の透析液交換を1日4〜5回、または就寝中に機械が自動的に透析を行います。

いずれも実施する際には、次のような点に留意します。

- 水分や電解質バランスが崩れやすいため、食事内容に留意する→水分や塩分、カリウム、リンのとり過ぎに注意。
- 血液透析では、シャントへの圧迫を避け、シャント側で血圧を測らないようにする。
- 腹膜透析は、食事や水分制限は血液透析に比べてゆるいが、腹膜の働きが悪くなっていくため、長期間行うことは難しい。カテーテルからの感染リスクにも注意が必要。

4 在宅中心静脈栄養法

中心静脈栄養法は、点滴栄養剤（高カロリー液）を血管に直接入れて栄養を補う方法です。

鎖骨下などから、中心静脈（心臓に近い太い上大静脈）にカテーテルを挿入する方法と、点滴時にのみ、埋め込んだポートとカテーテルをつなぐ完全皮下埋め込み式があります。

コ コでた！

| R4 問37 | R3 問37 |
| R2 問40 | R1 問34 |

＋1プラスワン

カテーテル留置
首の付け根や太腿の付け根に留置することもある。

◉**中心静脈栄養法**

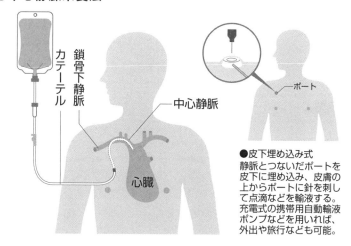

鎖骨下静脈
カテーテル
中心静脈
心臓
ポート

●皮下埋め込み式
静脈とつないだポートを皮下に埋め込み、皮膚の上からポートに針を刺して点滴などを輸液する。充電式の携帯用自動輸液ポンプなどを用いれば、外出や旅行なども可能。

いずれの場合も、次の点に留意します。

- 誤ってカテーテルを引っ張ることによるカテーテルの抜け落ちによる出血、カテーテルの断裂などに注意する。
- 細菌感染を引き起こすことがあるため、点滴バッグ、ルート（管）の扱い、カテーテル刺入部の清潔に配慮したケアを心がける。
- 処置を行っていても入浴は可能だが、特別な配慮が必要なので、具体的な方法を医師に確認する。

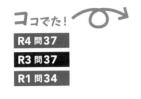

5 在宅経管栄養法

　経管栄養法には、経鼻による経鼻胃管、または胃ろう（経皮内視鏡的胃ろう造設術＝PEG）、食道ろう、空腸ろうをつくり、栄養を注入するためのカテーテルを通して、経管栄養食を注入するものがあります。このなかで多いのは経鼻胃管と胃ろうです。

　経鼻胃管は、違和感から本人が抜いてしまったり、しゃっくりでも抜けたりすることがあるので観察が必要です。鼻腔の潰瘍をつくらないよう、固定用のテープは交換時に別の場所に貼りかえるなどして、経鼻胃管は**1か月ごとを目安に交換**します。

　胃ろうは、腹部の皮膚から胃に通す穴を開け、胃にカテーテルを留置して、栄養を注入する方法です。

　胃ろうカテーテルの外の形状には、チューブ型とボタン型があり、内部の形状には、バルーン型とバンパー型があります。いずれの場合も、カテーテルを固定する際には、外部ストッパーを締めつけすぎないように注意し、体表から1〜2cm程度の「あそび」をもたせます。また、カテーテルが抵抗感なく回転できるように調整します。（下表）。

●**経管栄養法**

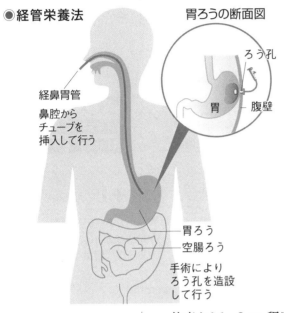

胃ろうの断面図

ろう孔

胃

腹壁

経鼻胃管
鼻腔から
チューブを
挿入して行う

胃ろう
空腸ろう
手術により
ろう孔を造設
して行う

●**チューブ型カテーテルのバルーン型とバンパー型の特徴**

バルーン型	バンパー型
●カテーテル脱落のおそれがある。 ●入れ替えがしやすい。 ●バルーンを膨らませるための固定水が十分に入っているか、バルーンが破損していないかを日常的にチェック。 ●交換は1〜2か月ごとが目安。	●カテーテルの自然脱落のおそれは少ない。 ●交換の際にろう孔を損傷することがある。 ●カテーテルが胃の粘膜部に入り込むバンパー埋没症候群を起こすことがある。 ●交換は4〜6か月ごとが目安。
チューブ型 カテーテル 外部ストッパー 〈チューブ型バルーン〉	チューブ型 カテーテル 外部ストッパー 〈チューブ型バンパー〉

経管栄養法では、次の点に留意します。

- 栄養剤の種類、1日の回数、タイミング、1回の量、注入速度、姿勢、交換の頻度や交換を実施する場所、体調変化時の対応、入浴時の対応、カテーテルが抜けてしまったときの対応について医師等に確認する。
- 感染対策、体調変化時、緊急時の対応などについて利用者・家族、スタッフなどと情報を共有する。

6 在宅酸素療法（HOT）

在宅酸素療法は、COPDなどの呼吸器疾患、心疾患、神経・筋疾患、がんなどによって動脈血内の酸素量が少ない利用者に、在宅で酸素投与を行う方法です。

酸素供給器には、酸素濃縮器などがありますが、外出時や災害時には、小型化・軽量化された酸素ボンベを使用します。携帯用酸素ボンベでは、医師の指示で呼吸同調器を使用することがあります。

また、酸素吸入に使う器具には、鼻カニューレのほか、簡易酸素マスク、トラキマスクがあります。

●酸素濃縮器　●携帯用酸素ボンベ

 コ**コでた！**

R5 問36
R2 問40
R1 問34

COPD
→ P211

 用 語

呼吸同調器
酸素を吸気時のみ流出させる装置。酸素ボンベの消費量を減らすことができる。

保健医療サービス分野

Lesson 22　★★★　在宅医療管理

◉マスクの種類と特徴

鼻カニューレ		両側の鼻腔から酸素を投与する。簡便であり、食事や会話がしやすい。
簡易酸素マスク		主に酸素流量の多い場合や鼻カニューレで効果が不十分な場合に使用する。
トラキマスク		気管切開の部位に使用する。左図のようなT型コネクタを使用することがある。

在宅酸素療法では、次の点に留意して行います。

- 酸素の吸入量や時間は、医師の指示に基づいて行う。

- 実施中に、**利用者が呼吸の息苦しさを訴えても、医師の指示を超えて酸素流量をあげてはならない。**
- 酸素供給器には高濃度の酸素が入っているため、使用中は機器の周囲2m以内に火気を置かず、禁煙を必ず守るように指導する。
- 定期的に酸素濃縮器のバッテリーの状態を確認する。
- 吸入器具は細菌感染を防止するためこまめに洗浄・消毒。

7 在宅人工呼吸療法

コ**コでた!**
R3 問37

　在宅で、機器を使って呼吸の補助を行い、酸素の取り込みと二酸化炭素の排出を促す方法です。

　マスクなどを装着して実施する非侵襲的陽圧換気法（NPPV ＝ Noninvasive Positive Pressure Ventilation）と、気管切開などをして実施する侵襲的陽圧換気法（IPPV）があります。気管切開で喀痰の吸引（→ P279）を行う場合は、医師、看護師からの指示をケアチームで十分共有することが大切です。

　いずれの場合も、器具はコンパクトなので車いすでの外出や旅行などが可能です。QOLの向上、精神面での支援も重要です。

　また、緊急時、災害時の対応や連絡体制を確認します。

侵襲的陽圧換気法
気管挿管や気管切開など「侵襲的」な方法によるものをIPPV（Invasive Positive Pressure Ventilation）という。
特に気管切開によるものをTPPV（Tracheostomy Positive Pressure Ventilation）ということもある。

- 機器の異常を知らせるアラームは、正常に作動するか確認し、常時オンにする。
- バッテリー内蔵の吸引器または手動式や足踏み式の吸引器を備え、予備バッテリーも確保する。
- アンビューバッグの使用について手技を習得。
- 機器のトラブルは取扱業者が対応するが、トラブルか体調不良か判断がつかない場合は医療職へ連絡する。

 用語

アンビューバッグ
手動式の人工呼吸器。下あごを上げ、利用者の口と鼻にマスクをあて、バッグを押して換気を行う。

◉人工呼吸療法

	非侵襲的陽圧換気法	侵襲的陽圧換気法
適応	重度のCOPD、神経難病など。 ※図は鼻のみのタイプ。鼻と口の両方に装着するタイプのマスクもある。	筋萎縮性側索硬化症などの神経疾患、自発呼吸が障害されている者。 フレキシブルチューブ　コネクター　気管カニューレ
特徴	取り扱いが簡単で会話ができる。夜間だけ装着する場合もある。	生命維持装置として機能する。
留意点	● 正しく装着しないと空気の漏れなどが起こる。装着時間については主治医に確認。	● 介護者が痰の吸引についての清潔操作、手技を習得する必要がある。 ● 気管切開部周囲の皮膚の観察と清潔に留意する。

8 喀痰吸引

　喀痰吸引は、口腔内やのど、鼻腔、気管などにたまっている痰や唾液などを吸引器につないだカテーテルで除去し、肺炎や窒息などを予防します。吸引の方法には、口腔内吸引、鼻腔内吸引、気管吸引（気管カニューレ内部吸引）があります。

　2012（平成24）年4月から、研修を受けた介護職員等は一定の条件の下で痰の吸引・経管栄養を実施できるようになりました。介護支援専門員は、利用者が入院しているような場合は実施している事業所などの情報収集をし、退院直後からスムーズに利用できるように手配します。吸引器は、**介護保険の対象とならないため、**自費でレンタルまたは購入が必要です。身体障害者手帳の交付を受けている場合、購入の補助が受けられることもあります。

9 ストーマ

　ストーマは、消化管や尿路の障害によって、肛門や膀胱による通常の排泄ができなくなった場合に、人工的につくった便や尿の排泄口です。大腸がんなどで肛門から排泄ができない場合につくられる消化管ストーマと、膀胱がんや前立腺がんなどの場合につくられる尿路ストーマ（ウロストミー）があります。

+1プラスワン

痰の排出
痰の吸引の前に、必要に応じて体位ドレナージ（頭部を肺よりも高くするなど体位を変えて痰の排出を促す）や吸入療法（霧状の薬剤を口や鼻から吸入）して、痰の排出を促す。

ココでた！
R2 問40
R1 問34

いずれの場合も入浴は可能ですが、特に尿路ストーマでは感染リスクにも留意し、入浴時の対応を確認する必要があります。なお、永久的ストーマの場合、身体障害者手帳の交付を受けていると、市町村によりストーマ装具の購入補助を受けられることがあります。

🔟 尿道カテーテル法

尿道カテーテル法（膀胱留置カテーテル法）は、尿道からの排泄をコントロールできない場合に行われる方法です。尿道口からカテーテルを膀胱内に挿入・留置し、持続的に尿を排泄させるバルーンカテーテルと、男性のペニスにコンドームをかぶせて定期的に尿を吸引するコンドームカテーテルがあります。カテーテルが閉塞すると尿がバッグ内に流れず膀胱内にたまり、腹痛や発熱、尿漏れなどを引き起こすため、カテーテルの屈曲や圧迫などに注意します。

バルーンカテーテルでは、**蓄尿バッグは膀胱より**低い**位置**を保ち、歩行時のバッグの位置のくふうや指導が必要です。入浴は可能ですが、カテーテルとバッグの接続部ははずさないようにします。

尿路感染**のリスクが高く**、カテーテルの閉塞や出血、誤って抜けてしまうなどのトラブルを生じやすいため、日ごろから清潔に留意して操作を行い、取り扱い方法の指導や緊急時の対応の体制作りが必要です。

🔟1 在宅自己導尿

在宅自己導尿は、脊髄疾患や脳血管障害などで自然排尿が困難な場合に、利用者自らが膀胱内にカテーテルを挿入し、尿を排泄する方法です。排尿後にカテーテルを抜き取るため、**バルーンカテーテル法よりも感染症の危険性が低く**、蓄尿バッグも必要としませんが、利用者が手技に慣れなければなりません。

カテーテルは清潔に保ち、水分は十分にとるよう指導します。

コ コ で た！
R4 問37

使用方法を指導したり、薬剤の副作用に対応することが重要です。

🔟2 ネブライザー

ネブライザーは、慢性気管支炎、喘息などで日常的に痰がたまる場合に、霧状にした薬を気管や肺に吸い込むことで、呼吸器疾患の利用者の症状を抑え、痰の排出を促す機器です。

在宅ではコンプレッサー式と超音波式が多く用いられています。

13 パルスオキシメーター

コ**コ**でた!
R4 問37
R1 問36

　パルスオキシメーターは、手足の指先に光センサーをつけて、血液中にどの程度の酸素が含まれているか（酸素飽和度：SpO_2）を測定する機器で、同時に脈拍数も測定することができます。

　利用者が気管切開をしている場合や人工呼吸器を装着している場合には、パルスオキシメーターの酸素飽和度の変化が、喀痰吸引や緊急連絡の判断の目安となります。取り扱いは簡便ですが、医師の指示を確認し、利用者や家族が正しい計測方法を行えるようにします。なお、在宅酸素療法や人工呼吸療法を行っている場合は、市町村により購入の補助を受けられることがあります。

 \\ チャレンジ! //
過去&予想問題
できたら
チェック ☑

	問題	解答
□1	在宅自己注射は、家族以外の訪問介護員も行うことができる。 R3	✕ 医行為のため訪問介護員が行うことはできない
□2	悪性腫瘍疼痛管理では、身体的側面だけでなく、精神的側面からも考えることが重要である。 R3	〇
□3	腹膜透析は、血液透析に比べて食事内容の制限が多い。 R1	✕ 制限が少ない
□4	中心静脈栄養法では、静脈炎にならないように末梢静脈を用いる。 R4	✕ 中心静脈を用いる
□5	経鼻胃管は、定期的に交換する必要はない。 R3	✕ 1か月ごとを目安に交換
□6	在宅酸素療法において、携帯用酸素ボンベの使用に慣れれば、介護支援専門員の判断で酸素流量を設定してよい。 R5	✕ 医師の指示に基づいて行う
□7	在宅酸素療法を実施している場合には、禁煙を徹底する。 予想	〇
□8	人工呼吸療法は、気管切開をして行わなければならない。 予想	✕ マスクなどを装着して行う方法もある
□9	ストーマには、消化管ストーマと尿路ストーマがある。 R2	〇
□10	バルーンカテーテルの使用時は、蓄尿バッグを膀胱よりも低い位置に固定する。 予想	〇
□11	パルスオキシメーターは、血液中の酸素飽和度を測定する機器である。 R4	〇

保健医療サービス分野

Lesson 22 ★★★ 在宅医療管理

Lesson 23

重要度 **A** ★★★

感染症の予防

レッスンの
ポイント

- 標準予防策の励行が重要
- 標準予防策に加え、感染経路別に、感染対策を立てる
- 高齢者にはインフルエンザワクチン、肺炎球菌ワクチンを推奨
- ノロウイルス感染症、MRSAは施設で感染しやすい

コ コ で た！

| R5 問37 | R3 問36 |
| R2 問39 | R1 問39 |

新型コロナウイルス感染症への対策のように、症状がなくても常時マスクの着用が推奨されることもあります。

拭き取る液体はアルコールじゃないよ。

1 感染症の予防の基本

(1) 標準予防策 (スタンダード・プリコーション)

標準予防策は、すべての人の血液、汗を除く体液、分泌物、排泄物、創傷のある皮膚、粘膜などには感染性があると考え、すべての人に対して行われる感染予防策です。手指衛生、個人防護具の使用、咳エチケットが重要です。

●標準予防策

手指衛生	● 流水と石けんによる手洗いを行い、消毒（アルコール製剤など）を実施する。 ● 手のひら、指先、指の間、親指、手首まで実施。 ● 手袋をはずしたあとも行う。
うがい	口やのどに吸いこんだ病原体を洗い流す。
個人防護具	血液、体液、分泌物、排泄物などを扱う場合には、使い捨ての手袋やマスク、必要に応じてゴーグル、ガウン、エプロンなどを着用。
咳エチケット	症状がある人、利用者、家族、職員はマスク着用。

(2) 介護・看護者の対策

施設職員は、自らが感染経路とならないよう、予防接種を受け、定期的に健康診断を受診することが大切です。

食事介助のとき、排泄介助のあとは、手指衛生を徹底します。

嘔吐物処理時は、使い捨ての個人防護具を着用し、ペーパータオルなどで拭き取った嘔吐物をビニール袋に入れて破棄します。汚染した場所やその周囲は0.02%次亜塩素酸ナトリウムで拭き取ります。

(3) 感染経路別予防策

　感染症を発症している利用者に対しては、標準予防策に加えて、感染経路別予防策が行われます。

◉感染経路別予防策

感染経路	主な感染症	対策
●接触感染（経口感染含む） 利用者、物品などとの接触で、手指を介し感染	ノロウイルス感染症、腸管出血性大腸菌感染症、疥癬、MRSA感染症など	手指衛生の励行。嘔吐物など処理時に個人防護具を着用
●飛沫感染 咳、くしゃみ、会話などでの飛沫粒子で感染	新型コロナウイルス感染症、インフルエンザ、流行性耳下腺炎、風疹、ノロウイルス感染症（吐物処理時）など	飛沫粒子は1m程度で落下するため、感染症の疑いのある利用者の2m以内でケアを行う場合は使い捨てマスクを着用し、定期的な換気をする
●空気感染 空中を浮遊する飛沫核で感染	結核、麻疹（はしか）、水痘（帯状疱疹）など	麻疹や水痘では、免疫をもつ人が介護・看護にあたる。それ以外の職員では、高性能マスクを着用。個室管理
●血液感染 主に血液を介して感染	ウイルス性肝炎のうちB型肝炎・C型肝炎、ヒト免疫不全ウイルス（HIV）感染症	血液や体液を介して感染。注射針や鋭利な器具などでの受傷による感染に注意。職員は予防のためB型肝炎ワクチンを接種する

※飛沫感染する疾患は、接触感染する場合がある。新型コロナウイルス感染症は、空気感染する場合がある

2 高齢者の予防接種

ココでた！
R2 問39
R1 問39

　高齢者に推奨されるのは、インフルエンザワクチン、肺炎球菌ワクチンで、いずれも予防接種法に基づく定期予防接種の対象となっています。両者を併用することで入院や死亡のリスクを抑えることができます。定期予防接種の対象ではありませんが、帯状疱疹ワクチンの接種も重要です。

(1) インフルエンザワクチン

　インフルエンザウイルスに感染すると、特にCOPDなど慢性疾患をもつ高齢者では肺炎を合併し、重症化することがあります。毎年の接種が推奨されています。

(2) 肺炎球菌ワクチン

肺炎球菌は、肺炎、気管支炎、敗血症などの重い合併症を引き起こすことがあります。接種による予防効果は5年程度続くとされ、2回目以降の接種は**5年以上間隔をあける**ことが必要です。定期予防接種（2014［平成26］年10月から）では、接種機会は65歳の1年間に1回のみとなります。

(3) 帯状疱疹ワクチン

高齢者では、潜伏感染していた水痘・帯状疱疹ウイルスの再活性化により、帯状疱疹を発症するリスクが高いとされています。一部の自治体では、接種費用の助成をしています。

コ**コ**でた！
R1 問39

3 高齢者に多い感染症

(1) 呼吸器感染症

呼吸器感染症は、呼吸器に起こる感染症の総称で、肺炎（誤嚥性肺炎含む）、気管支炎、膿胸、肺結核などがあります。主な症状には、咳嗽、喀痰、呼吸困難、チアノーゼ、発熱、頻脈などがあり、食欲不振やせん妄が現れることもあります。特にインフルエンザや新型コロナウイルス感染症は感染力が強いため、発熱を伴う呼吸症状には注意が必要です。予防には、飛沫感染予防策などを徹底します。

(2) 尿路感染症

尿路感染症は、尿路に起こる感染症の総称で、高齢者に最も多くみられます。主なものに膀胱炎、腎盂炎があり、頻尿、排尿時痛、発熱、尿閉などが主要な症状です。バルーンカテーテル（膀胱留置カテーテル）では感染症を発症しやすいため注意が必要です。

(3) ノロウイルス感染症

嘔吐、下痢、腹痛などの急性胃腸症状を起こします。主に経口感染ですが、下痢などの症状がなくなっても、患者の便や嘔吐物から大量のウイルスが排出されることによる、二次感染（接触感染、飛沫感染）に注意が必要です。処理する際には、使い捨てのガウン、マスク、手袋を着用し、処理後に次亜塩素酸ナトリウムで調理器具や食器類、床を拭き取ります。

注目！

ノロウイルス感染症は、特に二次感染に注意する。

(4) MRSA 感染症

MRSA（メチシリン耐性黄色ブドウ球菌）は抗生物質に対する強い耐性をもつ黄色ブドウ球菌で、呼吸器や消化器などさまざまな部位に感染症を引き起こします。MRSA は常在菌とされますが、高齢者や体力の弱まった状態では、感染すると難治性となり、予後不良の場合が少なくありません。介護施設に保菌者がいる場合は、ほかの入所者に感染しないよう標準予防策を遵守します。

＼＼ チャレンジ！ ／／
過去＆予想問題

できたらチェック ☑

	問題	解答
□1	すべての人が感染症にかかっている可能性があると考え、感染予防に努める。 **R3**	◯
□2	感染症を予防するためには、感染源の排除、感染経路の遮断、宿主の抵抗力の向上が重要である。 **R2**	◯
□3	手袋を使用すれば、使用後の手指衛生は必要ない。 **R2**	✕ 手袋をはずしたあとも手指衛生を行う
□4	マスクや手袋、エプロンやガウンはできるだけ節約し、使い回すように心がける。 **R3**	✕ 使い捨てにする
□5	介護保険施設の従事者は、自ら感染源とならないよう、予防接種を受けることが大切である。 **予想**	◯
□6	インフルエンザは、空気感染により発症する。 **予想**	✕ 飛沫感染
□7	B 型肝炎は、ワクチンで予防可能な感染症である。 **予想**	◯
□8	高齢者に接種が推奨されるワクチンは、インフルエンザワクチンとB 型肝炎ワクチンである。 **予想**	✕ インフルエンザワクチンと肺炎球菌ワクチン
□9	肺炎球菌ワクチンは、インフルエンザワクチンと同月に接種してはならない。 **予想**	✕ 接種可能である
□10	高齢者は、肺炎球菌ワクチンを毎年接種しなければならない。 **R1**	✕ 接種は5年以上あける。また、定期予防接種の機会は1回である
□11	呼吸器感染症には、誤嚥性肺炎は含まない。 **予想**	✕ 含む
□12	尿路感染症の主な症状に、頻尿、排尿時痛、発熱、尿閉などがある。 **予想**	◯
□13	ノロウイルス感染者の便や吐物には、ノロウイルスが排出される。 **R1**	◯

Lesson 24

重要度 **A** ★★★

急変時の対応

レッスンの
ポイント

● 適切な初期対応が予後に影響する
● 心筋梗塞で腹痛が主症状の場合もある
● 吐血、下血の違いについて理解する
● 一次救命処置では、まず胸骨圧迫を行う

コ**コ**でた！
R1 問32

薬の副作用として急性
疾患が発症することも
あります。

1 高齢者の急性疾患の特徴

　高齢者は、日常の生活機能に影響を与える疾患や慢性疾患を複数有することが多く、多くの種類の薬剤を服用し、薬の副作用も出やすくなります。急性疾患でも症状が非典型的で自覚症状に乏しく、痛みや呼吸困難などの訴えがないこともあります。また、水・電解質の代謝異常（脱水）や神経・精神症状（意識障害、せん妄など）の合併症も伴いやすくなります。

コ**コ**でた！

R5 問38	**R4 問31**
R4 問38	**R3 問38**
R2 問27	**R1 問32**
R1 問33	

2 高齢者の急変時の対応

　高齢者の急変では、初期対応が予後に影響します。介護支援専門員は、24時間対応の体制を整えた在宅療養支援診療所や在宅療養支援病院などとも連携し、急変時の適切な対応、緊急受診先などをあらかじめケアチームと共有しておくことが大切です。

●医療機関を受診すべき病態と緊急対応

出血	傷口を清潔なガーゼやタオルで圧迫し、止血する。出血が激しい場合や清潔な布がない場合は、出血部位よりも心臓に近い部位を圧迫して止血。出血部位を心臓より高くすると、出血量を減らすことができる場合がある。
頭部打撲	記憶障害、意識障害、痙攣（けいれん）、頭痛、嘔吐（おうと）、瞳孔（どうこう）の左右不同がある場合は、硬膜下出血、硬膜外出血、脳出血などが疑われる。両手足に力が入らない、しびれがあるなどの場合は、頸椎損傷が疑われるため極力身体を動かさないようにする。
誤嚥、窒息	誤嚥（ごえん）による窒息では、窒息サイン（喉に手をあてるなど）やチアノーゼなどが出現する。側臥位にさせ、口の中に指を入れて異物を取り出すほか、腹部突き上げ法（ハイムリック法）、背部叩打法（こうだ）により異物除去をする。

誤薬	意識があるときは胃の内容物を吐かせる。意識がないときや、酸性・アルカリ性の強い洗剤や漂白剤、薬のPTP包装シートなどを誤飲したときは、無理に水を飲ませたり吐かせたりせず、すぐに医療機関にかかる。
熱傷（やけど）	ただちに冷たい水で冷やす。衣服の下をやけどしている場合は、脱がさず流水をあてて冷やす。
溺水 （できすい）	ほとんどが浴槽で起こる。異常時にはただちに心肺蘇生（→ P288）をする。
発熱	● 感染症を疑うが、普段の体温を考慮して対応。脱水に注意する。 ● 解熱剤には血圧低下、出血、腎障害などの副作用もあり、医師の指示のもと服用する。 ● 腹痛があり、腹部が硬い場合は腹膜炎を起こしている可能性がある。
腹痛	● 上腹部痛は、急性胃炎、胃潰瘍（かいよう）、十二指腸潰瘍などの疑い。 ● 右上腹部痛は、胆石症や胆嚢炎、右下腹部痛では虫垂炎の可能性がある。 ● 右側または左側の腰背部痛で、下腹部に向けて痛みがある場合は、尿管結石の可能性がある。 ● 高齢者では、心筋梗塞を発症しても、胸痛ではなく腹痛が主症状のこともある。 ● 激しい腹痛と嘔吐がある場合はイレウス（腸閉塞）も疑われる。 ● 食中毒では、腹痛、嘔吐に加えて発熱や下痢がみられる。
呼吸不全	● 呼吸困難とチアノーゼがある場合は、心不全の可能性があるので、すぐに医療機関を受診。 ● 喘息（ぜんそく）や心不全による呼吸困難では、あお向けよりも姿勢を座位にすると症状が楽になる。 ● 胸痛とともに呼吸困難が急激に生じた場合は、肺血栓塞栓症（そくせん）、肺梗塞（こうそく）、自然気胸、心筋梗塞の可能性があり、すぐに医療機関を受診。 ● 食事中または食事直後の呼吸困難では、誤嚥や窒息が考えられる。
胸痛	● 心筋梗塞、狭心症は強い胸痛が特徴で、痛みは肩や背中、首などにも拡散する。高齢者では、特徴的な胸痛の症状がない場合もあり、冷や汗や吐き気、呼吸困難が主症状のこともある。 ● 肺血栓塞栓症、肺梗塞、大動脈解離では、突然激しい痛みが出現し、呼吸困難や血圧低下による意識障害などが起こる。
嘔吐	● のどがつまらないように側臥位にして、口の中の嘔吐物を取り除く。 ● 意識や呼吸状態が悪い、血が混じっている場合には緊急受診が必要。
吐血・下血・喀血	● 消化管出血がある場合に、口から血を吐くことを吐血（とけつ）、血液成分が肛門から出ることを下血（げけつ）という。胃潰瘍、十二指腸潰瘍、胃がん、大腸がん、食道静脈瘤、抗生剤の副作用による出血性腸炎などが疑われる。 ● 吐血は、大量出血では新鮮血、時間が経過している場合は黒っぽい血液となる。 ● 下血がタール便（黒っぽいドロドロした血便）の場合は、胃や十二指腸など上部消化管からの出血を疑う。新鮮血の下血は、大量出血や大腸からの出血を疑う。 ● 咳と一緒に出てくるなど気道系からの出血は喀血（かっけつ）といい、結核や肺がんなどが疑われる。

浮腫・腹水	浮腫(ふしゅ)は、足から生じる場合が多いが、寝たきりでは背部や仙骨部に生じる。浮腫や腹水がみられる場合は、心不全、低栄養、肝硬変、腎臓病、悪性腫瘍などが、急激な浮腫は心不全の急性増悪が考えられる。

コ**コでた！**

R5 問38

R1 問32

 用 語

心室細動
心臓の動きが不規則になり、全身に血液を送り出せなくなった状態。不整脈のなかでも致死性が高い。AEDが有効。

AED
電気ショックにより心臓のリズムを正す機器。

❸ 心肺蘇生

　一次救命処置は、正しい知識と適切な処置のしかたさえ知っていれば、誰でも行うことができます。特に、心停止の原因となる心室細動では、AED（自動体外式除細動器）の使用が必要となります。

　意識のない人や倒れている人を見つけたときには、軽く肩をたたきながら呼びかけます。反応しない場合は、大声で叫んで応援を呼び、近くの人に救急車の要請とAEDの手配を依頼してから、処置を始めます。胸と腹部の動きを見て正常な呼吸をしていない、または判断に迷う場合は、水平な場所に仰向けにしてすぐに胸骨圧迫（胸の真ん中を圧迫）を開始します。100~120回／分のテンポで行い、AEDが到着したらすぐに使用します。

 \\ チャレンジ！ //
過去&予想問題　　できたらチェック ☑

	問 題	解 答
☐1	高齢者の急変では、自覚症状がはっきりしないことがある。 予想	◯
☐2	両手足に力が入らず、頸椎損傷が疑われる場合には、極力身体を動かさないようにする。 R1	◯
☐3	誤嚥による窒息では、胸部を強く圧迫して異物除去をする。 予想	✕ 腹部を強く圧迫する
☐4	出血量が多い場合は、傷口を清潔なタオルなどで圧迫し、出血部位を心臓の位置より低くする。 R1	✕ 心臓の位置より高くする
☐5	発熱時には、脱水に注意する。 予想	◯
☐6	喘息や心不全による呼吸困難では、起座呼吸で症状が楽になることが多い。 R3	◯
☐7	寝たきりの高齢者に吐き気があるときは、身体を横向きにして、吐物の誤嚥を防ぐ。 R2	◯
☐8	心肺蘇生時の胸骨圧迫は、1分間に60回を目安に行う。 R5	✕ 1分間に100～120回を目安に行う

健康増進と疾病障害の予防

レッスンのポイント

- 2024年度から、健康日本21（第3次）が実施されている
- 疾病予防の3つの柱は、栄養、身体活動、社会参加
- フレイル・サルコペニア、生活習慣病の予防が大切
- 感染予防も生活習慣病予防のひとつ

1 国の健康増進対策

コ コ でた！
R4 問39

（1）これまでの健康増進施策

わが国では、健康増進にかかる取り組みとして、これまで第1次国民健康づくり対策、第2次国民健康づくり対策、2000（平成12）年から2012（平成24）年度までの「21世紀における国民健康づくり運動（健康日本21）」、2013（平成25）年度から2023（令和5）年度までの「21世紀における第2次国民健康づくり運動（健康日本21〔第2次〕）」を実施し、一定の成果を収めてきました。2024（令和6）年度からは、2035（令和17）年度までの計画として、「21世紀における第3次国民健康づくり運動（健康日本21〔第3次〕）」が実施されます。

（2）健康日本21（第3次）の基本的な方向

すべての国民が健やかで心豊かに生活できる持続可能な社会の実現をビジョンとして、だれ一人取り残さない健康づくりの展開、より実効性をもつ取り組みの推進を行います。そのため、次の4つの方向性が示されています。

①健康寿命の延伸と健康格差の縮小

②個人の行動と健康状態の改善（生活習慣の改善、生活習慣病〔NCDs〕の発症予防・重症化予防、生活機能の維持・向上）

③社会環境の質の向上（社会とのつながり・こころの健康の維持および向上、自然に健康になれる環境づくり、だれもがアクセスできる健康増進のための基盤の整備）

④ライフコースアプローチを踏まえた健康づくり（胎児期から高齢期に至るまでの人の生涯を経時的にとらえた健康づくり）

健康寿命
 P265

📖 用語

NCDs（非感染性疾患）
不健康な食事や運動不足、喫煙、過度の飲酒、大気汚染などにより引き起こされる、がん・糖尿病・循環器疾患・呼吸器疾患・メンタルヘルスをはじめとする慢性疾患の総称。

2 疾病予防

　健康寿命の延伸と疾病予防のためには、定期的な健康診断により、疾病リスクの早期発見をすることが重要です。

　また、①栄養（食・口腔機能）、②身体活動（運動、社会活動）、③社会参加（就労、余暇活動、ボランティア）を3つの柱としてバランスよく生活に取り入れ、特に後期高齢者では、フレイルとサルコペニア（➡ P182）の予防が、介護予防のための大きな鍵となります。なお、2020（令和2）年4月からは、各市町村において高齢者の保健事業と地域支援事業の介護予防の一体的な実施により、フレイル予防の取り組みなどが進められています。

3 生活習慣病の予防

　個人が取り組む疾病予防として重要なのは、生活習慣の改善による生活習慣病の予防です。

　代表的な生活習慣病には、がん（悪性腫瘍）、循環器疾患、糖尿病、骨粗鬆症などがあり、次のように、発生要因を踏まえた予防対策を行うことが重要です。

コㇰでた！
R5 問39

用語

生活習慣病
「食習慣、運動、休養、喫煙、飲酒などの生活習慣が、発症・進行に関与する疾患群」のこと。

◉生活習慣病の予防策

予防策	要因、留意点
禁煙	●たばこには多くの発がん性物質が含まれ、喫煙により、胃がんと肺がんは確実に、肝臓がんはほぼ確実にリスク増。 ●喫煙により、心疾患、COPD、白内障、脂質異常症、高血圧などのリスクが高まる。 ●喫煙により、糖尿病の合併症が進行する。
適度な運動	●運動により、結腸がんのリスクが軽減する。 ●肥満や糖尿病を予防する。 ●運動により、骨形成が促進され、骨粗鬆症を予防する。
感染予防	●B型肝炎ウイルス、C型肝炎ウイルスによる肝臓がん、ヒト・パピローマ・ウイルスによる子宮頸がん、ピロリ菌による胃がん、ヒトT細胞性白血病ウイルスによる成人T細胞性白血病が代表的。

生活習慣病の予防では、関連する疾患とあわせて学習するとよいね。

食生活の改善	● 多量の飲酒習慣は、虚血性心疾患のリスクを高める。 ● 塩分の過剰摂取は高血圧のリスクを高める。 ● 糖尿病では、過剰な総カロリー摂取や脂肪の摂取を抑える。 ● カルシウムとカルシウムの吸収を促進するビタミンD、ビタミンKを含む食品を多く摂り、骨粗鬆症を予防する。
その他の影響を予防	● 特定の化学物質（石綿など）、紫外線による発がんリスクも指摘されている。
検診の早期受診	● がん、骨粗鬆症では、積極的な受診による早期発見・早期治療が重要。
転倒予防	● 骨粗鬆症では、背筋群や腸腰筋、腹筋の強化、プロテクターによる骨折予防など。

\\ チャレンジ！ //
過去＆予想問題

できたらチェック ☑

問 題	解答	
□1 健康日本21（第3次）の方向性のひとつとして、ライフコースアプローチを踏まえた健康づくりがある。 予想	○	
□2 健康日本21（第3次）では、健康寿命を延ばすことを目指している。 予想	○	
□3 悪性腫瘍（がん）とウイルス感染は、関連性はない。 予想	✕	がんでは、ウイルスや細菌の感染が発生原因となることがある
□4 適度な喫煙は、糖尿病の合併症の進行を遅らせる効果が認められている。 予想	✕	たばこには多くの発がん性物質が含まれ、糖尿病では合併症を進行させる
□5 適度な運動は、骨粗鬆症の予防に効果がある。 予想	○	
□6 筋力トレーニングは、糖尿病の予防につながる。 R5	○	
□7 がん、骨粗鬆症などの生活習慣病は、積極的な受診による早期発見・早期治療が有効である。 予想	○	

Lesson

26

重要度 **A**
★★★

ターミナルケア

レッスンの
ポイント

- エンド・オブ・ライフ・ケアという考え方も重要
- 多職種協働で利用者にかかわる
- 医療と介護の連携により利用者の生活を支える
- 尊厳を重視し、意思決定を支援する

コ**コでた！**

R5 問40
R3 問40
R2 問41

介護支援専門員は、時期や場面に応じて、医療機関との適切な連絡・調整が求められます。

1 ターミナルケアと支援

　ターミナルケアとは、死が間近にせまったターミナル期（終末期）に提供されるケアをいいます。また、人生の終盤の時期を広くとらえ、老いや衰えが進みつつある時期に行われるケアをエンド・オブ・ライフ・ケアとも呼びます。

　ターミナルケアを行う「終の棲家」も、地域包括ケアにおいては、自宅のほか、認知症対応型共同生活介護（グループホーム）、サービス付き高齢者向け住宅、有料老人ホームなどの「自宅に代わる地域の住まい」、介護保険施設などさまざまなものが想定されています。

　利用者のターミナル期の生活を支えるためには、医療と介護が連携し、急性合併症の予防、栄養介入や口腔ケア、リハビリテーションなどの支援を多職種協働で行っていくことが重要になります。

●場面ごとの医療との連携

急病時	医師による予後予測に基づき、治療方針、ケアプランの変更などについて話し合う。
急変時	あらかじめ在宅療養支援診療所や24時間体制の訪問看護事業所などを確保。
入院時	病院の職員に対して、必要な情報を提供。
退院・退所時	医療機関から必要な情報を入手。
家族に休息が必要になったときは、短期入所施設の確保。	
看取り期	生命予後の予測や今後起こりうることについて、利用者・家族に適切な説明がなされるよう配慮する。

2 尊厳の重視と意思決定の支援

(1) アドバンス・ケア・プランニング (ACP)

　アドバンス・ケア・プランニング (ACP) とは、自らが望む人生の最終段階における医療・ケアについて、本人が家族など（親しい友人などを含む）や医療・介護従事者からなるケアチームと繰り返し話し合い、これからの医療・ケアの目標や考え方を明確にし、共有するプロセスをいいます。このACPの取り組みを踏まえ、厚生労働省による「人生の最終段階における医療・ケアの決定プロセスに関するガイドライン」（2018〔平成30〕年）が作成されています。

　話し合いの内容は、そのつど文書化して共有します。本人が意思を表明できない場合は、家族などが本人の意思を推定し、家族などが本人の意思を推定できない、または家族などがいない場合は、医療・ケアチームが慎重に判断し、本人にとって最善の方針を選択します。

(2) 認知症の人の意思決定支援

　認知症の人の意思決定を支援するすべての人を対象に、厚生労働省による「認知症の人の日常生活・社会生活における意思決定支援ガイドライン」（2018〔平成30〕年）が作成されています。このガイドラインでは①意思形成支援、②意思表明支援、③意思実現支援という3つの支援プロセスを踏むことの重要性が強調されています。

3 ターミナルケアの方法

　ターミナル期の利用者の生活を支えるうえでは、介護が重要な位置を占めます。ケアを食事、排泄、睡眠、移動、清潔、喜びという視点からとらえて支援することが重要です。

◉ターミナル期のケア

衰えを示す変化	かかわりかた、ケア
食欲が落ち、体重が減る	食事量を維持できるようにくふうするが、量よりも楽しみや満足感を重視していく。食べたいものを、食べたいときに、食べたい分だけとればよいと考える。
口腔や嚥下の機能が落ちる	誤嚥性肺炎を予防する。嚥下状態や口腔内の状況の定期的な観察、口腔ケアや誤嚥しにくい食形態のくふうなどが重要。

コ コでた！
R5 問40
R2 問41
R1 問41

厚生労働省では、ACPを普及させるため「人生会議」という愛称を定めています。

+1 プラスワン

本人の意思の推定
ACPでは、あらかじめ家族などの信頼できる人を定めておくことが重要とされる。信頼できる人は必ずしも家族に限らず、親しい友人など広い範囲を含み、複数人存在してもよい。

保健医療サービス分野

Lesson 26 ★★★ ターミナルケア

便秘になりやすい	3〜5日に一度は排便があるようにくふうする。腹部をさする、蒸しタオルで温める、適宜下剤で調整、摘便や浣腸など。
意欲や活動量が減る	状態に応じ、無理のない範囲で好きな活動を続ける。傾眠がちになった場合は、可能な範囲で、車いすの利用など離床できる時間を確保し、眠るときと目覚めるときのリズムをつける。環境整備をして、転倒を予防する。入浴などの清潔ケアも身体の負担となるため、体力を勘案しながら心地よいと思える範囲で行っていく。
体調を崩すことが増える	
褥瘡（じょくそう）ができやすい	皮膚の状態をよく観察して、予防ケアをする。

ココでた！
R4 問40
R3 問40

4 臨終が近づいたときの症状や兆候とケア

　看取りのケアを行うにあたって、人が死に至るまでの自然経過を知っておくことが必要です。その過程で、必要となる介護の提供や医療との連携を想定します。

●臨終が近づいたときの兆候

	数週間〜1週間前	数日前	48時間〜直前
食事	飲食量がかなり減少し、錠剤が飲めない	経口摂取が困難で、1回の飲食量がごく少量になる	経口摂取できず、水分は口を湿らす程度
意識	うとうとしている時間が長くなる	意識が混濁し、意味不明な言動や混乱（せん妄）がみられる	意識がなく昏睡状態
呼吸	息切れ、息苦しい	唾液をうまく飲み込めず、のどがごろごろする	チェーンストークス呼吸、下顎呼吸
循環	血圧が徐々に低下し、脈が速くなる	尿量が減少し、尿の色が濃くなる	手足にチアノーゼが現れ、冷たくなる。脈が触れにくい

■意識の障害

　混乱がひどく興奮が激しい場合、向精神薬の処方も検討し、医師・看護師に相談します。反応がなくなり、意思の疎通が難しくなっても、**聴覚は最期まで保たれる**といいます。いつも通りの声かけをして、安心感を与えましょう。

■呼吸器症状や呼吸の変化

　息切れや苦しさがある場合は、姿勢のくふうやベッドの角度調整、環境整備などをし、安心感を与えます。痰（たん）のからみやのどの違和感については、姿勢のくふうや口腔内清掃、吸引などをします。チェーンストークス呼吸では30秒以上呼吸が止まることもありますが、しばらくすると再開します。下顎呼吸が始まると、臨終が近い状態です。家族はそばにいていただき、一緒に見守ります。

チェーンストークス呼吸、下顎呼吸
➡ P223

■口の渇き

口腔内を清潔に保ち、誤嚥に気をつけながら、氷、アイスクリームなどを口に入れます。

■発熱

発熱がある場合は、氷枕などで冷やし、汗はこまめに拭きます。解熱剤が有効な場合もあります。

■チアノーゼ

手足の先端が青紫色になって、冷感、脈が触れにくいことも臨終が近い兆候となります。

5 死後のケア

在宅での看取りでは、主治医が立ち会いをしなくてもかまいませんが、主治医に連絡し、死亡診断書の作成を依頼する必要があります。死亡診断書は医師（歯科医師含む）のみ作成することができます。

家族に最期のお別れを促したあとに行われる死後のケアをエンゼルケアといい、医療器具などははずし、身体を清潔にし、その人らしい外見に整えます。また、遺族の悲嘆への配慮や対応はグリーフケアと呼ばれ、重要な意味があります。

 コˑでた！

R5 問40
R4 問40

自宅での死亡で救急車を呼ぶと、警察に連絡がいき不審死として検死が行われてしまうんだ。

 \\ チャレンジ！ // 過去&予想問題

できたらチェック ☑

	問題	解答
□1	介護保険の特定施設は、看取りの場となり得る。 R5	○
□2	本人の人生観や生命観などの情報は、関係者で共有すべきではない。 R2	✕ 共有する必要がある
□3	食事については、量よりも楽しみや満足感を優先する。 予想	○
□4	臨死期にある人に、氷、アイスクリームなどを口に含ませることは避けなければならない。 予想	✕ 誤嚥に気をつけながら行う
□5	息苦しさが楽になるように、常にベッドを平らにする。 R3	✕ ベッドの角度を調整する
□6	臨終が近づき、意思の疎通が難しくなっても、最後まで語りかけ、最期を看取るようにする。 予想	○
□7	死後のケアであるエンゼルケアは、身体を清潔にし、その人らしい外見に整えるためのものである。 R4	○

重要度
A
★★★

訪問看護

レッスンの
ポイント

● 訪問看護は療養上の世話と診療補助を行う
● 末期悪性腫瘍などでは医療保険からの給付となる
● サービス開始時は主治医の文書による指示が必要
● 緊急時訪問看護加算などが設定されている

ココでた！

R3 問41
R2 問42

医療系サービスは、すべて主治医が必要と認めた場合に提供されるサービスです。

ココでた！

R4 問41
R3 問41

+1 プラスワン

レッスン27〜31での人員・設備・運営基準は、国（省令）の「指定居宅サービス等の事業の人員、設備及び運営に関する基準」による。

① 訪問看護とは

　訪問看護は、病院・診療所や訪問看護ステーションの看護師などが病状が安定期にある要介護者の居宅を訪問し、療養上の世話や診療の補助を行うサービスです。利用者の安定した療養生活を保障するためのケアを行い、その人の潜在能力と残存機能を活用して、心身の機能の維持・回復と生活機能の維持・向上をめざします。

■事業者

　訪問看護ステーションと病院・診療所が都道府県知事の指定を得て指定訪問看護事業者としてサービスを行います。

② 訪問看護の人員・設備基準

■人員基準

訪問看護ステーション	
看護職員（保健師・看護師・准看護師）	常勤換算で2.5人以上 うち1人は常勤
理学療法士・作業療法士・言語聴覚士	実情に応じた適当数
管理者	常勤専従　※支障なければ兼務可 原則として保健師または看護師
病院・診療所	
看護職員	適当数

■設備基準

　訪問看護ステーションでは必要な広さの事務室、病院・診療所では専用区画を設け、サービス提供に必要な設備・備品を備えます。

❸ 医療保険の訪問看護が適用される場合

ココでた！
R4 問41
R2 問42

要介護者であっても医療ニーズの高い場合は、例外的に医療保険から訪問看護が給付されます。この間は、介護保険の訪問看護は提供されません（介護予防訪問看護でも同様）。

◉**要介護者等でも例外的に医療保険から給付される場合**

- 急性増悪時に、主治医から特別訪問看護指示書（特別指示書ともいう）が交付された場合の訪問看護（原則として月1回、交付日から14日間を限度とする）。
- 末期悪性腫瘍や神経難病など下記の厚生労働大臣が定める疾病等への訪問看護。

  - 多発性硬化症　● 重症筋無力症　● 筋萎縮性側索硬化症
  - 脊髄小脳変性症　● パーキンソン病関連疾患（ホーエン・ヤールのステージ3以上で生活機能障害度がⅡ度またはⅢ度のものにかぎる）
  - 人工呼吸器装着　など

- 精神科訪問看護（認知症を除く）

+1 プラスワン

医療保険の訪問看護
認知症対応型共同生活介護、特定施設入居者生活介護の利用者は、介護保険の訪問看護は利用できない。しかし、末期の悪性腫瘍等や急性増悪時など（右表の要件）では、医療保険の訪問看護は利用できる。

❹ 訪問看護の内容

ココでた！
R4 問41
R3 問41

療養上の世話を基本に、医師の指示のもとで医療処置を必要に応じて組み合わせるサービスに特徴があり、病気や障害の悪化を防ぐなど予防的なかかわりもします。

また、介護する家族もケアの対象としてとらえ、利用者の価値観を尊重したケアを行います。「緊急時訪問看護加算」を組み込むことで、24時間365日利用できるサービスであるということもポイントです。具体的には、次のようなことを行います。

- 利用者の病状の観察、疾病や生活障害に関する情報の収集やアセスメント。
- 食事の援助、排泄の援助、清潔のケア、口腔ケアなどの療養上の世話。
- 医師の指示に基づく、バイタルサインの測定、状態観察、薬剤管理などの診療の補助。
- 日常生活動作を生かしたリハビリテーション。
- 精神的支援、家族支援、療養指導。
- 在宅での看取りの支援（ターミナルケア）。

保健医療サービス分野

Lesson 27 ★★★ 訪問看護

5 訪問看護の運営基準

●訪問看護の運営基準のポイント（固有の事項）

主治の医師との関係	● 事業者は、訪問看護開始時には、主治医の指示を文書（訪問看護指示書※）で受けなければならない。 ※訪問看護指示書の有効期間は6か月以内。 ● 主治医に訪問看護計画書と訪問看護報告書を定期的に提出し、密接な連携を図る。 ● 事業所が医療機関である場合は、主治医の指示書、訪問看護計画書、訪問看護報告書は診療記録への記載でよい。
訪問看護計画書および訪問看護報告書の作成	● 看護師等（准看護師を除く）がアセスメントに基づき、居宅サービス計画の内容に沿って訪問看護計画書を作成し、その内容について利用者に説明、同意のうえ交付する。 ● 提供したサービス内容などについては、訪問看護報告書に記載する。 ● 管理者は、訪問看護計画書と訪問看護報告書の作成に関し、必要な指導と管理を行う。
同居家族に対する訪問看護の禁止	● 事業者は、看護師等に、その同居家族である利用者に、指定訪問看護の提供をさせてはならない。
緊急時などの対応	● 看護師等は、利用者に病状の急変などが生じた場合には、必要に応じて臨時応急の手当てを行うとともに、すみやかに主治医に連絡をして指示を求めるなどの必要な措置を講じる。

6 訪問看護の介護報酬

■基本報酬の区分

　①訪問看護ステーション、②病院・診療所、③定期巡回・随時対応型訪問介護看護事業所と連携して訪問看護を行う場合別に、①、②では20分未満、30分未満、30分以上1時間未満、1時間以上1時間30分未満までの4区分にわけて、③では1か月につき設定されています。

■主な加算　　　　　　　　　　　※ 予防＝予防給付でも設定

> ● 夜間、早朝、深夜にサービスを提供した場合（区分③以外）。予防

> ● 複数名訪問加算　予防
利用者や家族の同意を得て、利用者の身体的理由や暴力行為などにより、同時に複数の看護師等が訪問看護を行った場合（区分③以外）。

短期入所系サービスや居住系サービス（特定施設入居者生活介護、認知症対応型共同生活介護）、看護小規模多機能型居宅介護、施設系のサービスを利用している間は、訪問看護費は算定できません。

- 特別管理加算の対象者に1時間30分以上の訪問看護を行った場合（区分③以外）。 予防

- 緊急時訪問看護**加算**　予防
　24時間の連絡体制をとっている事業所が、利用者にその旨を説明し、緊急時の訪問看護の利用についての同意を得て緊急時訪問を行う体制にある場合。

- 特別管理**加算**　予防
　悪性腫瘍、気管切開、在宅自己腹膜灌流、在宅血液透析、在宅酸素療法、真皮を越える褥瘡の状態など特別な医療管理を必要とする利用者に計画的な管理を行った場合。

- 専門管理**加算**
　緩和ケア、褥瘡ケア、人工肛門ケア、人工膀胱ケアにかかる専門の研修を受けた看護師または特定行為研修を修了した看護師が計画的な管理を行った場合。

- ターミナルケア**加算**
　24時間の連絡体制確保など一定の基準に適合する事業所が、死亡日および死亡日前14日以内に2日以上ターミナルケアを行った場合。

- 遠隔死亡診断補助**加算**
　ターミナルケア加算を算定し、看護師が主治医の指示に基づき、情報通信機器を用いて医師の死亡診断の補助を行った場合。

- 退院時共同指導**加算**　予防
　病院、診療所または介護老人保健施設、介護医療院の入院患者・入所者の退院・退所時に、訪問看護ステーションの看護師等が主治医などと共同して在宅療養上必要な指導を行い、その内容を提供し初回の訪問看護をした場合。

- 看護・介護職員連携強化**加算**
　訪問介護事業所と連携し、訪問介護員等が痰の吸引などの特定行為業務を円滑に行うための支援を行った場合。

- 看護体制強化**加算**　予防
　「緊急時訪問看護加算」「特別管理加算」「ターミナルケア加算」のいずれについても算定した利用者が一定割合以上など、医療ニーズの高い利用者への提供体制を強化している場合（区分③以外）。

- 口腔連携強化**加算**　予防
　事業所と歯科専門職の連携のもと、介護職員等による口腔衛生状態や口腔機能の評価を実施し、利用者の同意を得て歯科医療機関および介護支援専門員に情報提供をした場合。

■減算

　准看護師が訪問看護を行った場合、**事業所と同一建物などの**

注目！

24時間体制でのサービス提供（緊急時訪問看護）、ターミナルケアなどサービス内容に関連するキーワードに着目しよう。

＋1 プラスワン

口腔連携強化加算
訪問介護、訪問看護、訪問リハビリテーション、短期入所生活介護、短期入所療養介護、定期巡回・随時対応型訪問介護看護も同様。

事業所に近い集合住宅の人には、効率的にサービスを提供できるため、同一建物などの減算が設定されています。

集合住宅に居住する利用者にサービスを行う場合、高齢者虐待防止措置未実施の場合、業務継続計画未策定の場合の減算が設定されています。

❼ 介護予防訪問看護

(1) 介護予防訪問看護の特徴

　介護予防訪問看護は、要支援者を対象に、介護予防を目的として、療養上の世話や診療の補助を行います。人員基準は訪問看護と同様です。介護報酬では、重度者を対象としたものは設定されていません（訪問看護の介護報酬の表参照）。

(2) 介護予防訪問看護の運営基準

　訪問看護と同様に文書による医師の指示を受けてサービスが開始されます。医師には介護予防訪問看護計画書と介護予防訪問看護報告書を提出して、連携を図ります。その他、独自の規定として次のようなものがあります。

- 看護師などは、サービス提供開始時から、計画書に記載したサービスの提供を行う期間が終了するまでに、少なくとも1回は、実施状況の把握（モニタリング）を行う。
- また、モニタリングの結果を踏まえ、看護師などは介護予防訪問看護報告書を作成し、指定介護予防支援事業者に報告するとともに、主治医に定期的に提出する。モニタリングの結果を踏まえ、必要に応じて介護予防訪問看護計画書の変更を行う。

チャレンジ！ 過去&予想問題

できたら チェック ☑

	問 題	解 答
□1	訪問看護事業を行う事業所は、指定訪問看護ステーションにかぎられる。 **R2**	✕ 病院・診療所も行うことができる
□2	訪問看護事業所には、言語聴覚士を配置することができる。 **R3**	◯
□3	介護保険の指定訪問看護ステーションの管理者は、原則として、常勤の保健師または看護師でなければならない。 **R4**	◯
□4	特別訪問看護指示書があるときは、7日間にかぎり、医療保険による訪問看護を提供することができる。 **R2**	✕ 14日間を限度とする
□5	末期悪性腫瘍の要介護者への訪問看護は、介護保険からの給付となる。 **予想**	✕ 医療保険の訪問看護
□6	脊髄小脳変性症のある要介護者への訪問看護は、医療保険からの給付となる。 **予想**	◯
□7	訪問看護では、薬剤の処方も行う。 **R3**	✕ 薬剤の処方は医師のみ
□8	訪問看護では、在宅における看取りの支援を行う。 **予想**	◯
□9	訪問看護では、24時間のサービス提供は行われない。 **予想**	✕ 行われる
□10	指定訪問看護事業者は、主治の医師に訪問看護計画書および訪問看護報告書を提出しなければならない。 **R2**	◯
□11	事業者は、看護師等に、その同居家族である利用者に対して指定訪問看護を提供させることができない。 **予想**	◯
□12	看護師は、臨時応急の手当を行うことはできない。 **予想**	✕ できる
□13	緊急時訪問看護加算を算定することで、利用者・家族は、24時間連絡を取ることができる。 **予想**	◯
□14	真皮を越える深さの褥瘡がある要介護者への訪問看護は、特別管理加算の対象となる。 **予想**	◯
□15	ターミナルケア加算は、死亡日にかぎり加算できる。 **予想**	✕ 死亡日および死亡日前14日以内に2日以上行った場合

訪問リハビリテーション

レッスンの
ポイント

●訪問リハビリテーションは、理学療法等を行う
●要介護度に応じて重点目標を定める
●リハビリテーション会議を開催する
●リハビリテーションマネジメント加算などが設定

コでた！

R3 問42

訪問看護ステーション
から理学療法士や作業
療法士、言語聴覚士
が訪問し、リハビリ
テーションを行った場合
は、訪問看護となるこ
とに注意しよう。

1 訪問リハビリテーションとは

　訪問リハビリテーションは、病院・診療所、介護老人保健施設、介護医療院の理学療法士、作業療法士または言語聴覚士が病状が安定期にある要介護者の居宅を訪問し、理学療法、作業療法、その他必要なリハビリテーションを行うサービスです。

　利用者の生活機能の維持または向上をめざした維持期リハビリテーションを行い、心身の機能の維持回復を図り、利用者の自立した在宅生活を支援します。また、介護負担を軽くすることで、介護者のQOLの向上も図ります。

　サービスは、計画的な医学的管理を行っている医師の診療日から3か月以内の期間、**その指示のもとで**行うことができます。

■事業者

　病院・診療所、介護老人保健施設、介護医療院が都道府県知事の指定を得て指定訪問リハビリテーション事業者としてサービスを提供します。また、本体事業所と一体的に運営するサテライト型の訪問リハビリテーション事業所の設置が可能となっています。

2 訪問リハビリテーションの人員・設備基準

■人員基準

　①サービス提供に必要な常勤の医師を1人以上
　②理学療法士、作業療法士または言語聴覚士を1人以上

■設備基準

　事業を行うために必要な広さの専用区画を設け、サービス提供に必要な設備・備品を備えます。

+1 プラスワン

医師の配置
みなし指定を受けた介護老人保健施設または介護医療院の場合は、その施設の医師の配置基準を満たすことをもって、指定訪問リハビリテーション事業所での医師の配置基準を満たしているとみなされる（通所リハビリテーションも同様）。

③ 訪問リハビリテーションの内容

リハビリテーション専門職による生活の場での訓練に特徴があり、次のようなことを行います。

- 廃用症候群の予防と改善
- 基本的動作能力の維持・回復
- ADL、IADL の維持・回復
- 対人交流・社会参加の維持、拡大
- 介護負担の軽減
- 福祉用具利用、住宅改修などを手段とした生活環境の整備に関する助言や指導
- 訪問介護事業所等の従事者に対して、利用者の自立支援に向けた介護技術の指導や助言

ココでた！
R3 問42

+1 プラスワン

急性増悪時の医療保険のリハビリテーション
要介護者等は、医療保険の在宅患者訪問リハビリテーション指導管理料は算定できないが、急性増悪時に、主治医が特別の指示を行った場合は、6か月に1回、14日間を限度に算定できる。

④ 訪問リハビリテーションの運営基準

ココでた！
R3 問42

●訪問リハビリテーションの運営基準のポイント（固有の事項）

具体的取扱方針	● 身体的拘束等の禁止、緊急やむを得ず行う場合はその態様および時間、利用者の心身の状況、緊急やむを得ない理由を記録する。 ● サービスは医師の指示と訪問リハビリテーション計画に基づき、理学療法士、作業療法士または言語聴覚士が提供する。 ● 理学療法士等は、サービスの実施状況やその評価について、すみやかに診療記録を作成し医師に報告する。 ● 事業者は、リハビリテーション会議（利用者と家族の参加を基本としつつ、医師、理学療法士、作業療法士、言語聴覚士、介護支援専門員、居宅サービス等の担当者、その他の関係者により構成される会議）の開催（テレビ電話装置等の活用可）により、リハビリテーションに関する専門的な見地から利用者の状況などに関する情報を構成員と共有するよう努め、利用者に対し、適切なサービスを提供する。
訪問リハビリテーション計画の作成	● 医師の診療に基づき医師および理学療法士、作業療法士または言語聴覚士が訪問リハビリテーション計画を作成しなければならない。 ● 計画は、利用者の病状や心身の状態、生活環境を踏まえ、目的、具体的なサービス内容などについて記載する。 ● 医師および理学療法士等は、リハビリテーションを受けていた医療機関から退院した利用者の訪問リハビリテーション計画の作成にあたっては、医療機関が作成したリハビリテーション実施計画書などにより、利用者のリハビリテーションの情報を把握しなければならない。 ● 居宅サービス計画がすでに作成されている場合は、その内容に沿ったものでなくてはならない。 ● 作成した計画書は、利用者または家族に説明をし、利用者の同意を得たうえで利用者に交付する。

5 訪問リハビリテーションの介護報酬

■基本報酬の区分

　20分以上サービスを行った場合を1回として単位が設定されています。また、算定回数は1週間に6回を限度としています。

■主な加算　　　　　　　　　※ 予防 ＝予防給付でも設定

● 短期集中リハビリテーション実施**加算**　 予防
　リハビリテーションマネジメント加算を算定している事業所において、退院・退所日または新規要介護認定日（認定の効力が生じた日）から3か月以内に、集中的（おおむね週2日以上）に訪問リハビリテーションを実施した場合。

● 認知症短期集中リハビリテーション実施**加算**
　認知症の利用者に対して、医師または医師の指示を受けた理学療法士等が、退院・退所日または訪問開始日から3か月以内に、集中的にリハビリテーションを実施した場合。短期集中リハビリテーション実施加算との同時算定はできない。

● リハビリテーションマネジメント**加算**
　リハビリテーション会議の開催などにより、利用者の状況を多職種で共有し、多職種が共同して継続的にリハビリテーションの質を管理しているなどの場合。

● 退院時共同指導**加算**　 予防
　病院・診療所から退院する利用者に対し、事業所の医師または理学療法士等が、退院前カンファレンスに参加し、退院時共同指導を行ったあとに、初回の訪問リハビリテーションを行った場合。※通所リハビリテーションも同様

● 移行支援**加算**
　訪問リハビリテーションの提供を終了した利用者のADL、IADLが向上し、通所介護などのサービスに移行した利用者が一定割合を超えている事業所を評価。

+1 プラスワン

減算
同一建物等居住者の減算、高齢者虐待防止措置未実施減算、業務継続計画未策定減算、医師が計画作成にかかる診療を行わなかった場合の減算。

6 介護予防訪問リハビリテーション

(1) 介護予防訪問リハビリテーションの特徴

　介護予防訪問リハビリテーションは、要支援者を対象に、介護予防を目的として、生活機能の維持・向上をめざして専門職によるリハビリテーションを行い、心身機能の維持・回復を図ります。医師の指示のもとに行われ、事業者の要件や人員基準は訪問リハビリテーションと同様です。

介護報酬では、訪問リハビリテーションと異なり移行支援加算がありません。

(2) 介護予防訪問リハビリテーションの運営基準

訪問リハビリテーションと同様で、独自の規定として次のようなものがあります。

- 医師または理学療法士、作業療法士もしくは言語聴覚士は、サービス提供開始時から、介護予防訪問リハビリテーション計画に記載したサービスの提供を行う期間が終了するまでに、少なくとも1回は、実施状況の把握（モニタリング）を行う。
- モニタリングの結果は記録し、指定介護予防支援事業者に報告する。
- モニタリングの結果を踏まえ、必要に応じて介護予防訪問リハビリテーション計画の変更を行う。

+1 プラスワン

介護予防訪問リハビリテーションの介護報酬
利用開始月から12か月を超えてサービスを実施した場合は、減算される。

介護予防では、「生活機能」の維持・向上とモニタリングがポイント！

 \\ チャレンジ！ // **過去&予想問題** できたらチェック ☑

	問 題	解 答
□1	訪問看護ステーションの理学療法士がサービスを提供した場合は、訪問リハビリテーションに分類される。 R3	✕ 訪問看護となる
□2	事業所には、理学療法士、作業療法士、言語聴覚士のほか、研修を受けた看護師を適当数配置する。 予想	✕ 看護師の規定はない
□3	訪問リハビリテーションは、訪問リハビリテーション計画を作成して実施されれば、必ずしも医師の指示は必要ない。 予想	✕ 医師の指示が必要
□4	指定訪問介護事業等の従業者に対し、介護の工夫に関する指導を行うことができる。 R3	○
□5	リハビリテーション会議の構成員には、指定居宅サービスの担当者も含まれる。 R3	○
□6	介護報酬上、サービスの提供回数に限度はない。 R3	✕ 1週間に6回が限度
□7	短期集中リハビリテーション実施加算は、退院・退所日から3か月以内に行われた場合についてのみ加算される。 予想	✕ 退院・退所日または新規要介護認定日から3か月以内

305

Lesson

29

重要度 **B**
★★★

居宅療養管理指導

レッスンの
ポイント

- 担当者は医師等、薬剤師、管理栄養士、歯科衛生士など
- 療養上の管理・指導を行う
- 医師等は、原則としてサービス担当者会議に出席し、情報を提供する
- 担当者別に報酬が設定されている

ココでた!
R1 問44

+1 プラスワン

想定される利用者像

- 治療が難しい疾患をもっていたり、病状が不安定。
- 医療管理やリハビリテーションを必要とする。
- 入所・入院の可否の判断を必要とする。
- 歯や口腔内の問題をもつ。

医療サービスでは、みなし指定があるね。サービス各論でも出題されることがあるから、介護支援分野のP90を復習しよう!

ココでた!
R1 問44

---

1 居宅療養管理指導とは

　居宅療養管理指導は、医師、歯科医師、薬剤師などが、通院が**困難な要介護者**の居宅を訪問し、療養上の管理および指導を行うサービスです。

　居宅療養管理指導により医学的問題への対応も同時に進めることで、要介護者の生活面の改善を図ります。疾病や再発の予防、寝たきりによる合併症の早期発見、最終的には看取りまで含めて重要な役割を担っています。

■事業者

　病院・診療所、薬局が都道府県知事の指定を得て、指定居宅療養管理指導事業者としてサービスを行います。

2 居宅療養管理指導の人員・設備基準

■人員基準

　病院・診療所では医師、歯科医師やサービス内容に応じた適当数の薬剤師、歯科衛生士、管理栄養士がいること、薬局では薬剤師がいることが定められています。

■設備基準

　事業の運営に必要な広さを有し、サービスの提供に必要な設備、備品を備えます。

3 介護支援専門員と主治医との連携

　居宅療養管理指導は、**区分支給限度基準額に含まれず**、介護支援専門員によるケアプランが作成されていなくても、現物給付で算定できます。しかし、介護支援専門員がサービスを行うにあたり、

医師との連携は欠かせません。具体的には、次のようにして利用者の主治医と密な連携を図ることが大切です。

- サービス担当者会議に医師が出席できるよう、訪問診療先の利用者の自宅でサービス担当者会議を開くなどのくふうをする。電話やファクシミリなども活用して連携を図る。
- 居宅サービス計画の作成において、主治医意見書の内容を活用する。
- 急変時や看取りの対応について事前に医師と打ち合わせをしておく。

ケアマネジャーは、主治医との連携がとても大切だね。医師にサービス担当者会議に出席してもらうためには、くふうも必要。

ココでた！
R1 問44

4 居宅療養管理指導の内容と運営基準

居宅療養管理指導では、サービス内容に応じて担当者が異なります。薬剤師、管理栄養士、歯科衛生士等が行う居宅療養管理指導では、提供したサービス内容についてすみやかに診療記録を作成し、医師または歯科医師に報告することが共通して運営基準に規定されています。

◉担当者別サービス内容

担当者	サービス内容
医師・歯科医師が行う医学的管理指導	● 居宅サービスの利用に関する留意事項や介護方法、療養上必要な事項について利用者や家族に指導や助言を行う。指導や助言の際には療養上必要な事項などを記載した文書を交付するように努める。 ● 原則としてサービス担当者会議への参加（参加できない場合は原則として文書の交付）により、居宅介護支援事業者や居宅サービス事業者に居宅サービス計画作成などに必要な情報提供・助言を行う。 ● サービス内容については、診療録に記載する。
薬剤師が行う薬学的管理指導	● 医師または歯科医師の指示（薬局の薬剤師の場合は医師・歯科医師の指示に基づき策定された薬学的管理指導計画）に基づき薬学的管理や指導を行う。 ● 原則としてサービス担当者会議への参加（参加できない場合は原則として文書の交付）により、居宅介護支援事業者等への必要な情報提供・助言を行う。

2021年度の運営基準の改正で、薬剤師の情報提供に関する規定が追加されました。

307

管理栄養士が行う栄養指導	管理栄養士が、医師の指示に基づき栄養管理に関する情報提供や助言・指導などを行う。
歯科衛生士等が行う歯科衛生指導	訪問歯科診療を行った歯科医師の指示および歯科医師の策定した訪問指導計画に基づき、口腔内の清掃や有床義歯の清掃に関する指導などを行う。 ※担当者には保健師、看護師、准看護師を含む。

交通費の支払い
訪問系サービスでは、通常の事業の実施地域外で行った場合に、超えた分の交通費の支払いを受けられるが、居宅療養管理指導では、通常の事業の実施地域であるか否かにかかわらず、交通費（実費）の支払いを受けることができる。

 用 語

単一建物居住者
同一月にサービスを提供した建物に住む居住者を指す。

注目！

居宅療養管理指導は区分支給限度基準額の対象外という点もサービス各論で問われやすい。介護報酬上で算定回数が定められていることにも着目しよう。

5 居宅療養管理指導の介護報酬

　サービスを提供する担当者ごとに、算定回数や単位が設定されています。また、①単一建物居住者1人に行う場合、②単一建物居住者2～9人に行う場合、③単一建物居住者10人以上に行う場合とにわけて設定されています。

　なお、医師・歯科医師、薬剤師の居宅療養管理指導では、介護支援専門員に必要な情報提供を行うことが介護報酬の算定要件のひとつとなっています。

●居宅療養管理指導の介護報酬

医師が行う場合／歯科医師が行う場合	1か月に2回を限度。
病院または診療所の薬剤師が行う場合	1か月に2回を限度。
薬局の薬剤師が行う場合	1か月に4回を限度。※1
管理栄養士が行う場合　※2	1か月に2回を限度。※3
歯科衛生士などが行う場合	1か月に4回を限度。※4
加算	●特別な薬剤（疼痛緩和のために使われる麻薬）の投薬が行われている利用者に対して、薬剤師が必要な薬学的管理指導を行った場合、医療用麻薬持続注射療法加算、在宅中心静脈栄養法加算。

※1　がん末期の人や中心静脈栄養を受けている人、麻薬注射剤の投与を受けている人にサービスを提供した場合は、週に2回、1か月に8回まで。また、情報通信機器を用いて服薬指導を行った場合は、1か月に4回までなど。

※2　事業所以外の外部の管理栄養士が実施する場合も算定が可能。

※3　急性増悪などにより医師が特別の指示を行った場合は、指示の日から30日間はさらに2回まで算定が可能。

※4　がん末期の患者については、1か月に6回まで算定が可能。

6 介護予防居宅療養管理指導

　介護予防居宅療養管理指導は、病院などの医師、歯科医師、薬剤師などが要支援者の居宅を訪問し、介護予防を目的に、療養上の管理および指導を行うサービスです。サービス内容や人員・設備・運営基準、介護報酬は基本的に居宅療養管理指導と同じです。

 \\ チャレンジ！ //

過去&予想問題

できたらチェック ☑

	問　題	解　答
☐ 1	居宅療養管理指導は、病院・診療所、薬局が指定を得て行うことができる。 予想	○
☐ 2	居宅療養管理指導を利用できるのは、通院が困難な要介護者である。 予想	○
☐ 3	居宅療養管理指導は、区分支給限度基準額が適用される。 予想	✕ 適用されない
☐ 4	サービス担当者会議は、居宅療養管理指導を行う医師または歯科医師が利用者宅に訪問するときに、開催することができる。 予想	○
☐ 5	（医師が行う居宅療養管理指導では）サービス担当者会議への参加が困難な場合には、原則として、文書により情報提供・助言を行わなければならない。 R1	○
☐ 6	居宅療養管理指導では、薬剤師は、医師や歯科医師の指示がなくても薬学的管理指導を行うことができる。 予想	✕ 医師または歯科医師の指示に基づく
☐ 7	薬局の薬剤師は、居宅療養管理指導を行うことはできない。 予想	✕ できる
☐ 8	管理栄養士も居宅療養管理指導を行うことができる。 予想	○
☐ 9	口腔内の清掃または有床義歯の清掃に関する指導は、歯科衛生士以外は行うことができない。 予想	✕ 保健師や看護師、准看護師も行うことができる
☐ 10	医師が行う居宅療養管理指導は、1か月に2回を限度に算定できる。 予想	○

通所リハビリテーション

レッスンの
ポイント

- 病院、診療所、介護老人保健施設、介護医療院が提供する
- リハビリテーション会議を開催する
- 送迎は基本サービスとして行う
- 短期集中の個別リハビリテーションなどを行う

コこでた!
R5 問41
R4 問42

+1 プラスワン

想定される利用者像
脳血管障害（脳卒中）などの身体機能に障害のある人、認知症、嚥下障害、言語障害、ADL、IADLの維持・回復を図りたい人、低栄養状態により体力の低下をきたしている人など。

コこでた!
R4 問42

+1 プラスワン

単位
同時に、一体的に提供されるサービスをいう。また、同一単位で提供時間数の異なる利用者に対してサービスを行うことも可能である。ほかの通所サービスでも同様。

+1 プラスワン

診療所では、医師と理学療法士等の配置要件が緩和されている。

1 通所リハビリテーションとは

　通所リハビリテーションでは、病状が安定期にある要介護者に介護老人保健施設や介護医療院、病院・診療所に通ってきてもらい、理学療法、作業療法、その他必要なリハビリテーションを行います。従業者が共同して、次のような目的でサービスを実施します。

- 心身機能の維持・回復、生活機能の維持・向上
- 認知症高齢者の症状軽減、落ち着きのある日常生活の回復
- ADL、IADLやコミュニケーション能力、社会関係能力の維持・回復、社会交流の機会の増加

事業者
　病院・診療所、介護老人保健施設、介護医療院が都道府県知事の指定を得てサービスを提供します。

2 通所リハビリテーションの人員・設備基準

人員基準（診療所以外の場合）

医師	常勤で1人以上
理学療法士・作業療法士・言語聴覚士・看護師・准看護師・介護職員	＜利用者が10人以下の場合＞ 提供時間帯を通じ単位ごとに、専従の従業者を1人以上 ＜利用者が10人を超える場合＞ 提供時間帯を通じ単位ごとに専従の従業者を、利用者の数を10で除した数以上
従業者のうち、専従の理学療法士、作業療法士、言語聴覚士は利用者が100人またはその端数を増すごとに1人以上	

■設備基準

　サービスを行うにふさわしい専用の部屋などで、3m²×利用定員数以上の面積が必要です。ただし、介護老人保健施設または介護医療院では、専用の部屋などの面積に、リハビリテーションに供用される利用者用食堂の面積を加えるものとします。

❸ 通所リハビリテーションの内容

　事業所により、サービス提供時間やサービス内容は異なりますが、基本的なサービス内容は以下のとおりです。

- 送迎（あらかじめ決められた方法などで行う）
- 健康チェック（体温・血圧などの測定や管理）
- 入浴介助（必要な場合）
- 排泄介助
- 食事介助（食事の提供と介助など）
- リハビリテーション（助言や指導を含む）
- レクリエーション
- 必要に応じて、家屋調査や住宅改修、福祉用具などの提案や調整など

❹ 通所リハビリテーションの運営基準

コッでた！
R5 問41
R4 問42
R2 問37

◉通所リハビリテーションの運営基準のポイント（固有の事項）

利用料等の受領	通常の事業の実施地域以外に居住する利用者を送迎する費用、通常の時間を超えるサービスの費用、食事の費用、おむつ代、日常生活費。
具体的取扱方針	● 身体的拘束等の禁止、緊急やむを得ず行う場合の記録。 ● サービスの提供は、医師の指示と通所リハビリテーション計画に基づき行う。 ● リハビリテーション会議（→ P303）の開催により、専門的見地から利用者の状況などの情報を共有するよう努める。
通所リハビリテーション計画の作成	● 診療（医師の診察内容）または運動機能検査、作業能力検査などに基づき、医師および理学療法士、または作業療法士などの従業者が共同して通所リハビリテーション計画を作成し、利用者、家族に説明のうえ利用者の同意を得て交付しなければならない。 ● 医師および従業者は、退院した利用者の通所リハビリテーション計画の作成にあたっては、医療機関が作成したリハビリテーション実施計画書などにより、利用者のリハビリテーションの情報を把握しなければならない。

通所リハビリテーション計画の作成	●計画は居宅サービス計画に沿って作成する。 ●通所リハビリテーション従業者は、サービスの実施状況とその評価を診療記録に記載する。
管理者の責務	●管理者は、医師・理学療法士・作業療法士・言語聴覚士または専らサービスの提供にあたる看護師のうちから選任した者に、必要な管理を代行させることができる。

ココでた！
R2 問37

⑤ 通所リハビリテーションの介護報酬

■区分

事業所の規模（通常規模型、大規模型）に応じ、所要時間別（7区分）、要介護度別に単位が定められています。

■主な加算　　　　　　　　※予防＝予防給付でも設定

●常勤専従の理学療法士、作業療法士または言語聴覚士を2人以上配置している場合（1時間以上2時間未満のサービスについてのみ）。

●**延長加算**
7時間以上8時間未満のサービスの前後に日常生活上の世話を行い、その合計が8時間以上の場合、6時間の延長を限度に算定。

●入浴介助**加算**

●リハビリテーションマネジメント**加算**

●リハビリテーション提供体制**加算**
リハビリテーションマネジメント加算を算定しており、常時、事業所に配置されている理学療法士、作業療法士または言語聴覚士の合計数が、利用者25人またはその端数を増すごとに1人以上であること。

●短期集中個別リハビリテーション実施**加算**
リハビリテーションマネジメント加算を算定しており、退院・退所日または初回認定日から3か月以内に、集中的に個別リハビリテーションを実施している場合。認知症短期集中リハビリテーション実施加算と生活行為向上リハビリテーション実施加算との同時算定はできない。

●認知症短期集中リハビリテーション実施**加算**
リハビリテーションマネジメント加算を算定しており、認知症の利用者に対して、退院・退所日または通所開始日から3か月以内に、集中的にリハビリテーションを実施した場合。短期集中個別リハビリテーション実施加算と生活行為向上リハビリテーション実施加算との同時算定はできない。

リハビリテーションマネジメント加算
→ P304

+1 プラスワン

リハビリテーションマネジメント
リハビリテーションマネジメントは、調査、計画、実行、評価、改善という「SPDCA」のサイクルにより、適切なリハビリテーションが提供できているかを継続的に管理し、質の高いリハビリテーションの提供を目指すものである。加算による評価がされている。

● 生活行為向上リハビリテーション実施**加算** 予防

　リハビリテーションマネジメント加算を算定しており、専門的な知識等を有する作業療法士または一定の研修を修了した理学療法士、言語聴覚士を配置し、リハビリテーション実施計画に基づき生活行為の向上をめざしたリハビリテーションを計画的に行うほか、事業所の医師または医師の指示を受けた理学療法士等が利用者の居宅を訪問して生活行為に関する評価をおおむね1か月に1回以上実施する場合。

● 若年性認知症利用者受入**加算** 予防

　若年性認知症の利用者に個別の担当者を定めてサービスを提供した場合。

● 栄養改善**加算** 予防

　管理栄養士（外部との連携でも可）を1人以上配置し、多職種の共同による栄養ケア計画を作成し、必要に応じ居宅を訪問して栄養改善サービスを提供した場合。原則として3か月にかぎり、月2回まで算定。

● 口腔・栄養スクリーニング**加算** 予防

　事業所の従業者が、利用開始時および利用中6か月ごとに利用者の口腔の健康状態・栄養状態についてスクリーニングを行い、介護支援専門員に口腔の健康状態・栄養状態に関する情報を提供した場合など。

● 口腔機能向上**加算** 予防

　言語聴覚士、歯科衛生士または看護職員を1人以上配置し、多職種が共同して口腔機能改善管理指導計画を作成し、これに基づく口腔清掃の指導や実施、嚥下機能に関する訓練の指導など口腔機能向上サービスの実施、定期的な評価などを実施した場合。原則として3か月間にかぎり、1か月に2回を限度に算定。

● 栄養アセスメント**加算** 予防

　管理栄養士（外部との連携でも可）を1人以上配置し、多職種が共同して栄養アセスメントを実施して利用者ごとの栄養状態等の情報を厚生労働省に提出し、栄養管理の実施にあたりその情報などを活用している場合。

● 中重度者ケア体制**加算**

　中重度要介護者を積極的に受け入れ、在宅生活の継続に資するサービスを提供するため、看護職員または介護職員を指定基準よりも常勤換算で1以上確保している場合。

● 移行支援**加算**

● 感染症や災害の影響により利用者数が減少した場合 予防

加算は、サービス内容との関連で理解することが大切です。

移行支援加算
→ P304

保健医療サービス分野

Lesson 30　★★★　通所リハビリテーション

+1 プラスワン

居宅内での介助など
通所介護、地域密着型
通所介護、認知症対応
型通所介護も同様。

+1 プラスワン

減算
利用開始月から12か月を
超えてサービスを実施した
場合は減算される。

■**減算**

　送迎**を行わない場合、同一建物減算、生活行為向上リハビリテーション**を行ったあとに通所リハビリテーションを継続した場合、利用定員を超える場合、一定の人員基準に達しない場合、高齢者虐待防止措置未実施減算、業務継続計画未策定減算がある。

■**居宅内での介助の取扱い**

　通所リハビリテーションの所要時間には、送迎の時間は含まれませんが、送迎時に実施した居宅内での介助など（着替え、ベッドや車いすへの移乗、戸締まりなど）に要する時間は、一定の要件を満たせば、1日30分を限度に、**通所リハビリテーションの所要時間に含めてよい**とされています。

6 介護予防通所リハビリテーション

　介護予防通所リハビリテーションは、要支援者を対象とし、閉じこもりを予防して自立性を回復し、重度化を予防するという点から、介護予防サービスの中心となるものと考えられています。

　サービスは、基本サービス（定額報酬）に、①栄養改善サービス、②口腔機能向上サービスを組み合わせて実施（加算）します。①と②のサービスをいずれも実施した場合などにおいて、一体的サービス提供加算が算定できます。

　人員・設備基準は基本的に通所リハビリテーションと同じです。運営基準では、独自の規定として次のものがあります。

- 医師などの従業者は、少なくとも1か月に1回は、利用者の状態やサービスの提供状況について指定介護予防支援事業者に報告する。また、サービスを行う期間の終了までに少なくとも1回は実施状況の把握（モニタリング）を行い、その結果は記録し、指定介護予防支援事業者に報告する。
- 運動器機能向上サービス、栄養改善サービスまたは口腔機能向上サービスを提供するにあたっては、国内外の文献などで有効性が確認されているなど適切なものを提供する。
- 緊急時マニュアルの作成、緊急時の主治医への連絡方法をあらかじめ定めておくこと、安全管理体制の確保。

チャレンジ！
過去＆予想問題

できたら
チェック ☑

問 題	解 答
□1 病状が安定期にある居宅要介護者が通所リハビリテーションの対象者となる。 予想	◯
□2 生活機能の維持・向上は、通所リハビリテーションの目的に含まれない。 予想	✕ 含まれる
□3 通所リハビリテーション事業者は、病院、診療所、介護老人保健施設、介護医療院に限られる。 予想	◯
□4 事業所には、生活相談員を配置しなければならない。 R4	✕ 配置の規定はない
□5 サービスの内容には、送迎も含まれる。 予想	◯
□6 リハビリテーション会議は、利用者およびその家族の参加が基本とされている。 R2	◯
□7 通所リハビリテーション計画が作成されていれば、サービスの提供にあたり、医師の指示は必要ない。 予想	✕ 医師の指示が必要
□8 通所リハビリテーション従業者は、サービスの実施状況やその評価については、診療記録に記載する。 予想	◯
□9 通所リハビリテーション計画は、医師および理学療法士、作業療法士などの従業者が、共同して作成する。 R4	◯
□10 指定通所リハビリテーション事業所の管理者は、専ら指定通所リハビリテーションの提供に当たる看護師に管理の代行をさせることができる。 R2	◯
□11 通所リハビリテーションにかかる単位数は、事業所の規模とは無関係に設定されている。 R2	✕ 規模、所要時間別、要介護度別に設定される
□12 入浴介助を行った場合は、入浴介助加算を算定できる。 予想	◯

短期入所療養介護

レッスンの
ポイント

● 利用者の心身機能の維持・回復を図る
● 介護者の介護負担を軽減する
● 日帰り利用の特定短期入所療養介護も実施されている
● 連続利用は30日までが原則となる

コｺでた!

R5 問42
R4 問43
R1 問42

1 短期入所療養介護とは

　短期入所療養介護は、在宅の要介護者に介護老人保健施設などに短期間入所してもらい、看護や医学的管理下における介護、機能訓練、その他必要な医療、日常生活上の世話を提供することで、療養生活の質の向上と家族の身体的・精神的負担の軽減を図ります。

　病状が安定期にある要介護者が対象となりますが、医療機関などが提供する施設であり、下記のような医療ニーズの高い人などの利用が想定されます。

● 喀痰吸引や経管栄養など医療的な対応を必要とする人
● リハビリテーションを必要とする人
● 介護者の介護負担軽減に対するニーズの高い人
● 緊急対応が必要な人

■事業者

　介護老人保健施設、介護医療院、療養病床**のある**病院・診療所、一定の基準を満たした診療所が、都道府県知事の指定を得て指定短期入所療養介護事業者としてサービスを提供します。

■人員・設備基準

　基本的に、介護老人保健施設、介護医療院など提供施設が、それぞれの施設としての基準を満たしていればよいとされます。

+1 プラスワン

利用者数
利用者数は、サービスを提供する介護老人保健施設、介護医療院や病院等での定員内とされる。このため、一般的には、空きベッドを利用する形で運用されており、短期入所療養介護の利用者用に、ベッドを確保しておく必要はない。

② 短期入所療養介護の内容

コ コ で た！
R4 問43

短期入所療養介護では、次のようなサービスを実施します。

- 利用者の病状に応じた、検査、投薬、注射、処置などの診療、疾病に対する医学的管理
- 医療機器の調整・交換
- 専門職によるリハビリテーション
- 認知症の人への介護・看護　● 緊急時の受け入れ
- 急変時の対応　　　　　　　● ターミナルケア

③ 短期入所療養介護の運営基準

コ コ で た！
R5 問42
R4 問43
R1 問42

◉短期入所療養介護の運営基準のポイント（固有の事項）

対象者	利用者の心身の状況や病状、家族の疾病、冠婚葬祭、出張等、利用者の家族の身体的・精神的な負担の軽減を図るために、サービスを受ける必要がある者。
利用料等の受領	食事の費用、滞在の費用、特別な居室の費用、特別な食事の費用、送迎の費用（送迎加算で保険給付となる場合を除く）、理美容代、その他日常生活費。
取扱方針	● 身体的拘束等の禁止とやむを得ず行う場合の記録。 ● 身体的拘束等適正化検討委員会の開催（3か月に1回以上）、指針の整備、従業者に対する研修の定期的な実施など。※2025（令和7）年3月31日までは努力義務
短期入所療養介護計画の作成	● 管理者は、利用者が相当期間以上（おおむね4日以上）継続して入所するときは、医師の診療の方針に基づき、サービスの目標や具体的内容を定めた短期入所療養介護計画を作成しなければならない。居宅サービス計画がすでに作成されている場合は、その内容に沿って作成される。 ● 施設に介護支援専門員がいる場合は、管理者は介護支援専門員に計画作成を行わせる。いない場合は、計画の作成に経験のある者に行わせることが望ましい。 ● 計画は、利用者、家族に説明し、利用者の同意を得て交付する。
診療の方針	● 検査、投薬、注射、処置などは、利用者の病状に照らして妥当適切に行う。 ● 入院患者の病状の急変等により、自ら必要な医療を提供することが困難なときは、ほかの医師の対診を求める。

保健医療サービス分野

Lesson 31　★★★　短期入所療養介護

看護および医学的管理の下における介護	利用者に対して、利用者の負担により、事業者の従業者以外の者による看護および介護を受けさせてはならない。
食事の提供	食事は、栄養と利用者の身体の状況、病状・嗜好を考慮したものとし、適切な時間に行う。また、自立の支援に配慮し、できるだけ離床して食堂で行われるよう努めなければならない。
その他のサービスの提供	●適宜利用者のためのレクリエーション行事を行うよう努める。 ●常に利用者の家族との連携を図るよう努める。
委員会の設置	業務の効率化、介護サービスの質の向上その他の生産性の向上に資する取り組みの促進を図るため、利用者の安全ならびに介護サービスの質の確保および職員の負担軽減に資する方策を検討するための委員会を定期的に開催しなければならない。※2027（令和9）年3月31日までは努力義務

コゴでた！

R5 問42
R1 問42

+1プラスワン

特定短期入所療養介護
難病などのある中重度の要介護者やがん末期の要介護者を対象に、日中のみの日帰りのサービス（3時間以上8時間未満で算定）を行う。

「通算30日」ではなく、連続して利用した場合が30日までです。

若年性認知症利用者受入加算
➡ P313

4 短期入所療養介護の介護報酬

■基本報酬の区分

1日につき、施設の形態別に、ユニット型（➡ P331）か否か、要介護度や療養環境、人員配置などに応じて単位が設定されているほか、特定短期入所療養介護（日帰りの利用）の単位もサービス提供時間別に設定されています。

また、介護報酬の算定は、**連続30日**までで、超えた分については保険給付がされません。短期入所生活介護でも同様です。

■主な加算　　　　　　　　　　　　　　※ 予防 ＝予防給付でも設定

●送迎を行った場合。 予防
●療養食**加算**　 予防
●個別リハビリテーション実施**加算**　 予防 　多職種が共同して個別リハビリテーション計画を作成し、その計画に基づき、医師または医師の指示を受けた理学療法士、作業療法士、言語聴覚士が個別リハビリテーションを行った場合。
●認知症行動・心理症状緊急対応**加算**　 予防 　医師の判断により認知症の行動・心理症状が認められるため在宅生活が困難な認知症の人に対し、緊急受け入れをした場合。利用開始日から7日を限度に算定。
●若年性認知症利用者受入**加算**　 予防 　（認知症行動・心理症状緊急対応加算との同時算定はできない）

● 緊急短期入所受入**加算**

　緊急利用が必要と介護支援専門員が認めた利用者に対し、居宅サービス計画にない短期入所療養介護を行った場合、利用開始日から7日（やむを得ない事情がある場合は14日）を限度として算定。

● 生産性向上推進体制**加算**　予防

　利用者の安全ならびに介護サービスの質の確保および職員の負担軽減に資する方策を検討するための委員会の開催や、見守り機器等のテクノロジーの導入、継続的な業務改善の取り組みなどを行っている場合。※短期入所系サービス、居住系サービス、多機能系サービス、施設系サービス共通

「緊急短期入所受入加算」は、短期入所サービスの緊急利用の観点から押さえておこう。

+1プラスワン

主な減算
利用定員超過、身体拘束廃止未実施減算、高齢者虐待防止措置未実施減算、業務継続計画未策定減算。

5 介護予防短期入所療養介護

　介護予防短期入所療養介護は、介護予防を目的として、要支援者に提供するサービスです。人員・設備・運営基準、サービスの内容は基本的に短期入所療養介護と同じです。介護報酬については、重度者を想定したものは設定されず、中重度者を対象とする特定短期入所療養介護も設定されていません。

\\ チャレンジ！ //
過去＆予想問題
できたらチェック ☑

	問　題	解　答
□ 1	あらかじめ、短期入所用のベッドを確保しておく必要はない。　予想	○
□ 2	経管栄養を必要とする要介護高齢者は、介護老人保健施設での短期入所療養介護を利用できない。　予想	✕ 利用できる
□ 3	ターミナルケアは、行われない。　R4	✕ 行う
□ 4	家族の疾病、冠婚葬祭、出張等の理由では、利用できない。　R1	✕ 利用できる
□ 5	短期入所療養介護の利用が3日以内の場合は、短期入所療養介護計画を作成しなくてもよい。　予想	○
□ 6	検査、投薬、注射、処置等は、利用者の病状に照らして妥当適切に行うものとされている。　R5	○
□ 7	（短期入所療養介護は）日帰りの利用はできない。　R5	✕ できる

定期巡回・随時対応型訪問介護看護

レッスンの
ポイント

- 日中・夜間を通じ訪問介護と訪問看護を提供
- 定期巡回、随時対応、随時訪問、訪問看護の各サービスがある
- 訪問看護サービスは開始時に主治医の文書による指示が必要
- 居宅サービス計画にかかわらず日時変更が可能

コョでた！
R4 問44

1 定期巡回・随時対応型訪問介護看護とは

　定期巡回・随時対応型訪問介護看護は、中重度をはじめとする要介護者の在宅生活を支えるため、日中と夜間を通じて、訪問介護と訪問看護が密接に連携しながら、定期巡回型訪問と随時の対応を行います。

　1つの事業所が訪問介護と訪問看護を一体的に提供する一体型と、訪問看護事業所と緊密な連携を図って実施する連携型のほか、夜間にのみサービスを必要とする利用者にサービスを提供する夜間訪問型があります。

　いずれの事業形態でも、医師の指示に基づく**看護サービスを必要としない要介護者**も含まれます。

■事業者

　市町村長の指定を得た法人が指定定期巡回・随時対応型訪問介護看護事業者としてサービスを提供します。

2 定期巡回・随時対応型訪問介護看護の人員・設備基準

■主な設備基準

　事業所には、利用者の心身の状況などの情報を蓄積できる機器と、随時適切に利用者からの通報を受けることができる通信機器を備え、必要に応じてオペレーターに携帯させなければなりません。また、**利用者には通信のための端末機器（ケアコール端末、携帯電話など）を配布**します。

　なお、心身の情報を蓄積できる機器は、事業所が利用者の情報を蓄積できる体制があり、オペレーターがその情報を常に閲覧できる場合は、備えなくてよいとされています。

+1 プラスワン

通信機器・端末機器
利用者からの通報を受ける通信機器は、携帯電話などでもよい。また、支障がなければ、利用者にケアコール端末などを配布せず、利用者の家庭用電話や携帯電話で代用しても差しつかえない（夜間対応型訪問介護も同様）。

■人員基準

オペレーター	看護師、介護福祉士、医師、保健師、准看護師、社会福祉士、介護支援専門員のいずれか。支障がない場合は、1年（介護職員初任者研修修了者などは3年）以上サービス提供責任者の業務に従事した経験をもつ人をあてることができる。提供時間帯を通じ1人以上確保できる必要数で1人以上は常勤。　※支障なければ兼務可
計画作成責任者	上記資格の人のうち1人以上
訪問介護員等	定期巡回サービスを行う訪問介護員等を必要数、随時訪問サービスを行う訪問介護員等を提供時間帯を通じ1人以上確保できる必要数。※支障なければ兼務可
看護師等 ※一体型のみ	訪問看護サービスを行う看護職員（保健師、看護師または准看護師）を常勤換算で2.5人以上（1人以上は常勤の保健師または看護師）、理学療法士、作業療法士、言語聴覚士を適当数
管理者	常勤専従　※支障なければ兼務可

3 定期巡回・随時対応型訪問介護看護の内容

　一体型事業所では、次の①〜④のサービスを提供します。**連携型事業所**では、①〜③のサービスを提供します。

●定期巡回・随時対応型訪問介護看護の内容

①定期巡回 サービス	訪問介護員等が定期的に利用者の居宅を巡回して日常生活上の世話を行う。
②随時対応 サービス	オペレーターが、あらかじめ利用者の心身の状況やおかれている環境などを把握したうえで、利用者からの随時の通報を受け、通報内容などをもとに、相談援助、訪問介護員等の訪問、看護師等による対応の要否などを判断する。
③随時訪問 サービス	随時対応サービスによる訪問の要否などの判断に基づき、訪問介護員等が利用者の居宅を訪問して日常生活上の世話を行う。
④訪問看護 サービス	看護師等が医師の指示に基づき、定期的または随時に利用者の居宅を訪問して療養上の世話または必要な診療の補助を行う。

+1 プラスワン

オペレーター
施設等が同一敷地内にある場合は、その施設等の職員をオペレーターとすることが可能。オペレーターは事業所に常駐している必要はなく、定期巡回サービスを行う訪問介護員等に同行し、地域を巡回しながら利用者からの通報に対応することもできる。

ココでた！
R4 問44

連携型では、訪問看護事業所が訪問看護サービスをします。

保健医療サービス分野

Lesson 32　★★★　定期巡回・随時対応型訪問介護看護

また、連携する訪問看護事業所から、利用者に対するアセスメント、随時対応サービスの提供にあたっての連絡体制の確保、介護・医療連携推進会議への参加や必要な指導・助言について、契約に基づいて必要な協力を得ます。

コこでた！
R4 問44

4 定期巡回・随時対応型訪問介護看護の運営基準

●定期巡回・随時対応型訪問介護看護の運営基準のポイント（固有の事項）

具体的取扱方針	利用者から合鍵を預かる場合は、その管理を厳重にし、必要な事項を記載した文書を交付する。
主治医との関係 ※一体型の事業所のみ	●サービス提供開始時には、主治医の指示を文書で受ける必要がある。 ●定期巡回・随時対応型訪問介護看護計画（訪問看護サービスの利用者にかかるものにかぎる）と訪問看護報告書（准看護師を除く看護師等が作成）は、事業者が主治医に提出しなければならない。
定期巡回・随時対応型訪問介護看護計画などの作成	●計画作成責任者は、定期巡回・随時対応型訪問介護看護計画を作成しなければならない。すでに居宅サービス計画が作成されている場合はその内容に沿って作成するが、サービス提供日時等については、居宅サービス計画に位置づけられた日時にかかわらず、計画作成責任者が決定することができる。 ●計画は、看護職員が定期的に訪問して行うアセスメントの結果を踏まえて作成される。計画作成責任者は、計画の内容を利用者またはその家族に説明し、利用者の同意を得て交付する。
同居家族に対するサービス提供の禁止	事業者は、従業者に、その同居の家族である利用者にサービス（随時対応サービスを除く）の提供をさせてはならない。
地域との連携など	●利用者、家族、地域住民の代表者、医療関係者、地域包括支援センターの職員などにより構成される介護・医療連携推進会議を設置し、おおむね6か月に1回以上サービス提供状況などを報告し、評価を受けるとともに、必要な要望、助言などを聴く機会を設け、報告、評価、要望、助言などについての記録を作成し公表しなければならない。 ●事業所の建物と同一の建物に居住する利用者に対してサービスを提供する場合は、正当な理由がある場合を除き、その建物の利用者以外の者に対しても、サービスの提供を行わなければならない。

計画作成責任者が日時を決められることに特長がある。こういう点は出題されやすいよ。

5 定期巡回・随時対応型訪問介護看護の介護報酬

■基本報酬の区分

1か月につき、一体型と連携型の事業所別に、一体型では訪問看護サービスを行う場合と行わない場合にわけて、要介護度に応じて設定されます。夜間訪問型は、月単位の基本報酬額に加え、

サービスごとに1回につき算定します。

■主な加算

訪問看護と同様	緊急時訪問看護加算、特別管理加算、ターミナルケア加算、退院時共同指導加算
● 初期**加算**	
● 生活機能向上連携**加算**	
● 認知症専門ケア**加算**	
● 総合マネジメント体制強化**加算** 利用者の心身の状況や家族などの環境、生活全般に着目し、日ごろから主治医や看護師など多様な関係機関との意思疎通などを図り、適切に連携するための積極的な体制整備を行っているなどの場合（定期巡回・随時対応型訪問介護看護、小規模多機能型居宅介護、看護小規模多機能型居宅介護共通）。	

+1 プラスワン

ほかのサービスとの組み合わせ

通所サービス、短期入所サービスを組み合わせて利用する場合は、その分の報酬を日割りで所定単位数から減算する。

生活機能向上連携加算
→ P362

認知症専門ケア加算
→ P336

\\ チャレンジ！ // 過去&予想問題

できたらチェック ☑

	問題	解答
□1	要支援者は利用できない。 予想	○
□2	利用者に配布するオペレーターに通報するための端末機器は、利用者の携帯電話で代用してもよい。 予想	○
□3	計画作成責任者は、介護支援専門員でなければならない。 予想	✕ 介護支援専門員にかぎられない
□4	医師および看護師も随時対応サービスのオペレーターになることができる。 予想	○
□5	介護・医療連携推進会議は、おおむね6月に1回以上、開催しなければならない。 R4	○
□6	一体型事業所の訪問看護サービスの提供開始時には、主治医の指示が必要である。 予想	○
□7	サービス提供の日時を変更する場合は、居宅サービス計画を作成した介護支援専門員の判断が必要である。 予想	✕ 計画作成責任者が決定できる
□8	利用者から合鍵を預かる場合は、その管理を厳重にし、必要な事項を記載した文書を交付する。 予想	○
□9	ほかのサービスと組み合わせて利用することはできない。 予想	✕ できる
□10	介護報酬は、1日につき設定されている。 予想	✕ 1か月ごと

保健医療サービス分野

Lesson 32 ★★★ 定期巡回・随時対応型訪問介護看護

Lesson 33

重要度 **A** ★★★

看護小規模多機能型居宅介護（複合型サービス）

レッスンの ポイント

● 訪問看護と小規模多機能型居宅介護の組み合わせ
● 通い、訪問、宿泊を柔軟に組み合わせてサービスを提供
● 事業所の介護支援専門員が居宅サービス計画を作成
● 運営推進会議を設置する

ココでた！

R5 問43
R3 問43

1 看護小規模多機能型居宅介護とは

■看護小規模多機能型居宅介護

　看護小規模多機能型居宅介護は、訪問看護および小規模多機能型居宅介護を一体的に提供することにより、要介護者の居宅においてまたはサービス拠点に通所または短期間宿泊してもらい、①日常生活上の世話、②機能訓練、③療養上の世話、④必要な診療の補助を行うサービスです。要介護度が高く、医療ニーズの高い要介護者にも対応し、柔軟なサービス提供を行います。

■複合型サービス

　複合型サービスは、居宅の要介護者に対して、一定の居宅サービスおよび地域密着型サービスを2種類以上組み合わせるサービスで、①看護小規模多機能型居宅介護、②一体的に提供されることが特に効果的・効率的なサービスの組み合わせにより提供されるサービスとして厚生労働省令で定めるものをいいます。

■事業者

　市町村長の指定を得た法人がサービスを提供します。サテライト事業所の設置も可能となっています。

■サテライト型看護小規模多機能型居宅介護事業所

　サテライト型看護小規模多機能型居宅介護事業所（サテライト事業所）は、本体事業所（指定居宅サービス事業などに3年以上の経験を有する事業者により設置）との密接な連携のもと、運営される事業所です。本体事業所との距離は自動車等でおおむね20分以内、1つの本体事業所につきサテライト事業所は2か所までなどの要件があります。

2 看護小規模多機能型居宅介護の人員・設備基準

■人員基準（サテライト事業所を除く）

従業者	日中（通い）：利用者3人に対し常勤換算で1人以上（1人以上は看護職員＝保健師、看護師または准看護師）
	日中（訪問）：常勤換算で2人以上（1人以上は看護職員）
	夜間（夜勤）：時間帯を通じて1人以上
	夜間（宿直）：時間帯を通じて必要数以上
	従業者のうち看護職員を常勤換算で2.5人以上、うち1人以上は常勤の保健師または看護師
介護支援専門員	事業所のほかの職務と兼務可、非常勤可、厚生労働大臣が定める研修の修了者
管理者	常勤専従　※支障なければ兼務可。3年以上認知症ケアに従事した経験があり、厚生労働大臣の定める研修修了者または保健師か看護師
事業者の代表者	認知症ケアに従事した経験、または保健医療・福祉サービスの経営に携わった経験があり、厚生労働大臣の定める研修修了者または保健師か看護師

＋1 プラスワン

夜間の従業者
宿泊サービスの利用者がいない場合で、訪問サービスの利用者のために必要な連絡体制を整備しているときは、夜勤、宿直従業者を置かないことができる。

■登録定員・1日の利用定員など

登録定員	●29人（サテライト型は18人）以下 ●利用者は1か所の事業所にかぎり利用登録を行うことができる
1日の利用定員	●通いサービス　登録定員の2分の1から15人、登録定員が25人を超える事業所では18人（サテライト型は登録定員の2分の1から12人）まで ●宿泊サービス　通いサービスの利用定員の3分の1から9人（サテライト型は通いサービスの利用定員の3分の1から6人）まで

保健医療サービス分野

Lesson 33　★★★　看護小規模多機能型居宅介護（複合型サービス）

325

■主な設備基準

宿泊室	● 個室が原則、処遇上必要な場合は、2人部屋可 ● 床面積は、7.43m² (病院・診療所で定員が1人の場合は6.4m²) 以上
その他	居間・食堂・台所・浴室、消火設備などを備える
事業所の場所	利用者に対して家庭的な雰囲気でサービスを提供すること、地域との交流を図るという観点から、事業所は住宅地、または住宅地と同程度に利用者の家族や地域住民との交流の機会が得られる場所にあることが条件

3 看護小規模多機能型居宅介護の内容と運営基準

コロでた！
R5 問43　R3 問43
R2 問43　R1 問43

　利用者が住み慣れた地域での生活を送ることができるように、療養上の管理の下で、通いサービスを中心として、訪問サービス (介護・看護)、宿泊サービスを柔軟に組み合わせてサービスを提供します。登録者が通いサービスを利用しない日でも、可能なかぎり訪問サービスや電話連絡による見守りなどを行います。

　また、登録者の居宅サービス計画は、看護小規模多機能型居宅介護事業所の介護支援専門員 (介護支援専門員を配置していないサテライト事業所では本体事業所の介護支援専門員) が作成し、ほかの居宅サービス等の利用も含めた給付管理を行います。

●**看護小規模多機能型居宅介護の運営基準のポイント (固有の事項)**

利用料等の受領	通常の事業の実施地域以外の送迎費用と訪問サービスの交通費、食事の費用、宿泊の費用、おむつ代、日常生活費。
具体的取扱方針（ポイント）	● 身体的拘束等の禁止とやむを得ず行う場合の記録。 ● 身体的拘束等適正化検討委員会の開催 (3か月に1回以上)、指針の整備、従業者に対する研修の定期的な実施など。※2025 (令和7) 年3月31日までは努力義務 ● 通いサービスの利用者が登録定員に比べて著しく少ない状態 (登録定員の3分の1以下が目安) を続けることはできない。
主治の医師との関係	● 看護サービスの提供開始時には、主治医の指示を文書で受けなければならない。 ● 主治医に看護小規模多機能型居宅介護計画書と看護小規模多機能型居宅介護報告書を定期的に提出し、密接な連携を図る。

看護小規模多機能型居宅介護計画書・看護小規模多機能型居宅介護報告書の作成	● 介護支援専門員は、看護小規模多機能型居宅介護計画を作成するにあたり、看護師等と密接な連携を図る。計画の内容は利用者または家族に説明のうえ、利用者の同意を得て交付する。 ● 計画の作成にあたり、地域における活動への参加の機会が提供されることなどにより、利用者の多様な活動が確保されるものとなるよう努める。 ● 看護師等（准看護師を除く）は、看護小規模多機能型居宅介護報告書を作成する。
定員の遵守	登録定員・通いサービス・宿泊サービスの利用定員を超えてサービスの提供を行ってはならない。ただし、通いサービスおよび宿泊サービスの利用は、利用者の様態や希望などにより特に必要と認められる場合は、一時的にその利用定員を超えることはやむを得ないものとする。なお、災害その他のやむを得ない事情がある場合は、このかぎりでない。
調査への協力等 →	小規模多機能型居宅介護と同様
委員会の設置 →	短期入所療養介護と同様
地域との連携等	● 運営にあたり、地域住民やその自発的な活動などとの連携協力を行うなど、地域との交流を図る。 ● 提供したサービスに関する利用者からの苦情に関して、市町村等が派遣する者が相談・援助を行う事業等に協力するよう努める。 ● 事業所の所在する建物と同一の建物に居住する利用者にサービスを提供する場合には、その建物に居住する利用者以外にもサービスを提供するよう努める。 ● 運営推進会議を設置し、おおむね2か月に1回以上、活動状況を報告し、評価を受けるとともに、必要な要望、助言などを聞く機会を設ける。会議の内容は記録し、公表する。

居宅サービス事業者などとの連携、介護など、社会生活上の便宜の提供など → 小規模多機能型居宅介護と同様

4 看護小規模多機能型居宅介護の介護報酬

同一建物の居住者か否か、要介護度別に月単位の定額報酬で、短期利用の単位も設定されています。

なお、サービスを利用している間も、訪問リハビリテーション、居宅療養管理指導、福祉用具貸与を算定できます。福祉用具購入、住宅改修も利用できます。

加算では、小規模多機能型居宅介護、訪問看護と同様のものが多く設定されています。そのほか、栄養改善加算、栄養アセスメント加算、口腔機能向上加算、褥瘡マネジメント加算、排せつ支援加算、認知症行動・心理症状緊急対応加算などが設定されています。

ココでた！

| R5 問43 | R3 問43 |
| R2 問43 | R1 問43 |

注目！

看護小規模多機能型居宅介護では、ほかのサービスとの算定関係が出題されやすい。

チャレンジ！ 過去&予想問題

できたらチェック ☑

	問題	解答
☐1	（看護小規模多機能型居宅介護は）訪問看護および小規模多機能型居宅介護の組合せによりサービスを提供する。 **R3**	◯
☐2	都道府県知事の指定を得た法人が、サービスを提供する。 **予想**	✕ 市町村長の指定
☐3	事業所の管理者は、必ずしも保健師または看護師でなくてもよい。 **R2**	◯
☐4	事業者の代表者には、特段の要件は定められていない。 **予想**	✕ 一定の実務要件があり、研修修了者または保健師・看護師
☐5	事業所の登録定員は、29人以下である。 **R2**	◯
☐6	訪問介護や訪問看護などの訪問サービスと通いサービスを一体的に提供するもので、宿泊サービスは含まない。 **R1**	✕ 宿泊サービスを含む
☐7	登録者の居宅サービス計画は、居宅介護支援事業所の介護支援専門員が作成する。 **R3**	✕ 看護小規模多機能型居宅介護事業所の介護支援専門員が作成
☐8	看護サービスの提供の開始時は、主治の医師による指示を口頭で受けなければならない。 **R5**	✕ 文書で受ける必要がある
☐9	事業所の介護支援専門員は、看護師等と密接な連携を図りながら看護小規模多機能型居宅介護計画を作成する。 **予想**	◯
☐10	看護小規模多機能型居宅介護計画の作成にあたっては、地域における活動への参加の機会も考慮し、利用者の多様な活動が確保できるよう努めなければならない。 **R1**	◯
☐11	そのサービスを利用しない日に登録者が通所介護を利用した場合には、通所介護費を算定することができる。 **R3**	✕ 算定できない

Lesson

34

重要度 **A** ★★★

介護老人保健施設

レッスンの
ポイント

● 在宅復帰や在宅生活を支援する目的がある
● サテライト型など小規模な介護老人保健施設がある
● 要介護度や所得の多寡を理由にサービスの提供を拒否してはならない
● 経口移行加算などが設定されている

1 介護老人保健施設とは

　介護老人保健施設は、病状が安定期にあり、主に心身の機能の維持回復を図り、居宅における生活を営むことができるようにするための支援が必要な要介護者に対し、施設サービス計画に基づき、①看護、②医学的管理下における介護、③機能訓練その他必要な医療、④日常生活上の世話を提供する施設です。

■介護老人保健施設を開設できる団体

　介護老人保健施設は、都道府県知事の許可を得て、地方公共団体（市町村、都道府県）、医療法人、社会福祉法人その他**厚生労働大臣が定める者**が開設することができます。

　なお、都道府県知事は、営利を目的として介護老人保健施設を開設しようとする者には、許可をしないことができます。

◉厚生労働大臣が定める者

国、独立行政法人地域医療機能推進機構、地方独立行政法人、日本赤十字社、健康保険組合、共済組合、国民健康保険組合など。

コでた!

| R5 問44 | R4 問45 |
| R3 問44 | R2 問44 |

施設サービス計画
➡ P174 ～ 176

2 介護老人保健施設の人員・設備基準

コでた!

R5 問44

R4 問45

R2 問44

■人員基準

医師	入所者100人に対し常勤換算で1人以上 ※原則として常勤で1人以上必要
薬剤師	実情に応じた適当数

+1 プラスワン

管理者
介護老人保健施設の管理者は、原則として医師とされる。

介護職員・看護職員（看護師・准看護師）	入所者3人に対し常勤換算で1人以上 ※このうち看護職員は7分の2程度、介護職員は7分の5程度を標準とする
支援相談員	1人以上 ※入所者が100人を超える場合、常勤1人に加え、100超過分について入所者100人に対し常勤換算で1人以上
理学療法士・作業療法士・言語聴覚士	常勤換算で入所者数を100で除した数以上
栄養士または管理栄養士	入所定員100人以上の場合、1人以上　※兼務可
介護支援専門員	常勤で1人以上（入所者100人に対し1人を標準、増員分は非常勤可） ※兼務可
調理員、事務員等	実情に応じた適当数

■主な設備基準（ユニット型を除く）

　療養室の定員は4人以下で、床面積は1人あたり8㎡以上、地階に設けてはならず、ナース・コールなどを備えます。また、機能訓練室（1㎡×入所定員以上の広さ）、談話室、食堂（2㎡×入所定員以上の広さ）、レクリエーション・ルーム、洗面所・便所（療養室のある階ごと）、浴室を設置します。

コゴでた！
R4 問45
R3 問44

3 介護老人保健施設の形態

　介護老人保健施設は、100床程度の定員の施設、**ユニット型**のほか、以下のような形態の施設が認められており、人員・設備基準が一部緩和されています。

●介護老人保健施設の形態

サテライト型小規模介護老人保健施設	本体施設（介護老人保健施設、介護医療院、病院、診療所）との密接な連携を図りつつ、本体施設とは別の場所で運営される。定員29人以下。
医療機関併設型小規模介護老人保健施設	介護医療院または病院・診療所に併設される。定員29人以下。
分館型介護老人保健施設	本体の介護老人保健施設が複数の医師を配置する病院・診療所に併設されていること、本体の介護老人保健施設と一体的な運営を行うことを条件に、大都市や過疎地域に設置が認められる。

| 介護療養型老人保健施設 | 療養病床などのある病院・診療所から転換した介護老人保健施設のうち、経管栄養や痰の吸引を実施しているなど医療を必要とする人が一定の割合で入所しており、夜間の看護体制が整っているなどの基準を満たした施設。 |

■ユニット型

　ユニット型では、入居者を原則としておおむね10人以下とし、15人を超えない人数のユニットにわけ、少人数の家庭的な雰囲気を生かしたケアを行います。ユニットは、少数の居室（原則個室）と共同生活室（食事や談話に利用する）によって、一体的に構成されます。

　人員では、ユニットごとに常時1人以上の介護職員または看護職員（夜間は2ユニットごとに1人以上）を配置し、ユニットごとに常勤のユニットリーダーを配置します。

◉従来型とユニット型

●従来型

●ユニット型

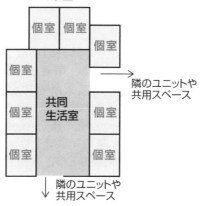

4 介護老人保健施設の役割

ココでた！
R3 問44

　介護老人保健施設は、**明るく家庭的な雰囲気**のもとで、高齢者の自立を支援して家庭への復帰をめざし、**地域や家庭との結びつきを重視**した運営をします。入所者は、医療の必要性が比較的高い人、終末期の要介護者の利用も増加しており、看取り対応を行う施設としての役割も求められています。

◉介護老人保健施設の役割・機能

| 包括的ケアサービス施設 | 医療と福祉のサービスを統合 |
| リハビリテーション施設 | 生活機能の向上を目的に、集中的な生活期リハビリテーションを行う |

介護保険施設共通の運営基準や施設のケアマネジメントは、介護支援分野であわせて学習しよう。

ココでた!

R5 問44

R3 問44

在宅復帰施設	チームケアで早期の在宅復帰をめざす
在宅生活支援施設	家庭での生活が少しでも継続できるよう、高齢者とその家族を支える
地域に根ざした施設	家庭介護者や地域のボランティアなどがケア技術を習得する

⑤ 介護老人保健施設の運営基準

●介護老人保健施設の運営基準のポイント（固有の事項）

サービス提供拒否の禁止	正当な理由なく、介護老人保健施設サービスの提供を拒んではならない。特に要介護度や所得の多寡を理由に拒んではならない。
サービス提供困難時の対応	症状が重篤なために介護老人保健施設での対応が困難な場合は、適切な病院や診療所、ほかの施設を紹介する。
診療の方針	●診療は、一般に医師として診療の必要性が認められる疾病、負傷に対して、的確な診断を基とし、療養上妥当適切に行う。 ●常に医学の立場を堅持して入所者の心身の状況を観察し、心理的な効果をもあげることができるよう適切な指導を行う。 ●病状、心身の状況、その置かれている環境等の的確な把握に努め、入所者・家族に対し、適切な指導を行う。 ●検査、投薬、注射、処置などは、入所者の病状に照らして妥当適切に行う。 ●特殊な療法、新しい療法などは、別に厚生労働大臣が定めるもののほか行ってはならない。 ●別に厚生労働大臣が定める医薬品以外の医薬品を入所者に施用し、または処方してはならない。
必要な医療の提供が困難な場合等の措置等	●入所者の病状から、施設で自ら必要な医療を提供することが困難な場合は、施設の医師は、協力医療機関その他適当な病院・診療所への入院のための措置を講じたり、ほかの医師の対診を求めたりするなど診療について適切な措置を講じなければならない。 ●施設の医師は、不必要に入所者のために往診を求めたり、入所者を病院・診療所に通院させたりしてはならない。 ●施設の医師は、入所者のために往診を求め、または入所者を通院させる場合には、その病院・診療所の医師・歯科医師に対し、入所者の診療状況に関する情報の提供を行う。 ●施設の医師は、入所者が往診または通院した病院・診療所の医師・歯科医師から入所者の療養上必要な情報の提供を受け、その情報により適切な診療を行う。

利用料等の受領	食事の費用、居住の費用、特別な療養室などの費用、特別な食事の費用、理美容代、その他日常生活費
機能訓練	入所者の心身の諸機能の維持回復を図り、日常生活の自立を助けるため、理学療法・作業療法その他の必要なリハビリテーションを計画的に行う。
看護および医学的管理の下における介護	●入所者の自立の支援と日常生活の充実に資するよう、入所者の病状および心身の状況に応じ、適切な技術をもって行う。 ●1週間に2回以上の入浴または清拭、排泄の自立の援助、適切なおむつ介助、褥瘡予防のための介護と体制整備、離床、着替え、整容その他日常生活上の世話を適切に行う。 ●入所者に対して、入所者の負担により、施設の従業者以外の者による看護および介護を受けさせてはならない。
食事の提供	●食事は、栄養や入所者の身体の状況、病状、嗜好に考慮したものとし、適切な時間に行う。また、入所者の自立の支援に配慮し、食事はできるだけ離床して食堂で行われるよう努める。
その他のサービスの提供	●適宜入所者のためのレクリエーションを行うよう努める。 ●常に、入所者の家族との連携を図るとともに、入所者とその家族との交流などの機会を確保するよう努める。
定員の遵守	災害、虐待などのやむを得ない場合を除き、入所定員および療養室の定員を超えて入所させてはならない。
非常災害対策	非常災害に対する具体的な計画を立て、非常災害時の関係機関への通報・連絡体制を整備して、それらを定期的に従業者に周知するとともに、定期的に避難、救出などの訓練を行う。また、訓練の実施にあたって、地域住民の参加が得られるよう連携に努める。
衛生管理など	●医薬品・医療機器の管理を適正に行う。 ※その他介護保険施設の運営基準の共通事項と同じ（→ P170）。

入退所、身体的拘束等の禁止、栄養管理、口腔衛生の管理、地域との連携など、事故発生の防止および発生時の対応、協力医療機関（→ **介護支援分野 レッスン29 介護保険施設の運営基準**）

6 介護老人保健施設の介護報酬

ココでた！

R2 問44

■区分

　1日につき、ユニット型か否か、従来の介護老人保健施設か介護療養型老人保健施設か否か、居室環境、在宅復帰・在宅療養支援機能（在宅強化型・基本型・その他）、要介護度に応じて単位が設定されています。また、入所者が居宅に外泊をした場合は、基本報酬の代わりに外泊時費用を**1か月に6日まで算定**できます。

■外泊時在宅サービス利用費用

入所者に居宅への外泊を認め、介護老人保健施設が居宅サービスを提供した場合は、基本報酬に代えて一定の単位数を1か月に6日まで算定できます。ただし外泊時費用を算定しているときは算定できません。

■主な加算

入退所や自宅復帰・自立支援に関する加算

● 入所前後訪問指導加算（Ⅰ、Ⅱ）

入所予定日前30日以内または入所後7日以内に入所者が退所後に生活をする居宅（またはほかの社会福祉施設など）を訪問し、退所を目的とした施設サービス計画の策定と診療方針を決定した場合など。介護療養型老人保健施設を除く。

退所時等支援等加算

● 退所時等支援加算（下記の3つがある）
- ・試行的退所時指導加算…試行的な退所時に、入所者・家族等に療養上の指導を行った場合。
- ・退所時情報提供加算…退所後の主治医や医療機関に入所者の診療情報（主治医への場合）、心身の状況、生活歴等の情報を提供して、入所者の紹介を行った場合。
- ・入退所前連携加算…入所前後30日以内、または退所前に指定居宅介護支援事業者と連携し、必要な情報を提供するなどした場合。

● 訪問看護指示加算

入所者の退所時に、施設の医師が、訪問看護ステーション等に対して、訪問看護指示書（または看護サービスにかかる指示書など）を交付した場合。

● 在宅復帰支援機能加算

退所後の在宅生活について入所者の家族との連絡調整を行い、入所者が希望する居宅介護支援事業者に対して必要な情報提供や利用調整を行い、一定割合以上の在宅復帰を実現している場合。介護療養型老人保健施設のみ。

● 自立支援促進加算

入所時に医師が入所者ごとの医学的評価などを行って6か月に1回は見直しを行い、その医学的評価の結果等を厚生労働省に提出するとともに、その情報などを活用し、自立支援促進の対応が必要な入所者に多職種が共同して自立支援にかかる支援計画を作成し、計画的にケアを実施しているなどの場合。

● 在宅復帰・在宅療養支援機能加算

過去6か月間の退所者の30%以上が在宅復帰をしている場合など。介護療養型老人保健施設を除く。

経口や栄養に関する加算

● 栄養マネジメント強化**加算**
　管理栄養士を所定の基準で配置し、低栄養状態のリスクが高い入所者に、多職種が共同して栄養ケア計画を作成し、週3回以上の食事の観察や入所者ごとの栄養状態・嗜好などを踏まえた食事の調整を実施するとともに、入所者ごとの栄養状態等の情報を厚生労働省に提出し、その情報を活用している場合。

● 退所時栄養情報連携**加算**
　特別食を必要とする入所者または低栄養状態にあると医師が判断した入所者に対し、管理栄養士が、退所先の医療機関等に対してその者の栄養管理に関する情報を提供した場合。

● 再入所時栄養連携**加算**
　入所者が病院・診療所に入退院したあとに再度施設に入所して、前回入所時と大きく異なる栄養管理が必要となった場合に、施設の管理栄養士が病院・診療所の管理栄養士と相談・連携し、入所者の栄養ケア計画を策定した場合。

● 経口移行**加算**
　経管栄養を行う入所者に、医師の指示に基づき多職種が共同して経口移行計画を作成し、計画的に管理栄養士等による栄養管理や言語聴覚士・看護職員による支援を行った場合。原則として計画作成日から**180日**以内にかぎり算定可。

● 経口維持**加算**
　摂食機能障害と誤嚥のある入所者に、医師または歯科医師の指示に基づき多職種が共同で食事の観察や会議などを行い、経口維持計画を作成して、計画的に管理栄養士等が栄養管理を行った場合。

● 口腔衛生管理**加算**
　歯科衛生士が入所者に対し口腔衛生等の管理を月2回以上行うとともに、介護職員への口腔衛生等の管理にかかる技術的指導・助言、入所者の口腔に関する介護職員からの相談対応などを行った場合など。

● 療養食**加算**

リハビリテーション・介護などに関する加算

● 褥瘡マネジメント**加算**（介護療養型老人保健施設を除く）

● 排せつ支援**加算**

● 短期集中リハビリテーション実施**加算**
　医師または医師の指示を受けた理学療法士、作業療法士または言語聴覚士が、入所日から起算して3か月以内の期間に集中的にリハビリテーションを行った場合など。

認知症に関する加算

● 認知症短期集中リハビリテーション実施**加算**

褥瘡マネジメント加算、排せつ支援加算
→ P415、416

+1 プラスワン

認知症ケア加算、認知症専門ケア加算の対象者
「日常生活に支障をきたすおそれのある症状または行動が認められる」状態とは、具体的には認知症高齢者の日常生活自立度Ⅲ以上を指す。

認知症行動・心理症状緊急対応加算
→ P318

+1 プラスワン

厚生労働省への情報提出
口腔衛生管理加算やかかりつけ医連携薬剤調整加算では、情報を厚生労働省に提出し、その情報などを活用している場合は、より高い算定区分が適用される。

● 認知症ケア**加算**
　日常生活に支障をきたすおそれのある症状または行動が認められる認知症の入所者に個別的なサービスを行った場合。

● 認知症専門ケア**加算**
　認知症ケアに関する専門研修を修了した者を配置するなどの基準を満たした施設が、日常生活に支障をきたすおそれのある症状または行動が認められることから介護を必要とする認知症の入所者に専門的な認知症ケアを提供した場合。

● 認知症行動・心理症状緊急対応**加算**

● 若年性認知症入所者受入**加算**
　若年性認知症の入所者を受け入れてケアを行った場合。

● 認知症チームケア推進**加算**
　認知症の行動・心理症状（BPSD）の予防等に資するチームケアを提供した場合。

施設での医療や医療連携に関する加算

● かかりつけ医連携薬剤調整**加算**
　施設の医師または薬剤師が高齢者の薬物療法に関する研修を受講しており、入所後、入所者の主治医に状況に応じて処方内容を変更する可能性があることについて説明し合意を得て、退所後、主治医に情報提供などを行っている場合など。

● 緊急時施設療養費
① 入所者の病状が重篤となり、救命救急医療が必要となる場合に、緊急的な投薬、検査、注射、処置などを行った場合（緊急時治療管理）。
② リハビリテーション、処置、手術、麻酔または放射線治療を行った場合（特定治療）。

● 特別療養費
　感染対策指導管理など日常的に必要な医療行為を行った場合。介護療養型老人保健施設のみ。

● 所定疾患施設療養費
　肺炎、尿路感染症、帯状疱疹、蜂窩織炎（ほうかしきえん）の入所者に投薬、検査、注射、処置など（肺炎、尿路感染症では検査を行った場合にかぎる）を行った場合など。1か月に7日以内算定できる。

● 協力医療機関連携**加算**
　協力医療機関との間で、入所者の同意を得て、入所者の病歴等の情報を共有する会議を定期的に開催している場合。

● リハビリテーションマネジメント計画書情報**加算**
　入所者ごとのリハビリテーション実施計画書の内容等の情報を厚生労働省に提出し、その情報などを活用してリハビリテーションを実施している場合。

ターミナルケアや安全対策に関する加算

● ターミナルケア加算
計画に基づきターミナルケアを行っている場合に、入所者の死亡日を含め死亡日以前45日を上限として死亡月に算定。

● 安全対策体制加算
外部の研修を受けた安全対策の担当者が配置され、施設内に安全管理部門を設置し、組織的に安全対策を実施する体制が整備されている場合。

+1 プラスワン

減算
定員を超過した場合、基準に定める員数の人員を配置していない場合、夜勤体制未整備の場合、安全管理体制未実施の場合、身体的拘束等についての基準を守っていない場合など。

\\ チャレンジ！ //
過去&予想問題

できたら
チェック ☑

問 題	解 答
□ **1** 介護老人保健施設は、主に長期にわたり療養が必要である要介護者に対してサービスを行う施設である。 予想	✕ 設問は介護医療院
□ **2** 共済組合は、介護老人保健施設を開設できる。 予想	◯
□ **3** 介護老人保健施設の医師は、非常勤でよい。 予想	✕ 常勤
□ **4** 処置室を設けなければならない。 R4	✕ 設ける必要はない
□ **5** サテライト型小規模介護老人保健施設は、定員29人以下である。 R3	◯
□ **6** 地域・家庭との結びつきを重視した運営を行う。 予想	◯
□ **7** 施設で入所者への医療を提供するため、ほかの医師の往診を求めたりすることはできない。 予想	✕ 施設で対応できない医療は医師の往診を求める
□ **8** 感染症または食中毒の予防のため、その対策を検討する委員会をおおむね1か月に1回以上開催しなければならない。 予想	✕ 3か月に1回以上
□ **9** 入所前後訪問指導加算は、退所後に居宅ではなく、社会福祉施設に入所した場合は、算定できない。 予想	✕ 算定できる
□ **10** 栄養マネジメント強化加算を算定するには、管理栄養士または栄養士の配置が必要である。 予想	✕ 所定の基準の管理栄養士の配置が必要
□ **11** 従来型の多床室に係る介護報酬は、在宅強化型と基本型の2類型だけである。 R2	✕ 「その他」もあり、3類型である
□ **12** 看取り等を行う際のターミナルケア加算は、算定できない。 R5	✕ 算定できる

介護医療院

レッスンの
ポイント

● 2018年度から介護医療院が創設された
● 介護医療院は、非営利の団体が開設する
● 介護医療院は「生活施設」としての機能をもつ
● 医療機関併設型も可能となっている

コ コでた！

R5 問45　R3 問45
R2 問45　R1 問45

1 介護医療院とは

　介護医療院は、病状が安定期にあり、主に長期にわたり療養が必要である要介護者を対象に、施設サービス計画に基づいて、①療養上の管理、②看護、③医学的管理下における介護、④機能訓練その他必要な医療、⑤日常生活上の世話を行う施設です。介護老人保健施設と同様に、医療法上は医療提供施設に位置づけられています。

■療養床

　介護医療院の療養室のうち、入所者1人あたりの寝台またはこれに代わる設備の部分を療養床といいます。

　療養床には、Ⅰ型療養床とⅡ型療養床があります。

Ⅰ型療養床	療養床のうち、主として長期にわたり療養が必要である者で、重篤な身体疾患を有する者、身体合併症を有する認知症高齢者等を入所させるもの。
Ⅱ型療養床	療養床のうち、Ⅰ型療養床以外のもの。

　Ⅰ型療養床は旧介護療養型医療施設（療養機能強化型）相当のサービス、Ⅱ型療養床では介護老人保健施設相当以上のサービスの提供を想定しており、人員基準もそれに応じてⅠ型療養床のほうが手厚いものとなっています。

■介護医療院を開設できる団体

　地方公共団体、医療法人、社会福祉法人などの非営利法人その他厚生労働大臣が定める者（国、移行型地方独立行政法人、日本赤十字社、健康保険組合、共済組合、国民健康保険組合など）が都道府県知事の許可を受け、介護医療院サービスを提供します。

　都道府県知事は、営利を目的として開設しようとする者には、許可を与えないことができます。

介護医療院は、介護老人保健施設と同様に、介護保険法に基づく施設で、介護保険法の開設許可を受けます。管理者などの基準も介護老人保健施設と同じです。

■**介護医療院の管理・基準**

　介護医療院の開設者は、都道府県知事の承認を受けた医師に介護医療院を管理させなければなりません。ただし、都道府県知事の承認を受けることで、医師以外の者に介護医療院を管理させることができます。また介護医療院は、厚生労働省令に定める員数の医師および看護師のほか、都道府県の条例に定める員数の従業者を有しなければなりません。

2 介護医療院の人員・設備基準

コ コ で た！

| R5 問45 | R3 問45 |
| R2 問45 | R1 問45 |

◉**必要な人員と主な基準**

医師	常勤換算で（Ⅰ型入所者数÷48）＋（Ⅱ型入所者数÷100）以上 ※最低3人以上、Ⅱ型療養床のみで宿直医師をおかない場合は入所者数100人に対し1人以上で最低1人以上
薬剤師	常勤換算で（Ⅰ型入所者数÷150）＋（Ⅱ型入所者数÷300）以上
看護職員	常勤換算で入所者の数を6で除した数以上
介護職員	常勤換算で（Ⅰ型入所者数÷5）＋（Ⅱ型入所者数÷6）以上
理学療法士・作業療法士・言語聴覚士	実情に応じた適当数
栄養士または管理栄養士	入所定員100人以上の場合、1人以上
介護支援専門員	常勤で1人以上（入所者100人に対し1人を標準、増員分は非常勤可）
診療放射線技師	実情に応じた適当数
調理員、事務員等	実情に応じた適当数

■**主な設備基準（ユニット型を除く）**

　療養室の定員は4人以下で、床面積は1人あたり8㎡以上、地階に設けてはならず、ナース・コールなどを備えます。多床室では家具やパーテーションなどにより室内を区分して入所者同士の視線を遮断し、プライバシーの確保に配慮します。カーテンのみで区切られている場合には、プライバシーの十分な確保とはいえません。

保健医療サービス分野

Lesson
35　★★★　介護医療院

また、診察室、処置室、機能訓練室、談話室、食堂（1㎡×入所定員以上の広さ）、レクリエーション・ルーム、浴室などを設置します。

ココでた！
R5 問45
R3 問45

3 介護医療院の形態

　単独の介護医療院のほか、医療機関併設型**介護医療院**（病院・診療所に併設）、併設型小規模**介護医療院**（医療機関併設型介護医療院のうち、入所定員が19人以下）のものがあり、宿直の医師を兼任できるようにするなどの人員基準の緩和がされ、設備の共有も可能となっています。

　また、ほかの介護保険施設と同様にユニット型も設定されます。

ユニット型
→ P331

ココでた！
R5 問45
R3 問45
R1 問45

4 介護医療院の内容と運営基準

　旧介護療養型医療施設（2024〔令和6〕年3月末をもって廃止）のもつ「日常的な医学管理」や「看取りやターミナルケア」などの機能を引き継ぐとともに、日常生活上の世話を一体的に行い、生活施設としての機能も備えています。

　旧介護療養型医療施設と同様に、療養棟単位（小規模な施設では療養室単位）でのサービス提供が可能です。

●**介護医療院の運営基準の主なポイント（固有の事項）**

施設サービス計画の作成	● 介護医療院の管理者は、介護支援専門員に施設サービス計画の作成に関する業務を担当させるものとする。 ● 施設サービス計画に関する業務を担当する計画担当介護支援専門員は、施設サービス計画の作成にあたっては、入所者の日常生活全般を支援する観点から、地域の住民による自発的な活動によるサービス等の利用も含めて施設サービス計画上に位置づけるよう努める。
診療の方針 → P332	
必要な医療の提供が困難な場合の措置等 → P332	
機能訓練 → P333	
看護および医学的管理の下における介護 → P333	
食事の提供、その他サービスの提供 → P333	
定員の遵守、非常災害対策 → P333	
管理者の責務	● 介護医療院の管理者は、介護医療院に医師を宿直させなければならない。ただし、入所者に対するサービスの提供に支障がない場合にあっては、このかぎりではない。

5 介護医療院の介護報酬

■区分

　1日につき、I型療養床、II型療養床など別に、ユニット型か否か、人員配置、居室環境、要介護度に応じて単位が設定されています。

■主な加算

【入退所の支援や自立支援に関する加算】
- 退所時指導等**加算**
- 在宅復帰支援機能**加算**
- 自立支援促進**加算**

【経口や栄養に関する加算】
- 栄養マネジメント強化**加算**
- 退所時栄養情報連携**加算**
- 再入所時栄養連携**加算**
- 経口移行**加算**
- 経口維持**加算**
- 療養食**加算**
- 口腔衛生管理**加算**

【介護などに関する加算】
- 排せつ支援**加算**

【認知症に関する加算】
- 認知症専門ケア**加算**
- 若年性認知症患者受入**加算**
- 認知症行動・心理症状緊急対応**加算**
- 認知症チームケア推進**加算**
- 重度認知症疾患療養体制加算

【施設での医療や連携に関する加算】
- 緊急時施設診療費（介護老人保健施設の緊急時施設療養費と同様）
- 特別診療費
　入所者に対して、指導管理、リハビリテーションのうち日常的に必要な医療行為を行った場合。
- 協力医療機関連携**加算**

【体制に関する加算】
- 安全対策体制**加算**

入退所の支援や自立支援に関する加算、経口や栄養に関する加算
→ P334、335

認知症に関する加算
→ P335、336

+1 プラスワン

主な減算
療養環境未整備、夜勤体制未整備、身体拘束廃止未実施、安全管理体制未実施、高齢者虐待防止措置未実施、業務継続計画未策定などの場合に減算される。

保健医療サービス分野

Lesson 35　★★★　★★　介護医療院

チャレンジ！
過去&予想問題

できたら
チェック ☑

問 題	解 答
□1 要介護者であって、主としてその心身の機能の維持回復を図り、居宅における生活を営むことができるようにするための支援が必要な者に対してサービスを行う施設と定義されている。 R2	✕ 設問は介護老人保健施設
□2 医療法の医療提供施設には該当しない。 R1	✕ 該当する
□3 介護医療院を開設できるのは、医療法上の療養病床を有する病院・診療所にかぎられる。 予想	✕ かぎられない。地方公共団体、社会福祉法人、医療法人なども開設できる
□4 Ⅱ型療養床では、主として長期にわたり療養が必要である者であって、重篤な身体疾患を有する者等を入所させる。 予想	✕ 設問の内容はⅠ型療養床
□5 定員100人のⅡ型療養床の場合には、常勤換算で1人の医師の配置が必要である。 R2	◯
□6 入所定員にかかわらず、栄養士または管理栄養士の配置が必要である。 予想	✕ 入所定員100人以上の場合は必置
□7 入所者1人あたりの療養室の床面積は、8㎡以上とされている。 R2	◯
□8 原則として、個室である。 R1	✕ 定員4人以下
□9 併設型小規模介護医療院の入所定員は、25人以下である。 R5	✕ 19人以下
□10 ユニットケアを行うユニット型もある。 R3	◯
□11 ターミナルケアの機能を有する。 R1	◯
□12 介護医療院のサービスの内容に、日常生活上の世話が含まれる。 予想	◯
□13 必要な医療の提供が困難な場合には、他の医師の対診を求める等適切な措置を講じなければならない。 R1	◯
□14 入所者のためのレクリエーション行事を行うよう努める。 R3	◯

福祉サービス分野

利用者に適切なサービスを提供するためには、面接・相談などを行い、利用者のニーズを十分に把握する必要があります。

ここでは、面接・相談の技術やソーシャルワーク、福祉サービスの知識、社会資源の開発と活用などについて学習します。

1　ソーシャルワークの概要
2　相談面接技術
3　支援困難事例
4　訪問介護
5　訪問入浴介護
6　通所介護
7　短期入所生活介護
8　特定施設入居者生活介護
9　福祉用具
10　住宅改修
11　夜間対応型訪問介護
12　地域密着型通所介護
13　認知症対応型通所介護
14　小規模多機能型居宅介護
15　認知症対応型共同生活介護
16　その他の地域密着型サービス
17　介護老人福祉施設
18　社会資源の導入・調整
19　障害者福祉制度
20　生活保護制度
21　生活困窮者自立支援制度
22　後期高齢者医療制度
23　高齢者住まい法
24　老人福祉法
25　個人情報保護法
26　育児・介護休業法
27　高齢者虐待の防止
28　成年後見制度
29　日常生活自立支援事業
30　災害対策基本法

Lesson
01
重要度
A
★★★

ソーシャルワークの概要

- ●ソーシャルワークの対象範囲には、ミクロ・メゾ・マクロがある
- ●ソーシャルワークの中核となる原理は、社会正義、人権、集団的責任、多様性尊重である
- ●ソーシャルワークは、統合的に展開される必要がある

介護保険制度や地域包括ケアシステムにおいても、介護支援専門員などが、ソーシャルワークの機能を活用して支援を行います。

1 ソーシャルワークの概要

　ソーシャルワークは、生活をするうえで何らかの困難を抱えている人への支援方法として、体系化が図られてきました。ソーシャルワークの伝統的な3つの方法論には、ケースワーク（個別援助）、グループワーク（集団援助）、コミュニティワーク（地域援助）があります。ソーシャルワークを対象範囲などで整理すると、①ミクロ・レベル（個人・家族）、②メゾ・レベル（グループ、地域住民、身近な組織）、③マクロ・レベル（地域社会、組織、国家、制度・政策、社会規範、地球環境）にわけられます。

2 ソーシャルワークの定義

　「ソーシャルワーク専門職のグローバル定義」は、国際ソーシャルワーカー連盟（IFSW）と国際ソーシャルワーク学校連盟（IASSW）により、2014（平成26）年に採択されたものです。多様化するソーシャルワークを共通の言語で表し、世界的規模で拡大する貧困、格差、暴力、差別、抑圧、環境破壊などに協働して取り組むことを目的としています。

◉ソーシャルワーク専門職のグローバル定義

- ●ソーシャルワークは、社会変革と社会開発、社会的結束、および人々のエンパワメントと解放を促進する、実践に基づいた専門職であり学問である。
- ●社会正義、人権、集団的責任、および多様性尊重の諸原理は、ソーシャルワークの中核をなす。
- ●ソーシャルワークの理論、社会科学、人文学、および地域・

民族固有の知を基盤として、ソーシャルワークは、生活課題に取り組みウェルビーイングを高めるよう、人々やさまざまな構造に働きかける。

●この定義は、各国および世界の各地域で展開してもよい。

用語

ウェルビーイング
個人の権利や自己実現が保障され、身体的、精神的、社会的に良好な状態にあること。

3 ミクロ・レベルのソーシャルワーク

(1) 支援方法

　ミクロ・レベル（個人・家族）のソーシャルワークは、相談ニーズを抱える個人や家族に対し、**相談面接**などを通して、**生活課題を個別的に解決**する方法です。地域の多様な社会資源を活用・調整し、多職種・多機関連携によるチームアプローチを展開して支援します。そのプロセスは、①ケースの発見、②開始（インテーク・契約・合意）、③アセスメント、④プランニング、⑤支援の実施、⑥モニタリング、⑦支援の終結と事後評価、⑧アフターケアからなります。

(2) 活用の場・担い手

　個人・家族に対するソーシャルワークは、居宅介護支援事業所や地域包括支援センターなどの相談機関、介護保険施設や病院の相談員らによって実践されています。

ココでた！
R1 問48

4 メゾ・レベルのソーシャルワーク

　人は、家族や地域社会の活動におけるさまざまな人とのつながりを通して、自分の存在意義を確認し、自己実現を図る社会的存在です。メゾ・レベル（グループ、地域住民、身近な組織）のソーシャルワークは、グループや人と身近な組織との**力動を活用**し、個人の成長や抱えている問題の解決をめざすものです。

ココでた！
R5 問49
R4 問49
R2 問49

◉メゾ・レベルのソーシャルワークの活用例

自立期にある高齢者	●老人クラブや介護予防活動の現場などで、共通の趣味や生きがい活動を通して、人間関係や生活を豊かにするための支援を行う。 ●プログラムでは、参加メンバーのリーダーシップや主体性を最大限重視した支援を行う。
心理的なニーズの高い高齢者	グループの力動を活用して行う治療的なアプローチや、メンバー間の相互支援機能をもつセルフヘルプ・グループを活用する。

ソーシャルワークは、資格をもつ人が行わなければならないというものではありません。ボランティアの参加を求める機会も多くなっています。

345

身体的な自立度が低い高齢者	●通所介護などで、運動や活動を通して心身機能の低下を防ぐリハビリテーションを重視したアプローチを行う。

コ**コでた！**

R3 問49

R1 問49

5 マクロ・レベルのソーシャルワーク

マクロ・レベルのソーシャルワークは、地域社会、組織、国家、制度・政策、社会規範、地球環境などに**働きかけ**、それらの社会変革を通して、個人や集団のニーズの充足をめざす支援方法です。

さらに近年は、難民問題や地球温暖化などによる環境破壊といった地球規模の課題に対する取り組みも対象となることがあります。

●**マクロ・レベルのソーシャルワークの主な支援方法**

- 地域開発
- 社会資源開発
- 社会（地域福祉）計画
- ソーシャル・アクション
- 政策立案
- 行政への参加や働きかけ
- 調査研究
- 世論や規範意識への啓発、福祉（社会）教育
- 議会や政治家への請願活動

用語

ソーシャル・アクション
社会福祉制度の改革や社会資源、制度の創設をめざすソーシャルワーク。

ミクロ・メゾ・マクロそれぞれの支援の例について問うものがよく出題されているよ。

社会福祉法人などの組織において行われる社会福祉の運営管理もマクロ・レベルのソーシャルワークの実践です。さらにNPO法人、地域にサテライト型のサービスを展開する福祉施設、地域包括支援センター、生活支援コーディネーターの業務において、積極的に活用されています。

6 ジェネラリスト・ソーシャルワーク

ソーシャルワークでは、人と環境を相互に作用しあう一体的なシステムとしてとらえ、その**相互作用しあう接点に働きかけて**両者の適合性を高めていきます。

ミクロ・メゾ・マクロの各領域も相互に関連しあうサブシステムであり、ソーシャルワークは、課題全体の関連性を把握し、統合的**に展開**される必要があります。このような実践をジェネラリスト・ソーシャルワークと呼びます。

たとえば、地域包括支援センターでは、ミクロ・レベルでは介護者相談を、メゾ・レベルでは介護者教室を、マクロ・レベルでは企業などへの介護者支援啓発を行うといったように、各領域にまたがる多様な支援を行っています。

　利用者のおかれた状況や生活課題などに応じて、ミクロ・メゾ・マクロの各領域にまたがる多様な支援方法を選び、地域包括支援センターの職員、地域のサービス提供機関、民生委員、地域住民などが協働し、有機的に連携しながら進めていくことが大切になります。

＼＼ チャレンジ！ ／／ 過去＆予想問題

できたらチェック ☑

	問題	解答
□1	（個別援助として、より適切なもの）介護老人福祉施設の生活相談員によるカラオケ大会などのレクリエーション活動 **R1**	✕ 集団援助に該当する
□2	（個別援助として、より適切なもの）地域包括支援センターの主任介護支援専門員による家族介護者との相談 **R1**	○
□3	生きがいを喪失しているような心理的ニーズの高い高齢者に対しては、セルフヘルプグループのミーティングを活用することも効果的である。 **R5**	○
□4	（集団援助として、より適切なもの）医療機関における医療ソーシャルワーカーによる入院中のクライエントへの相談支援 **R2**	✕ 個別援助に該当する
□5	（集団援助として、より適切なもの）指定居宅介護支援事業所で行われる、高齢者の家族とのインテーク面接 **予想**	✕ インテーク面接は個別援助である
□6	（地域援助として、より適切なもの）障害者が福祉サービスにアクセスしやすくなるよう自治体に働きかける。 **R1**	○
□7	（地域援助として、より適切なもの）社会福祉協議会による地域住民向けの認知症サポーター養成講座の開催 **予想**	○
□8	（地域援助として、より適切なもの）自治体職員による外国人に対する入院費用等の個別相談 **R3**	✕ 個別援助である
□9	（地域援助として、より適切なもの）老人クラブによる子どもに対する昔遊びなどを通じた世代間交流の促進 **R3**	○
□10	ソーシャルワークを統合的に展開する実践をジェネラリスト・ソーシャルワークという。 **予想**	○

相談面接技術

- 価値は、相談面接過程を牽引する根拠となる
- クライエントの人権を尊重する
- 相談面接の過程を理解する
- 個別化など面接の実践原則を理解する

1 相談面接における基本的な視点

(1) 相談面接過程を牽引する価値

　ソーシャルワークの三要素には、価値、技術、知識があります。このうち、価値は、相談面接過程を牽引(けんいん)するエンジンとなるものです。介護支援専門員が相談面接を行うにあたっては、**価値を援助の根拠**として、専門的な知識と技術を用いて、利用者に働きかけていきます。

クライエントの人権を尊重することにより、クライエントの自信と誇りを回復させ、積極的な生活意欲を引き出すことができます。

(2) 基本的な視点

　相談援助者は、面接においてクライエントの人権を擁護し、人間としての尊厳に敬意を表し、お互いの立場は対等だということを伝える必要があります。援助者とクライエントは専門的援助関係にあり、クライエントに個人的な興味から質問するようなことは避けなければなりません。

　自立と社会参加を促すため、クライエントが自信を回復し、積極的な自立への意欲をもてるよう援助します。意欲を高めるためには、**日常の小さなことがらから始める**自己決定の体験が効果的です。一方的に押しつけたり、逆にすべてを引き受けてしまうような庇護(ひご)的な態度は好ましくありません。

ココでた！
R5 問48

2 面接における価値と実践原則

(1) バイステックの7原則

　バイステック(Biestek, F. P.)の7原則は、ソーシャルワークを行ううえで、基本的な価値となるものです。

　相談にあたっての実践原則は次のとおりです。

●バイステックの7原則

個別化	同じようなケースで分類するのではなく、クライエントの独自の生活習慣や、宗教など信仰も含めた価値観といった個別性を第一に考え、クライエント個々のニーズにあった対応をする。
意図的な感情表出への配慮	「感情」もその人の語る事実であり、面接において客観的な事実や経過などをたずねるだけではなく、クライエントが自分の感情や要求、不満などを含め、自分を自由に表現できる機会を意図的に与える必要がある。
非審判的な態度	相談援助者はクライエントの考え方や行動などを、自分の価値観や社会通念によって、一方的に評価したり意見を表明したりしてはならない。
受容と共感	その人のあるがままの姿を受け入れ認める（受容）。クライエントの表面的な言動に惑わされず、相手の人格を尊重し、感情的な面も含めて温かく受け入れながら、言動の背後にある事情を理解する。また、理解や共感を自分の言葉や態度で伝える。
統制された情緒的関与	情緒的に対応する一方で、クライエントの感情に巻き込まれず、自分の感情を意識的にコントロールし、クライエントの欲求に対し、常に冷静に対応する。
自己決定の支援	クライエント本人やその家族の意思を尊重し、クライエントが誤りのない自己決定ができるよう、環境や条件を整え、その決定を支援する。
秘密の保持	相談援助者には秘密保持の義務があり、クライエントに関する情報は、面接でのやりとりやほかの専門家との会議などで得られた情報、相談援助者自身が観察して感じたことがら、本人や家族の表情なども含めて、クライエントの許可なく外部に漏らしてはならない。夫婦や親子であっても独立した個人であり、それぞれの間で安易に情報を流通させない。秘密の保持は相談援助者が所属機関から退職したあとでも守られる。

（2）レヴィによる専門職の価値

　レヴィ（Levy, C. S.）は、ソーシャルワーク専門職の価値を、次の4つに分類しています。

相談援助は、クライエントの個別のニーズを出発点に行われます。100人いれば100通りの援助があり、ひとつとして同じ事例はないのです。

相談援助者には、厳しい倫理観が問われるんだね。

●レヴィによる専門職の価値

社会的価値	人権の保障、人間の尊厳、健康で安全な生活を手に入れる権利、個人のプライバシーなど
組織および機関の価値	各組織や機関の役割・機能・目的に即した、適切で、時機を逃さない、また、偏見・差別を排除し、平等・民主的なありよう
専門職としての価値	営利追求ではなく人間的サービスが焦点、専門職としての公平性、社会的な政策にかかわるクライエントの意向の代弁
対人援助サービスの価値	バイステックの7原則と多くが共通

(3) 価値のジレンマ

　相談援助を行う過程では、相談援助者とクライエントとの間に、価値や倫理をめぐるジレンマが必ず起こります。どのようなジレンマが生じているのかを客観的に理解し、そのジレンマをソーシャルワーカーの倫理綱領や行動規範に照らし合わせ、他者に相談してスーパービジョンを得るなど、適切な対処の方法を導き出すことが大切です。

コᴋでた！

R5 問46 　R5 問47
R4 問47 　R3 問46
R2 問48 　R1 問47

❸ 相談面接の過程

　援助者は、相談面接を通してクライエントと信頼関係を築き、相互の情報を交換し、適切な援助計画を作成・実行するための共同作業を行っていきます。相談面接の過程は、次のような過程から成り、各過程が重なり合いながら、らせん状に進んでいきます。

　なお、開始過程に行われる面接は、インテーク面接（受理面接、受付面接）ともいいます。インテーク面接は、1回とはかぎらず、複数回行われることがあります。

●相談面接の過程

開始 ▶ アセスメント ▶ 契約 ▶ 援助計画 ▶ 実行・調整・介入 ▶ 援助活動の見直し・過程評価 ▶ 終結 ▶ フォローアップ・事後評価・予後

開始 (インテーク)	クライエントの主訴を傾聴し、支援機関の機能や提供可能なサービスを説明する。ラポール（援助者とクライエントとの信頼関係）形成を基にした協働作業の始まりである。面接の終わりには、問題の解決に向けて一定の方向性を確認する。	
アセスメント	情報の収集と問題規定を行う。	
	情報収集	観察や面接で得られた情報のほか、介護者や他職種などによる既存の情報も収集する。
	問題規定	解決する問題、クライエント、取り巻く環境およびそれらの相互関係を確定し、クライエントとワーカーとの間で評価する。
契約	焦点となる問題や目標、調整や介入の方法、相互の役割や分担課題を明らかにし、援助に関する合意をしていく過程。クライエントの自己決定を保障し、積極的参加を促していくことが重要。	
援助計画	アセスメントや事前評価を基礎として、問題解決に向けた援助計画を作成する。計画の目標は、長期、短期などの期間ごとに立て、わかりやすく具体的なものとする。多職種連携の際は、チームの役割分担を明確にする。援助計画の過程は記録として文章化する。	
実行・調整・介入	目標の達成に向け、さまざまな介入技法を用いてクライエントや環境の変化を導く援助行為過程であり、バイステックの7原則を基本とする。クライエントを中心に据えて判断し、価値のジレンマに悩むときには、その解決方法を模索しながらクライエントとともに歩んでいく。	
援助活動の見直し・過程評価	クライエントや環境の変化などに応じ、援助活動の見直しをする。目標の達成や援助の進展などについて評価し、チームによる検討やスーパービジョンなどを通じて介入方法を再検討する。	
終結	終結に伴うクライエントの不安に配慮する。クライエントの怒りや不信、突き放された思い等を十分に受け止め、共感的理解を伝えるとともに、今後のフォローアップなども説明する。	
フォローアップ・事後評価・予後	援助目標に最も適したフォローアップや事後評価を行い、その結果はクライエントや援助関係者にフィードバックする。事後評価ではスーパービジョンやコンサルテーションも積極的に活用する。また、クライエントの予後を把握し、ケアの継続性を重視する。	

4 相談面接におけるコミュニケーション

 ココでた！

R5 問46
R4 問46
R3 問46

(1) コミュニケーションの機能と対人援助

　言語・非言語的コミュニケーションの方法をはじめとしたコミュニケーション技術を理解し、習得することが大切です。コミュニケーションの機能は次の2つです。

　①適切で明確な情報の伝達

　②心を通わせ、共同の世界を構築する意思の疎通

+1 プラスワン

全体のコミュニケーション
のうち、非言語は70～80％、
言語は20～30％を占める
といわれる。

非言語的コミュニケー
ションには、どのような
ものがあるのかおさえ
ておこう。

 用 語

防衛機制
不安・苦痛・罪悪感・恥
などの感情や本能を無意
識化し、精神的な安定を
図るような心の働き。

ココでた！

R5 問46	R4 問46
R3 問46	R2 問46
R1 問46	

(2) コミュニケーションの諸要素

　相談面接におけるコミュニケーションは、一方通行ではなく、援助者とクライエントの双方が送り手にも受け手にもなる、双方向的なコミュニケーションです。コミュニケーションの伝達経路には、①言語的コミュニケーション、②非言語的コミュニケーション（媒介的要素を含む）があります。

●コミュニケーションの伝達経路

非言語的コミュニケーション	ジェスチャー、表情、姿勢、うなずきなどで、媒介的要素である声のトーン、抑揚、高低などの準言語も含む。主に思い、気持ち、感情を伝える。
言語的コミュニケーション	言葉により、主に情報の内容を伝える。

(3) コミュニケーションの阻害要素

　コミュニケーションを阻害する要素（雑音）には、次のものがあり、これらの要素を軽減していくことが大切です。

> ①物理的雑音　大きな音や耳障りな音、不快な環境など
> ②身体的雑音　疾病による聴覚や言語の障害など
> ③心理的雑音　心理的防衛機制
> ④社会的雑音　偏見や誤解に基づく先入観など

　物理的雑音がある場合は、面接場所を変えるなど外的な条件に配慮したり、コミュニケーションの方法を変えたりします。

　身体的雑音がある場合は、手話、筆記、適切な補助具の活用など、さまざまなコミュニケーションの方法を選択します。

　心理的雑音は、コミュニケーションを妨げる大きな要素です。自覚なく繰り返している場合もあり注意が必要です。

　社会的雑音は、相手の尊厳や個性を傷つけてしまうことにつながります。社会や地域のレベルで解決が必要な課題でもあります。

5 コミュニケーションの基本技術

(1) 傾聴と共感

　傾聴とは、相手の話す内容とその思いに積極的に耳と心を傾ける態度やありようです。クライエントの伝えようとすることを、クライエントの価値観に基づき、あるがままに受け止めます。また、ク

ライエントの沈黙を通して伝わるメッセージにも深く心を傾けること
が必要です。

　共感とは、クライエントの世界を、クライエント自身がとらえるよ
うに理解する能力です。なお、同情は相手の痛みや不安などを客
観視するようなとらえ方であり、共感ではありません。同情では、相
手に思いは届きません。

(2) かかわり

　イーガン（Egan, G.）は、「私はあなたに十分関心を持っていま
す」と相手に伝えるための5つの基本動作を示しました。頭文字を
とって、ソーラー（SOLER）と名付けています。

◉ソーラー

S	Squarely	クライエントとまっすぐに向かい合う
O	Open	開いた姿勢
L	Lean	相手へ少し身体を傾ける
E	Eye Contact	適切に視線を合わせる
R	Relaxed	リラックスして話を聴く

　相手の話を十分に聴こうとしているときに、自分の態度、身体動
作、視線がどのようになっているかについて意識することが大切で
す。

(3) 質問の方法

　質問の種類には、閉じられた質問（クローズドクエスチョン）と
開かれた質問（オープンクエスチョン）があります。
　閉じられた質問は、「はい」「いいえ」や限られた数語で簡単に答
えられる質問です。頻回に用いると相手の世界を狭めてしまうおそ
れがありますが、事実の確認をしたり、情報を焦点化・明確化させた
りしたいときに有効です。開かれた質問は、相手自身が自由に答えを
選んだり決定したりできるように促す質問です。開かれた質問では、
「なぜ」で始まる質問は、相手の戸惑いを増幅させ、防衛的にさせ
てしまいます。「どうして」も同様で、安易に用いないことが大切です。

(4) イーガンによるコミュニケーションの技能

　共感は、応答の技能の一つで、イーガンは共感を第一次共感と
第二次共感にわけています。

+1 プラスワン

傾聴を支える技術
①予備的共感…面接前
　に得られた情報から、ク
　ライエントへの共感的な
　姿勢を準備する。
②観察…面接でのクライ
　エントや家族の反応など
　を観察する。
③波長合わせ…クライエン
　トの反応を確認しなが
　ら、自らの理解、態度、
　言葉づかいなどを軌道
　修正する。

福祉サービス分野

Lesson 02　★★★　相談面接技術

●第一次共感と第二次共感などの技能

基本的技能	●第一次共感（基本的共感）→ 「〜だから、〜ですね」など相手の話をよく聴き、その内容を理解し、話に含まれている思いを受け止め、理解した内容と思いを援助者の言葉に変えて応答する。
応用的技能	●第二次共感→相手の話していない内面や想いを深く洞察し、その想いと想いの出てきた背景を的確に理解して、相手に伝わりやすいように戻す。 ●焦点化→相手の話す内容を受けとめて要約し、その要約したことを相手に戻し、相手が話した内容を選び取り、気づいていくプロセスを促す。 ●肯定的な直面化→クライエントの否認により生じる矛盾点などについて問いかけ、クライエント自身の感情・体験・行動を見直すきっかけをつくる。深い共感が前提となる。

\\ チャレンジ！ //
過去＆予想問題

できたらチェック ☑

	問題	解答
□1	相談面接では、クライエントが自分の感情も含め、自由に自分を表現できる機会を意図的に与える。 予想	○
□2	ラポールとは、特定領域の専門家から助言・指導を受けることである。 R5	✕ 援助者とクライエントとの信頼関係のこと
□3	イラストや写真などの表現方法の利用は、クライエントを混乱させるので控える。 R4	✕ 適宜利用する
□4	コミュニケーションの阻害要素となる心理的雑音とは、心理的防衛機制のことをいう。 予想	○
□5	クライエントが沈黙している場合には、援助者は、常に積極的に話しかけなければならない。 R1	✕ 傾聴する姿勢が必要
□6	共感とは、クライエントの考え方について、援助者がクライエントの立場に立って理解しようとすることをいう。 R1	○
□7	「もう少し詳しく話してください」という質問は、オープンクエスチョン（開かれた質問）である。 予想	○
□8	「なぜ」で始まる質問は、クライエントの戸惑いが増幅することが多いので、注意が必要である。 R3	○
□9	「焦点化」は、クライエントとの関係を形成するための重要な技術である。 予想	○

03 重要度 B ★★★ 支援困難事例

レッスンの
ポイント

- 発生要因は本人要因、社会的要因、サービス提供者側の要因
- 発生要因が複数重なると支援困難事例が発生する
- 本人の人生や価値観などについて理解を深める
- 信頼関係を構築する

1 支援困難事例の3つの発生要因

　支援困難事例の発生要因は多様で、複数の要因が複合的に重なることで発生しますが、大きく①本人要因、②社会的要因、③サービス提供者側の要因にわけることができます。

統計では、8割以上の支援困難事例が、介護支援専門員とのかかわりによって相談が開始されています。介護支援専門員の役割は重要です。

本人要因	● 心理的要因（不安、不満、怒り、意欲の低下、支援拒否） ● 身体的・精神的要因（疾病、障害、判断能力の低下）
社会的要因	● 家族・親族との関係 ● 地域との関係 ● 社会資源の不足
サービス提供者側の要因	● 本人との援助関係の不全 ● チームアプローチの機能不全 ● ニーズとケアプランの乖離（かいり）

2 支援困難事例への基本的な視点

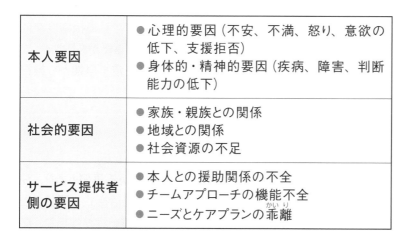

コこでた！

R4 問48
R3 問47
R2 問47

（1）多機関・多職種のかかわりによるチームアプローチ

　介護保険制度では、地域包括支援センターや行政がかかわり、地域ケア会議で検討するしくみが構築されており、多機関・多職種によるチームアプローチにより、問題を解決していきます。

　また、社会福祉法の改正により、2020（令和2）年に制度・分野の枠組みを超え、包括的な支援を行う重層的支援体制整備事業が創設されました。介護、経済的困窮、ひきこもりの子ども、家族の障害など複合化した高齢者の課題に対応するには、関連機関や関連施策が連携し、一体的に取り組むことが重要になります。

(2) 基本的な対応

本人の人生や人生観、価値観などについて理解を深め、高齢者への共感的な理解と見守り、助言が必要となります。本人が支援を拒否していても粘り強く対応し、信頼関係に基づく援助関係を通して、本人が主体性を確保できるように働きかけます。

ココでた！

R4 問48

R3 問47

R2 問47

3 支援困難事例の要因別対応

(1) 本人要因

■心理的要因

支援拒否では、家族によるネグレクトのほか、高齢者自身が必要な支援を求めないセルフ・ネグレクトの場合があります。

支援拒否の要因や背景を共感的な対話や観察から探り、信頼関係の構築によって、必要な支援が導入できるように環境整備を行っていきます。本人が信頼しているキーパーソンを探し、支援につなげていく方法も有効です。

■身体的・精神的要因

疾病や障害では、医療スタッフとの協働や障害者福祉制度、成年後見制度など複数の制度を活用して支援する必要があります。また、判断能力が低下する前に、本人の意思決定を早期から継続的に支援する取り組みが求められます。

(2) 社会的要因への対応

■家族・親族との関係

家族や親族などとの関係では、虐待につながる事例もあり、注意が必要です。一人ひとりの考え方、感情、生活様式、関係性を理解したうえで、現状の関係を好転させる糸口を見つけ出し、必要な支援を活用できるよう働きかけていきます。

■地域との関係

孤立していたり、周囲とのトラブルが発生していることも少なくありません。適度なプライバシーを確保しながら、相互に支え合う関係性をどのように築くかが課題となります。

■社会資源の不足

ニーズが存在していても、対応する社会資源がない場合も、支援困難事例の要因となります。家族や親族、近隣におけるインフォーマルな支援の開発、地域ケア会議を活用して地域資源の開発につなげていく方法も考えられます。

(3) サービス提供者側の要因

■本人との支援関係の不全

援助者は支援関係の基盤となる価値を土台として、知識とスキルを活用して働きかけ、信頼関係を形成することが大切です。

■チームアプローチの機能不全

支援困難事例では、複合的な課題が複雑に重なるため、多職種連携で解決に当たる必要がありますが、チームの役割や責任が不明瞭なため機能不全に陥りやすくなります。地域包括支援センターと連携し、地域ケア会議を活用した取り組みが求められます。

■ニーズとケアプランの乖離

ニーズがあっても、本人がサービス利用を拒否していたり、本人がニーズを認識していない場合もあります。このような支援困難な状況を分析することで、本当に必要な支援内容や社会資源が明らかになります。ニーズから出発するケアプランのありかたが大切です。

チャレンジ！ 過去＆予想問題　できたらチェック☑

	問題	解答
□1	支援困難事例の発生には、本人要因と社会的要因の2つがかかわっており、サービス提供者側の要因は含まれない。 予想	✕ サービス提供者側の要因も含まれる
□2	支援困難事例は、専門職や関係機関が連携して支援することが望ましい。 R3	○
□3	本人の人生や人生観、価値観などについて、理解をより深めることが重要である。 予想	○
□4	セルフ・ネグレクトには、親族による介護放棄が含まれる。 R2	✕ 本人が必要な支援を求めないこと
□5	支援を拒否している高齢者には、信頼できる人を探し、支援につなげることが有効である。 R2	○
□6	家族との関係から支援困難事例が発生する場合、虐待につながる事例もあり、注意が必要である。 予想	○
□7	物が散乱し、異臭がする家屋に住んでいる独居高齢者に対し、まずはごみを片付けることを目的に話をする。 R3	✕ 信頼関係の構築から始める
□8	同居している精神障害がある家族とクライエントとの関係が悪化したため、その家族が障害者福祉などの制度を利用できるよう支援する。 R3	○

訪問介護

- 生活援助の利用には、要件が設けられている
- 身体介護と生活援助のサービス内容の違いを理解する
- サービス提供責任者が訪問介護計画を作成する
- 身体介護中心・生活援助中心は時間区分ごとに算定される

ココでた！
R2 問52

＋1 プラスワン

生活援助の提供
「同様のやむを得ない事情」とは、適切なケアプランに基づき、個々の利用者の状況に応じて具体的に判断される。

2018年から始まった共生型サービスは、介護保険では訪問介護、通所介護、地域密着型通所介護、（介護予防）短期入所生活介護で行われています。

ココでた！
R2 問52

＋1 プラスワン

サービス提供責任者
常勤で3人以上配置し、かつその業務に主に従事する人を1人以上配置している事業所では、利用者50人またはその端数を増すごとに1人以上とできる。

1 訪問介護とは

　訪問介護は、介護福祉士などが、要介護者の居宅を訪問して、入浴、排泄、食事などの介護、調理、洗濯、掃除などの家事、生活などに関する相談・助言、その他の必要な日常生活上の世話を行うサービスです。

　訪問介護は、日常生活を営むうえで何らかの介助が必要なすべての要介護者が対象となりますが、生活援助は、一人暮らしか、同居家族に障害や疾病**がある場合**、または同様のやむを得ない事情**がある場合**にのみ利用することができます。

■共生型訪問介護

　障害者福祉制度における居宅介護、重度訪問介護の指定を受けた事業所であれば、基本的に共生型訪問介護事業者としての指定を受けられるものとして基準が設定されます。

2 訪問介護の人員・設備基準

■人員基準

訪問介護員等	常勤換算で2.5人以上 ※介護福祉士または介護職員初任者研修課程修了者・生活援助従事者研修課程修了者であること
サービス提供責任者	下記の要件を満たす常勤の訪問介護員等のうち、利用者40人またはその端数を増すごとに1人以上配置。 ●常勤の訪問介護員等から選出。介護福祉士または実務者研修修了者、旧介護職員基礎研修課程修了者、旧1級課程修了者
管理者	常勤専従　※支障なければ兼務可

■設備基準

　事業の運営を行うために必要な広さの専用区画と利用者・家族のプライバシーに配慮した構造の相談室を設け、サービス提供に必要な設備・備品を備えます。

3 訪問介護の意義・目的

　訪問介護の意義や目的として、以下のものがあります。

- 利用者の価値観や生活習慣を尊重し生活基盤を整える。
- 利用者の潜在能力を引き出し、残存能力を活用して自立を支援する。
- 他者との交流による社会との接点をもち、生きることの意味や喜びを見いだし、自己実現ができるようにする。
- 健康状態の確認、異常の早期発見、疾病に伴うリスクなど危機の予測を踏まえた介護の提供、予防的な対処によりQOLを維持する。
- 利用者と身近に接する機会が多いことから、状態の変化をすばやく他職種の関係者へ連絡・相談し、適切な援助へつなげる。

4 訪問介護の内容

(1) 身体介護と生活援助

　身体介護は、①利用者の身体に**直接接触**して行う介助サービス、②利用者のADL・IADL・QOLや意欲向上のために**利用者とともに行う**自立支援・重度化防止のためのサービス、③**専門的知識・技術**をもって行う利用者の日常生活上・社会生活上のサービスです。

　生活援助は、身体介護以外の訪問介護で、掃除、洗濯、調理などの**日常生活の援助**です。本人や家族が家事を行うことが困難な場合に行われます。なお、生活援助でも、「直接本人の援助に該当しない行為」「日常生活の援助に該当しない行為」は、算定できません。

(2) 通院などのための乗車または降車の介助

　通院などのための乗車または降車の介助（通院等乗降介助）は、訪問介護員等が自ら運転する車両で利用者宅に訪問し、外出前

コ**コ**でた！

| R5 問50 |
| R3 問50 |
| R1 問50 |

+1プラスワン

サービス行為ごとの区分
訪問介護の身体介護、生活援助のサービス行為ごとの区分については、通知「訪問介護におけるサービス行為ごとの区分等について」（老計第10号）に例示されている。2018（平成30）年度に、内容が見直され「自立生活支援のための見守り的援助」の内容がより明確になった。

福祉サービス分野

Lesson 04　★★★　訪問介護

の用意、乗車・降車の介助を行うとともに、通院先・外出先での移動等の介助や受診等の手続き援助などを包括的に行うものです。

なお、居宅が始点または終点となる場合は、目的地が複数ある場合（病院から別の病院に続けて移送する、通所・短期入所系サービスの事業所から病院へ移送するなど）でも、同一の事業所が行うことを条件に、算定可能となります。

●身体介護と生活援助のサービスの区分け

身体介護	● 食事、排泄、入浴の介助 ● 嚥下困難者のための流動食、糖尿病食など特段の専門的配慮をもって行う調理 ● 自立生活支援・重度化防止のための見守り的援助 ● 身体の清拭・洗髪・整容 ● 更衣の介助 ● 体位変換 ● 移乗・移動介助 ● 通院・外出の介助 ● 就寝・起床介助 ● 服薬介助
生活援助	● 掃除、ごみ出し、片づけ ● 衣類の洗濯・補修 ● 一般的な調理・配下膳 ● ベッドメイク ● 買い物 ● 薬の受け取り ◎下記のものは、生活援助の内容に含まれない。 ×直接本人の援助に該当しない行為 例）利用者以外の人に対する洗濯、調理、買い物、布団干し、主に利用者が使用する居室等以外の掃除、来客の応接、自家用車の洗車・掃除など ×日常生活の援助に該当しない行為 例）草むしり、花木の水やり、ペットの世話、家具の移動、植木の剪定などの園芸、器具の修繕、模様替え、大掃除、窓のガラス磨き、床のワックスがけ、室内外家屋の修理、ペンキ塗り、正月料理など特別な手間をかけて行う調理

5 身体介護における医行為等

コ**コでた！**
R3 問50
R1 問50

医行為（医療行為）は原則として介護職員が行うことはできません。ただし、2012（平成24）年度から、一定の研修を受けた介護福祉士および介護職員等は、医療や看護との連携による安全が図られているなどの一定の条件下で、痰の吸引（口腔内、鼻腔内、気管カニューレ内部）や経管栄養の行為を実施できることになりました。

また、必要以上に、医行為の範囲が拡大解釈されがちであったため、厚生労働省により**医行為ではないと考えられる行為**について2005（平成17）年と2022（令和4）年に通知が示されています。これらの行為は、身体介護として算定することができます。

＋1 プラスワン

医業、医行為の定義
医業とは、ひとつの行為を行うにあたり、医師の医学的判断や技術をもってしなければ人体に危害を与える、もしくは与える可能性のある行為（医行為）を反復継続する意思をもって行うこと。

◉**原則として医行為ではないもの**

平成17年通知	●水銀体温計、電子体温計、耳式電子体温計による体温測定 ●自動血圧測定器による血圧測定　●新生児以外へのパルスオキシメーター装着 ●軽微な切り傷、すり傷、やけどなどの処置 ●一定の条件下での医薬品の介助 　軟膏塗布（褥瘡処置を除く）、湿布の貼付、点眼薬の点眼、一包化された内用薬の内服（舌下錠含む）、座薬挿入、鼻腔粘膜への薬剤噴霧の介助 ●爪切り・爪やすり　●口腔内のケア　●耳垢の除去（耳垢塞栓の除去を除く） ●ストマ装具のパウチの排泄物を捨てる　●自己導尿の補助としてのカテーテルの準備、体位の保持　●市販の使い捨て浣腸器による浣腸　など
令和4年通知	●注射器の手渡しなどインスリン投与の準備・片づけ　●持続血糖測定器のセンサー貼り付け・測定値の読み取りなど　●注入・停止行為を除く経管栄養の準備・片づけ　●喀痰吸引の吸引器にたまった汚水の破棄、水の補充　●在宅酸素療法であらかじめ医師から指示された酸素流量の設定、酸素吸入の開始や停止を除くマスクやカニューレの装着の準備など　●膀胱留置カテーテルの蓄尿バッグの尿破棄、尿量や尿の色の確認など　●とろみ食を含む食事の介助　●義歯の着脱および洗浄　など

6 訪問介護の運営基準

コ**コでた！**
R4 問50
R2 問52

◉**訪問介護の運営基準のポイント（固有の事項）**

サービス提供責任者の責務	●訪問介護計画の作成にかかる業務　●利用申込の調整 ●利用者の状態の変化やサービスへの意向を定期的に把握 ●居宅介護支援事業者等との連携 ●訪問介護員等に具体的な援助目標と内容の指示、利用者情報の伝達 ●訪問介護員等の業務の実施状況の把握、業務管理、研修、技術指導 ●その他サービス内容の管理に必要な業務の実施 ●居宅介護支援事業者等に利用者の服薬状況、口腔機能などの心身の状態・生活の状況について必要な情報提供

訪問介護計画の作成	サービスを提供する際には、必要な情報収集を行ったうえでサービス提供責任者が訪問介護計画を作成し、利用者または家族に説明し、利用者の同意を得たうえで交付する。この計画は、居宅サービス計画に沿ったものでなくてはならない。
管理者の責務	事業所の従業者や業務の管理・統括、従業者に運営基準を遵守させるための指揮命令を行う。
介護などの総合的な提供	生活全般の援助を行うという観点から、身体介護、生活援助のうち特定のサービス行為に偏ったりしてはならない。 ※基準該当訪問介護での提供は可能。
同居家族への訪問介護の禁止	訪問介護員等自身の同居家族に対し、訪問介護を行うことはできない。 ※基準該当訪問介護での提供は可能。
不当な働きかけの禁止	事業者は、居宅サービス計画の作成または変更に関し、指定居宅介護支援事業所の介護支援専門員や被保険者に対して、利用者に必要のないサービスを位置づけるよう求めるなどの不当な働きかけを行ってはならない。

７ 訪問介護の介護報酬

■基本報酬の区分

①身体介護中心（20分未満など4区分）、②生活援助中心（2区分）、③通院などのための乗車または降車の介助中心別に、①、②は時間区分ごとに、③は1回につき算定されます。

■主な加算

●夜間や早朝、深夜のサービス提供。
●同時に訪問介護員等２人が１人の利用者に対して身体介護および生活援助を行った場合（所定単位数の2倍を算定）。
●特定事業所加算 　質の高い人材確保、訪問介護員等の活動環境の整備、中重度者への対応を行っている場合など。
●初回加算 　新規に訪問介護計画を作成した利用者に対し、サービス提供責任者が初回の訪問介護を行った場合、初回または初回のサービスを実施した月に、ほかの訪問介護員等に同行訪問した場合。
●生活機能向上連携加算 　サービス提供責任者が、訪問リハビリテーション事業所、通所リハビリテーション事業所、医療提供施設の医師、理学療法士、作業療法士または言語聴覚士の自宅訪問に同行するなどにより、医師、理学療法士等と共同して利用者の身体状況などを評価のうえ訪問介護計画を作成し、医師、理学療法士等と連携してその計画に基づくサービスを行った場合など。

+1 プラスワン

2人が担当する場合
次のいずれかの要件を満たす場合のみ算定。
①利用者の身体的理由により1人では困難。
②暴力行為、著しい迷惑行為、器物破損行為などがある。
③その他利用者の状況などから判断し、①や②に準じると認められる場合。

- ●緊急時訪問介護**加算**
  利用者やその家族などからの要請に基づき、サービス提供責任者が介護支援専門員と連携し、介護支援専門員が必要と認めたときに、訪問介護員等が居宅サービス計画にない訪問介護（身体介護）を緊急に行った場合。

- ●認知症専門ケア**加算**

認知症専門ケア加算
→ P336

■減算

同一建物等居住者の減算のほか、高齢者虐待防止措置未実施、業務継続計画未策定、共生型訪問介護を行う場合の減算が設定されています。

\\ チャレンジ！ //
過去&予想問題

できたら
チェック ☑

問題	解答
□1 利用者が家族と同居しているときは、いかなる場合でも生活援助を利用することはできない。 予想	✕ 一人暮らしのほか、同居家族の障害や疾病、または同様のやむを得ない事情がある場合も利用できる
□2 指定訪問介護事業所の管理者については、特段の資格は不要である。 R2	〇
□3 サービス提供責任者は、介護福祉士でなければならない。 R2	✕ 所定の研修修了者でもよい
□4 嚥下困難な利用者のための流動食の調理は、生活援助として算定できる。 R3	✕ 身体介護として算定
□5 配剤された薬をテーブルの上に出し、本人が薬を飲むのを手伝うことは、身体介護として算定される。 R1	〇
□6 外出の介助は、生活援助として算定する。 予想	✕ 身体介護として算定
□7 利用者と一緒に手助けをしながら行う掃除は、生活援助として算定する。 予想	✕ 身体介護として算定
□8 利用者のペットの世話は、生活援助として算定する。 予想	✕ 生活援助の範囲に含まれず、算定できない
□9 専門的な判断や技術が必要でない場合における手足の爪切りは、身体介護として算定できる。 R3	〇
□10 サービス提供責任者は、居宅介護支援事業者に対し、サービス提供にあたり把握した利用者の心身の状態および生活の状況について必要な情報の提供を行うものとする。 R4	〇

福祉サービス分野

Lesson 04 ★★★ 訪問介護

Lesson 05

重要度 **A** ★★★

訪問入浴介護

**レッスンの
ポイント**

- 感染症、医療器具をつけている人も対象
- サービスは、看護職員1人、介護職員2人で実施
- 浴槽は利用者1人ごとに消毒する
- 介護予防訪問入浴介護では人員基準が異なる

ココでた！

| R4 問52 |
| R2 問54 |
| R1 問52 |

自宅の浴槽での介助ではないこと、看護職員を含めた複数でサービスを提供することが特徴です。

1 訪問入浴介護とは

　訪問入浴介護は、在宅の要介護者の居宅を入浴車などで訪問し、浴槽を提供して入浴の介助を行い、身体の清潔の保持、心身機能の維持などを図るサービスです。

　感染症にかかっている、医療器具をつけている、ターミナル期にある、介護環境に課題があり居宅の浴室での入浴が困難な人などにも対応し、次のような目的があります。

> - 入浴の機会の保障…入浴が困難なすべての人に、生活基盤のひとつである入浴を保障する。
> - 身体の清潔保持と心身・生活機能の維持・向上…身体を清潔に保持するほか、皮膚の代謝を促進し、褥瘡（じょくそう）や感染症の予防や改善など疾病予防的な効果もある。
> - 精神的安寧と生活意欲の喚起…身体的・精神的な爽快感をもたらし、生きる意欲を喚起する。
> - 入浴に対する個別性の尊重

ココでた！

| R5 問51 |
| R4 問52 |

2 訪問入浴介護の人員・設備基準

■人員基準

看護職員（看護師・准看護師）	1人以上	うち1人以上は常勤
介護職員	2人以上	
管理者	常勤専従	※支障なければ兼務可

■設備基準

　事業を行うために必要な広さの専用区画を設け、サービス提供に必要な浴槽などの設備・備品を備えます。

❸ 訪問入浴介護の実際

（1）事前訪問

　利用者に了解を得て、あらかじめ家庭を訪問します。看護職員は、主治医の意見などを確認し、利用者の日常生活動作、全身状態、健康状態を観察しておきます。

　介護職員は、家屋の建築構造、周辺の道路事情などを確認し、室内への浴槽の搬送方法などを検討します。

　最後に、入浴時の協力依頼事項をまとめた文書を渡します。

（2）計画の作成

　事前訪問の結果に基づいて、訪問入浴介護についての計画を作成し、実施した結果は入浴記録簿に記入します。

（3）入浴前のチェック

　入浴の際に、突発的な発熱、血圧上昇など異常がみられる場合は、主治医の意見を確認し、清拭や部分浴に変更するか、状況によっては入浴を中止します。

（4）利用者が医療処置を受けている場合

　利用者が在宅医療管理により医療器具をつけている場合や感染症にかかっている場合は、主治医から入浴の際の注意事項、具体的な感染防止の方法などの説明を十分に受けておきます。

運営基準では、計画の作成は義務づけられていないことに注意しよう。

❹ 訪問入浴介護の運営基準

コ コ で た !

R5 問51	R4 問52
R3 問52	R2 問54
	R1 問52

●訪問入浴介護の運営基準のポイント（固有の事項）

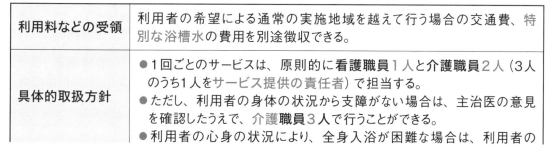

利用料などの受領	利用者の希望による通常の実施地域を越えて行う場合の交通費、特別な浴槽水の費用を別途徴収できる。
具体的取扱方針	●1回ごとのサービスは、原則的に**看護職員**1人と**介護職員**2人（3人のうち1人をサービス提供の責任者）で担当する。 ●ただし、利用者の身体の状況から支障がない場合は、主治医の意見を確認したうえで、介護**職員**3人で行うことができる。 ●利用者の心身の状況により、全身入浴が困難な場合は、利用者の

具体的取扱方針	希望により、清拭または部分浴（洗髪、陰部、足部など）を実施するなど、適切なサービス提供に努める。 ●設備・器具などの清潔保持に留意し、浴槽など利用者の身体にふれるものは利用者1人ごとに消毒する。タオルなどは、利用者1人ごとに取り替えるか個人専用のものを使用するなど安全清潔なものを使用する。
緊急時などの対応	利用者に病状の急変が生じた場合などにはすみやかに主治医やあらかじめ定めた協力医療機関（事業の通常の実施地域内にあることが望ましい）へ連絡するなど、必要な措置をとる。

ココでた！
R3 問52
R2 問54

認知症専門ケア加算
→ P336

注目！

訪問入浴介護では、清拭や部分浴の場合の減算はチェックポイント。

5 訪問入浴介護の介護報酬

■基本報酬の区分

1回につき算定します。

■加算

- ●初回加算
- ●**看取り連携体制加算**……看取り期の利用者へのサービス提供について、その対応や医師・訪問看護師等の多職種との連携体制を整備している場合。
- ●認知症専門ケア加算

■減算

①介護職員が3人でサービスを行った場合（所定単位数の95%）。
②清拭または部分浴を行った場合（所定単位数の90%）。
③同一建物等居住者の減算（所定単位数の85%または90%）。
④高齢者虐待防止措置未実施減算、業務継続計画未策定減算。

6 介護予防訪問入浴介護

要支援者に対して提供する訪問入浴介護です。担当者の数が少なくなっていること（下表）以外のサービス内容、サービスの方針、介護報酬は基本的に訪問入浴介護と同じです。

注目！

1回ごとのサービス担当者の人数が訪問入浴介護と異なることに注意しよう。

◎**訪問入浴介護との相違点**

人員基準	看護職員が1人以上、介護職員が1人以上（看護職員・介護職員のうち1人以上は常勤）。
方針 （運営基準）	1回ごとのサービスは、原則的に看護職員1人と介護職員1人（2人のうち1人はサービス提供の責任者）で担当。利用者の身体の状況から支障がない場合は、主治医の意見を確認したうえで、介護職員2人で行うことができる。

介護報酬	介護職員が2人でサービスを行った場合に減算、看取り連携体制加算は設定されていない。

チャレンジ！ 過去＆予想問題

できたら
チェック ☑

	問題	解答
□1	サービス提供時に使用する浴槽は、事業者が備えなければならない。 R4	○
□2	同居する介護者がいる場合は、サービスを提供できない。 予想	✕ できる
□3	終末期にある者も、訪問入浴介護を利用できる。 R1	○
□4	利用者の病態が安定している場合には、胃ろうによる経管栄養を受けていても、入浴は可能である。 予想	○
□5	指定訪問入浴介護事業所ごとに、医師を1人以上置かなければならない。 R4	✕ 医師の配置は規定されていない
□6	清拭や部分浴を提供することはできない。 予想	✕ 減算して実施できる
□7	訪問入浴介護事業者は、利用者の選定により提供される特別な浴槽水等にかかる費用を、通常の利用料以外の料金として受け取ることができる。 R3	○
□8	（訪問入浴介護について正しいもの）サービス提供は、1回の訪問につき、看護職員1名と介護職員1名で行う。 R1	✕ 看護職員1名と介護職員2名で行う
□9	利用者の肌に直接触れるタオル等は、個人専用のものを使うなど、安全清潔なものを使用する。 R3	○
□10	利用者に病状の急変が生じた場合には、すみやかに事業所の管理者に連絡し、変更・中止の指示を受ければよい。 R1	✕ 主治医や協力医療機関へ連絡する
□11	訪問入浴介護費は、サービス提供時間によって2つに区分されている。 R3	✕ 1回につき算定
□12	事業所と同一の建物に居住する利用者に対し訪問入浴介護を提供する場合には、加算がされる。 予想	✕ 減算
□13	介護予防訪問入浴介護では、利用者の心身の状況に支障が生じない場合は、主治医の意見を確認したうえで、介護職員2人でサービスを提供することができる。 予想	○

Lesson 06

重要度 **A** ★★★

通所介護

レッスンのポイント

- 機能訓練指導員が配置される
- 介護や機能訓練、日常生活上の世話をする
- 小規模な事業所（18人以下）で行うものは該当しない
- 個別機能訓練加算などが設定されている

ココでた！

R4 問51

R1 問51

1 通所介護とは

　通所介護は、要介護者に老人デイサービス事業を行う施設または老人デイサービスセンターに通ってきてもらい、入浴、排泄（はいせつ）、食事などの介護、生活などについての相談・助言、健康状態の確認、その他の必要な日常生活上の世話や機能訓練を行うサービスです（事業所の定員が19人以上のものにかぎられる）。

　サービスの実施により、利用者の社会的孤立感**の解消**と心身**機能**および**生活機能の維持・向上**、**家族の**身体**的・**精神**的負担の軽減**を図り、利用者が自立した在宅生活を営めるよう支援します。

■共生型通所介護

　障害者福祉制度における生活介護、自立訓練、児童発達支援、放課後等デイサービスの指定を受けた事業所であれば、基本的に共生型通所介護の指定を受けられるものとして基準が設定されます。

ココでた！

R5 問52

R3 問51

R2 問53

同一単位

同一単位で提供時間数の異なる利用者の通所介護を行うことも可能。一定の距離を置いた2つの場所で行われるような場合や、午前と午後とで別の利用者にサービスを提供する場合は別の単位となる。

2 通所介護の人員・設備基準

■人員基準

生活相談員	提供日ごとに提供時間数に応じて専従で1人以上	生活相談員または介護職員のうち1人以上は常勤
介護職員	単位（同時に一体的に提供されるサービスの単位のこと）ごとに提供時間数に応じて、専従で利用者15人まで1人以上、それ以上は15人を超える部分の利用者の数を5で除して得た数に1を加えた数以上 ※単位ごとに常時1人以上確保	

看護職員	単位ごとに専従で1人以上
機能訓練指導員	理学療法士、作業療法士、言語聴覚士、看護職員、柔道整復師、あん摩マッサージ指圧師、一定の実務経験を有するはり師、きゅう師のいずれか。1人以上 ※日常生活などを通じて行う機能訓練では、生活相談員か介護職員が兼務してもよい
管理者	特段の専門資格は不要。常勤専従 ※支障なければ兼務可

■主な設備基準

　食堂および機能訓練室（それぞれ必要な面積を有しその合計面積が3㎡×利用定員以上。実施に支障がない場合は同一の場所とすることができる）、静養室、相談室、事務室のほか、消火設備その他の非常災害に際して必要な設備などを備える必要があります。

■宿泊サービスを行う事業所

　指定通所介護事業者が、事業所の設備を使って独自に介護保険外の宿泊サービスを実施する場合は、指定を行った都道府県知事にあらかじめ届出を行う必要があります。

宿泊サービスは介護保険外のサービスですが、都道府県知事（指定権者）への事前の届出が必要で、国によるガイドラインに沿った運営が求められています。通所サービスに共通です。

3 通所介護の内容・運営基準

　通所介護計画に沿って、送迎、食事の提供や介助、希望者への入浴の提供や介助、個別の機能訓練（日常生活訓練）や小グループでの作業療法、ゲームなどによる機能訓練、レクリエーションを行います。なお、サービスは事業所内で提供することが原則ですが、あらかじめ通所介護計画に位置づけられ、効果的な機能訓練が実施できる場合は、屋外でのサービスの提供も可能です。

コこでた！

R5 問52
R4 問51
R3 問51

●通所介護の運営基準のポイント（固有の事項）

通所介護計画の作成	●居宅サービス計画の内容に沿って、管理者が通所介護計画を作成し、利用者または家族に説明をしたうえで利用者の同意を得て交付する。 ●管理者は、計画の作成に関し経験のある人や介護の提供に豊富な知識・経験のある人にとりまとめを行わせる。事業所に介護支援専門員がいる場合は、介護支援専門員にとりまとめを行わせることが望ましい。
利用料などの受領	利用者の希望で通常の実施地域を越えて行う送迎費用、通常の時間を超えるサービス費用、食費、おむつ代、その他日常生活費は利用者から別途支払いを受けることができる。
定員の遵守、非常災害対策、衛生管理など（→ P101）	

コ**コでた！**

R5 問52	R3 問51
R2 問53	R1 問51

通所介護では、基本報酬の区分について出題される可能性が高いよ。

機能訓練指導員
→ P369

+1 プラスワン

生活相談員配置等加算
生活相談員を配置し、地域に貢献する活動を実施している事業所には、生活相談員配置等加算がされる（共生型通所介護のみ）。

4 通所介護の介護報酬

■基本報酬の区分

事業所の規模（通常規模型、大規模型Ⅰ、大規模型Ⅱ）に応じ、所要時間別（6区分）、要介護度別に単位が定められています。

■主な加算

● 延長加算
8時間以上9時間未満のサービスの前後に日常生活上の世話を行い、その合計が9時間以上となる場合、5時間の延長を限度として算定。

● 入浴介助加算

● 中重度者ケア体制加算
要介護3以上の中重度要介護者を積極的に受け入れ、看護職員または介護職員を指定基準よりも常勤換算で2人以上確保し、提供時間帯を通じて専従の看護職員を1人以上配置しているなどの場合、事業所の利用者全員に対して加算する。

● 個別機能訓練加算
専従の機能訓練指導員を配置し、多職種が共同して、利用者ごとに個別機能訓練計画を作成し機能訓練を行っていること。計画は利用者の居宅を訪問したうえで作成し、その後3か月に1回以上、利用者の居宅を訪問して進捗状況などを説明し、訓練内容を見直しているなど。

● 認知症加算
看護職員または介護職員を指定基準よりも常勤換算で2人以上確保し、前年度または過去3月間の利用者総数のうち、認知症高齢者の日常生活自立度Ⅲ以上の利用者の占める割合が20％以上で、提供時間帯を通じて、専従で認知症介護に関する研修修了者を1人以上配置している事業所が、認知症高齢者の日常生活自立度Ⅲ以上の利用者にサービスを提供した場合。

● 生活機能向上連携加算
通所リハビリテーション事業所、訪問リハビリテーション事業所、医療提供施設の医師または理学療法士・作業療法士・言語聴覚士の助言に基づき、事業所の機能訓練指導員等が共同して個別機能訓練計画等を作成し、医師、理学療法士等と連携して計画の進捗状況等を3か月に1回以上評価して、見直している場合など。

● ADL維持等加算
自立支援、重度化防止の観点から、評価対象期間内に事業所を利用した者のうち、ADLの維持または改善の度合いが一定の水準を超えた場合。

■減算

利用定員を超える場合、2時間以上3時間未満のサービス、事業所と同一建物に居住または同一建物から通う利用者へのサービス提供、看護・介護職員の数が基準を満たさない場合、共生型通所介護を行う場合、高齢者虐待防止措置未実施の場合、業務継続計画未策定の場合、送迎を行わない場合。

■居宅内での介助の取扱い

送迎時間は所要時間には含まれませんが、送迎時に実施した居宅内での介助などに要する時間は、一定の要件を満たせば、1日30分を限度に通所介護の所要時間に含めてよいとされています。

注目!

送迎は基本サービスに含まれるため加算の設定はない。なお、送迎の時間はサービスの所要時間には含めない点に注意。居宅内介助など所要時間に含められるものについては、ほかの通所サービスでも出題可能性が高い。

居宅内での介助
➡ P314

 チャレンジ! **過去&予想問題** できたらチェック ☑

	問題	解答	
□1	利用者の社会的孤立感の解消を図ることは、指定通所介護の事業の基本方針に含まれている。 R4	○	
□2	通所介護事業所では、理学療法士を常勤で1人以上配置しなければならない。 予想	✕	理学療法士は必置ではない
□3	非常災害に際して必要な設備や備品を備えておかなければならない。 予想	○	
□4	利用者が当該事業所の設備を利用して宿泊する場合には、延長加算を算定できない。 R3	○	
□5	通所介護事業所では、通所介護計画の作成を介護支援専門員が行わなくてはならない。 予想	✕	管理者が介護支援専門員に行わせることが望ましいが、必須ではない
□6	通所介護計画は、居宅サービス計画がすでに作成されている場合は、その内容に沿って作成されなければならない。 予想	○	
□7	入浴介助を行った場合は、加算がされる。 予想	○	
□8	生活機能向上連携加算を算定するためには、外部の理学療法士等と当該事業所の機能訓練指導員等が共同してアセスメントや個別機能訓練計画の作成等を行わなければならない。 R1	○	
□9	送迎に要する時間は、通所介護費算定の基準となる所要時間には含まれない。 R3	○	

Lesson 07

重要度 **A** ★★★

短期入所生活介護

レッスンの
ポイント

- 在宅サービスの継続を念頭においたサービス
- 医師、生活相談員、機能訓練指導員も必置
- 家族の私的な理由によっても利用できる
- 4日以上継続利用の場合に短期入所生活介護計画が作成される

コ**コでた!**

R5 問53

+1 プラスワン

基準該当
指定通所介護事業所、
指定地域密着型通所介
護事業所、指定認知症
対応型通所介護事業所、
指定小規模多機能型居
宅介護事業所または社会
福祉施設に事業所を併設
しているものについて、基
準該当サービスが認められ
ている。

空床利用型は、介護
老人福祉施設の入所者
が入院しているときな
どに活用できる形態で
す。

1 短期入所生活介護とは

　短期入所生活介護は、在宅の要介護者に老人短期入所施設や
特別養護老人ホームなどに短期間入所してもらい、入浴、排泄、食
事などの介護、その他の日常生活上の世話や機能訓練を提供す
るサービスです。利用者の心身の機能の維持、利用者の家族の
介護負担の軽減を図ることを目的としています。

■事業者

　特別養護老人ホーム、養護老人ホーム等、老人短期入所施設
を設置する法人が都道府県知事の指定を受けてサービスを提供し
ます。また、事業所の類型として①単独型、②併設型、③空床利
用型があります。

◉事業所の類型

類型	形態	利用定員
単独型	老人短期入所施設などで、単独でサービスを行う。	20人以上
併設型	特別養護老人ホームなどに併設し、一体的にサービスを行う。	20人未満でも可
空床利用型	特別養護老人ホームの空床を利用して、サービスを行う。介護報酬などでは併設型の区分となる。	

■共生型短期入所生活介護

　障害者福祉制度における短期入所（併設型および空床利用型に
限る）の指定を受けた事業所であれば、基本的に共生型短期入所
生活介護の指定を受けられるものとして基準が設定されます。

2 短期入所生活介護の人員・設備基準

■人員基準

医師	1人以上
生活相談員	● 利用者100人に対し常勤換算で1人以上 ● 1人は常勤（利用者20人未満の併設型では非常勤も可）
介護職員・看護職員	● 利用者3人に対し常勤換算で1人以上 ● 介護・看護職員のうちいずれか1人は常勤（利用者20人未満の併設型では非常勤も可）
栄養士	1人以上（40人を超えない〔＝40人以下〕事業所では、他施設の栄養士との連携があれば置かないことができる）
機能訓練指導員	1人以上　※兼務可
管理者	常勤専従　※支障なければ兼務可

ココでた！
R4 問53
R2 問50

＋1 プラスワン

人員基準
調理員その他の従業者は、事業所の実情に応じて適当数とされている。

「40人を超えない」は、「40人」も含むよ。

機能訓練指導員
→ P369

■主な設備基準

居室	居室の定員は4人以下。 利用者1人あたりの床面積が10.65m²以上。 日照、採光、換気などが利用者の保健衛生、防災などについて十分考慮されていること。
食堂および機能訓練室	それぞれの合計面積が利用定員×3.0m²以上。 食事の提供と機能訓練に支障のない広さを確保できている場合は、食堂と機能訓練室は同一の場所とすることができる。
浴室、便所、洗面設備	利用者が利用するのに適したもの。

3 短期入所生活介護の内容・運営基準

ココでた！
R5 問53
R4 問53
R3 問53

　介護や食事の提供、医師・看護職員による健康管理、心身の状況に応じたレクリエーションや機能訓練、必要な相談援助を行います。入浴または清拭は、1週間に2回以上行います。

◉**短期入所生活介護の運営基準のポイント（固有の事項）**

具体的取扱方針（ポイント）	● 身体的拘束等の禁止とやむを得ず行う場合の記録。 ● 身体的拘束等適正化検討委員会の開催（3か月に1回以上）、指針の整備、従業者に対する研修の定期的な実施など。 ※2025（令和7）年3月31日までは努力義務

福祉サービス分野

Lesson 07　★★★　短期入所生活介護

指定短期入所生活介護の開始及び終了	利用者の心身の状況、その家族の疾病、冠婚葬祭、出張などの理由により、または利用者の家族の身体的・精神的な負担の軽減などを図るために、一時的に居宅において日常生活を営むのに支障がある者を対象に、提供する。
利用料などの受領	食費、滞在費、特別な居室（個室など）や特別な食事、送迎費（利用者の心身の状態や家族の事情による場合は除く）、理美容代、その他日常生活費（おむつ代は利用料に含まれる）は利用者から別途支払いを受けることができる。
短期入所生活介護計画の作成	●利用者が相当期間以上（おおむね4日以上）継続して入所するときは、事業所の管理者が短期入所生活介護計画を居宅サービス計画に沿って作成する。 ●管理者は、計画の作成に関し経験のある人や介護の提供に豊富な知識・経験のある人にとりまとめを行わせる。事業所に介護支援専門員がいる場合は、介護支援専門員にとりまとめを行わせることが望ましい。 ●計画は、利用者、家族に説明し、利用者の同意を得て交付する。
定員の遵守	●利用定員を超えてサービス提供を行わない（災害、虐待時などやむを得ない事情の場合を除く）。 ●介護支援専門員が緊急に短期入所生活介護の利用が必要と認めた場合は、利用者や他の利用者の処遇に支障がなければ、居室以外の静養室での定員数以上の受け入れが可能。
介護	●一週間に2回以上、適切な方法による入浴または清拭を行い、利用者の心身の状況に応じ、適切な方法により、排泄の自立について必要な援助を行う。おむつを使用せざるを得ない利用者のおむつを適切に取り替える。 ●常時1人以上の介護職員を介護に従事させなければならない。 ●利用者に対して、利用者の負担により、事業所の従業者以外の者による介護を受けさせてはならない。
食事	食事は栄養や本人の心身の状況、嗜好を考慮し適切な時間に行い、可能なかぎり食堂での食事とする。
委員会の設置	業務の効率化、介護サービスの質の向上その他の生産性の向上に資する取り組みの促進を図るため、利用者の安全ならびに介護サービスの質の確保および職員の負担軽減に資する方策を検討するための委員会を定期的に開催しなければならない。 ※2027（令和9）年3月31日までは努力義務
緊急時等の対応 → 訪問入浴介護と同様	

コこでた！
R4 問53
R3 問53
R1 問53

ユニット型
→ P331

4 短期入所生活介護の介護報酬

単独型と併設型の別、従来型とユニット型の別、また要介護度別に区分された単位が設定され、1日について算定されます。

●主な加算・減算　　※ 予防 ＝予防給付でも設定

加算	● 利用者の心身の状態や家族の事情などから送迎が必要な利用者に対して送迎を行う場合。 予防
	● 専従で常勤の機能訓練指導員を利用者100人につき1人以上配置する場合。 予防
	● 緊急短期入所受入**加算**（認知症行動・心理症状緊急対応加算との同時算定はできない）
	● 在宅中重度者受入**加算** 　利用者が利用していた訪問看護事業所に利用者の健康管理などを行わせた場合。
	● 看護体制**加算** 　常勤の看護師を配置して、基準を上回る看護職員を配置し、事業所または医療機関等の看護職員との連携で24時間連絡体制を確保している場合など。
	● 医療連携強化**加算** 　看護体制加算（Ⅱ）または（Ⅳ）を算定し、看護職員による定期的な巡視や主治医と連絡がとれない場合の対応について取り決めを事前に行うなどの要件を満たした事業所が、喀痰吸引など重度の利用者にサービスを実施した場合。在宅中重度者受入加算との同時算定はできない。
	● 夜勤職員配置**加算** 　夜勤を行う職員の数が、基準を上回っている場合。夜勤時間帯を通じて、看護職員を配置しているか、喀痰吸引等の実施ができる介護職員を配置している場合は、さらに加算評価される。共生型短期入所生活介護を算定している場合は算定できない。
	● 看取り連携体制**加算** 　レスパイト機能を果たしつつ、看護職員の体制確保や対応方針を定め、看取り期の利用者に対してサービス提供を行った場合。
	● 生活相談員配置等**加算** 　共生型短期入所生活介護を行う事業所で、生活相談員を配置し、地域に貢献する活動を実施している場合。
減算	● 身体拘束廃止未実施、高齢者虐待防止措置未実施、業務継続計画未策定の場合など。 ● 自費利用をはさみ、連続30日を超える長期利用者については、超えた日より所定単位数から減算。連続60日を超える長期利用者にはさらに減算。

＋1 プラスワン

緊急短期入所受入加算
短期入所療養介護と同じ内容。やむを得ない事情がある場合は14日まで算定できる。
→ P319

＋1 プラスワン

連続利用日数
利用者の在宅生活維持の観点から、短期入所サービスでは、連続30日の利用を上限とする（超えた分は保険給付されない）。

⑤ 介護予防短期入所生活介護

　介護予防短期入所生活介護は、介護予防を目的とした、在宅の要支援者へのサービスです。事業者の要件、人員・設備基準、サービスの内容は、基本的に短期入所生活介護と同様です。

　利用者が継続しておおむね4日以上入所する場合は、介護予防サービス計画の内容に沿って介護予防短期入所生活介護計画を作成します。作成した計画は、利用者または家族に説明し、利用者の同意を得て交付します。

 ＼ チャレンジ！ ／
過去＆予想問題

できたら
チェック ☑

	問題	解答
□1	単独型の利用定員は、20人以上と定められている。 予想	◯
□2	利用者20人未満の併設事業所の場合でも、生活相談員は常勤でなければならない。 R2	✕ 非常勤可
□3	家族の旅行などを理由とした利用はできない。 予想	✕ 介護者の私的理由にも対応する
□4	短期入所生活介護計画は、利用期間にかかわらず作成しなければならない。 R3	✕ おおむね4日以上継続して利用する場合に作成
□5	専用の居室以外の静養室は利用できない。 予想	✕ 介護支援専門員が緊急やむを得ないと認めた場合は利用可能
□6	利用者の負担により、利用者に指定短期入所生活介護事業所の従業者以外の者による介護を受けさせてはならない。 予想	◯
□7	医師の発行する食事箋に基づいた糖尿病食等を提供する場合は、1日につき3回を限度として、療養食加算を算定できる。 R1	◯
□8	利用者の状態や家族等の事情により、居宅サービス計画にない指定短期入所生活介護を緊急に行った場合は、原則として、緊急短期入所受入加算を算定できる。 R1	◯
□9	居宅サービス計画上、区分支給限度基準額の範囲内であれば、利用できる日数に制限はない。 R4	✕ 連続30日の利用が上限

特定施設入居者生活介護

**レッスンの
ポイント**

- ●特定施設の入居者にサービスを提供
- ●外部サービス利用型もある
- ●計画作成担当者は介護支援専門員
- ●個別の選択による介護サービスは別途利用者負担

1 特定施設入居者生活介護とは

　特定施設入居者生活介護は、特定施設に入居している要介護者に、入浴、排泄、食事などの介護、洗濯、掃除などの家事、生活などに関する相談・助言、その他の必要な日常生活上の世話、機能訓練、療養上の世話を行うサービスです。

■特定施設

　有料老人ホーム、軽費老人ホーム、養護老人ホーム（これらを特定施設という）が都道府県知事の指定を受け指定特定施設入居者生活介護事業者としてサービスを提供します。

■外部サービス利用型

　特定施設入居者生活介護には、①一般型のほか、②外部サービス利用型があります。一般型は、特定施設の従業者がすべてのサービスを包括的に提供しますが、外部サービス利用型は、特定施設の従業者が特定施設サービス計画の作成、安否確認、生活相談などの基本サービスを行い、そのほかの介護サービスは、特定施設が委託契約した外部の居宅サービス事業者が提供します。

2 特定施設入居者生活介護の人員基準・設備基準

■人員基準（外部サービス利用型以外）

生活相談員	利用者100人に対し常勤換算で1人以上、うち1人以上は常勤
介護職員・看護職員	●要介護者3人に対し常勤換算で1人以上 ●看護職員および介護職員のうちそれぞれ1人以上は常勤　など

有料老人ホーム、軽費老人ホーム、養護老人ホーム
➡ P437、438

＋1 プラスワン

外部サービス利用型で委託できるサービス
指定訪問介護、指定訪問入浴介護、指定訪問看護、指定訪問リハビリテーション、指定通所介護、指定通所リハビリテーション、指定福祉用具貸与、指定地域密着型通所介護、指定認知症対応型通所介護。

＋1 プラスワン

看護職員・介護職員の員数
利用者の安全や介護サービスの質の確保および職員の負担軽減を図るための取り組み等を行っている場合は、利用者3人またはその端数を増すごとに常勤換算で0.9人以上。

機能訓練指導員	1人以上　※兼務可
計画作成担当者	介護支援専門員を1人以上。利用者100人に対し1人を標準。　※支障なければ兼務可
管理者	専従　※支障なければ兼務可

■主な設備基準

介護居室	●定員は1人（利用者の処遇上必要な場合は2人） ●プライバシーの保護に配慮し、介護を行える適当な広さであること。地階以外に設けること。
一時介護室	介護を行うために適当な広さであること、他に利用者を一時的に移して介護を行うための室が確保されている場合は設置しなくてもよい。
機能訓練室	機能を十分に発揮しうる必要な広さを有する。ほかの機能訓練を行うための適当な広さの場所が確保できる場合は設置しなくてもよい。
その他浴室、便所、食堂	

介護給付以上の介護サービス費の支払いを、利用者に求めることができるのは指定特定施設だけ！

3 特定施設入居者生活介護の内容・運営基準

　1週間に2回以上の入浴または清拭、排泄の自立、食事、離床、着替え、整容などの援助、機能訓練のほか、健康管理、生活などに関する相談・援助、社会生活上の支援をしていきます。家族との交流の機会も積極的に設けるよう努めます。

●特定施設入居者生活介護の運営基準のポイント（固有の事項）

内容及び手続の説明及び契約の締結など	●あらかじめ重要事項を記した文書を交付して説明を行い、入居および指定特定施設入居者生活介護の提供に関する契約を文書により締結しなければならない。 ●契約にあたっては、利用者の権利を不当に侵す契約解除条件を定めてはならない。 ●利用者を介護居室または一時介護室に移して介護を行うこととしている場合にあっては、利用者が介護居室または一時介護室に移る際の利用者の意思の確認などの適切な手続をあらかじめ契約書に明記する。
サービス提供の開始など	●事業者は、入居者が指定特定施設入居者生活介護に代えて当該指定特定施設入居者生活介護事業者以外の者が提供する介護サービスを利用することを妨げてはならない。
●身体的拘束等の禁止と行った場合の記録、身体的拘束等適正化検討委員会の開催（3か月に1回以上）、指針の整備、従業者に対する研修の定期的な実施など。	

利用料などの受領	おむつ代や利用者負担が適当な日常生活費、一定の手厚い人員配置による介護サービス、個別の外出介助、個別的な買い物代行、施設が定める標準的な入浴回数を超えた入浴での介助、といった**個別的な選択による介護サービスの費用は別途徴収**できる。
特定施設サービス計画の作成	計画作成担当者である介護支援専門員が利用者の状態と希望を盛り込んだ特定施設サービス計画の原案を作成し、利用者または家族に説明し、文書による同意を得て利用者に交付する。
口腔衛生の管理	利用者の口腔の健康の保持を図り、自立した日常生活を営むことができるよう、口腔衛生の管理体制を整備し、利用者の状態に応じた口腔衛生の管理を計画的に行わなければならない。 ※2027（令和9）年3月31日までは努力義務
協力医療機関など	● 利用者の病状の急変等に備えるため、あらかじめ、一定の要件を満たす協力医療機関を定めておかなければならない。また、あらかじめ、協力歯科医療機関を定めておくよう努めなければならない（協力医療機関および協力歯科医療機関は特定施設から近距離にあることが望ましい）。 ● 1年に1回以上、協力医療機関との間で、利用者の病状の急変が生じた場合などの対応を確認するとともに、協力医療機関の名称などを都道府県知事に提出しなければならない。 ● 第二種協定指定医療機関との間で、新興感染症の発生時等の対応を取り決めるように努めなければならない。 ● 協力医療機関が第二種協定指定医療機関である場合は、その医療機関と新興感染症の発生時等の対応について協議を行わなければならない。 ● 利用者が協力医療機関からの退院が可能となった場合は、再びすみやかに入居させることができるように努めなければならない。

● 委員会の設置 ➡ 短期入所生活介護と同様

4 特定施設入居者生活介護の利用

(1) 特定施設などの入居・退居相談

　在宅での生活の継続が困難な場合には、居宅介護支援事業者の介護支援専門員が、利用者に対し、特定施設への入居相談なども行います。また、入院や自宅復帰などの理由で利用者が特定施設を退居する場合、計画作成担当者（介護支援専門員）は、ほかのサービス機関、施設、職員などに通報・連絡し、必要な情報を伝え、協力・連携します。

(2) ほかの居宅サービスなどとの関係

　特定施設入居者生活介護を利用している間は、居宅介護支援には保険給付がなされません。また、居宅療養管理指導を除くほかの居宅サービス、地域密着型サービスを同時に利用することは

+1 プラスワン

権利金等の受領禁止
有料老人ホームでは、家賃、敷金、介護などの日常生活上必要な費用を除き、権利金などの受領は禁止されている。

特定施設入居者生活介護では、短期利用の場合を除き「居宅介護支援」は行われず、特定施設サービス計画に基づきサービスが実施されます。

できません。なお、特定施設の入居者は、特定施設入居者生活介護を受けずに地域での介護サービスを選択することは可能です。

5 特定施設入居者生活介護の介護報酬

■基本報酬の区分

1日につき、一般型の特定施設入居者生活介護、短期利用型では要介護度別に単位が設定されています。外部サービス利用型の単位も設定されています。

■主な加算（外部サービス利用型・短期利用を除く）

◎特定施設入居者生活介護の介護報酬 ※ 予防 ＝予防給付でも設定

● 個別機能訓練加算　　予防

専従の機能訓練指導員を配置し、多職種が共同して、利用者ごとに個別機能訓練計画を作成し、計画的に機能訓練を行っている場合など。

● 協力医療機関連携加算　　予防

協力医療機関との間で、利用者の同意を得て、利用者の病歴等の情報を共有する会議を定期的に開催している場合。

● 退居時情報提供加算

医療機関に退居後の利用者を紹介する際、利用者の心身の状況、生活歴等の情報を提供した場合。

● 看取り介護加算

看取りに関する指針を作成し、利用者・家族に指針の内容を説明し同意を得たうえで、多職種が協議して指針の見直しを適宜行い、看取りに関する職員研修を行っているなど一定の基準に適合する事業所が、看取り介護を行った場合。夜間看護体制加算を算定していない場合は、算定しない。

● 退院・退所時連携加算

病院、診療所、介護老人保健施設または介護医療院から指定特定施設に入居した場合、入居した日から起算して30日以内の期間に算定。

● 入居継続支援加算

介護福祉士の数が一定の割合以上配置されており、かつ、痰の吸引等が必要な入居者が一定割合以上である場合。

6 介護予防特定施設入居者生活介護

介護予防特定施設入居者生活介護は、特定施設（介護専用型特定施設を除く）に入居している要支援者に、介護予防を目的とし

+1 プラスワン

減算
従業者の数が基準を満たさない場合の減算、身体拘束廃止未実施減算、高齢者虐待防止措置未実施減算、業務継続計画未策定減算など。

て、サービスを行います。サービスの内容は、特定施設入居者生活介護と同趣旨のものとなっています。

◉特定施設入居者生活介護との主な相違点

- ●介護職員・看護職員は、常勤換算方法で、利用者10人またはその端数を増すごとに1人以上必要。
- ●計画作成担当者は、サービス提供開始時から、計画に記載したサービスの提供を行う期間が終了するまでに、少なくとも1回は、サービスの実施状況の把握（モニタリング）を行い、必要に応じて介護予防特定施設サービス計画の変更を行う。

+1 プラスワン

看護職員・介護職員の員数

利用者の安全や介護サービスの質の確保および職員の負担軽減を図るための取り組み等を行っている場合は、利用者10人またはその端数を増すごとに常勤換算で0.9人以上。

 \\ チャレンジ！ // 過去＆予想問題 できたらチェック ☑

	問　題	解　答
□1	特定施設は、有料老人ホーム、養護老人ホーム、軽費老人ホームである。 予想	○
□2	外部サービス利用型特定施設入居者生活介護は、特定施設の利用者が外部のサービス事業者と直接契約し、外部のサービス事業者から介護サービスを受けるものである。 予想	✕ 特定施設が外部のサービス事業者と契約
□3	特定施設の入居者は、特定施設入居者生活介護のサービスを受けずに外部の居宅サービスを受けることができる。 予想	○
□4	利用者の選定により提供される介護等の費用の支払いを利用者から受けることはできない。 予想	✕ 支払いを受けることができる
□5	おむつ代を利用者の負担とすることが認められている。 予想	○
□6	指定特定施設入居者生活介護事業者は、入居に際し、文書で契約を結ばなければならない。 予想	○
□7	特定施設入居者生活介護は、居宅サービス計画に基づいて提供される。 予想	✕ 特定施設サービス計画

Lesson
09 重要度 A ★★★

福祉用具

**レッスンの
ポイント**

- 福祉用具専門相談員が必置
- 軽度者には給付されない貸与種目がある
- スロープ、歩行器、歩行補助つえは選択制の対象
- 貸与になじまない入浴補助用具などは販売

コ**コでた!**
R4 問54

1 福祉用具のサービスとは

　福祉用具に関する介護保険のサービスには、福祉用具貸与（要支援者には介護予防福祉用具貸与）と特定福祉用具販売（要支援者には特定介護予防福祉用具販売）があります。

　特定福祉用具販売は、貸与になじまない特定福祉用具を販売するものです。福祉用具購入費として単独で**支給限度基準額（同一年度で10万円）**が設定されています。

　福祉用具の目的として、①身体の機能の補完、②生活動作の自立を図る、③安全・安心な暮らしを支えることで、生活を活性化させる、④介護者の心身の負担の軽減などがあげられます。

支給限度基準額
→ P78

2 福祉用具の事業者の人員・設備基準

■人員基準

福祉用具専門相談員	常勤換算で2人以上
管理者	常勤専従。支障なければ兼務可

■設備に関する基準

福祉用具の保管・消毒のために必要な設備・器材と事業の運営のために必要な広さの区画を有するほか、サービスの提供のために必要なその他の設備・備品等を備える。	
保管に必要な設備	①清潔である、②すでに消毒または補修済みの福祉用具とそれ以外の福祉用具を区分できる。
消毒に必要な器材	福祉用具の種類と材質などからみて適切な消毒効果を有する。

用語

福祉用具専門相談員
介護福祉士、義肢装具士、保健師、看護師、准看護師、理学療法士、作業療法士、社会福祉士のほか、福祉用具専門相談員指定講習の課程を修了し、修了証明書の交付を受けた人。

3 福祉用具の内容

ココでた！

R4 問54

R2 問51

■福祉用具貸与が給付されない場合

　福祉用具貸与では、要支援～要介護1の軽度者には、その利用が想定されにくい福祉用具（表中※）は**原則として給付対象外**となります。ただし、医学的な所見に基づく医師の判断、サービス担当者会議などを通じた適切なケアマネジメントにより必要と判断された場合は、市町村がこれを確認することで、給付が可能となります。

■福祉用具貸与と特定福祉用具販売の選択制

　2024(令和6)年度から、固定用スロープ、歩行器（歩行車を除く）、歩行補助つえ（松葉づえを除く）について貸与と販売のいずれかを選択することが可能となりました。これにより、特定福祉用具販売の給付対象となる種目が追加されています。

+1 プラスワン

自動排泄処理装置（尿のみを自動的に吸引するものを除く）については、要支援～要介護3の人が対象外

●福祉用具貸与の種目

★＝軽度者には給付されない

種目	内容
車いす★	自走用標準型車いす、介助用標準型車いす、普通型電動車いす ※ティルト機能（座面全体を後方に傾ける機能）やリクライニング機能、パワーアシスト機能がついた車いすも対象。
車いす付属品★	クッションまたはパッド、電動補助装置、テーブル、ブレーキ
特殊寝台★	背、脚の傾斜の角度や床板の高さを無段階に調整できる機能があるベッド
特殊寝台付属品★	マットレス、サイドレール、ベッド用手すり、スライディングボード・スライディングマット、介助用ベルト
床ずれ防止用具★	送風装置または空気圧調整装置を備えた空気マット、体圧分散効果をもつ水、エア、ゲル、シリコン、ウレタンなどからなる全身用のマット　●エアーマット
体位変換器★	身体の下に挿入することにより、体位の変換を容易に行うことができるもの。枕やクッションなど体位保持のみを目的とするものは除く。
手すり	取り付けの際に工事を伴わないもの。 ※工事を伴うものは住宅改修の対象。
スロープ	取り付けの際に工事を伴わず、持ち運びが容易なもの。 ※工事を伴うものは住宅改修の対象。

福祉サービス分野

Lesson 09　★★★　福祉用具

歩行器	車輪のあるもの（歩行車）、四脚のもの。 ※電動アシスト、自動制御などの機能が付加された電動の歩行器も含む。
歩行補助つえ	松葉づえ、ロフストランド・クラッチ、多点杖、カナディアン・クラッチ、プラットホームクラッチに限る。 三脚杖 四脚杖 ●松葉づえ　●ロフストランド・クラッチ　●多点杖　●カナディアン・クラッチ　●プラットホームクラッチ
認知症老人徘徊感知機器★	認知症高齢者が屋外へ出ようとしたときや屋内のある地点を通過したときに、センサーで感知し、家族、隣人などに通報するもの。
移動用リフト（つり具の部分を除く）★	床走行式、固定式、据置式で、自力での移動が困難な利用者の移動を補助するもの。段差解消機、起立補助機能付きいす、浴槽用昇降座面、階段移動用リフトも対象。 ※工事を伴わないもの。
自動排泄処理装置★	自動的に尿または便が吸引され、尿や便の経路が分割可能で要介護者や介護者が容易に使用できるもの。レシーバー、タンク、チューブなどの交換可能部品、専用パッド、洗浄液、専用パンツ、専用シーツなどは対象外。 ●自動排泄処理装置 本体部分は福祉用具貸与の対象 尿や便の経路となる、交換可能な部品は特定福祉用具販売の対象

◉ **特定福祉用具販売の種目**

腰掛便座	補高便座、電動式またはスプリング式で立ち上がり補助機能のあるもの、ポータブルトイレ（水洗式含む）、便座の底上げ部材など。 ●ポータブルトイレ　●補高便座
自動排泄処理装置の交換可能部品	レシーバー、チューブ、タンクなどのうち尿や便の経路となるもので、要介護者や介護者が容易に交換できるもの（専用パッド、洗浄液、専用パンツ、専用シーツなどは対象外）。
排泄予測支援機器	膀胱内の状態を感知し、尿量を推定。排尿の機会を本人や介護者などに通知する。専用ジェルなど装着のつど消費するものや専用シートなどの関連製品は対象外。

入浴補助用具	入浴用いす、浴槽用手すり、浴槽内いす、入浴台、浴室内すのこ、浴槽内すのこ、入浴用介助ベルト
簡易浴槽	空気式または折りたたみ式の浴槽、給排水のためのポンプも対象。 ●ポータブル式浴槽
移動用リフトのつり具の部分	身体を包んで保持するート状のものと入浴用車いすのいす部分を取り外しつり具となるものがある。
スロープ	取り付けの際に工事を伴わないもの。便宜上設置や撤去、持ち運びができる可搬型のものは除く。
歩行器	固定式または交互式歩行器。車輪・キャスターがついている歩行車は除く。
歩行補助つえ	カナディアン・クラッチ、ロフストランド・クラッチ、プラットホームクラッチ、多点杖に限る。

❹ 福祉用具の運営基準

 コゴでた！
R4 問54

◉ **福祉用具貸与・特定福祉用具販売共通の運営基準のポイント（固有の事項）**

具体的取扱方針	● 福祉用具専門相談員が福祉用具の相談に応じ、目録などの文書を示して福祉用具の機能、使用方法、利用料または販売費用の額、全国平均貸与価格（福祉用具貸与の場合）などに関する情報を提供し、貸与・販売にかかる同意を得る。 ● 福祉用具専門相談員は、利用者が福祉用具貸与または特定福祉用具販売のいずれかを選択できることについての利用者への十分な説明、選択にあたって必要な情報の提供、医師や専門職の意見、利用者の身体状況等を踏まえた提案を行う。 ● 福祉用具の点検、調整、使用方法の指導、必要な場合は修理（特定福祉用具販売では選択制の福祉用具が対象）を行う。 ● 身体的拘束等の禁止、緊急やむを得ず行った場合の記録。 ● 居宅サービス計画に福祉用具が必要な理由が記載されるように、介護支援専門員に助言や情報提供などを行う。
利用料などの受領	利用者の希望により、通常の実施地域外で行う場合の交通費、用具の搬出入に特別な措置が必要な場合の費用は、利用者から別途支払いを受けることができる。
福祉用具サービス計画の作成	福祉用具専門相談員は、すでに居宅サービス計画が作成されている場合は、その内容に沿って、福祉用具サービス計画（福祉用具貸与計画または特定福祉用具販売計画）を作成する。貸与と販売を同時に提供する場合は、これらの計画は一体のものとして作成する。計画の内容は、利用者または家族に説明のうえ、同意を得て利用者に交付する。

貸与のみ	● 福祉用具貸与計画に具体的なサービスの内容、福祉用具貸与計画の実施状況の把握（モニタリング）を行う時期等を記載。 ● 計画の作成後はモニタリングを行う。選択制の対象福祉用具の提供にあたっては、利用開始後6か月以内に少なくとも1回モニタリングを行い、貸与継続の必要性について検討を行う。 ● モニタリングの結果は記録し、その記録を指定居宅介護支援事業者に報告しなければならない。モニタリングの結果を踏まえ、必要に応じて福祉用具貸与計画の変更を行う。
販売のみ	選択制の対象福祉用具にかかる特定福祉用具販売の提供にあたっては、特定福祉用具販売計画の作成後、計画に記載した目標の達成状況の確認を行う。
適切な研修の機会の確保並びに福祉用具専門相談員の知識および技能の向上など	事業者は、福祉用具専門相談員の資質の向上のために、適切な研修の機会を確保し、福祉用具専門相談員は、常に自己研鑽に励み、必要な知識・技能の修得や能力の維持・向上に努めなければならない。
掲示および目録の備え付け	● 事業所には、サービスの選択に資する重要事項を掲示し、福祉用具の品名、利用料などの必要事項が記載された目録を備えつける。 ● 原則として、重要事項はウェブサイトに掲載する。 ※ウェブサイトは2025（令和7）年4月1日から適用
衛生管理など	回収した福祉用具は消毒し、消毒が行われた福祉用具と消毒が行われていない福祉用具とを区分して保管する。また、事業者は、これらの保管・消毒を委託等によりほかの事業者に行わせることができる。

コでた！

R4 問54

価格を「見える」化して、貸与価格のばらつきを抑えるのがねらいです。

5 福祉用具貸与の介護報酬

（1）全国平均貸与価格の公表と貸与価格の上限設定

　福祉用具貸与では、種目ごとの基準単価は定められていません。搬入・搬出、消毒、人的サービスなども含めた価格を事業者の裁量で決定する自由価格となっています。

　ただし、福祉用具の給付の適正化を図るため、国が商品ごとに、貸与価格の全国的な状況を把握してホームページで全国平均貸与価格を公表し、貸与価格に一定の上限を設けています。

（2）減額貸与

　複数の福祉用具を貸与する場合は、あらかじめ都道府県に減額の規程を届け出ることにより、通常の貸与価格から減額して貸与することが可能となっています。

6 介護予防福祉用具貸与など

(1) 介護予防福祉用具貸与

介護予防福祉用具貸与は、在宅の要支援者に、福祉用具専門相談員が相談に応じ、介護予防に資する福祉用具を貸与するものです。事業者や人員・設備・運営基準は、福祉用具貸与と同様の内容となっています。ただし要支援者の人には一部の福祉用具に対して給付の制限があります。

(2) 特定介護予防福祉用具販売

在宅の要支援者を対象としますが、特定福祉用具販売と同様の種目が対象となり、支給限度基準額や給付の手続きも同じです。

 \\ チャレンジ！ // 過去＆予想問題 できたらチェック ☑

	問題	解答
□1	福祉用具貸与事業所には、福祉用具専門相談員を2人以上置かなければならない。 予想	○
□2	福祉用具の使用目的には、利用者の自立支援と介護者の負担軽減がある。 予想	○
□3	車いす付属品は、特定福祉用具販売の対象となる。 予想	✕ 福祉用具貸与の対象
□4	特殊寝台付属品は、福祉用具貸与の対象外である。 予想	✕ 福祉用具貸与の対象
□5	（介護保険における福祉用具貸与の対象となるもの）移動用リフトのつり具の部分 R2	✕ 特定福祉用具販売の対象
□6	認知症老人徘徊感知機器は、特定福祉用具販売の対象となる。 予想	✕ 福祉用具貸与の対象
□7	固定式の歩行器は、福祉用具貸与か特定福祉用具販売かを選択できる。 予想	○
□8	特定福祉用具販売では、選択制の対象福祉用具にかかるモニタリングを、利用開始から少なくとも6か月に1回は行わなくてはならない。 予想	✕ 設問は福祉用具貸与について
□9	福祉用具貸与事業者は、目録を事業所内に備え付けなければならない。 予想	○
□10	複数の福祉用具を貸与する場合には、通常の貸与価格から減額して貸与することができる。 R4	○

住宅改修

- 支給限度基準額が設定されている
- 住宅改修の給付種目は介護給付・予防給付共通
- 手すり、扉の取り替えなど小規模工事が対象
- 住宅改修に必要な理由書を事前に提出

ココでた！

R5 問54
R1 問54

同一住宅でも例外的に支給が認められる場合の詳細については、P78の支給限度基準額のところを復習しましょう。

■１ 住宅改修のサービスとは

居宅の要介護者が、給付対象となる住宅の改修を行ったときに保険給付されるものです。指定事業者は定められず、居住する同一の住宅についての**支給限度基準額（20万円）が設定されています**。

転居した場合は、**再度支給が受けられます**。また、同一住宅であっても、最初に支給を受けた住宅改修の着工時点と比較して、**介護の必要の程度が著しく高くなった場合**（要介護状態区分を基準とした「介護の必要の程度」で3段階以上）は、**1回にかぎり再度給付**が受けられます。

■２ 住宅改修の目的

住宅改修を実施することで、転倒を予防し、安全に移動できるようになるほか、生活動作が自立することで利用者本人の自信を取り戻すことができます。

また、外出しやすい環境を整備することで、他者との交流や地域社会への参加を促し、本人の意欲向上につながります。そして、安全で活動的な在宅生活が継続されれば、介護費用や医療費の軽減効果も得ることができます。

 用語

理由書
改修が必要な理由を記載した書類。基本的に居宅介護支援事業、または介護予防支援事業の一環として作成される。

■３ 住宅改修の利用とケアマネジメント

住宅改修を利用するには、市町村に対し、施工前の事前申請と施工後の事後申請が必要です。介護支援専門員は、こうした手続きの相談援助を行うほか、居宅介護支援事業の業務の一環として、事前申請に必要な「**住宅改修が必要な理由書**」を作成します。

▲ 住宅改修の内容

ココでた！

R5 問54
R3 問54
R1 問54

　住宅改修では、小規模な改修工事が給付対象になっています。**住宅改修を伴わない手すりやスロープは福祉用具貸与の対象と**なります。

●住宅改修の給付対象

手すりの取りつけ	廊下、便所、浴室、玄関、玄関から道路までの通路などに手すりを設置するもの。手すり取りつけのための壁の下地補強も対象。
段差の解消	居室、廊下、便所、浴室、玄関など各室間の床段差解消、玄関から道路までの通路の段差解消、通路などの傾斜の解消。具体的にはスロープの設置、敷居を低くする、浴室床のかさ上げなど。段差解消に伴う給排水設備工事、転落防止柵の設置も対象。 動力により段差を解消する機器（段差解消機、昇降機、リフトなど）を設置する工事は住宅改修の支給対象外。
床または通路面の材料の変更	居室、廊下、便所、浴室、玄関など各室の床材変更と玄関から道路までの通路の材料の変更。床材などの変更に伴う下地補修や根太の補強、路盤の整備も対象。
引き戸などへの扉の取り替え	開き戸から引き戸、アコーディオンカーテンなどへの扉全体の取り替え、ドアノブの変更、扉の撤去、戸車の設置など。扉位置の変更などに比べ費用が低く抑えられる場合には、引き戸などの新設も含まれる。取り替えに伴う壁または柱の改修工事も対象。 自動ドアとした場合は、自動ドアの動力部分は支給対象外。
洋式便器などへの取り替え	和式便器から洋式便器（暖房便座、洗浄機能付きを含む）への取り替え、便器の位置・向きの変更。改修に伴う給排水設備、床材の変更も対象。 暖房や洗浄機能を付加するだけの場合や水洗式洋式便器への取り替えにおける水洗化工事は支給対象外。

ここは、給付対象とならない部分も含めて、しっかり理解しよう！

福祉サービス分野

Lesson 10　★★★
住宅改修

●住宅改修の例

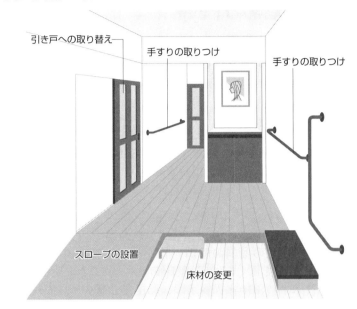

引き戸への取り替え
手すりの取りつけ
手すりの取りつけ
スロープの設置
床材の変更

\\ チャレンジ！//
過去＆予想問題

できたら
チェック ✓

問 題	解 答
□1 据え置いて使用する手すりは、住宅改修費の支給対象となる。 予想	✕ 支給対象とならない
□2 玄関から道路までの通路の段差解消は、住宅改修費の支給の対象となる。 予想	○
□3 リフトなど動力により段差を解消する機器を設置する工事は、住宅改修費の支給対象となる。 R5	✕ 支給対象とならない
□4 スロープの設置は、取りつけ工事の有無にかかわらず、住宅改修費の支給の対象になる。 予想	✕ 取りつけ工事を伴うものが住宅改修費の支給対象
□5 玄関から門扉までの通路の舗装は、住宅改修費の支給対象になる。 予想	○
□6 非水洗和式便器から水洗洋式便器に取り替える場合は、水洗化工事の費用も住宅改修費の支給対象になる。 R3	✕ 水洗化工事は支給対象外
□7 引き戸の新設は、扉位置の変更に比べ費用が抑えられる場合は、住宅改修費の支給の対象になる。 予想	○
□8 段差解消に伴う転落防止柵の設置は、住宅改修費の支給対象とならない。 予想	✕ 支給対象となる

夜間対応型訪問介護

レッスンのポイント

● 夜間の定期巡回のほか、随時の通報に対応する
● オペレーションセンター従業者を配置
● 利用者には通報用ケアコール端末や携帯電話を配布
● 24時間通報対応加算などが設定されている

1 夜間対応型訪問介護とは

夜間対応型訪問介護は、介護福祉士などが夜間に定期的に要介護者の居宅を巡回し、または随時通報を受けて、居宅において入浴、排泄、食事などの介護、生活などに関する相談・助言、その他必要な日常生活上の世話を行い、利用者が夜間において安心して過ごせるように援助します。

夜間の提供時間帯は、各事業所が設定しますが、最低でも22時から6時までの間は含みます。また、8時から18時までの間の時間帯を含むことは認められていません。

利用対象者は一人暮らしの高齢者や高齢者のみの世帯、要介護度が中重度の人が中心となると考えられますが、**これらの人に限定するものではありません。**

コjでた！
R3 問55

ここからは、市町村長が指定する地域密着型サービスです。

2 夜間対応型訪問介護の人員・設備基準

■オペレーションセンターの設置・設備基準

オペレーションセンターは、**通常の事業の実施地域内に、1か所以上設置することが原則**です。ただし、定期巡回サービスを行う訪問介護員等が利用者からの通報により適切にオペレーションセンターサービスを実施できる場合は、**設置しないこともできます。**具体的には、利用者の数が少なく、事業者との間に密接な関係が築かれているなどにより、十分対応可能な場合などです。

また、オペレーションセンターには利用者からの**通報を受け取る通信機器**（携帯電話でも可）や、オペレーターが常時閲覧できる**心身の情報を蓄積できる機器**を備え、利用者には通報のための端末機器（ケアコール端末、携帯電話など）を配布します。

コjでた！
R3 問55
R1 問56

＋1 プラスワン

ケアコール端末
利用者の心身の状況により、随時通報が適切に行える場合は、ケアコール端末などを配布せず、利用者の携帯電話や家庭用電話で通報させてもよい。

オペレーター

オペレーターは、一定の条件下で、サービス提供責任者として1年従事した人をあてることができる。事業所の定期巡回サービス、随時訪問サービスとの兼務可。事業所に常駐している必要はなく、定期巡回サービスを行う訪問介護員等に同行し、地域を巡回しながら利用者からの通報に対応することも差し支えない。

■**人員基準**

オペレーションセンター従業者	● 通報受付業務にあたる**オペレーター**（看護師、准看護師、介護福祉士、医師、保健師、社会福祉士、介護支援専門員）を提供時間帯を通じ専従で1人以上確保できる必要数　※支障なければ兼務可 ● **面接相談員**（オペレーターと同様の資格または同等の知識経験を有する者を配置するように努める）を1人以上確保できる必要数
訪問介護員等	定期巡回サービスを行う訪問介護員等を必要数、随時訪問サービスを行う訪問介護員等を提供時間帯を通じ専従で1人以上確保できる必要数（支障なければ兼務可）
管理者	常勤専従　※支障なければ兼務可

❸ 夜間対応型訪問介護の内容

◎**夜間対応型訪問介護の内容**

定期巡回サービス	訪問介護員等が定期的に利用者の居宅を巡回して夜間対応型訪問介護を行う。
オペレーションセンターサービス	オペレーションセンター従業者（オペレーションセンターを設置しない場合は訪問介護員等）が利用者からの随時の通報を受け、通報内容などをもとに、訪問介護員等の訪問の要否などを判断する。
随時訪問サービス	随時の連絡に対応して、訪問介護員等が夜間対応型訪問介護を行う。

コっでた！
R3 問55
R1 問56

❹ 夜間対応型訪問介護の運営基準

◎**夜間対応型訪問介護の運営基準のポイント（固有の事項）**

具体的取扱方針	● 随時訪問サービスを適切に行うため、オペレーションセンター従業者は、利用者の面接および1か月から3か月に1回程度の利用者の居宅への訪問を行う。 ● 必要な場合は、利用者の利用する指定訪問看護ステーションへの連絡を行う。 ● 利用者から合鍵を預かる場合は、従業者であっても容易に持ち出すことができないようその管理を厳重にし、管理方法、紛失した場合の対処方法その他必要な事項を記載した文書を利用者に交付する。

別途の利用者負担	通常の事業の実施地域外でサービスを行った場合の交通費。 ※ケアコール端末の設置料、リース料、保守料などの費用の徴収は認められない。
夜間対応型訪問介護計画などの作成	●オペレーションセンター従業者（オペレーターを設置していない事業所では、訪問介護員等）が居宅サービス計画の内容に沿って夜間対応型訪問介護計画を作成する。 ●計画の内容は、利用者または家族に説明し、利用者の同意を得たうえで計画書を交付する。
同居家族へのサービス提供の禁止★　※訪問介護と同じ　→ P360	
地域との連携など	●利用者からの苦情に関して市町村等が派遣する者が相談および援助を行う事業等に協力するよう努める。 ●事業所と同一の建物に居住する利用者以外の利用者にも、サービスを提供するよう努める。

5 夜間対応型訪問介護の介護報酬

オペレーションセンターを設置する場合では、月単位の基本報酬額に加え、定期巡回サービス・随時訪問サービスそれぞれ1回ごとの単位が設定され、オペレーションセンターを設置しない場合では、月単位の定額報酬が定められています。加算では、日中におけるオペレーションセンターサービスの体制を確保した事業所に24時間通報対応加算などが設けられています。

	問題		解答
□1	オペレーターは、事業所に常駐していなければならない。 予想	✕	常駐している必要はない
□2	指定夜間対応型訪問介護事業所は、オペレーションセンターを設置しない場合も認められている。 予想	○	
□3	利用者からの通報を受け付ける機器として携帯電話を利用することは、禁止されている。 予想	✕	携帯電話でも可
□4	サービスには、オペレーションセンター等からの連絡に対応して行う随時訪問サービスが含まれる。 予想	○	
□5	利用者から合鍵を預かる場合は、従業者であれば容易に持ち出すことができるような管理を行う必要がある。 R1	✕	容易に持ち出せないよう厳重に管理する

地域密着型通所介護

レッスンの
ポイント

- 小規模な通所介護が地域密着型通所介護となる
- 事業所の利用定員は18人以下
- 療養通所介護は地域密着型通所介護に含まれる
- 運営推進会議を設置する

コ コ で た !
R2 問10

1 地域密着型通所介護とは

　地域密着型通所介護は、要介護者に老人デイサービス事業を行う施設または老人デイサービスセンターに通ってきてもらい、入浴、排泄、食事などの介護、生活などに関する相談・助言、健康状態の確認、その他必要な日常生活上の世話や機能訓練を行うサービスです。2016 (平成28) 年度から、利用定員18人以下の小規模事業所での通所介護が、この地域密着型通所介護に移行しました (認知症対応型通所介護に該当するものは除く)。これに伴い、通所介護の一類型であった療養通所介護も、地域密着型通所介護に移行しました。また、2018 (平成30) 年度から、共生型地域密着型通所介護が位置づけられています。

+1 プラスワン

共生型地域密着型通所介護

障害福祉制度における生活介護、自立訓練、児童発達支援、放課後等デイサービスの指定を受けた事業所であれば、基本的に共生型地域密着型通所介護の指定を受けられるものとして基準が設定されている (通所介護と同様)。

2 地域密着型通所介護の人員・設備基準

■人員・設備基準

　療養通所介護以外の人員・設備基準は、基本的に通所介護と同じです。

●人員基準 (療養通所介護を除く)

生活相談員	提供日ごとに提供時間数に応じて専従で1人以上	
介護職員	単位 (同時に一体的に提供されるサービスの単位) ごとに提供時間数に応じて、専従で利用者15人まで1人以上、それ以上は15人を超える部分の利用者の数を5で除して得た数に1を加えた数以上 ※単位ごとに介護職員等を常時1人以上確保	生活相談員または介護職員のうち1人以上は常勤
看護職員	単位ごとに専従で1人以上	

機能訓練指導員	理学療法士、作業療法士、言語聴覚士、看護職員、柔道整復師、あん摩マッサージ指圧師、一定の実務経験を有するはり師、きゅう師のいずれか。1人以上 ※日常生活などを通じて行う機能訓練の場合は、生活相談員か介護職員が兼務してもよい。
管理者	特段の専門資格は不要。常勤専従 ※支障なければ兼務可

●主な設備基準

食堂	それぞれ必要な面積を有するものとし、その合計した面積が3m²×利用定員数以上。
機能訓練室	
相談室	相談の内容が漏洩(ろうえい)しないよう配慮されていること。

3 地域密着型通所介護の内容・方針

　運営基準は、基本的に通所介護と同様のものが規定されていますが、運営推進会議の設置は、地域密着型サービスとして固有の規定となります。

●地域密着型通所介護の運営基準のポイント（固有の事項）

利用料等の受領	通常の事業の実施地域以外に居住する利用者を送迎する費用、通常の時間を超えるサービスの費用、食事の費用、おむつ代、日常生活費
地域密着型通所介護計画の作成	管理者は、その内容について利用者または家族に説明し、利用者の同意を得て交付する（計画のとりまとめは、事業所に配置されている場合は、介護支援専門員が望ましい）
地域との連携等	●サービスの提供にあたり、利用者、利用者の家族、地域住民の代表者、事業所所在地の市町村の職員や地域包括支援センターの職員、サービスについて知見を有する者などにより構成される協議会（運営推進会議）を設置し、おおむね6か月に1回以上開催して運営推進会議に対し活動状況を報告し、運営推進会議による評価を受けるとともに、運営推進会議から必要な要望、助言などを聴く機会を設ける。 ●運営推進会議での報告、評価、要望、助言などについての記録を作成し、その記録を公表する。 ●事業者は、地域住民またはその自発的な活動などとの連携・協力を行うなどの地域との交流を図る。 ●事業者は、利用者からのサービス提供に関する苦情に関して、市町村等が派遣する者が相談・援助を行う事業などに協力するよう努める。 ●事業所の所在する建物と同一の建物に居住する利用者に対してサービスを提供する場合には、その建物に居住する利用者以外の者に対してもサービスの提供を行うよう努める。

🄲 療養通所介護

　療養通所介護は、難病などにより重度の介護を必要とする、またはがん末期の要介護者で、サービス提供にあたり常時看護師による観察が必要な人を対象にしています。

　地域密着型通所介護とは別に、人員・設備・運営基準が規定されています。

療養通所介護は医療としっかり連携してサービスを提供するんだね！

●療養通所介護の特徴

人員基準	●利用者1.5人につき1人以上の看護職員または介護職員（1人以上は常勤専従の看護師）が配置。 ●管理者は常勤専従の看護師。
利用定員	18人以下
方針（運営基準）	●主治医や訪問看護事業者と密接な連携を図る。 ●指定居宅介護支援事業者やほかのサービス事業者と密接に連携し、利用者に対する指定療養通所介護の提供の適否は、主治医を含めたサービス担当者会議において検討する。 ●管理者（看護師）は、療養通所介護計画を作成して、利用者または家族に内容を説明し、利用者の同意を得て交付する。計画は、居宅サービス計画の内容に沿うとともに、訪問看護計画の内容とも整合を図る。 ●サービスの提供を行っているときに利用者の病状の急変が生じた場合などに備えて、主治医とともに緊急時などの対応策についてあらかじめ定めておく。 ●利用者の病状の急変などに備え、同一の敷地内か近くの場所に緊急時対応医療機関を定めておく。 ●地域の医療関係団体の者や保健・医療・福祉分野の専門家などから成る安全・サービス提供管理委員会を設置し、おおむね6か月に1回以上は開催して、安全かつ適切なサービスを提供するための対策を講じる。 ●運営推進会議の設置（12か月に1回以上開催）

🄵 地域密着型通所介護の介護報酬

(1) 区分

　所要時間別（6区分）、要介護度別に算定します。療養通所介護は、月単位の定額報酬で、短期利用の場合は1日単位で算定します。

（2）加算・減算

　地域密着型通所介護の加算の内容は、基本的に通所介護と同じです。療養通所介護では、それ以外に次の加算・減算が設定されています。

●療養通所介護の加算・減算

加算	● 口腔・栄養スクリーニング**加算** ● 重度者ケア体制**加算**
減算	● 入浴介助を行わない場合 ● 利用者一人あたりのサービス利用の平均回数が月5回に満たない場合

口腔・栄養スクリーニング加算
→ P313

\\ チャレンジ！ //
過去＆予想問題

できたらチェック ☑

	問題	解答
□1	指定地域密着型通所介護では、機能訓練を行う必要はない。 R2	✕ 機能訓練を行う
□2	指定地域密着型通所介護事業所（療養通所介護以外）では、生活相談員または介護職員のうち、1人以上は常勤で配置しなければならない。 予想	◯
□3	地域密着型通所介護（療養通所介護以外）では、運営推進会議を6か月に1回以上開催しなければならない。 予想	◯
□4	同一建物に居住する利用者にサービスを提供する場合は、その利用者のみにサービスを提供するよう努める。 予想	✕ その建物に居住する利用者以外の者へのサービス提供努力義務がある
□5	指定療養通所介護事業所では、難病などを有する重度要介護者等を対象とする。 予想	◯
□6	指定療養通所介護事業所の管理者は、常勤専従の保健師でなければならない。 予想	✕ 常勤専従の看護師
□7	指定療養通所介護事業所の利用定員は、9人以下である。 予想	✕ 18人以下
□8	療養通所介護では、安全・サービス提供管理委員会を設置すれば、運営推進会議を設置する必要はない。 予想	✕ 運営基準に運営推進会議の設置も定められている
□9	短期利用以外の療養通所介護は、月単位の定額報酬で算定する。 予想	◯

福祉サービス分野

Lesson 12　★★★

地域密着型通所介護

認知症対応型通所介護

レッスンの
ポイント

● 単独型、併設型、共用型がある
● 共用型の利用定員は、共同生活住居ごとに3人以下
● 認知症の特性に配慮して行われる
● 通所介護と一体的に行うことは認められない

コ コ でた！

R5 問56

R3 問56

R1 問55

1 認知症対応型通所介護とは

　認知症対応型通所介護は、認知症（急性の状態にある者を除く）である要介護者に老人デイサービス事業を行う施設または老人デイサービスセンターに通ってきてもらい、入浴、排泄、食事などの介護、生活などに関する相談・助言、健康状態の確認、その他必要な日常生活上の世話や機能訓練を行うサービスです。

■事業所の類型

　事業所の類型として、①単独型、②併設型、③共用型があります。

●事業所の類型

①単独型	特別養護老人ホーム、養護老人ホーム、病院、診療所、介護老人保健施設、介護医療院、社会福祉施設、特定施設に併設されていない事業所。 ※利用定員は単位ごとに12人以下。
②併設型	①の施設に併設している事業所。 ※利用定員は単位ごとに12人以下。
③共用型	指定（介護予防）認知症対応型共同生活介護事業所の居間や食堂、または指定地域密着型特定施設や指定地域密着型介護老人福祉施設の食堂や共同生活室において、これらの事業所・施設の利用者とともに行われる。 ※1日の利用定員は（介護予防）認知症対応型共同生活介護事業所では共同生活住居ごとに3人以下、それ以外は施設ごとに3人以下とし、ユニット型指定地域密着型介護老人福祉施設においては、1ユニットごとにユニット型指定地域密着型介護老人福祉施設の入居者の数とあわせて12人以下。

+1 プラスワン

共用型
介護サービス事業者・施設としての指定または許可を受けてから3年以上経過している事業所・施設において行われなければならない。

2 認知症対応型通所介護の人員・設備基準

コ**コ**でた！
R5 問56
R1 問55

■人員基準（単独型・併設型の場合）

生活相談員	提供時間数に応じ専従で1人以上確保できる必要数	生活相談員または看護・介護職員のうち1人以上は常勤
看護職員・介護職員	専従で2人以上（サービスの単位ごとに専従で1人以上、および提供時間数に応じ専従で1人以上確保できる必要数）　※看護・介護職員は単位ごとに常時1人以上	
機能訓練指導員	1人以上	
管理者	常勤専従　※支障なければ兼務可、サービスを提供するために必要な知識や経験をもち、必要な研修を修了していること	

■設備基準

　単独型、併設型では、食堂、機能訓練室、静養室、相談室、事務室が必要です。また、消火設備その他の非常災害に際して必要な設備、サービス提供に必要なその他の設備・備品を備えます。

3 認知症対応型通所介護の運営基準

コ**コ**でた！
R5 問56
R3 問56
R1 問55

（1）基本方針など

　認知症の特性に配慮して行われるサービスであるため、**一般の通所介護と一体的な形で行うことは認められていません**。サービスの実施にあたっては、認知症の症状の進行の緩和に資するために目標を設定し、計画的に行います。

（2）認知症対応型通所介護計画の作成

　管理者が、居宅サービス計画の内容に沿って認知症対応型通所介護計画を作成し、利用者または家族に説明し、利用者の同意を得たうえで交付します。

（3）その他認知症対応型通所介護の方針

- ●定員の遵守、非常災害対策。
- ●運営推進会議を6か月に1回以上開催し、活動状況の報告や評価、その記録の公表など。その他地域との連携にかかる事項は地域密着型通所介護と同様（→ P395）

+1 プラスワン

利用形態
事業所が一般の通所介護と同じ時間帯に行う場合は、パーテーションで間を仕切るなど職員、利用者、サービス空間を明確に区別する必要がある。

認知症対応型通所介護計画
計画の作成は、認知症介護にかかる計画の作成に関し経験のある人や認知症介護の提供に豊富な知識・経験のある人にとりまとめを行わせ、事業所に介護支援専門員がいる場合は、介護支援専門員にとりまとめを行わせることが望ましい。

● 利用者の希望で通常の実施地域を越えて行う場合の送迎費用、長時間のサービス費用、食費、おむつ代、その他日常生活費は、利用者から別途費用を徴収できる。

4 認知症対応型通所介護の介護報酬

単独型、併設型、共用型ごとに、所要時間別（6区分）、要介護度別に介護報酬額が設定されています。加算には、通所介護と同様のものが多くあります。減算には、送迎を行わない場合などがあります。また、送迎時に実施した居宅内での介助などに要する時間は、一定の要件を満たせば、サービスの所要時間に含めてよいとされています。

5 介護予防認知症対応型通所介護

人員・設備に関する基準は、認知症対応型通所介護と同様です。また、運営基準も同趣旨のものとなっていますが、独自に次のような規定が設けられています。

介護予防認知症対応型通所介護計画の作成。従業者がサービス提供開始時から計画に記載したサービス提供期間終了時までに少なくとも1回はサービス実施状況を把握して管理者がその結果を記録し、指定介護予防支援事業者へ報告すること。

+1 プラスワン

加算・減算項目
ADL 維持等加算が設定されていないこと以外は、認知症対応型通所介護と同じ。

 \\ チャレンジ！ //

過去&予想問題

できたらチェック ☑

	問題		解答
☐1	認知症対応型共同生活介護事業所の居間や食堂を活用して行うのは、併設型指定認知症対応型通所介護である。 **R3**	✕	共用型
☐2	認知症対応型通所介護事業所の利用定員は、単独型と併設型は15人以下である。 **予想**	✕	12人以下
☐3	一般の通所介護と同じ事業所で一体的にサービスを行うことができる。 **予想**	✕	職員、利用者、サービス空間を明確に区別する必要がある
☐4	介護予防認知症対応型通所介護では、サービス提供期間終了時までに少なくとも1回はサービス実施状況を把握しなければならない。 **予想**	◯	

Lesson 14 重要度 B ★★★ 小規模多機能型居宅介護

レッスンのポイント
- 通いを中心に泊まりや訪問を柔軟に組み合わせる
- 事業所の介護支援専門員が居宅サービス計画を作成
- 地域との連携に配慮する
- 運営推進会議を開催する

1 小規模多機能型居宅介護とは

小規模多機能型居宅介護は、要介護者の心身の状況やおかれている環境に応じ、また自らの選択に基づいて、居宅においてまたは機能訓練や日常生活上の世話を行うサービス拠点に通所または短期間宿泊（はいせつ）してもらい、入浴、排泄、食事などの介護、調理、洗濯、掃除などの家事、生活などに関する相談・助言、健康状態の確認、その他の日常生活上の世話、機能訓練を行うサービスです。

■サテライト型小規模多機能型居宅介護事業所

事業所の形態として、サテライト型小規模多機能型居宅介護事業所（サテライト事業所）が認められています。本体事業所（指定居宅サービス事業等に3年以上の経験を有する事業者が設置する看護小規模多機能型居宅介護事業所または小規模多機能型居宅介護事業所）との密接な連携のもと、本体事業所の近距離で運営されます。

2 小規模多機能型居宅介護の人員・設備基準

■人員基準（サテライト事業所を除く）

小規模多機能型居宅介護従業者		従業者のうち1人以上は看護師または准看護師、1人以上は常勤
	日中	通いサービスの提供者を利用者3人につき常勤換算で1人以上、訪問サービスの提供者を常勤換算で1人以上
	夜間	夜勤職員を夜間・深夜の時間帯を通じて1人以上、宿直職員を必要数
介護支援専門員		兼務可、非常勤可、厚生労働大臣が定める研修を修了していること

コ コ で た！
R4 問55
R2 問55

+1 プラスワン

サテライト事業所
本体事業所との距離は、自動車等でおおむね20分以内で、1つの本体事業所につき設置は2か所まで。

コ コ で た！
R5 問55
R4 問55
R2 問55

+1 プラスワン

夜間の従業者
宿泊サービスの利用者がいない場合で、訪問サービスの利用者のために必要な連絡体制を整備しているときは、夜勤、宿直従業者を置かないことができる。

管理者	常勤専従　※支障なければ兼務可。3年以上認知症ケアに従事した経験があり、厚生労働大臣の定める研修を修了していること
事業者の代表者	認知症ケアに従事した経験、または保健医療・福祉サービスの経営に携わった経験があり、厚生労働大臣の定める研修を修了していること

■設備基準

登録定員	29人以下 利用者は1か所の事業所にかぎり利用登録ができる。
利用定員	●通いサービスは登録定員の2分の1から15人。 ※登録定員が25人を超える事業所では16〜18人まで。 ●宿泊サービスは、通いサービスの利用定員の3分の1から9人までの範囲内。
その他設備	●宿泊室は7.43㎡以上、個室が原則。 ※処遇上必要な場合は、2人部屋可。 ●居間・食堂・台所・浴室、消火設備などを備える。
事業所の立地	利用者に対して家庭的な雰囲気でサービスを提供すること、地域との交流を図るという観点から、事業所は住宅地、または住宅地と同程度に利用者の家族や地域住民との交流の機会が得られる場所にあることが条件。

+1 プラスワン

サテライト事業所の定員
登録定員は18人以下。通いサービスの利用定員は登録定員の2分の1から12人まで、宿泊サービスは通いサービスの利用定員の3分の1から6人まで。

コㇰでた！
R5 問55
R4 問55
R2 問55

3 小規模多機能型居宅介護の内容・運営基準

　利用者の心身の状況や希望、環境を踏まえて、通いサービスを中心に、訪問サービスや宿泊サービスを組み合わせ、柔軟にサービスを提供します。通いサービスの利用者が登録定員に比べて著しく少ない状態（登録定員の3分の1以下を目安）が続いてはなりません。また、登録者が通いサービスを利用しない日でも、可能なかぎり、訪問サービスや電話連絡による見守りなどを行い、利用者の居宅での生活を支えます。

　サービス提供にあたっては、事業所の介護支援専門員が、利用登録者の居宅サービス計画を作成し、ほかのサービス利用も含めた給付管理を行います（同時に居宅介護支援事業者による居宅介護支援は行われません）。

◉**小規模多機能型居宅介護と同時に利用できるサービス**

訪問看護 訪問リハビリテーション 福祉用具貸与	区分支給限度基準額内で管理
居宅療養管理指導	区分支給限度基準額の管理外
福祉用具購入、住宅改修	それぞれ単独の支給限度基準額

◉**小規模多機能型居宅介護の運営基準のポイント（固有の事項）**

居宅サービス事業者などとの連携	居宅サービス事業者や保健医療・福祉サービス提供者、主治医と密接な連携に努め、サービス提供終了時には、居宅介護支援事業者への情報提供などに努める。
居宅サービス計画の作成	管理者は、介護支援専門員（介護支援専門員を配置していないサテライト事業所では、本体事業所の介護支援専門員）に登録者の居宅サービス計画の作成業務を担当させる。
小規模多機能型居宅介護計画の作成	管理者は、介護支援専門員（介護支援専門員を配置していないサテライト事業所では、研修修了者）に登録者の小規模多機能型居宅介護計画の作成業務を担当させる。
介護など	●利用者の負担により、小規模多機能型居宅介護従業者以外の者による介護を受けさせてはならない。 ●事業所における食事その他の家事などは、可能なかぎり利用者と従業者が共同で行うよう努める。
社会生活上の便宜の提供など	利用者の外出の機会の確保、行政機関に対する手続き代行、利用者の家族との連携や、利用者やその家族との交流の機会の確保など。
協力医療機関など	●利用者の病状の急変などに備え、あらかじめ協力医療機関を定めておかなければならない。また、協力歯科医療機関を定めておくよう努める。 ●緊急時の対応等のため、介護老人福祉施設、介護老人保健施設、介護医療院、病院等との間の連携及び支援の体制を整える。
調査への協力	利用者に提供したサービスが妥当適切に行われているかどうかの市町村の確認のための調査に協力し、指導・助言を受けた場合には、それに従って必要な改善を行う。
地域との連携	●運営にあたり、地域住民やその自発的な活動などとの連携協力を行うなど、地域との交流を図る。 ●運営推進会議を設置し、おおむね2か月に1回以上、活動状況を報告し、評価を受けるとともに、必要な要望、助言などを聞く機会を設ける。会議の内容は記録し、公表する。
居住機能を担う併設施設等への入居	利用者が併設の居住施設やほかの施設への利用を希望している場合は、円滑に入所が行えるよう必要な措置をとる。
利用料などの受領、定員の遵守、身体的拘束等の禁止、身体的拘束等適正化委員会の開催など ➡ 看護小規模多機能型居宅介護と同様	

4 小規模多機能型居宅介護の介護報酬

　1か月につき、同一建物の居住者か否か、要介護度別に、短期利用の場合も含めて単位が設定されています。加算には**初期加算、認知症加算、認知症行動・心理症状緊急対応加算、若年性認知症利用者受入加算、生活機能向上連携加算、看護職員配置加算、看取り連携体制加算、訪問体制強化加算、総合マネジメント体制強化加算、口腔・栄養スクリーニング加算**などがあります。

5 介護予防小規模多機能型居宅介護

　人員・設備に関する基準は、小規模多機能型居宅介護と同様です。また、運営基準も同趣旨のものとなっていますが、介護予防のための次のような規定が設けられています。

> 事業所の介護支援専門員による介護予防サービス計画の作成と介護予防小規模多機能型居宅介護計画の作成、サービス提供開始時から計画に記載したサービス提供期間終了時までに少なくとも1回はサービス実施状況を把握すること。

+1 プラスワン

看取り連携体制加算
看護師による24時間連絡体制の確保や看取りの対応方針の策定、登録者や家族への方針の内容について説明を行うなどの体制を評価。

訪問体制強化加算
訪問を担当する従業者を一定程度配置し、1か月の延べ訪問回数が一定数以上の事業所を評価。

 \\ チャレンジ！ // 過去＆予想問題 できたらチェック ☑

	問　題	解　答
□1	従業者は、介護福祉士または訪問介護員でなければならない。 R2	✕ 職種の規定はない
□2	小規模多機能型居宅介護事業所の登録定員は、29人以下としなければならない。 予想	◯
□3	宿泊サービスでは、利用者1人につき1月あたりの日数の上限が定められている。 R4	✕ 上限はなく、柔軟にサービス提供
□4	指定居宅介護支援事業者が登録者の居宅サービス計画を作成する。 予想	✕ 小規模多機能型居宅介護事業所の介護支援専門員が居宅サービス計画を作成する
□5	食事その他の家事などは、可能なかぎり利用者と従業者が共同で行うよう努める。 予想	◯

認知症対応型共同生活介護

レッスンの
ポイント

- ●共同生活住居ごとに人員配置がされる
- ●認知症対応型共同生活介護計画が作成される
- ●多様な活動ができるよう配慮される
- ●外部評価または運営推進会議の評価のいずれかを受ける

1 認知症対応型共同生活介護とは

認知症対応型共同生活介護は、認知症（急性の状態にある者を除く）のある要介護者に、共同生活住居において、入浴、排泄、食事などの介護、その他の日常生活上の世話、機能訓練を行うサービスです。家庭に近い環境のもとで、認知症の高齢者がケアを受けながら共同生活を営みます。

2 認知症対応型共同生活介護の人員・設備基準

■人員・設備基準

代表者、計画作成担当者は事業所ごと、それ以外は**共同生活住居ごと**に、次のように定められます。

◉必要な人員と主な基準（サテライト事業所を除く）

介護従業者	日中は利用者3人に対し常勤換算で1人以上、夜間および深夜は時間帯を通じて1人以上、かつ夜間・深夜の勤務（宿直勤務を除く）を行わせるために必要な数以上 ※従業者のうち1人以上は常勤
計画作成担当者	事業所ごとに専従で1人以上、少なくとも1人を介護支援専門員とする。厚生労働大臣の定める研修を修了していること ※支障なければ兼務可
管理者	常勤専従、支障なければ兼務可　※3年以上認知症ケアに従事した経験があり、厚生労働大臣の定める研修を修了していること
事業者の代表者	認知症ケアに従事した経験、または保健医療・福祉サービスの経営に携わった経験があり、厚生労働大臣の定める研修を修了していること

 ココでた！

R4 問56

R2 問56

+1 プラスワン

サテライト事業所

本体事業所から自動車等でおおむね20分以内の距離に設置。サテライト事業所では、計画作成担当者を置かず厚生労働大臣の定める研修修了者でもよい。ユニット数は1または2で、本体事業所との合計で4つまで。

+1 プラスワン

夜勤職員

事業所が3つの共同生活住居（ユニット）を設ける場合は、安全対策を徹底しているなど一定の要件のもと、夜勤2人以上に緩和できる。

●**主な設備基準（サテライト事業所を除く）**

事業所のユニット	●事業所が複数の共同生活住居（ユニット）を設ける場合は3ユニットまで。
定員	●共同生活住居（ユニット）ごとに5人以上9人以下。
その他設備	●居室は7.43㎡以上、個室が原則（処遇上必要な場合は、2人部屋可）。 ●居間・食堂・台所・浴室、消火設備などを備える。 ●居間と食堂は同一の場所とすることができる。
事業所の立地	利用者に対して家庭的な雰囲気でサービスを提供すること。地域との交流を図るという観点から、事業所は住宅地、または住宅地と同程度に利用者の家族や地域住民との交流の機会が得られる場所にあることが条件。

3 認知症対応型共同生活介護の内容・運営基準

　サービスは、認知症対応型共同生活介護計画に沿って行われ、同時に居宅介護支援は行われません（短期利用を除く）。サービスを利用している間は、居宅療養管理指導を除くほかの居宅サービス、地域密着型サービスには保険給付がされません。

●**認知症対応型共同生活介護の運営基準のポイント（固有の事項）**

入退居	●入居の際には、心身の状況、生活歴、病歴の把握などに努め、主治医の診断書などにより認知症であることを確認し、入院治療を要するなどサービスの提供が困難である場合は、ほかの事業者、介護保険施設、病院、診療所などの紹介などを行う。 ●退居の際には、利用者・家族の希望を踏まえたうえで、退居後の生活環境や介護の継続性に配慮して援助や適切な指導を行い、居宅介護支援事業者等への情報提供と保健医療サービス・福祉サービス提供者との密接な連携に努める。
取扱方針	●身体的拘束等の禁止とやむを得ず行う場合の記録、身体的拘束等適正化検討委員会の開催（3か月に1回以上）、指針の整備、従業者に対する研修の定期的な実施など。 ●自ら提供するサービスの質の評価を行うとともに、定期的に①外部の者による評価、②運営推進会議による評価のいずれかを受けてその結果を公表し、常にその改善を図らなければならない。
利用料などの受領	食材料費、理美容代、おむつ代、その他日常生活費は利用者から別途支払いを受けることができる。
認知症対応型共同生活介護計画の作成	●管理者は、介護支援専門員に認知症対応型共同生活介護計画の作成業務を担当させる。 ●計画作成の際には、通所介護の活用※や地域活動への参加の機会を提供し、地域の特性や利用者の生活環境に応じたレクリエーションや行事を盛り込むなど多様な活動が確保できるように努める。

介護など	●利用者の負担により、共同生活住居における介護従業者以外の者による介護を受けさせてはならない。 ●利用者の食事その他の家事等は、原則として利用者と介護従業者が共同で行うよう努めるものとする。
社会生活上の便宜の提供など	●利用者の趣味・嗜好に応じた活動の支援に努めなければならない。 ●利用者の同意を得て、必要な行政機関に対する手続等の代行をする。 ●利用者の家族との連携を図るとともに利用者とその家族との交流等の機会を確保するよう努めなければならない。
協力医療機関など	※下記の規定を除き特定施設入居者生活介護と同様。 ●サービスの提供体制の確保、夜間における緊急時の対応等のため、介護老人福祉施設、介護老人保健施設、介護医療院、病院等との間の連携及び支援の体制を整えなければならない。

地域との連携、調査への協力など ➡ 小規模多機能型居宅介護と同様

4 認知症対応型共同生活介護の介護報酬

■基本報酬の区分

　1日につき、1ユニットか2ユニット以上か別、要介護度別に単位が設定されています。短期利用（30日以内）の場合の単位も設定されています。

■主な加算
※ 予防 ＝予防給付でも設定

> ● 医療連携体制**加算**
> 　看護師を1人以上配置し、24時間連絡可能な体制を確保し、重度化した場合の対応にかかる指針を定め、利用者または家族などに説明をし同意を得ている場合など。

> ● 夜間支援体制**加算** 予防
> 　夜間・深夜勤務の通常の配置に加えて、夜勤を行う介護従業者または宿直勤務を行う者を1人以上配置している場合。

> ● 栄養管理体制**加算** 予防
> 　管理栄養士が、従業者に栄養ケアにかかる技術的助言および指導を月1回以上行っている場合。

> ● 初期**加算** 予防
> 　入居した日から30日以内の期間、および30日を超えた入院のあと再入居の場合。

5 介護予防認知症対応型共同生活介護

　対象者は、要支援2の人にかぎられます。人員・設備に関する基準は、認知症対応型共同生活介護と同様です。また、運営基準も同趣旨のものとなっていますが、介護予防のための次のような規定が設けられています。

> 計画作成担当者による介護予防認知症対応型共同生活介護計画の作成、サービス提供開始時から計画に記載したサービス提供期間終了時までに少なくとも1回はサービス実施状況を把握すること。

＼チャレンジ！／ 過去＆予想問題

できたらチェック ☑

	問　題	解　答
□1	計画作成担当者は、事業所ごとに1人以上配置し、計画作成担当者のうち1人以上は介護支援専門員でなければならない。 予想	◯
□2	居間および食堂は、同一の場所とすることができる。 R4	◯
□3	事業所は住宅地、または住宅地と同程度に利用者の家族や地域住民との交流の機会が得られる場所にあることが条件である。 予想	◯
□4	認知症対応型共同生活介護計画の作成にあたっては、通所介護などの活用、地域における活動への参加の機会の提供などにより、利用者の多様な活動の確保に努めなければならない。 予想	◯
□5	利用者の負担により、当該事業所の介護従業者以外の者による介護を受けさせることもできる。 予想	✕ 利用者の負担により、事業所の介護従業者以外の者による介護を受けさせてはならない
□6	認知症対応型共同生活介護計画を作成した期間についても、居宅サービス計画を作成しなければならない。 R2	✕ 同時に居宅介護支援は行われない
□7	医療連携体制加算が設定されている。 予想	◯
□8	介護予防認知症対応型共同生活介護は、要支援1、要支援2の者いずれも利用することができる。 予想	✕ 要支援2の者にかぎる

その他の地域密着型サービス

レッスンのポイント
- 地域密着型特定施設と地域密着型介護老人福祉施設の入居・入所定員は29人以下
- いずれも介護支援専門員が配置される
- 施設で包括的にサービスが行われる

1 地域密着型特定施設入居者生活介護とは

地域密着型特定施設入居者生活介護は、**入居定員29人以下の介護専用型特定施設**（地域密着型特定施設という）に入居している要介護者に提供されるものです。提供されるサービス内容は、特定施設入居者生活介護と同じですが、外部サービス利用型は設定されていません。

◉地域密着型特定施設入居者生活介護の特徴

人員基準（サテライト型以外）	生活相談員	1人以上（1人以上は常勤）
	看護職員・介護職員	● 総数で、利用者3人に対し常勤換算で1人以上 ● 看護職員：常勤換算で1人以上 ● 介護職員：常に1人以上確保される数 ● 看護・介護職員とも1人以上は常勤
	機能訓練指導員	1人以上　※兼務可
	計画作成担当者	介護支援専門員を1人以上　※兼務可、併設事業所の介護支援専門員により利用者の処遇が適切に行われる場合は置かないことができる。
	管理者	専従　※支障なければ兼務可
方針		● 事業所の介護支援専門員が地域密着型特定施設サービス計画を作成し、利用者または家族に説明し、文書により利用者の同意を得たうえで交付する。サービスは、この計画に沿って提供される。 ● 同時に居宅介護支援事業者による居宅介護支援は行われず、居宅療養管理指導を除くほかの居宅サービス、地域密着型サービスを同時に受けることはできない。

地域密着型サービスには、このほか定期巡回・随時対応型訪問介護看護、看護小規模多機能型居宅介護があります。これらは保健医療サービス分野の試験範囲となっています。

+1 プラスワン

サテライト型特定施設
同一法人である病院・診療所や介護老人保健施設、介護医療院を本体施設とし、自動車などでおおむね20分以内で移動できる距離に設置される。人員基準が緩和され、介護・看護職員の常勤要件はなく、本体施設の職員によるサービス提供が適切に行われていれば、生活相談員、機能訓練指導員、計画作成担当者を置かないことができる。

方針	● 利用者が地域密着型特定施設入居者生活介護を受けずに、地域での介護サービスを選択することは可能。 ● 運営推進会議を設置する。
介護報酬	● 1日につき、要介護度別に、短期利用の単位も設定。 ● 加算の内容は、障害者等支援加算がないこと以外、特定施設入居者生活介護と同じ。

特定施設入居者生活介護の
介護報酬
→ P380

2 地域密着型介護老人福祉施設入所者生活介護

地域密着型介護老人福祉施設入所者生活介護は、**入所定員29人以下の特別養護老人ホーム**に入所している要介護者（原則要介護3以上）に行われるサービスです。提供されるサービス内容や方針は介護老人福祉施設（→ P412）と同じです。

◉地域密着型介護老人福祉施設入所者生活介護の特徴

施設の設置形態	● 単独の小規模な介護老人福祉施設。	
	● 本体施設のあるサテライト型居住施設 　本体施設とは同一法人の指定介護老人福祉施設、指定地域密着型介護老人福祉施設、介護老人保健施設、介護医療院、病院、診療所で、本体施設とは別の場所で運営する。	
	● 居宅サービス事業所や地域密着型サービス事業所と併設された小規模な介護老人福祉施設。	
人員基準（サテライト型以外）	医師	必要数
	生活相談員	常勤で1人以上
	介護職員または看護職員	● 総数で、入所者3人に対し常勤換算で1人以上 ● 介護職員：1人以上は常勤 ● 看護職員：1人以上（1人以上は常勤）
	栄養士または管理栄養士	1人以上　※他施設の栄養士または管理栄養士との連携により置かないことができる
	機能訓練指導員	1人以上　※兼務可
	介護支援専門員	常勤で1人以上　※兼務可

+1 プラスワン

原則要介護3以上
法改正により、2015（平成27）年度から、入所者は原則要介護3以上となった（介護老人福祉施設も同様）。ただし、すでに入所している人を除く。また、要介護1、2でも、やむを得ない事情がある場合は、特例的に入所できる。

+1 プラスワン

サテライト型の人員基準
サテライト型では、医師、生活相談員、栄養士または管理栄養士、機能訓練指導員、介護支援専門員は、本体施設の職員によるサービス提供が適切に行われていれば、置かないことができる。

方針	● 在宅復帰を念頭におき、地域密着型施設サービス計画に基づいて、サービスを提供する。 ● 運営推進会議を設置し、おおむね2か月に1回以上、活動状況を報告し、評価を受けるとともに、必要な要望、助言などを聞く機会を設ける。会議の内容は記録し、公表する。 ● その他、計画の作成手順、運営基準は、介護老人福祉施設と同趣旨の内容のものが規定されている。
介護報酬	● 従来型、ユニット型などにわけられ、要介護度に応じて設定される。 ● 加算は、小規模拠点集合型施設加算以外は介護老人福祉施設と基本的に同様。 ● 小規模拠点集合型施設加算　同一敷地内に複数の居住単位を設けている施設において、5人以下の居住単位に入所している入所者に対して算定。

+1 プラスワン

別途の利用者負担
食費、居住費、特別な居室の費用、特別な食事の費用、理美容代、その他日常生活費（介護老人福祉施設と同様）。

介護老人福祉施設の介護報酬
→ P415

\\ チャレンジ！ //
過去＆予想問題

できたら
チェック ☑

	問題	解答
□1	地域密着型特定施設入居者生活介護の入居定員は、29人以下でなければならない。 予想	◯
□2	地域密着型特定施設入居者生活介護は、混合型の特定施設の入居者に対して行われる。 予想	✕ 入居定員29人以下の介護専用型特定施設
□3	地域密着型特定施設入居者生活介護は、事業所の介護支援専門員が居宅サービス計画を作成する。 予想	✕ 居宅サービス計画ではなく地域密着型特定施設サービス計画を作成
□4	指定地域密着型介護老人福祉施設入所者生活介護は、都道府県知事が指定した介護保険施設である。 予想	✕ 介護保険施設ではなく、指定は市町村長が行う
□5	地域密着型介護老人福祉施設入所者生活介護は、入所定員29人以下の特別養護老人ホームに入所している、原則要介護3以上の要介護者にサービスを提供するものである。 予想	◯
□6	地域密着型介護老人福祉施設の施設形態は、同一法人による本体施設のあるサテライト型居住施設のみ認められている。 予想	✕ サテライト型のほか、単独の施設、居宅サービス事業所などと併設された施設が認められる
□7	地域密着型施設サービス計画には、地域住民による入所者の話し相手、会食なども含める。 予想	◯

Lesson 17

重要度 **A** ★★★

介護老人福祉施設

レッスンの ポイント

● 入所定員30人以上の特別養護老人ホーム
● 原則要介護3以上が入所対象
● 自宅復帰への支援も行う
● 施設サービス計画に基づきサービスを行う

ココでた！

R4 問57
R1 問57

施設サービス計画
➡ P174～176

老人福祉法では特別養護老人ホームですが、介護保険法では「介護老人福祉施設」と呼ばれます。介護保険法上の指定を受けることで、介護保険のサービスを提供します。

ココでた！

R5 問57
R3 問57
R2 問57

ユニット型
➡ P331

1 介護老人福祉施設とは

　介護老人福祉施設とは、老人福祉法に規定された入所定員30人以上の特別養護老人ホームであり、要介護者（原則として要介護3以上）に対し、①入浴・排泄・食事の介護などの日常生活の世話、②機能訓練、③健康管理、④療養上の世話を施設サービス計画に基づいて行います。

　入所対象は、身体上・精神上著しい障害があるため常時介護を必要とする要介護者です。2015（平成27）年度から、原則要介護3以上の要介護者が入所対象となりました。ただし、要介護1・2でも、やむを得ない事情がある場合は、**特例的に入所が認められます**。また、老人福祉法の措置に基づく措置入所も行われます。

■**指定を受けることができる施設**

　老人福祉法に規定される入所定員30人以上の特別養護老人ホームであり、都道府県知事の指定を受けたものが指定介護老人福祉施設として、サービスを提供します。

2 介護老人福祉施設の人員・設備基準

■**人員基準（従来型・ユニット型共通）**

医師	必要数
生活相談員	入所者100人またはその端数を増すごとに常勤で1人以上

介護職員・看護職員	介護職員・看護職員の総数は入所者3人に対し常勤換算で1人以上 ※看護職員は施設の入所者数に応じ、常勤換算で次のように配置 ● 30人を超えない：1人以上 ● 30人を超えて50人を超えない：2人以上 ● 50人を超えて130人を超えない：3人以上　など ※看護職員のうち1人以上は常勤、介護職員は夜勤を含めて常時1人以上を常勤で置く
栄養士または管理栄養士	1人以上 ※入所定員が40人を超えない施設では、他施設の栄養士または管理栄養士との連携により置かないことができる
機能訓練指導員	1人以上　※兼務可
介護支援専門員	常勤で1人以上（入所者100人に対し1人を標準、増員分は非常勤可） ※兼務可
管理者	常勤専従　※支障なければ兼務可

30人を「超えない」は、30人より多くならないということで、30人以下と同じ意味、30人を「超える」は31人以上ということです。法律でよく出てくる表現なので覚えておきましょう。

■設備基準

　居室の定員は原則として1人（サービス提供上、必要と認める場合は2人可）、床面積は1人あたり10.65m^{2}以上とされます。

　また、**静養室**（介護職員室または看護職員室に近接）、**便所**（居室に近接）、浴室、洗面設備、医務室（**医療法に規定する**診療所）を設置します。食堂・機能訓練室は、それぞれ必要な広さを有し、合計面積は3m^2×入所定員以上が必要です。支障なければ同一の場所とできます。　また、廊下幅は1.8m以上、中廊下の幅は2.7m以上とします。消火設備その他非常災害に際して必要な設備も設けます。

❸ 介護老人福祉施設の内容・運営基準

　施設では、明るく家庭的な雰囲気のもとで、**可能なかぎり在宅生活への復帰**を念頭において、利用者の自立支援を心がけます。そして、利用者の意思と人格を尊重し利用者の立場に立った支援を行うことが基本方針に定められています。

　サービスは、計画担当介護支援専門員の作成する施設サービス計画に沿って行われ、一連の施設介護支援の過程が実施されます。

ココでた！

R5 問57　　R4 問57
R3 問57　　R2 問57
R1 問57

注目！

衛生管理など、介護保険施設の共通事項は出題されやすいので、介護支援分野レッスン29で必ずチェックしよう。

●介護老人福祉施設の運営基準のポイント（固有の事項）

入退所	● 入所待ちの申込者がいる場合、介護の必要の程度や家族の状況などを勘案し、**サービスを受ける必要性の高い人を優先的に入所させる**よう努める。 ● 入所時に、居宅介護支援事業者への照会などにより、入所者の心身の状況、生活歴、病歴、サービスの利用状況などを把握する。 ● 入所者が居宅において日常生活を営むことができるかどうかについて定期的に検討しなければならない。 ● 居宅において日常生活を営むことができると認められる入所者に対し、円滑な退所のために必要な援助を行わなければならない。 ● 退所時に、**居宅サービス計画作成援助**のため、居宅介護支援事業者に対する情報の提供やサービス事業者との連携に努める。
利用料などの受領	食費、居住費、特別な居室の費用、特別な食事の費用、理美容代、その他日常生活費は利用者から別途支払いを受けることができる。
入所者の入院期間中の取り扱い	● 入所者が、疾病などで病院や診療所に入院し、およそ3か月以内の退院が見込める場合には、退院後、円滑に施設に再入所できるようにしておく。 ● 利用者が入院している間の空きベッドは、短期入所生活介護などで使用できるが、退院した入所者が円滑に再入所できるようにしておく。
社会生活上の便宜の提供など	● 教養娯楽設備などを備えるほか、適宜入所者のためのレクリエーション行事を行う。 ● 入所者・家族が行政機関に対する手続きを行うことが困難な場合には、その同意を得て、事業者が代わって行う。 ● 入所者の家族との連携、入所者とその家族との交流などの機会の確保、入所者の外出の機会の確保に努める。
緊急時等の対応	● 入所者の病状の急変が生じたなどの場合に備え、あらかじめ施設の配置医師と協力医療機関の協力を得て、連携方法その他の緊急時などにおける対応方法を定めておかなければならない。 ● 1年に1回以上、緊急時などにおける対応方法の見直しを行い、必要に応じて変更を行わなければならない。
介護	● 1週間に2回以上の入浴または清拭、排泄の自立の援助、適切なおむつ介助、褥瘡予防のための介護と体制整備、離床、着替え、整容などの介護を適切に行う。 ● 常時1人以上の常勤の介護職員を介護に従事させる。 ● 入所者に対して、入所者の負担により、施設の従業者以外の者による介護を受けさせてはならない。
食事	栄養や入所者の心身の状況、嗜好を考慮した食事を適切な時間に提供する。また、入所者が可能なかぎり離床して、食堂で食事をとることを支援する。
相談および援助	常に入所者の心身の状況、置かれている環境等の的確な把握に努め、入所者または家族に対し、相談に適切に応じ、必要な助言その他の援助を行う。

機能訓練	入所者に対し、その心身の状況等に応じて、日常生活を営むのに必要な機能を改善し、またはその減退を防止するための訓練を行う。
健康管理	施設の医師または看護職員は、常に入所者の健康の状況に注意し、必要に応じて健康保持のための適切な措置をとる。

身体的拘束等の禁止、衛生管理など（感染対策委員会の設置など）、地域との連携など、事故発生の防止および発生時の対応（事故防止検討委員会の設置など）、協力医療機関など
→ 介護支援分野 レッスン29 介護保険施設の運営基準

4 介護老人福祉施設の介護報酬

■基本報酬の区分

1日につき、ユニット型か否か、施設規模、居室環境などにより、要介護度に応じて単位が設定されています。また、入所者が入院または居宅に外泊をした場合は、基本報酬に代えて外泊時費用を1か月に6日まで算定できます。居宅への外泊を認めた入所者に施設が居宅サービスを提供した場合は、外泊時在宅サービス利用費用を1か月に6日まで算定できます（外泊時費用との同時算定は不可）。

■主な加算

●日常生活継続支援加算
要介護4、5の者、認知症の者などが一定割合以上入所しており、入所者数に対し介護福祉士を一定割合以上配置しているなどの場合。

●障害者生活支援体制加算
視覚障害者等が合計15人以上または視覚障害者等の入所者の占める割合が30%以上（Ⅱは50%以上）の施設で、常勤専従の障害者生活支援員を一定数以上配置している場合など。

●退所時等相談援助加算
退所前訪問相談援助加算、退所後訪問相談援助加算、退所時相談援助加算、退所前連携加算。

●配置医師緊急時対応加算
24時間対応体制にあるなど一定の基準を満たした施設において、施設の配置医師が早朝、夜間・深夜に施設を訪問して入所者の診療を行い、診療を行った理由を記録した場合など。

●褥瘡マネジメント加算
入所時に褥瘡発生リスクの評価を行ってその結果等を厚生労働省に提出等するとともに、褥瘡発生リスクのある入所者に対し、医師、看護師、介護職員、介護支援専門員などが共同して褥瘡ケア計画を作成して褥瘡管理を行い、少なくとも3か月に1回、計画の見直しをしているなどの場合。

●排せつ支援**加算**
　排泄介護を要する入所者に対し、入所時とその後6か月に1回、要介護状態の軽減の見込みについて評価を行い、その結果等を厚生労働省に提出等するほか、多職種が共同して支援計画を作成し、3か月に1回の計画の見直しをするなどの要件を満たした場合。

●看取り介護**加算**
　常勤の看護師の配置と24時間連絡体制の確保、看取りに関する指針の作成と利用者・家族への指針の説明と同意取得、多職種の協議による定期的な指針の見直しを行い、看取りに関する職員研修を行っているなど一定の基準に適合する施設が、看取り介護を行った場合。

●在宅・入所相互利用**加算**
　在宅と施設それぞれの介護支援専門員が利用者に関する情報交換を十分に行い、複数の利用者が在宅期間や入所期間（3か月を限度）を定めて、施設の居室を計画的に利用する場合。

■**主な減算**
　身体的拘束等の基準を守っていない場合（身体拘束廃止未実施減算）、ユニット型の場合、常勤のユニットリーダーをユニットごとに配置していないなど、ユニットケアにおける体制が未整備である場合、安全管理体制未実施、高齢者虐待防止措置未実施、業務継続計画未策定の場合などがあります。

チャレンジ！ 過去＆予想問題

できたら
チェック ☑

問　題	解　答
□1　介護保険法上の設置認可を受けなければならない。 予想	✕ 老人福祉法上の特別養護老人ホームの設置認可を受ける
□2　虐待等のやむを得ない事由があれば、要介護1または2の者を入所させることができる。 R1	○
□3　生活相談員については、常勤で1人以上必置である。 予想	○
□4　配置される介護支援専門員は、非常勤でもよい。 予想	✕ 常勤
□5　食事の提供または機能訓練に支障がない広さがあっても、食堂と機能訓練室を同一の場所とすることはできない。 R5	✕ 同一の場所にできる
□6　明るく家庭的な雰囲気を有し、可能なかぎり在宅生活への復帰を念頭においた運営を行う。 予想	○
□7　入所は基本的に先着順となり、入所の必要性については勘案しない。 予想	✕ 必要性の高い人を優先
□8　利用者が在宅において日常生活を営むことができるかどうかを定期的に検討しなければならない。 予想	○
□9　入所者の入院等の事由により空床がある場合でも、その空床を短期入所生活介護事業に利用してはならない。 予想	✕ 利用できる
□10　入所者が病院等に入院する際に、おおむね3月以内に退院することが明らかに見込まれる場合には、原則として、退院後再び当該施設に円滑に入所できるようにしなければならない。 R3	○
□11　入所者のためのレクリエーション行事を行うのであれば、教養娯楽設備等は備えなくてもよい。 R4	✕ 教養娯楽設備等を備える
□12　あらかじめ協力病院を定めなければならない。 予想	○
□13　褥瘡の発生を予防するための体制を整備しなければならない。 R4	○
□14　利用者の負担であれば、当該施設従業者以外の者による介護を受けさせることができる。 予想	✕ できない
□15　感染症や食中毒の予防またはまん延防止のため、その対策を検討する委員会をおおむね三月に1回以上開催しなければならない。 R1	○

社会資源の導入・調整

- フォーマルサービスにより最低限の生活を保障
- インフォーマルサポートは柔軟な対応が可能
- 介護支援専門員は社会資源を調整する
- 要介護者等の内的資源も活用する

ケアマネジャーは高齢者のニーズと社会資源を結びつける役割を担います。

1 社会資源の活用

社会資源とは、社会生活上のニーズの充足や問題解決のために動員される施設・設備、機関・団体など、資金・物資、制度、集団・個人と、それらの知識や技術の総称です。

社会資源は、フォーマルサービスとインフォーマルサポートにわけることができ、これらのサービスを組み合わせることにより、利用者の多様なニーズに対応することができます。

● 社会資源の分類

フォーマルサービス （各種公的サービス。保険給付や行政のサービスなど）			
長所	最低限の生活が保障される。専門性が高い。	短所	サービスが画一的になりやすい。

- 所得保障サービス（年金や生活保護制度など）。
- 医療保険サービス（急性期の医療サービスや介護保険の例外規定による訪問看護サービス）。
- 市町村が実施している保健福祉サービスなど（配食サービス、移送サービス、訪問指導など）。

成年後見制度
→ P449

- 利用者の人権や公正を守るサービス（成年後見制度、日常生活自立支援事業）。

日常生活自立支援事業
→ P453

- 住宅にかかわるサービス（サービス付き高齢者向け住宅など）。
- 安全を守るサービス（緊急通報システムなど）。

インフォーマルサポート （家族、親戚、友人、ボランティア、近隣など）			
長所	柔軟な対応が可能。	短所	専門性が低い。安定した供給が難しい。

介護支援専門員は、フォーマルサービス、インフォーマルサポートそれぞれについての情報収集をし、理解しておくことが必要です。

◉提供主体による社会資源の分類の一例

企業	行政	社会福祉法人	医療法人	特定非営利活動法人（NPO法人）	地域の団体・組織	ボランティア	友人・同僚	近隣	親戚	家族
◀		フォーマルな分野		▶	◀		インフォーマルな分野			▶

+1 プラスワン

地域の団体・組織
自治会や民生委員・児童委員の活用が重要。民生委員・児童委員は高齢者に対する見守り活動や相談支援を行っている。

また、介護支援専門員は、社会資源以外にも利用者自身の能力、資産、意欲といった内的資源を活用します。

2 地域包括ケアシステムと社会資源の調整

フォーマルな社会資源とインフォーマルな社会資源は不連続なものです。それらを利用者のニーズに合わせて連続したものとするのが介護支援専門員の役割です。各種の社会資源を適切に組み合わせ、ネットワークを築くことで、サービスに多くの選択肢が生まれます。要介護者等のニーズにこたえることができる体制を築き、介護サービス計画の円滑な実行を可能にするのが社会資源を調整する目的です。なお、介護支援専門員自身も、フォーマルな社会資源に分類されます。

\\ チャレンジ！ //
過去＆予想問題

できたらチェック ☑

	問題		解答
□1	インフォーマルサポートは一般に柔軟に対応できるが、安定的供給が難しい場合もある。 予想	○	
□2	フォーマルサービスは一般に安定した供給が可能であるが、柔軟な対応は難しい。 予想	○	
□3	株式会社やNPO法人が提供するサービスは、すべてインフォーマルサポートである。 予想	✕	公的サービスであればフォーマルサービス
□4	要介護者の家族や知人といった内的資源の活用が求められている。 予想	✕	内的資源は要介護者等自身の能力、資産、意欲を指す
□5	介護支援専門員が求められることとして、フォーマルサービスとインフォーマルサポートの連携を図ることがあげられる。 予想	○	

障害者福祉制度

レッスンの
ポイント

- ●障害の種別にかかわりなく共通の制度に一元化
- ●対象は、身体・知的・精神障害者と難病患者等
- ●自立支援給付と地域生活支援事業がある
- ●相談支援やケアマネジメントが行われる

+1 プラスワン

**障害者自立支援法からの
主な変更点**

- ●目的規定の改正（基本的人権を享有する個人としての尊厳を明記）。
- ●基本理念の創設。
- ●障害者の範囲に難病患者等を追加。
- ●重度訪問介護の対象者の拡大（重度の肢体不自由者のみから、重度の知的障害者・精神障害者にも拡大）。
- ●ケアホーム（共同生活介護）のグループホーム（共同生活援助）への一元化。
- ●「障害程度区分」を「障害支援区分」に名称変更。

ココでた！
R4 問60

🔳 障害者総合支援法の成立

　障害者施策は、2006（平成18）年度からは、障害者の福祉サービスの一元化などを盛り込んだ障害者自立支援法に基づき行われてきました。その障害者自立支援法を改正し、2012（平成24）年6月に成立（同月公布）したのが、「障害者の日常生活及び社会生活を総合的に支援するための法律」（障害者総合支援法）です。

◉障害者総合支援法の基本理念の主な趣旨

- ●すべての国民が、障害の有無にかかわらず、等しく基本的人権を享有するかけがえのない個人として尊重される。
- ●すべての国民が、障害の有無によって分け隔てられることなく、相互に人格と個性を尊重しあいながら共生する社会を実現する。
- ●可能なかぎり身近な場所で支援を受けられる。
- ●社会参加の機会の確保や地域社会での共生、社会的障壁の除去をする。

🔳 障害者総合支援法の概要

　障害者総合支援法に基づく障害者福祉制度は、市町村が実施主体となり行われます。対象者は、身体障害者、知的障害者、精神障害者（発達障害者を含む）、難病患者等で、障害の種別にかかわりなく、障害者（児、以下同）に対して共通のサービスを提供するしくみとなっています。サービスは、個別の支給決定により障害福祉サービスなどを提供する自立支援給付と、地域の実情に応じて柔軟に実施する地域生活支援事業の2つが大きな柱です。

●障害者総合支援法による総合的な自立支援システム

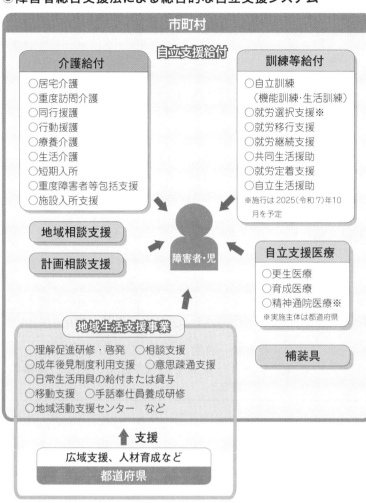

市町村

自立支援給付

介護給付
- ○居宅介護
- ○重度訪問介護
- ○同行援護
- ○行動援護
- ○療養介護
- ○生活介護
- ○短期入所
- ○重度障害者等包括支援
- ○施設入所支援

地域相談支援

計画相談支援

障害者・児

訓練等給付
- ○自立訓練
　（機能訓練・生活訓練）
- ○就労選択支援※
- ○就労移行支援
- ○就労継続支援
- ○共同生活援助
- ○就労定着支援
- ○自立生活援助
※施行は2025(令和7)年10月を予定

自立支援医療
- ○更生医療
- ○育成医療
- ○精神通院医療※
※実施主体は都道府県

補装具

地域生活支援事業
- ○理解促進研修・啓発　○相談支援
- ○成年後見制度利用支援　○意思疎通支援
- ○日常生活用具の給付または貸与
- ○移動支援　○手話奉仕員養成研修
- ○地域活動支援センター　など

↑ 支援

広域支援、人材育成など

都道府県

 注目！

介護保険との関係、制度概要、給付手続きなどは出題の可能性が高いので注意しよう。

＋1 プラスワン

自立支援医療の対象者
従来の更生医療、育成医療、精神通院医療の対象者であって、一定所得未満の人。医療の内容と実施主体（精神通院医療は都道府県、更生医療と育成医療は市町村）は従来どおりである。

 ココでた！
R4 問60

３ 自立支援給付

（1）介護給付

　介護給付は、居宅介護、施設入所支援など介護の支援に関する給付を行います。

居宅介護	自宅での入浴、排泄、食事の介護など
重度訪問介護	●対象…重度の肢体不自由者、知的障害者、精神障害者で常に介護を必要とする人 ●内容…自宅での入浴、排泄、食事の介護、移動支援などの総合的な支援
同行援護	●対象…視覚障害により移動が困難な人 ●内容…移動に必要な情報の提供（代筆、代読を含む）、移動援護などの外出支援

障害者総合支援法の改正

2022（令和4）年12月に、障害者等の地域生活や就労の支援の強化などを目的に改正法が成立、公布された。主な改正事項は次のとおり。

①共同生活援助の内容に、一人暮らし等を希望する人への支援や退居後の定着のための相談などの支援を追加

②基幹相談支援センターや地域生活支援拠点等の整備を市町村の努力義務に（地域生活支援事業）

③就労選択支援の創設など

※①、②は2024（令和6）年4月施行、③は2025（令和7）年10月を予定

行動援護	●対象…知的障害・精神障害により自己判断能力が制限されている人 ●内容…危険を回避するために必要な支援および外出支援
重度障害者等包括支援	●対象…介護の必要度が高い人 ●内容…居宅介護等、複数のサービスの包括的な支援
短期入所	●対象…自宅での介護者が病気などの場合 ●内容…施設などでの短期間（夜間含む）の入浴、排泄、食事の介護など
療養介護	●対象…医療および常時介護を必要とする人 ●内容…医療機関での機能訓練、療養上の管理、看護、介護および日常生活の世話
生活介護	●対象…常時介護を必要とする人 ●内容…日中の入浴、排泄、食事の介護など、創作的活動または生産活動の機会の提供
施設入所支援	●対象…施設に入所している人 ●内容…夜間や休日の入浴、排泄、食事の介護など

(2) 訓練等給付

訓練等給付は、訓練などの支援に関する給付を行います。

自立訓練	日常生活能力の向上・維持のための訓練、日常生活上の相談支援など
就労選択支援	就労に関する適性・知識・能力をアセスメントし、就労等に向けた適切な選択を支援 ※2025年10月施行予定
就労移行支援	就労を希望する人などに対する、就労に必要な知識・能力向上のための訓練
就労継続支援	一般就労が困難な人などに対する、就労機会の提供、就労に必要な知識・能力の向上のための訓練
共同生活援助（グループホーム）	主に夜間における共同生活を営む住居での相談、入浴、排泄、食事の介護のほか、居宅での自立生活への移行を希望する人に対する支援や移行後の定着に関する相談など
就労定着支援	就労移行支援等により一般就労へ移行した人の課題解決に向けた指導・助言など

自立生活援助	定期的な巡回訪問により、日常生活上の課題の確認および助言、医療機関との連絡調整など

(3) 自立支援医療

対象は、更生医療、育成医療、精神通院医療です。支給認定手続きや利用者負担のしくみの共通化、指定医療機関制度の導入が図られています。

(4) 補装具

補装具の購入、貸与または修理に要した補装具費について支給します。対象となる補装具には、義肢、装具、座位保持装置、眼鏡、補聴器、車いす、電動車いす、歩行器、歩行補助つえ、重度障害者用意思伝達装置などがあります。

4 地域生活支援事業

地域生活支援事業は、地域の実情に応じ柔軟に行うものです。市町村が行う事業と都道府県が行う事業があり、それぞれ必須事業と任意事業が定められています。

◉市町村・都道府県の地域生活支援事業（必須事業）

市町村	● 理解促進研修・啓発事業（障害者等に対する理解を深めるための研修・啓発） ● 自発的活動支援事業（障害者等や家族、地域住民等の自発的活動に対する支援） ● 相談支援事業（障害者等の相談支援、情報提供など） ● 成年後見制度利用支援事業（成年後見制度の利用に要する費用を支給） ● 成年後見制度法人後見支援事業（法人後見の活動を支援するための研修の実施など） ● 意思疎通支援事業（手話通訳者の派遣など） ● 日常生活用具給付等事業（日常生活用具の給付・貸与） ● 手話奉仕員養成研修事業 ● 移動支援事業 ● 地域活動支援センター機能強化事業
都道府県	● 専門性の高い相談支援事業 ● 専門性の高い意思疎通支援を行う者の養成研修事業 ● 専門性の高い意思疎通支援を行う者の派遣事業 ● 意思疎通支援を行う者の派遣にかかる市町村相互間の連絡調整事業 ● 広域的な支援事業

補装具には、介護保険と共通する種目もありますが、介護保険の福祉用具は既製品が基本です。個別の対応が必要で、介護保険で対応できないものは、補装具から給付されます。

成年後見制度利用支援事業は、介護保険制度では地域支援事業の「任意事業」で行われています。

5 財源と利用者負担

　自立支援給付にかかる費用は、国が50%、都道府県と市町村が25%ずつの負担義務があります。

　利用者負担は、サービス費用の1割を上限として、所得に応じて1か月ごとの負担上限額が定められています。

　また、障害福祉サービスと介護保険法に規定する一部のサービス（政令で定める）および補装具費の合計負担額が著しく高額な場合は、高額障害福祉サービス等給付費が支給され、利用者負担の軽減化が図られています。

　さらに2018（平成30）年度からは、65歳まで長期間にわたり障害福祉サービスを利用してきた障害者が介護保険サービスを利用する場合に、一定の所得以下であれば介護保険の利用者負担額を軽減（償還）するしくみが設けられました。

6 給付の手続き

　自立支援給付を希望する人は、市町村に申請を行います。市町村は、申請者にサービス等利用計画案の提出を求め（介護給付の場合は、一次判定、市町村審査会による二次判定、市町村による障害支援区分の認定を経て）、サービス等利用計画案や勘案すべき事項などを踏まえて支給決定をします。

　支給決定後は、指定特定相談支援事業者によるサービス担当者会議などによる調整を経て、最終的に決定したサービス等利用計画に基づき、サービス利用が行われます。

●支給決定までの流れ

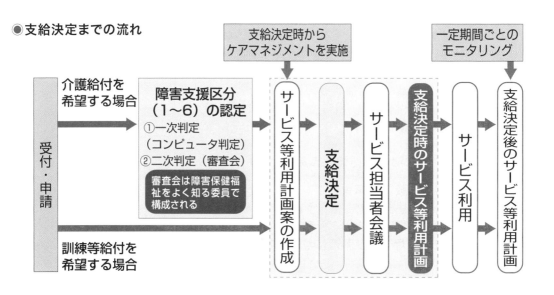

7 相談支援体制

　2012(平成24) 年度から、ケアマネジメントや相談支援体制が強化され、重度障害者に限定されていたサービス等利用計画の対象者も大幅に拡大されました (2015 [平成27] 年度からすべての利用者が対象)。自立支援給付における「計画相談支援」では、指定特定相談支援事業者がサービス等利用計画の作成やサービス事業者等との連絡調整・モニタリングを行い、「地域相談支援」では、指定一般相談支援事業者が、施設から地域生活への移行支援などを行います。

　また、地域で生活する障害者の緊急事態に対応し、地域移行を推進するサービスの拠点となる地域生活支援拠点等を2024(令和6) 年4月から障害者総合支援法に位置づけ、市町村はその体制の整備に努めます。地域における中核的な役割を担う基幹相談支援センターも、これまでの任意設置から、設置努力義務が課されることになりました。

チャレンジ！ 過去&予想問題

できたらチェック ☑

	問題		解答
□1	身体障害者と知的障害者のみが対象である。 予想	✕	精神障害者や難病患者等も対象である
□2	(障害者総合支援法について) その支援には、自立支援給付と地域生活支援事業が含まれる。 R4	◯	
□3	介護給付には、日常生活用具の給付または貸与が含まれる。 予想	✕	介護給付ではなく地域生活支援事業
□4	自立支援医療とは、育成医療、更生医療および精神通院医療である。 R4	◯	
□5	補装具費の支給は、地域生活支援事業の一つである。 R4	✕	自立支援給付の一つである
□6	利用者負担は、所得に応じて1か月ごとの負担上限額が定められている。 予想	◯	
□7	サービスの利用を希望する者は、都道府県に対して支給申請を行う。 R4	✕	市町村に対して行う
□8	自立支援給付の支給決定は、申請者から提出されたサービス等利用計画案の内容を踏まえて行われる。 予想	◯	
□9	訓練等給付では、市町村が障害支援区分の認定を行う。 予想	✕	訓練等給付では行われない

Lesson

20

重要度
A
★★★

生活保護制度

レッスンの
ポイント

● 「生存権の保障」の理念に基づいた制度
● 補足性の原理により他法優先の原則がある
● 生活保護には8つの扶助がある
● 介護扶助は移送を除き介護保険とサービス内容が同じ

コッでた！
R3 問58

+1 プラスワン

生存権の保障
「すべて国民は、健康で文化的な最低限度の生活を営む権利を有する」と規定されている。

外国人の扱い
日本に在留している外国人のうち、永住者、日本人の配偶者であるなどの場合は、有効な在留カード等を申請時に呈示することで、生活保護の取扱いに準じて必要な保護が受けられる。

1 目的と基本原理

　生活保護制度は、日本国憲法第25条の「生存権の保障」の理念に基づき、国が生活に困窮するすべての国民に対し必要な保護を行い、最低限度の生活の保障を行うとともに、その自立を助長することを目的としています。

　生活保護法には、4つの基本原理があります。

◉生活保護法の基本原理

国家責任の原理	生活に困窮する国民の最低生活の保障を、国がその責任において行う。
無差別平等の原理	すべて国民は、この法律の定める要件を満たすかぎり、保護を無差別平等に受けることができる。 →生活困窮者の信条や性別、社会的身分、また生活困窮に陥った原因にかかわりなく、経済的状態にのみ着目して保護を行う。
最低生活保障の原理	生活保護法で保障される最低限度の生活とは、健康で文化的な生活水準を維持できるものでなければならない。
補足性の原理	● 保護は、利用し得る資産、能力、その他あらゆるものを活用しても最低限度の生活が維持できない場合に行われる。 ● 民法に定める扶養義務者の扶養およびほかの法律による扶助が優先して行われる（他法優先の原則）。

426

② 基本原則と保護の実施

ココでた！
R5 問60
R4 問58
R1 問59

生活保護法には、制度を具体的に実施する際の4つの基本原則が定められています。

◉**生活保護法の基本原則**

申請保護の原則	基準および程度の原則
必要即応の原則	世帯単位の原則

（1）保護の手続き

保護は、原則として生活に困窮する要保護者、その扶養義務者、同居する親族からの申請に基づき開始されます（**申請保護の原則**）。ただし、要保護者が、急迫した状況にあるときは、**申請がなくても必要な保護を行うことができます**。

保護は、厚生労働大臣の定める基準により測定した要保護者の需要を基とし、不足分を補う程度において行います（**基準および程度の原則**）。具体的には、最低生活費と要保護者の収入を比較し、収入が最低生活費に満たない分に生活保護を適用します。この場合の収入には、就労による収入、年金などの社会保障給付、預貯金や不動産、自動車等の売却収入などを含みます。

また、保護は、要保護者の年齢、性別、健康状態などその個人または世帯の実際の必要の相違を考慮して行い（**必要即応の原則**）、原則、世帯を単位としてその要否や程度を決定します（**世帯単位の原則**）。

（2）保護の実施機関

生活保護の実施機関は、都道府県知事、市長および福祉事務所を管理する町村長です。生活保護の決定や実施の事務は、通常、福祉事務所長に委任されます。福祉事務所で生活保護を担当する査察指導員と現業員は、社会福祉主事でなければなりません。

③ 生活保護の8つの扶助

ココでた！
R4 問58　R3 問58
R2 問58　R1 問59

生活保護には、8種類の扶助があります。このうち、医療扶助と介護扶助は原則現物給付、それ以外は原則として金銭給付です。

注目！

原則には例外もあるので注意しよう。特に、急迫した状況にあるときの申請に基づかない保護については何度か出題されているよ。

＋1 プラスワン

不動産
土地・家屋など売却よりも保有しているほうが生活維持や自立の助長に実効性がある場合は処分しないこともある。

福祉サービス分野

Lesson 20　★★★　生活保護制度

●生活保護の扶助

生活扶助	食費、光熱費など日常生活の需要を満たすための費用。
教育扶助	義務教育の就学に必要な費用。
住宅扶助	住宅の確保や補修に必要な費用。
医療扶助	入院または通院による治療費。生活保護法で指定された指定医療機関に委託して行われる。
出産扶助	出産に要する費用。
生業扶助	生業費、技能修得費、就労のために必要な費用、高校就学に必要な費用。
葬祭扶助	火葬、納骨など葬祭のために必要な費用。
介護扶助	介護保険法に規定する要介護者等を対象とする扶助。

介護保険の被保険者の場合は、利用者負担分が介護扶助の対象となります。介護保険の被保険者ではない場合は、介護サービスの費用すべてが介護扶助の対象となります。

ココでた！
R4 問58
R2 問58
R1 問59

4 介護扶助と介護保険制度との関係

介護保険の被保険者となる場合は、介護保険のサービスが優先し、介護保険で賄われない部分が生活保護から給付されます。

●介護保険制度への生活保護の対応（保険料・定率負担）

	65歳以上の被保護者 ↓ 第1号被保険者	40歳以上64歳以下の被保護者 ↓ 医療保険加入 ↓ 第2号被保険者	医療保険未加入 ↓ 被保険者とならない
保険料	生活扶助	勤労収入から控除	——
定率負担	介護扶助（1割）	介護扶助（1割）	介護扶助（10割）

また、介護保険では、施設サービスや短期入所サービスでの食費と居住費（滞在費）、日常生活費は利用者の全額負担となります。被保護者の場合は、次のように対応します。

- ●介護保険施設に入所している生活保護受給者の日常生活費は、介護施設入所者基本生活費として生活扶助から給付。
- ●介護保険施設に入所している生活保護受給者の食費・居住費は、介護扶助から給付される（介護保険の被保険者の場合は、特定入所者介護サービス費で賄われない自己負担分について介護扶助で給付）。

+1 プラスワン

食費の取り扱い
短期入所サービス（負担限度額まで）、通所サービスでの食費は自己負担となり、すでに生活扶助として給付されているなかから支払う。

特定入所者介護サービス費
→ P71

5 介護扶助の範囲

ココでた!
R5問60
R4問58
R1問59

原則的に介護保険によるサービスと同じ内容です。ただし、移送に関しては、介護保険では給付は行われていません。

●**介護扶助の範囲**

居宅介護	介護保険の居宅サービス、地域密着型サービスと同じ。居宅介護支援計画に基づき行われる。
福祉用具	介護保険の特定福祉用具販売と同じ。
住宅改修	介護保険の住宅改修と同じ。
施設介護	介護保険の施設サービス、地域密着型介護老人福祉施設入所者生活介護と同じ。
介護予防	介護保険の介護予防サービス、地域密着型介護予防サービスと同じ。介護予防支援計画に基づき行われる。
介護予防福祉用具	介護保険の特定介護予防福祉用具販売と同じ。
介護予防住宅改修	介護保険の介護予防住宅改修と同じ。
介護予防・日常生活支援	介護予防支援計画または総合事業の介護予防ケアマネジメントに相当する援助に基づき行われる。
移送	介護サービスの利用に伴う交通費・送迎費。

6 要介護認定

ココでた!
R2問58

被保護者が介護保険の被保険者の場合には、一般の被保険者と同じ手順で要介護認定・要支援認定を受けます。介護保険の被保険者でない場合は、生活保護制度で認定を行います。ただし、判定区分、継続期間などについて介護保険と統一を図るため、市町村福祉事務所の場合は、**市町村の設置する**介護認定審査会に**審査・判定を委託**することになっています。郡部福祉事務所の場合はその所管区域内の町村長と委託契約を締結します。

7 介護扶助の申請と給付

介護保険の被保険者の場合は、保護申請書と居宅介護支援計画または介護予防支援計画の写しを福祉事務所に提出して介護扶助の申請を行います。介護保険の被保険者でない場合は、居宅介護支援計画などの写しは必要ありません。

介護扶助の給付は、原則的に現物給付されますが、住宅改修

＋1 プラスワン

居宅介護支援計画と介護予防支援計画
計画は、介護保険の被保険者の場合は介護保険法により、介護保険の被保険者でない場合は、介護扶助として作成される。

福祉サービス分野

Lesson 20 ★★★ 生活保護制度

や福祉用具など現物給付が難しい場合は金銭給付となります。

なお、被保護者に一定の支払い能力がある場合は、支払い可能な額を本人が直接指定介護機関に支払い、残りの不足分が介護扶助から給付されます。

ココでた！
R2 問58

+1プラスワン

みなし指定
介護保険法の指定・許可を受けた介護機関については、別段の申し出がないかぎり、生活保護法の指定があったものとみなされる。

8 指定介護機関

介護扶助による介護の給付は、介護保険法の指定を受け、かつ生活保護法による指定を受けた指定介護機関に委託して行われます。指定介護機関は、福祉事務所から毎月被保護者ごとに交付される介護券（介護保険の被保険者証に該当）に基づいてサービスを提供します。介護報酬の請求先は、介護保険と同様、国民健康保険団体連合会です。

\\ チャレンジ！ //
過去&予想問題

できたら
チェック ☑

	問題	解答
□1	生活保護制度は、生活困窮に陥った原因にかかわらず、無差別平等に受けることができる。 **R3**	○
□2	要保護者が急迫した状況にあるときは、保護の申請がなくても、必要な保護を行うことができる。 **R4**	○
□3	実施機関は、都道府県知事、市長及び福祉事務所を管理する町村長である。 **R5**	○
□4	医療扶助は、原則として、金銭給付である。 **予想**	✕ 現物給付
□5	住宅扶助には、補修費用は含まれない。 **予想**	✕ 補修費用も含まれる
□6	被保護者の介護保険の保険料の支給は、介護扶助から行われる。 **予想**	✕ 生活扶助
□7	介護施設入所者基本生活費は、介護扶助として給付される。 **R4**	✕ 生活扶助として給付
□8	介護保険制度に基づく介護予防サービス、地域密着型介護予防サービスは、介護扶助の対象とならない。 **予想**	✕ 介護扶助の対象
□9	介護扶助の対象となる居宅介護は、居宅介護支援計画に基づいて行われるものにかぎられる。 **予想**	○
□10	すべての被保護者に対する要介護認定は、介護扶助の必要性を判断するため、生活保護制度で独自に行う。 **R2**	✕ 介護保険の被保険者は、介護保険制度で行う

生活困窮者自立支援制度

レッスンの
ポイント

- 生活保護に至る前の自立支援が目的
- 実施主体は都道府県、市および福祉事務所を設置する町村
- 必須事業に自立相談支援事業、住居確保給付金の支給がある
- 任意事業の一部に実施努力義務の事業が規定されている

1 生活困窮者自立支援法

　生活困窮者自立支援法は、2013（平成25）年に成立し、2015（平成27）年4月に施行されました。

　近年の長引く経済不況を背景に、生活保護受給者などの増加を踏まえ、生活保護に至る前の自立支援策の強化を図ること、また生活保護から脱却した人が再び生活保護に頼ることのないようにすることを目的にしています。

2 生活困窮者自立支援制度の概要

（1）実施主体

　都道府県、市および福祉事務所を設置する町村が実施主体となります。

（2）対象者

　下記の「生活困窮者」が対象となります。

◉「生活困窮者」の定義

> この法律において「生活困窮者」とは、就労の状況、心身の状況、地域社会との関係性その他の事情により、現に経済的に困窮し、最低限度の生活を維持することができなくなるおそれのある者をいう。

（3）事業内容

　事業内容には、必ず行う必須事業のほか、実施主体の判断で行う任意事業があります。

ココでた！

R3 問59
R1 問58

なお、就労準備支援事業と家計改善支援事業は、**自立相談支援事業と一体的に行う**こととされています。

●事業内容

必須事業		生活困窮者自立相談支援事業	生活困窮者や家族などの相談を受けて、抱えている課題を評価・分析し、ニーズを把握して自立支援計画を策定し、計画に基づき自立に向けた支援を実施。
		生活困窮者住居確保給付金	離職等により住宅を失った、またはそのおそれが高い生活困窮者に対して、原則として3か月間（最長9か月間）家賃相当額を支給。
任意事業	努力義務	生活困窮者就労準備支援事業	ただちに就労が困難な生活困窮者に対し、一般就労に向けた基礎能力の養成を計画的に行い、就労に向けて支援する。
		生活困窮者家計改善支援事業	家計の状況を適切に把握すること、家計の改善の意欲を高めることを支援し、生活に必要な資金の貸付けのあっせんを行う。
		生活困窮者居住支援事業	一定期間、宿泊場所や衣食の供与等、訪問による情報提供・助言などを行う。
	●子どもの学習・生活支援事業（生活保護受給世帯を含む生活困窮者の子どもに対する学習支援や生活習慣・育成環境の改善に関する助言など） ●その他の生活困窮者の自立の促進を図るために必要な事業		

＼＼ チャレンジ！ ／／ 過去＆予想問題　できたらチェック☑

	問題	解答
□1	生活保護受給者の自立を図ることを目的とする。 予想	✕ 生活保護に至る前の自立支援を図る
□2	生活困窮者自立支援法の対象者は、稼働年齢層に限定されている。 R1	✕ 年齢による区分はない
□3	生活困窮者自立相談支援事業は、必須事業である。 R1	〇
□4	生活困窮者家計改善支援事業は、任意事業である。 予想	〇
□5	子どもの学習・生活支援事業は、生活保護受給世帯は対象外である。 予想	✕ 対象となる

後期高齢者医療制度

レッスンの
ポイント
● 後期高齢者を対象とした医療制度
● 運営主体は後期高齢者医療広域連合
● 給付の内容は医療保険制度とほぼ同じ
● 財源に現役世代の保険料も投入される

1 後期高齢者医療制度の創設

医療制度改革に伴い、2008（平成20）年度に、「高齢者の医療の確保に関する法律（高齢者医療確保法）」に基づく後期高齢者医療制度が創設されました。

それまでの老人保健制度の問題点を踏まえ、医療保険者間での共同事業ではなく、独立した新たな制度としています。高齢者にも応分の負担を求め、老人医療にかかる給付と負担の運営に関する責任が明確になっています。

2 後期高齢者医療制度の概要

後期高齢者医療制度は、後期高齢者を被保険者として、保険料を徴収して医療給付を行う社会保険方式の制度です。

(1) 運営主体

運営主体は、都道府県区域内のすべての市町村が加入して設立する後期高齢者医療広域連合です。

(2) 被保険者

①75歳以上の者、②65歳以上75歳未満で後期高齢者医療広域連合の障害認定を受けた者が被保険者となります。ただし、生活保護世帯に属する人などは適用除外になります。

(3) 給付内容

医療保険制度の給付とほぼ同様で、次のものがあります。

ポイントはかぎられるので、しっかりおさえておこう。

- ● 療養の給付　● 入院時食事療養費
- ● 入院時生活療養費　● 保険外併用療養費　● 療養費
- ● 訪問看護療養費　● 特別療養費　● 移送費
- ● 高額療養費　● 高額介護合算療養費　● 条例で定める給付

+1 プラスワン

2割負担
2021（令和3）年6月に成立した医療制度改革関連法により、現役並み所得者以外で一定以上の収入のある者の利用者負担割合が2割となった。施行は2022（令和4）年10月。

(4) 利用者負担割合

一般所得者は1割、一定以上所得者（現役並み所得者以外）は2割、現役並み所得者は3割です。

(5) 保険料

各後期高齢者医療広域連合が条例で保険料率を定めます。広域連合では、特別な理由がある者には、保険料の減免、徴収の猶予ができます。年額18万円以上の年金受給者は、年金保険者による特別徴収が行われます。

(6) 費用負担割合

患者負担分を除いた制度に要する費用のうち、約1割を被保険者の保険料、約4割を後期高齢者支援金（現役世代の保険料）、約5割を公費で賄います。そのほか、国の調整交付金、財政安定化基金などのしくみが取り入れられています。

＼ チャレンジ！ ／ 過去＆予想問題

できたらチェック ☑

	問題	解答
□1	運営主体は、後期高齢者医療広域連合である。 予想	〇
□2	生活保護世帯に属する者は、被保険者とならない。 予想	〇
□3	入院時食事療養費は、後期高齢者医療給付には含まれない。 予想	✕ 含まれる
□4	患者の一部負担の割合は、収入にかかわらず定率1割である。 予想	✕ 収入に応じ1割または2割か3割
□5	保険料率は、各市町村が条例により定める。 予想	✕ 各後期高齢者医療広域連合が定める
□6	制度に要する費用のうち、被保険者の保険料による負担割合は約1割である。 予想	〇

Lesson 23 重要度 C ★☆☆ 高齢者住まい法

レッスンの
ポイント

● 高齢者住まい法の目的を理解する
● サービス付き高齢者向け住宅の登録制度を理解する
● サービス付き高齢者向け住宅の登録の基準を理解する
● サービス付き高齢者向け住宅のサービス内容を理解する

1 高齢者住まい法とは

(1) 目的

「高齢者の居住の安定確保に関する法律」（高齢者住まい法）は、高齢者向け賃貸住宅等の登録制度を設けるとともに、良好な居住環境を備えた高齢者向けの賃貸住宅の供給を促進するための措置を講じることで、高齢者の居住の安定確保をめざします。

(2) 高齢者住まい法の基本方針と計画作成など

国土交通大臣と厚生労働大臣は、基本方針を定め、都道府県および市町村は、基本方針に基づき、高齢者居住安定確保計画を定めることができます。

2 サービス付き高齢者向け住宅の登録

高齢者住まい法に基づき、2011（平成23）年にサービス付き高齢者向け住宅が制度化されました。サービス付き高齢者向け住宅として、都道府県知事（指定都市の長、中核市の長、以下、都道府県知事）に申請し、登録を受けた事業者は、建設・改修費に対して一定の補助を受けられるほか、税制上の優遇措置や住宅金融支援機構から融資を受けることができます。

●登録基準

入居対象	● 単身高齢者または高齢者とその同居者。 ● 高齢者とは、60歳以上、または要介護・要支援認定を受けている40歳以上60歳未満の者。
構造・設備	● 各居室の床面積は原則25㎡以上、構造・設備が一定の基準を満たすこと。 ● バリアフリー構造であること。

高齢者が地域で安心して暮らし続けるためには、住まいの確保が大切となります。

＋1 プラスワン

基本方針と高齢者居住安定確保計画
都道府県・市町村が定める高齢者居住安定確保計画は、都道府県・市町村が定める介護保険事業（支援）計画と調和を図るものとされている。
→ P126

注目！

登録基準についてはおさえておく。

サービス付き高齢者向け住宅は、有料老人ホームに該当すれば介護保険法では「特定施設」に位置づけられるよ。特定施設とは何か、P377を復習しよう。

サービス	● 少なくとも状況把握（安否確認）サービス、生活相談サービスを提供。
契約内容	● 書面による契約であること。 ● 居住部分が明示された契約であること。 ● 入居後3か月以内に契約を解除、または入居者の死亡により契約が終了した場合に、家賃等の前払金を返還することとなる契約であること。 ● 権利金その他の金銭を受領しない（敷金、家賃、前払金を除く）契約であること。など

❸ 指導監督

　サービス付き高齢者向け住宅を登録した都道府県知事は、必要に応じ、登録事業者またはサービスの委託を受けた者に対して、必要な報告を求めたり、登録住宅などへの立入検査、改善指示を行うことができ、また、その指示に違反した事業者等に対し、登録を取り消すことができます。

\\ チャレンジ！ //
過去＆予想問題

できたらチェック☑

	問題		解答
□1	都道府県および市町村は、基本方針に基づき、高齢者居住安定確保計画を定めなければならない。 予想	✕	定めることができる
□2	サービス付き高齢者向け住宅は、要介護認定を受けた高齢者以外は入居できない。 予想	✕	60歳以上または認定を受けた40歳以上60歳未満の者とその同居者が対象
□3	サービス付き高齢者向け住宅は、バリアフリー構造を有することが登録基準のひとつである。 予想	◯	
□4	サービス付き高齢者向け住宅では、少なくとも食事提供サービスが行われる。 予想	✕	状況把握サービス、生活相談サービスが必須
□5	サービス付き高齢者向け住宅の入居契約は、権利金その他の金銭を受領しない契約でなければならない。 予想	◯	

Lesson 24 老人福祉法

重要度 C ★★★

レッスンのポイント

● 老人福祉法の基本理念と目的を理解する。
● 老人福祉法の措置について確認する。
● 老人福祉法に規定される施設と介護保険法における施設との関連を理解する。

1 老人福祉法の目的

老人福祉法は、老人の福祉に関する原理を明らかにし、老人の心身の健康の保持および生活の安定のために必要な措置を講じ、もって老人の福祉を図ることを目的として、1963（昭和38）年に制定されました。

2 老人福祉法の事業・施設と介護保険法の関係

老人福祉法に規定される老人居宅生活支援事業や老人福祉施設のサービスの多くが介護保険制度の保険給付として位置づけられ、利用者と事業者・施設との契約に基づき利用されています。

しかし、介護保険制度の導入後も、やむを得ない事由がある場合は、老人福祉法において、市町村の措置によるサービス提供や施設入所が行われます。

● 老人福祉法に規定される施設

養護老人ホーム	65歳以上の者で、環境上の理由や経済的理由により、居宅において養護を受けることが困難な者を市町村長の措置により入所させる施設。介護保険法上の「特定施設」のひとつ。
特別養護老人ホーム	65歳以上の者で、身体上または精神上著しい障害があるために常時の介護を必要とし、居宅においてこれを受けることが困難な者を措置により入所させ、または介護保険法の規定により入所させ、養護することを目的とする施設。介護保険法上では、「介護老人福祉施設」として介護保険施設のひとつ。

+1 プラスワン

老人の日
老人福祉法では、9月15日を老人の日、9月15日から21日までを老人週間としている。「敬老の日」は祝日法の改正により、2001年から9月の第3月曜日となっている。

措置によるサービス提供
→ P82

+1 プラスワン

老人福祉法に規定される老人居宅生活支援事業
● 老人居宅介護等事業
● 老人デイサービス事業
● 老人短期入所事業
● 小規模多機能型居宅介護事業
● 認知症対応型老人共同生活援助事業
● 複合型サービス福祉事業

+1 プラスワン

老人福祉施設
老人福祉法上の老人福祉施設は、老人デイサービスセンター、老人短期入所施設、養護老人ホーム、特別養護老人ホーム、軽費老人ホーム、老人福祉センター、老人介護支援センターである。なお、有料老人ホームは老人福祉施設ではないが、老人福祉法に規定されている。

地域包括支援センター
→ P118

軽費老人ホーム	無料または低額な料金で老人を入所させ、食事の提供その他日常生活上の便宜の提供を目的とする施設。介護保険法上の「特定施設」のひとつ。
有料老人ホーム	老人を入居させ、入浴・排泄・食事などの介護、食事の提供、その他日常生活上必要な便宜を提供する。介護保険法上の「特定施設」のひとつ。
老人福祉センター	無料または低額な料金で、高齢者の各種の相談に応じるとともに、健康の増進、教養の向上およびレクリエーションのための便宜を総合的に供与する施設。
老人介護支援センター	地域の高齢者やその家族などからの相談に応じ、必要な助言を行うとともに、ニーズに対応した各種のサービス（介護保険を含む）が総合的に受けられるように、市町村や各行政機関やサービス実施機関、老人居宅生活支援事業者などとの連絡調整等を行う。介護保険法上の「地域包括支援センター」を設置できる。
老人短期入所施設	老人福祉法上の措置または介護保険法、生活保護法の規定により入所させ、養護することを目的とする施設。介護保険法上の指定を受けて、短期入所生活介護を提供する。

＼チャレンジ！／
過去＆予想問題　できたらチェック ☑

問題	解答
□1　介護保険法施行後も、やむを得ない事由がある場合は、老人福祉法の措置によるサービス提供が行われる。 予想	◯
□2　老人福祉法に規定される老人居宅生活支援事業には、複合型サービス福祉事業が含まれる。 予想	◯
□3　老人福祉法の老人福祉施設には、有料老人ホームが含まれる。 予想	✕ 含まれない
□4　老人福祉法の養護老人ホームは措置施設であり、介護保険法上の特定施設ではない。 予想	✕ 特定施設である

個人情報保護法

**レッスンの
ポイント**

- 個人情報の有用性に配慮しつつ、個人の権利を保護することを目的とする
- 個人情報は、生存する個人に関する情報である
- 個人情報を取り扱うすべての事業者、行政機関が法律の対象
- 個人情報取扱事業者には、個人情報の取り扱いに義務が課される

1 個人情報保護法とは

「個人情報の保護に関する法律」（個人情報保護法）は、2003（平成15）年に公布され、個人情報の適切な取り扱いについて、基本理念や国・地方公共団体の責務等を明らかにするとともに、個人情報を取り扱う事業者および行政機関等の遵守すべき義務などを定めています。個人情報の有用性に配慮しつつ、個人の権利利益を保護することが目的です。

2 個人情報の定義

（1）個人情報と個人情報取扱事業者

個人情報と個人取扱事業者は、次のように規定されます。

◉個人情報の定義

生存する個人に関する情報であって、次のいずれかに該当するもの

① 氏名、生年月日その他の記述等（文書、図面、電磁的記録に記載・記録され、または音声、動作その他の方法を用いて表された一切の事項）により特定の個人を識別することができるもの

② 個人識別符号が含まれるもの
個人識別符号とは……

- 生体情報を変換した符号（DNA、顔、虹彩、声紋、歩行の態様、手指の静脈、指紋・掌紋など）
- 公的な番号（パスポート番号、基礎年金番号、免許証番号、住民票コード、マイナンバー、各種保険証など）

＋1プラスワン

基本理念
個人情報は、個人の人格尊重の理念の下に慎重に取り扱われるべきものであることに鑑み、その適正な取り扱いが図られなければならない。

＋1プラスワン

個人情報保護制度の一元化
2021（令和3）年の法改正により、別々の法律で規定されていた行政機関、独立行政法人等における個人情報の取扱いと、条例で運用していた各地方公共団体等の個人情報の取扱いについて、個人情報保護法で一元的に運用することになった（行政機関、独立行政法人等については2022［令和4］年4月1日施行、地方公共団体等については2023［令和5］年4月1日施行）。

介護事業者や介護施設も、個人情報取扱事業者だね!

＋1 プラスワン

仮名加工情報

仮名加工情報は、企業内でのデータ分析の活用などのため、匿名加工情報よりも加工の条件をゆるやかにしたもの。匿名加工情報は本人の同意なしに目的外利用や第三者提供が可能だが、仮名加工情報では第三者への提供は制限される。

＋1 プラスワン

個人情報保護法の罰則

個人情報保護委員会は、個人情報取扱事業者等に対して、必要に応じ報告の求め、立入検査、指導、助言、勧告、命令を行うことができる。個人情報取扱事業者等が命令に従わない場合は、1年以下の拘禁刑（2025〔令和7〕年6月1日より）または100万円以下の罰金が適用されることがある。

◉ **個人情報取扱事業者の定義**

> 個人情報データベース等を事業の用に供している者。ただし、国の機関や地方公共団体、独立行政法人等、地方独立行政法人は除外される。

(2) 要配慮個人情報

人種、信条、社会的身分、病歴、犯罪の経歴、障害の有無など不当な差別または偏見が生じる可能性のある情報が含まれる個人情報は、要配慮個人情報として、原則として取得の際は本人の同意を得ることが義務づけられています。

(3) 匿名加工情報と仮名加工情報

特定の個人を識別できないように、個人情報を加工し、**もとの個人情報に復元できないようにしたものを匿名加工情報**といいます。さらに、2020（令和2）年の改正で、仮名加工情報が位置づけられました。仮名加工情報とは、**ほかの情報と照合しないかぎり特定の個人を識別できないように加工した情報**のことをいいます。

❸ 個人情報取扱事業者の義務

個人情報保護法では、個人情報取扱事業者に対して、次のような義務を課しています。

◉ **個人情報取扱事業者の義務（ポイント）**

利用目的の特定	● 個人情報を取り扱うにあたり、その利用の目的をできるかぎり特定しなければならない。 ● 利用目的を変更する場合には、変更前の利用目的と関連性を有すると合理的に認められる範囲を超えて行ってはならない。
利用目的による制限	特定された利用目的の達成に必要な範囲を超えて個人情報を取り扱う場合は、あらかじめ本人の同意を得なければならない。
不適正な利用の禁止	違法または不当な行為を助長し、または誘発するおそれがある方法により個人情報を利用してはならない。
適正な取得	偽りその他不正の手段により個人情報を取得してはならない。

利用目的の通知	個人情報を取得した場合は、あらかじめ利用目的を公表している場合を除き、すみやかに、その利用目的を本人に通知し、または公表しなければならない。
データ内容の正確性の確保等	利用目的の達成に必要な範囲内において、個人データを正確・最新の内容に保つとともに、利用する必要がなくなったときは、個人データを遅滞なく消去するように努めなければならない。
安全管理措置	取り扱う個人データの漏えい、滅失または毀損（きそん）の防止その他の個人データの安全管理のために必要かつ適切な措置を講じなければならない。
漏えい等の報告等	個人データの漏えい、滅失などが発生して個人の権利利益を害するおそれが大きいとされる場合は、個人情報保護委員会への報告および本人への通知を行わなければならない。
第三者提供の制限	あらかじめ本人の同意を得ないで、個人データを第三者に提供してはならない（外国の第三者への提供についても同様）。
開示請求	本人は、個人情報取扱事業者に対し、個人データの開示を請求することができる。請求を受けた個人情報取扱事業者は、遅滞なく、個人データを開示しなければならない。

+1 プラスワン

本人の同意
「利用目的の制限」「第三者への提供」では次のような場合は、本人の同意を得る必要はない。
①法令に基づく場合。
②人の生命、身体・財産の保護に必要で、本人の同意を得ることが困難な場合。
③公衆衛生の向上、児童の健全な育成の推進に必要で、本人の同意を得ることが困難な場合。
④法令の定める事務を遂行する国の機関などに協力する場合。
⑤個人データを学術研究の用に供する目的で取り扱う必要がある場合。

Lesson 25　★★★　個人情報保護法

\\ チャレンジ！ //
過去＆予想問題

できたらチェック ☑

	問題	解答
□1	個人情報には、個人識別符号は含まれない。 予想	✕ 含まれる
□2	個人情報取扱事業者には、地方公共団体は除外される。 予想	〇
□3	5000人以下の個人情報しかない中小企業は、個人情報保護法の対象外である。 予想	✕ 規模にかかわらず対象となる
□4	個人情報取扱事業者が個人情報を取り扱うにあたっては、その目的をできるかぎり特定しなければならない。 予想	〇
□5	個人データの第三者への提供が、法令に基づく場合は、本人の同意を要しない。 予想	〇

Lesson 26 重要度 B ★★★ 育児・介護休業法

レッスンのポイント

- 育児休業は、原則として子が1歳に達する日までの連続した期間
- 介護休業は、通算93日まで、3回を上限に分割取得可
- 基本的にすべての労働者を対象にしている
- 主な支援策として、看護等休暇や介護休暇がある

◀1 育児・介護休業法とは

「育児休業、介護休業等育児又は家族介護を行う労働者の福祉に関する法律」（育児・介護休業法）は、育児や介護を行う労働者が、仕事と家庭を両立できるように、また、そのことにより、福祉を増進し、日本の経済および社会の発展に資することを目的として、1991（平成3）年に成立しました。

◀2 育児休業・介護休業制度の概要

育児休業は、基本的にすべての労働者を対象に、労働者が原則として1歳に満たない子を養育するために取得する休業です。

原則として子が1歳に達する日（誕生日の前日）までの期間にとることができ、父母ともに育児休業を取得する場合は、1歳2か月まで延長することができます（**パパ・ママ育休プラス**）。保育所に入れないなど一定の事情があれば、最大で2歳まで延長が可能です。また、育児休業とは別に出生時育児休業（産後パパ育休）として、子の出生後8週間以内に4週間までの育児休業を取得できます。育児休業、出生時育児休業はいずれも2回までの分割取得が可能です。

介護休業は、基本的にすべての労働者を対象に、労働者が要介護状態にある家族を介護するために取得する休業です。対象家族1人につき通算93日まで、3回を上限として分割して取得することができます。対象家族とは、同居および扶養の有無を問わず、配偶者（事実婚を含む）、父母、子、配偶者の父母、祖父母、兄弟姉妹、孫をいいます。

育児休業および介護休業の期間中は、雇用保険から給付金が支給されます。

＋1 プラスワン

社会保険料の免除
育児休業中は、社会保険料が免除されるが、介護休業では免除されない。

● 育児休業・介護休業の給付内容など

育児休業	育児休業給付金・出生時育児休業給付金	● 育児休業開始から180日（6か月）目までは、休業開始時の賃金の67%、その後は50%
	※2025（令和7）年4月より、出生直後の一定期間、両親ともに14日以上の育児休業を取得した場合の出生後休業支援給付、2歳未満の子の養育で時短勤務をしている場合の育児時短就業給付が創設された。	
介護休業	介護休業給付金	休業開始時の賃金の67%

❸ その他育児・介護の支援策

育児・介護休業法では、次のような支援策も定めています。

- ● 子の看護等休暇…1年に5日まで、子が2人以上の場合は10日まで、時間単位で取得可
- ● 介護休暇…1年に5日まで、対象家族2人以上の場合は10日まで、時間単位で取得可
- ● 育児・介護のための所定外労働の制限（残業の免除）
- ● 育児・介護のための時間外労働の制限
- ● 育児・介護のための深夜業の制限
- ● 育児・介護のための所定労働時間短縮のための措置
- ● 不利益取り扱いの禁止…育児休業、介護休業、上記の支援策について、その申し出や取得を理由として、労働者に解雇その他不利益な取り扱いをしてはならない。
- ● ハラスメントの防止…育児休業、介護休業などを理由とする、上司、同僚による就業環境を害する行為（ハラスメント）を防止するため、事業主は、雇用管理上必要な措置を講じなければならない。

＋1 プラスワン

育児・介護休業法の改正
2024（令和6）年5月に改正法が公布され、①子の年齢に応じた柔軟な働き方を実現するための措置を事業主に義務づけ、②残業免除の対象となる子の年齢を小学校就学前まで拡大、③「子の看護休暇」を「子の看護等休暇」に名称変更し取得事由を拡大、④3歳未満の子の養育・家族介護をする労働者がテレワークを選択できるよう事業主に努力義務　など
※②～④は2025（令和7）年4月1日施行、①は公布の日から1年6か月以内に施行。

チャレンジ！
過去＆予想問題
できたらチェック ☑

	問 題	解 答
☐ 1	介護休業の対象となる家族の範囲に、配偶者の父母は含まれない。 予想	✕ 含まれる
☐ 2	育児・介護休業法における介護休業の期間は、対象家族1人につき通算1年までである。 予想	✕ 通算93日まで
☐ 3	介護休暇は、時間単位で取得が可能である。 予想	○

高齢者虐待の防止

● 虐待には、心理的虐待や経済的虐待、ネグレクトも含まれる
● 女性、後期高齢者、認知症高齢者が虐待を受けやすい
● 地域包括支援センターは虐待対応の中核機関
● 生命などに危険のある虐待を発見した人は市町村への通報義務がある

コ コ でた!
R5 問59
R2 問60

用 語

自分自身による虐待
高齢者が自分自身の心身
状態を傷つけるような行為
を行うこと。食事や薬の
服用を拒否する、整理整
頓を放棄する、認知症高
齢者の自傷自害行為など。

身体的暴力だけが虐待
ではないんだよ。

1 高齢者の虐待とは

(1) 高齢者の虐待の定義

　高齢者の虐待は、「主に親族など、高齢者と何らかの人間関係
がある者によって与えられた行為で、高齢者の心身に深い傷を負
わせ、高齢者の基本的人権を侵害し、時に犯罪上の行為」と定義
されます。

(2) 虐待の種類

　虐待は、①他者による虐待、②自分自身による虐待に区別され
ています。認知症高齢者の身体的虐待の場合は、他者によるもの
か、自傷自害行為によるものなのか、慎重な見きわめが必要です。

◉**虐待の種類**

身体的暴力による虐待	殴る、つねる、おさえつける、身体拘束、抑制をするなど。
性的暴力による虐待	性的暴力、性的いたずらなど。
心理的障害を与える虐待	言葉による暴力、家庭内での無視など。
経済的虐待	年金を渡さない、年金を取り上げる、財産を無断で処分するなど。
介護拒否、放棄、怠慢による虐待（ネグレクト）	治療を受けさせない、食事を準備しないなど。

(3) 虐待の危険因子

　虐待は、主に次のような要因が複合的に作用し、起こると考え
られています。

●虐待の危険因子

介護者側要因	身体的疲労、苦痛、精神的ストレス、人間関係の不和、家族の介護への非協力
要介護高齢者側要因	介護への感謝の不表明、良くない性格、介護の要求が強い、重度の身体・精神障害
社会的、環境的要因	世話して当然という社会的風土、家族の公的サービスへの不理解、行政の福祉水準の低さ

2 高齢者の虐待の現状

　2022（令和4）年度の厚生労働省の調査によると、虐待の「相談・通報件数」「虐待判断件数」は、いずれも前年度より増加しました。

●高齢者虐待の現状

	養護者による虐待	養介護施設従事者等による虐待
件数	相談・通報件数は3万8,291件 虐待判断件数は1万6,669件	相談・通報件数は2,795件 虐待判断件数は846件
発生要因	被虐待者の「認知症の症状」（56.6％）が最も多く、次いで虐待者の「介護疲れ・介護ストレス」（54.2％）、「理解力の不足や低下」（47.9％）	「教育・知識・介護技術等に関する問題」（56.1％）が最も多く、次いで「職員のストレスや感情コントロールの問題」（23.0％）、「虐待を助長する組織風土や職員間の関係の悪さ、管理体制等」（22.5％）
種別	身体的虐待（65.3％）が最も多く、次いで心理的虐待（39.0％）、介護等放棄（19.7％）	身体的虐待（57.6％）が最も多く、次いで心理的虐待（33.0％）、介護等放棄（23.2％）
虐待者	続柄は息子（39.0％）が最も多く、次いで夫（22.7％）、娘（19.3％）	職種は介護職（81.3％）が最も多い
被虐待者	女性が75.8％を占め、年齢では80～84歳（25.3％）、85～89歳（20.7％）が多い。認知症日常生活自立度Ⅱ以上の者が73.5％	女性が71.7％を占め、年齢では85～89歳（23.8％）、90～94歳（23.5％）が多い。認知症日常生活自立度Ⅱ以上の者が80.4％

資料：令和4年度「高齢者虐待の防止、高齢者の養護者に対する支援等に関する法律」に基づく対応状況等に関する調査結果（厚生労働省）

3 虐待のサインの発見

　介護支援専門員や介護の仕事に従事する人は、常に人権擁護という視点をもち、その業務を通して、日頃から高齢者や家族に虐待発生のサインがないかどうか、注意を払うことが大切です。虐待発生のサインが見られる場合には、サービス従事者同士で情報交換を行って、正確な事実把握と評価に努めます。

◎**虐待発生のサイン**

> 説明のつかない転倒・傷を繰り返している、もうろうとしている、身体にあざやみみず腫れがある、おびえる、極端に人目を避けている、介護者や家族がそばにいると態度が変わる、部屋に鍵をかけられていたり、ベッドに身体を固定されている　など

4 虐待への介入と高齢者虐待防止法

　2005（平成17）年に成立した「高齢者虐待の防止、高齢者の養護者に対する支援等に関する法律」（高齢者虐待防止法）では、高齢者への虐待防止とともに、養護者支援のための施策を盛り込んでいます。そして、これらの実施については、**市町村が第一に責任を有する主体**と位置づけられています。また、地域包括支援センターは、地域ネットワークの構築や実態把握、総合相談支援、権利擁護業務などを業務として行い、**高齢者虐待対応の中核機関**のひとつに位置づけられています。

　このため、虐待の対応にあたっては、**市町村や**地域包括支援センター**などの対応機関や各サービス事業所と連携**し、問題の解決に向けて継続的に対処していくことが重要です。

　高齢者虐待防止法の要旨は次のとおりです。

◎**高齢者虐待防止法の要旨**

定義等	●高齢者とは、65歳以上の者をいう。 ●養護者とは、高齢者を現に養護する者で、**養介護施設従事者等以外の者**をいう。 ●養介護施設従事者等とは、養介護施設の業務に従事する者、または養介護事業の業務に従事する者をいう。 ●高齢者虐待とは、養護者および養介護施設従事者等により行われる、身体的虐待、養護を著しく怠ること（ネグレクト）、心理的虐待、性的虐待、経済的虐待のいずれかに該当する行為をいう。 ●65歳未満の者で養介護施設に入所・利用し、または養介護事業にかかるサービスの提供を受ける障害者は、「高齢者」とみなして、養介護施設従事者等による高齢者虐待に関する規定が適用される。

国、地方公共団体、国民の責務など	高齢者虐待の防止、高齢者虐待を受けた高齢者の保護や養護者支援、関係省庁その他関係機関および民間団体との連携強化、虐待防止や支援のための専門的な人材の確保や資質の向上、通報義務や救済制度などについての広報に努めるなど。
市町村への通報	●養護者または養介護施設従事者等により虐待を受けたと思われる高齢者を発見した者は、高齢者の生命または身体に重大な危険が生じている場合は、すみやかに、市町村に通報しなければならない。また、養介護施設従事者等が、その施設の養介護施設従事者等により虐待を受けたと思われる高齢者を発見した場合は、すみやかに市町村に通報しなければならない（通報義務）。 ●それ以外の場合で、虐待を受けたと思われる高齢者を発見した者は、すみやかに、市町村に通報するよう努める（努力義務）。 ●施設などの従事者が通報した場合、それを理由に解雇など不利益な扱いを受けてはならない。 ●虐待を受けた高齢者は、自ら市町村に届け出ることができる。
市町村が通報などを受けた場合	●事実確認の措置を行い、地域包括支援センターなど市町村と連携協力する者（高齢者虐待対応協力者）と対応を協議する。 ●高齢者の生命または身体に重大な危険が生じている場合は、一時的に保護するため、老人短期入所施設などに入所させるなど適切な老人福祉法上の措置をとる。または適切に後見開始等の審判の請求をする。
居室の確保	市町村は、虐待を受けた高齢者を保護するため、必要な居室を確保するための措置を講ずる。
立ち入り調査	市町村長は、養護者の虐待により高齢者の生命または身体に重大な危険が生じているおそれがある場合は、直営の地域包括支援センターその他の高齢者の福祉に関する事務に従事する職員に、立ち入り調査をさせることができる。
警察署長への援助要請	市町村長は、立ち入り調査などにあたり、その高齢者の所在地を管轄する警察署長に援助を求めることができる。
養護者支援	市町村は、養護者に対して、相談、指導、助言など必要な措置をとる。また、養護者の心身状態に照らし、その養護の負担軽減を図るため必要な場合は、高齢者が短期間養護を受けるために必要な居室を確保する。
連携協力体制	市町村は、虐待を受けた高齢者の保護や養護者に対する支援を適切に実施するため、老人介護支援センター、地域包括支援センター、その他の関係機関、民間団体などと連携協力体制の整備を行う。
事務の委託	市町村は、相談、指導、助言、通報または届出の受理、養護者に対する支援策などの事務を地域包括支援センターなど高齢者虐待対応協力者のうち、適当と認められる者に委託することができる。
都道府県への報告	市町村（指定都市、中核市を除く）は、養介護施設従事者等による虐待についての通報または届出を受けたときは、高齢者虐待に関する事項を、都道府県に報告しなければならない。

市町村長または都道府県知事の対応	養介護施設従事者等による虐待についての通報または届出・報告を受けたときは、適切に老人福祉法または介護保険法の規定による権限を行使するものとする。
都道府県知事による公表	都道府県知事は、毎年度、養介護施設従事者等による高齢者虐待の状況、養介護施設従事者等による高齢者虐待があった場合にとった措置などを公表する。

＼ チャレンジ！／ 過去＆予想問題

できたらチェック ☑

	問題	解答
☐1	ネグレクトは、高齢者虐待にあたらない。 予想	✕ 高齢者虐待である
☐2	養護者が高齢者本人の財産を不当に処分することは、経済的虐待に該当する。 R5	◯
☐3	虐待の発生では、介護者側の要因だけではなく、要介護高齢者側要因、社会的・環境的要因が複合的に作用している。 予想	◯
☐4	令和3年度の厚生労働省調査によると、「養護者による高齢者虐待」の虐待者の続柄で最も多いのは、娘である。 予想	✕ 息子である
☐5	介護支援専門員は、虐待の可能性を示すサインを発見したら、すぐに市町村に通報しなければならない。 予想	✕ 正確な事実把握と評価を行う
☐6	市町村または市町村長は、虐待の通報または届出があった場合には、高齢者を一時的に保護するために老人短期入所施設等に入所させることができる。 R2	◯
☐7	市町村長は、養護者の虐待により高齢者の生命または身体に重大な危険が生じているおそれがある場合に、立ち入り調査を行うために所管の警察署長に対し援助を求めることができる。 予想	◯
☐8	都道府県は、養護者の負担軽減のため、養護者の相談、指導および助言その他の必要な措置を講じなければならない。 R2	✕ 市町村が行う
☐9	市町村長は毎年度、養介護施設従事者等による高齢者虐待の状況や虐待があった場合にとった措置等を公表しなければならない。 予想	✕ 市町村長ではなく都道府県知事

Lesson 28

重要度 **A** ★★★

成年後見制度

レッスンの ポイント

● 成年後見人等は身上監護と財産管理を行う
● 法定後見制度と任意後見制度がある
● 軽度の認知症の人なども対象となる
● 任意後見人は本人が判断能力が衰える前に指定する

1 成年後見制度の概要

成年後見制度（せいねんこうけん）は、認知症、知的障害、精神障害などにより判断能力が不十分なため、意思決定が困難な人を支援し、権利を守るための制度で、具体的には次の2つの職務を行います。

①身上監護……生活や介護に関する各種契約、施設入所、入院手続きなどの行為を本人に代わって行うこと。いわゆる介護労働とは異なる。

②財産管理……預貯金、不動産、相続、贈与、遺贈などの財産を本人に代わって管理すること。

2016（平成28）年に施行された「成年後見制度の利用の促進に関する法律」では、成年後見制度の利用の促進は、制度の理念である①ノーマライゼーション、②自己決定の尊重（意思決定の支援、自発的意思の尊重）、③身上の保護の重視を踏まえて行われることとされました。

成年後見制度は、法定後見制度と任意後見制度にわかれます。

コここでた！

| R5 問58 | R4 問59 |
| R3 問60 | R1 問60 |

+1 プラスワン

計画の作成
国は、「成年後見制度の利用の促進に関する法律」に基づき成年後見制度利用促進基本計画を作成する。市町村はこの計画を勘案して、市町村の成年後見制度の利用の促進についての基本的な計画を定めるよう努める。

●法定後見制度と任意後見制度

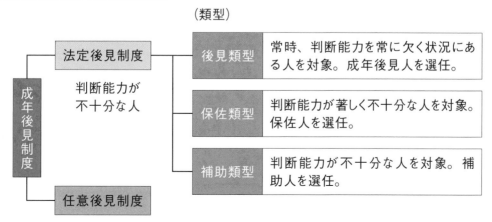

（類型）

成年後見制度	法定後見制度 判断能力が不十分な人	後見類型	常時、判断能力を常に欠く状況にある人を対象。成年後見人を選任。
		保佐類型	判断能力が著しく不十分な人を対象。保佐人を選任。
		補助類型	判断能力が不十分な人を対象。補助人を選任。
	任意後見制度 判断能力がある人		

ココでた！
R5 問58	R4 問59
R3 問60	R2 問59
R1 問60	

注目！

補助開始の手続きではすべて本人の同意が必要。また、本人以外の申し立てで保佐人に代理権を与える場合は、本人の同意が必要。

2 法定後見制度

(1) 法定後見制度の申し立て

法定後見制度は、本人、配偶者、四親等内の親族、検察官などによる後見開始等の審判の請求（申し立て）に基づき、家庭裁判所が成年後見人等を職権で選任する制度です。

市町村長も65歳以上の者、知的障害者、精神障害者について、その福祉を図るため特に必要があると認めるときは後見開始等の審判を請求することができます。

なお、本人に代わって補助開始の審判を請求するときは、本人の同意を得る必要があります。

(2) 法定後見制度の対象者と三類型

法定後見制度は、本人の判断能力の程度により、①後見類型、②保佐類型、③補助類型の3つに分類され、それぞれ成年後見人、保佐人、補助人が選任されます。

成年後見人等には、その権限の範囲に応じて、以下のように代理権、取消権、同意権が付与されます。

●法定後見制度の3つの分類とそれぞれの権限

		成年後見人	保佐人	補助人
代理権	付与の手続き	後見開始の審判	●保佐開始の審判 ●本人の同意のもと、代理権付与の審判	●本人の同意のもと、補助開始の審判と代理権付与の審判
	範囲	財産に関するすべての法律行為 ※本人の居住用の不動産を処分する場合は家庭裁判所の許可が必要	申し立ての範囲内で家庭裁判所が審判で定める特定の法律行為	
取消権・同意権	付与の手続き	後見開始の審判	保佐開始の審判	本人の同意のもと、補助開始の審判と取消権・同意権付与の審判
	範囲	日常生活に関する行為以外の法律行為について取消権 ※同意権はない	日常生活に関する行為以外の民法に定める一定の行為（不動産売買、借金、相続の承認、新築、改築など）	申し立ての範囲内で家庭裁判所が審判で定める特定の法律行為

3 任意後見制度

コ コ でた！
R4 問59
R2 問59

(1) 任意後見制度とは

任意後見制度は、判断能力が衰える前に本人が友人や弁護士などを任意後見人として指定し、後見事務の内容を契約により決めておく制度です。

任意後見人には、契約により身上監護や財産管理に関するさまざまな代理権を与えることができます。取消権はありません。

(2) 任意後見制度の手続きと任意後見の開始

任意後見制度は、次のような手続きで行われます。

◉任意後見制度の手続き

①任意後見制度を利用したい本人と、任意後見人になってくれる人（任意後見受任者）とが、公証人の作成する公正証書で任意後見契約をする。

②公証人が、法務局へ後見登記の申請をする。

③認知症などにより本人の判断能力が不十分になったときに、本人、配偶者、四親等内の親族、任意後見受任者の請求により、家庭裁判所が任意後見監督人を選任することによって、任意後見が開始される。

④⑤家庭裁判所は、任意後見監督人の定期的な報告を受け、任意後見人に不正があるときには、任意後見監督人等の請求により任意後見人を解任することができる。

任意後見契約は、本人または任意後見人が死亡・破産したときなどに終了します。

公正証書による契約は、試験によく出るポイント！

＋1 プラスワン

任意後見監督人
任意後見受任者本人や、任意後見人の配偶者、直系血族および兄弟姉妹は任意後見監督人になることができない。

福祉サービス分野

Lesson 28 ★★★ 成年後見制度

ココでた！
R1 問60

+1 プラスワン

親族等の選任される割合
2023（令和5）年では約 18.1%（出典：最高裁判所事務総局家庭局「成年後見関係事件の概況」）

4 成年後見人等の育成・活用

　認知症高齢者や一人暮らしの高齢者の増加に伴い、成年後見制度の利用も多くなり、成年後見人等への需要が一層高まると予想されます。親族等が成年後見人等になる割合は年々低下しており、司法書士、弁護士、社会福祉士などの専門職、または社会福祉協議会などの法人のほか、一般市民が成年後見人等の担い手となる「市民後見人」の活用が期待されています。

　市町村は、後見、保佐、補助の業務を適正に行うことができる**人材の育成・活用**を図るために必要な措置を講じるよう努め、**市民後見人養成のための研修の実施**や体制の整備、後見等の業務を適正に行うことができる者の**家庭裁判所への推薦**などを行っています。

 \\ チャレンジ！ //
過去＆予想問題 できたらチェック ☑

	問題	解答
□1	（成年後見制度について）理念の一つとして、成年被後見人等の自発的意思の尊重がある。**R3**	○
□2	都道府県知事は、高齢者の福祉を図るため特に必要があると認めるときは、後見開始の審判を請求することができる。**予想**	✕ 市町村長
□3	本人以外の者の請求により補助開始の審判をするには、本人の同意が必要である。**R2**	○
□4	成年後見人は、家庭裁判所の許可を得ずに、成年被後見人の居住用不動産を処分することができる。**R3**	✕ 家庭裁判所の許可が必要
□5	保佐人は、重要な財産を処分するなどの代理権を、本人の同意がなくても家庭裁判所の審判を経れば得ることができる。**予想**	✕ 本人の同意が必要
□6	補助人には、被補助人の同意のもと、四親等内の親族の請求により、家庭裁判所の審判によって、代理権を与えることができる。**予想**	○
□7	本人と任意後見受任者の同意があれば、公正証書以外の方法でも任意後見契約が成立する。**R4**	✕ 公正証書で行わなければならない
□8	親族が成年後見人に選任される割合は、年々増加している。**R1**	✕ 年々低下

Lesson 29

重要度 **C**
★★★

日常生活自立支援事業

レッスンの ポイント

- 判断能力が不十分でも契約ができる人が対象
- 福祉サービスの利用援助、日常的金銭管理などを行う
- 都道府県・指定都市社会福祉協議会が実施主体
- 運営適正化委員会が設置される

1 日常生活自立支援事業の実施体制

日常生活自立支援事業は、認知症高齢者、知的障害者、精神障害者など判断能力が不十分な人が安心して自立した生活が送れるようその意思決定をサポートし、福祉サービス利用の援助などを行うものです。

■実施主体

実施主体は都道府県・指定都市社会福祉協議会（都道府県社会福祉協議会および指定都市社会福祉協議会）で、市区町村社会福祉協議会などに事業の一部を委託できます。

委託を受けた市区町村社会福祉協議会は、必要に応じて近隣の市区町村も事業の対象地域とすることができるため、基幹的社会福祉協議会と呼ばれます。基幹的社会福祉協議会による実施体制をとらない市区町村では、都道府県・指定都市社会福祉協議会が、利用者と直接契約を結び、援助を行います。

■利用対象者

次のいずれにも該当する人が対象となります。

- 判断能力が不十分な人（認知症高齢者、知的障害者、精神障害者などであって、日常生活を営むのに必要なサービスを利用するための情報の入手、理解、判断、意思表示を本人のみでは適切に行うことが困難な人）。
- 事業の契約の内容について判断し得る能力のある人。

■事業の実施体制

基幹的社会福祉協議会には、初期相談から支援計画の策定、利用契約の締結までを行う専門員と、支援計画に基づいて具体的な支援を行う生活支援員が配置されます。

+1 プラスワン

専門員
常勤職員で、原則として、高齢者や障害者などへの援助経験のある社会福祉士、精神保健福祉士などがあてられる。

生活支援員
保有資格の規定はなく、非常勤職員が中心となる。

また、都道府県社会福祉協議会には、第三者的機関として運営適正化委員会が設置され、利用者からの苦情に対する調査・解決や、事業全体の運営監視、助言、勧告を行い、定期的に事業の実施状況の報告を受けます。

　医療・福祉・法律の専門家から構成される契約締結審査会も設置され、利用希望者に契約する能力があるかどうかの審査や契約内容の確認などを行います。

◉日常生活自立支援事業の基本的なしくみ

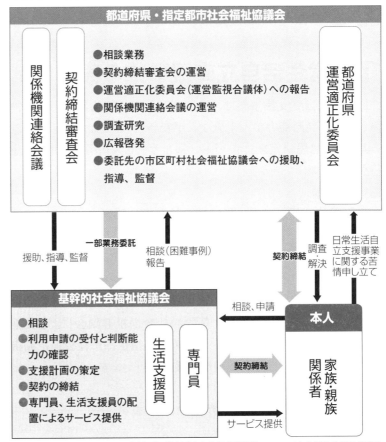

資料：「日常生活自立支援事業推進マニュアル」全国社会福祉協議会

2 日常生活自立支援事業の利用

■契約から利用までの流れと支援内容

　利用希望者は、基幹的社会福祉協議会などに相談（申請）します。基幹的社会福祉協議会などは、「契約締結判定ガイドライン」に基づき、契約締結能力の有無について判断します。判断できない場合は「契約締結審査会」において審査します。

　利用要件に該当すると判断された場合には、専門員が家族や医

療・保健・福祉の関係機関との調整を行い、利用希望者の支援計画を作成して、利用契約を締結します。

そして支援計画に基づき、生活支援員が支援（下表）を行います。支援内容については定期的に評価と見直しがされます。

●支援内容

福祉サービスの利用援助	福祉サービスの利用または利用をやめるために必要な手続き、福祉サービスに関する苦情解決制度の利用援助、住宅改造、居住家屋の賃借、行政手続きに関する援助など。
日常的金銭管理サービス	医療費・税金・社会保険料・公共料金・日用品の代金などの支払い手続き、またこれらの支払いに伴う預金の払い戻し、預金の解約、預金の預け入れの手続きなど。
書類などの預かりサービス	年金証書、預貯金の通帳、権利証、保険証書、実印・銀行印などの預かり。

■利用料

実施主体が料金を定め、利用者が負担します。ただし、契約締結前の初期相談などにかかる費用や生活保護受給者に対しては無料とするなどの配慮がなされています。

日常的金銭管理はポイント。財産の法律行為にかかわることは、できないこともおさえておこう。

+1プラスワン

介護保険での利用援助例
- 要介護認定等の申請手続きの援助
- 事業者等の選択、契約締結、解約手続きの援助
- 認定調査、居宅介護支援のアセスメントなどに立ち会い、本人の状況を認定調査員や介護支援専門員に正しく伝える
- 利用料の支払いやサービス内容のチェック

＼ チャレンジ！ ／／ 過去＆予想問題

できたらチェック ☑

	問題	解答	
☐1	各都道府県・指定都市社会福祉協議会が実施主体である。 予想	○	
☐2	判断能力が不十分で、事業の契約内容について判断し得る能力のある人が利用対象となる。 予想	○	
☐3	利用者に対する支援計画策定等のため、介護支援専門員が基幹的社会福祉協議会に配置される。 予想	✕	配置されるのは専門員と生活支援員
☐4	生活支援員は、支援計画に基づいて、福祉サービスの利用援助など具体的な支援を行う。 予想	○	
☐5	サービス内容には、預金の引き出しや預け入れ、公共料金の支払いなどは含まれない。 予想	✕	日常的金銭管理は行うことができる

災害対策基本法

レッスンの
ポイント

- 市町村は、避難行動要支援者名簿を作成する
- 市町村は、個別避難計画を作成するよう努める
- 福祉避難所は、要配慮者の受け入れを想定した避難所
- 個別避難計画の作成には、介護支援専門員などの参画が重要

1 災害対策基本法の目的

2011年の「東日本大震災」、2019年の「令和元年台風第19号」など大きな災害が起きるごとに改正がされています。

災害対策基本法は、1959（昭和34）年の伊勢湾台風を契機に、1961（昭和36）年に制定されました。国土や国民の生命、身体および財産を災害から保護するため、防災に関し、基本理念を定め、国、地方公共団体、その他の公共機関を通じて必要な体制を確立して責任の所在を明確にしています。また、防災計画の作成、災害予防、災害応急対策、災害復旧、防災に関する財政金融措置などの災害対策の基本を定め、これにより、総合的かつ計画的な防災行政の整備および推進を図り、もって社会の秩序の維持と公共の福祉の確保に資することを目的としています。

2 避難行動要支援者の避難行動支援の措置

（1）避難行動要支援者名簿の作成

2013（平成25）年の改正により、避難行動要支援者名簿を作成することが市町村長の義務とされました。

避難行動要支援者とは、要配慮者（高齢者、障害者、乳幼児、その他の特に配慮を要する者〔妊産婦、外国人など〕）のうち、災害発生時に自ら避難することが困難で、円滑かつ迅速な避難のために特に支援を要する人をいいます。

名簿の情報は、市町村の条例に特別の定めがある場合を除き、本人の同意がある場合にかぎり、平時から消防機関などの避難支援等関係者に対して提供されます（災害発生時等では同意は不要）。

（2）個別避難計画の作成

2021（令和3）年の改正により、避難行動要支援者ごとに、避難支援などを実施するための個別避難計画を作成することが市町

用語

避難支援等関係者
消防機関、都道府県警察、民生委員、市町村社会福祉協議会、自主防災組織、その他の避難支援等の実施に携わる関係者。

村長の努力義務とされました。計画の作成については、本人の同意が必要です。

個別避難計画には、避難行動要支援者名簿に記載の事項のほか、避難支援等実施者の氏名や連絡先、避難施設その他の避難場所および避難経路などに関する事項などを記載します。

作成した計画の情報は、市町村の条例に特別の定めがある場合を除き、本人および避難支援等実施者の同意がある場合にかぎり、平時から避難支援等関係者に提供されます（災害発生時等では同意は不要）。

（3）福祉避難所

避難所確保のため、基準に適合する公共施設等を指定避難所として指定することが市町村長に義務づけられています。指定をしたときには公示することとされています。この指定避難所のうち、要配慮者の受け入れを想定した避難所を福祉避難所といいます。2021（令和3）年の施行規則の改正で、市町村長は、指定福祉避難所と指定一般避難所は分けて指定し、公示することになりました。また、福祉避難所を指定するときにはあらかじめ受け入れ対象者を特定し、特定された要配慮者とその家族のみが避難する施設であることを公示することができます。

❸ 災害発生と介護支援専門員

「避難行動要支援者の避難行動支援に関する取組指針（2021（令和3）年5月改定）」では、個別避難計画の作成において、介護支援専門員など福祉専門職の参画を得ることがきわめて重要とされています。

災害時にも、必要なサービスが継続して提供されることが重要です。福祉避難所においても、介護サービスの利用が可能であり、介護サービス事業者の運営基準では、事業者・施設において、災害等が発生した場合でも必要な介護サービスを継続的に提供できる体制を構築するための業務継続計画の策定が義務づけられています。

 用語

避難支援等実施者
避難支援等関係者のうち、避難支援などを実施する人。

介護保険施設が、指定福祉避難所となることもあり、平時からの備えが大切です。

福祉サービス分野

Lesson 30 ★★☆ 災害対策基本法

\ チャレンジ！ /
過去&予想問題

できたら
チェック ☑

	問題	解答
☐1	要配慮者とは、高齢者、障害者、乳幼児その他特に配慮を要する者である。予想	◯
☐2	避難行動要支援者名簿は、市町村の条例に特別の定めがあれば、本人の同意がなくても、平常時から消防機関等に提供できる。予想	◯
☐3	市町村長は、避難行動要支援者ごとに個別避難計画を作成しなくてはならない。予想	✕ 作成は努力義務
☐4	個別避難計画の作成には、避難行動要支援者本人の同意が必要である。予想	◯
☐5	福祉避難所の対象者には、要配慮者の家族は含まれない。予想	✕ 家族も含まれる
☐6	市町村長は、基準に適合する公共施設等を指定避難所として指定しなければならない。予想	◯
☐7	福祉避難所では、あらかじめ受け入れ対象者を特定することはできない。予想	✕ できる
☐8	福祉避難所では、介護サービスを提供することはできない。予想	✕ できる
☐9	個別避難計画の作成に、介護支援専門員が直接かかわることはない。予想	✕ かかわることが重視されている
☐10	災害対策基本法において、業務継続計画の策定について規定されている。予想	✕ 介護保険法の運営基準に規定

索　引

A～Z

ACP ································· 293
ADL ································· 244
AED ································· 288
ALS ································· 187
ALT ································· 224
AST ································· 224
BMI ································· 224
BPSD ······························ 249
BUN ································· 225
B型肝炎 ···························· 204
CDR ································· 252
COPD ······························ 211
CRP ································· 226
CT ·································· 252
C型肝炎 ···························· 204
C反応性たんぱく質 ················· 226
EBM ································· 263
HbA1c ······························ 226
HDLコレステロール ··············· 208
HDS-R ······························ 252
HOT ································· 277
IADL ································ 244
IPPV ································ 278
LEAD ································ 200
MCI ································· 251
MMSE ······························ 252
MRI ································· 252
MRSA感染症 ························ 285
NBM ································· 263
NPPV ································ 278
QOL ································· 178
SOSネットワーク ·················· 257
X線検査 ···························· 227
γ-GTP ······························ 224

あ

IADL ································ 244
IPPV ································ 278
悪性腫瘍 ··························· 207
悪性腫瘍疼痛管理 ·················· 273
悪性症候群 ························· 188
アセスメント ····· 150、166、174
アドバンス・ケア・プランニング
··································· 293
アパシー ················ 250、251
アルコール依存症 ·················· 261
アルコール関連問題 ··············· 260
アルツハイマー型認知症 ········· 250
アルブミン ························· 224
安全・サービス提供管理委員会
··································· 396

い

EBM ································· 263
胃潰瘍 ····························· 202
育児休業 ··························· 442
育児休業、介護休業等育児又は家族
　　介護を行う労働者の福祉に関する
　　法律（育児・介護休業法）··· 442
異型狭心症 ························· 198
意識障害 ··························· 179
意識レベル ························· 221
維持的リハビリテーション ····· 243
依存症 ····························· 260
痛み ······························· 245
1型糖尿病 ························· 207
一次救命処置 ······················ 288
一次判定 ···························· 55
1単位の単価 ······················· 75
一部事務組合 ······················· 35
一般介護予防事業 ················· 112
1分間タイムスタディ・データ
··································· 55
溢流性尿失禁 ······················ 183
医療機関併設型小規模介護老人保健
　　施設 ···························· 330
医療扶助 ··························· 428
医療保険 ···························· 31
医療保険者 ·························· 40
医療保険との給付調整 ·············· 83
インテーク ························· 174
インフォーマルサポート ········· 418
インフォームド・コンセント ·· 262
インフルエンザワクチン ········· 283

う

ウェルナー症候群 ················· 190
ウェルビーイング ················· 345
うがい ····························· 282
うつ ······························· 251
うつ病 ····························· 259
上乗せサービス ····················· 80
運営情報 ·················· 105、106
運営推進会議 ······················ 103
運営適正化委員会 ················· 454
運動麻痺 ··························· 245
運動療法 ··························· 253

え

栄養 ······························· 265
栄養補給法 ························· 266
AED ································· 288
AST ································· 224
ALS ································· 187
ALT ································· 224
ACP ································· 293
ADL ································· 244
SOSネットワーク ·················· 257
X線検査 ···························· 227
HOT ································· 277
HDS-R ······························ 252
HDLコレステロール ··············· 208
HbA1c ······························ 226
NBM ································· 263
NPPV ································ 278
エピソード記憶 ···················· 180
MRI ································· 252
MRSA感染症 ························ 285
MMSE ······························ 252
MCI ································· 251
嚥下障害 ··························· 184
嚥下反射 ··························· 228
エンゼルケア ······················ 295
エンド・オブ・ライフ・ケア ·· 292
エンパワメント ···················· 140

お

嘔吐 ······························· 287
応能負担 ···························· 24
オープンクエスチョン ··········· 353
オーラルフレイル ················· 231
お薬カレンダー ···················· 271

オペレーションセンター ……… 391
おむつ代 ………………………… 68
オレンジカフェ ……………… 257
音楽療法 ……………………… 253

か

回帰熱 ………………………… 221
介護医療院 …………… 86、338
介護・医療連携推進会議 …… 322
介護休業 ……………………… 442
介護給付（介護保険法）……… 62
介護給付（障害者総合支援法）
　………………………………… 421
介護給付等費用適正化事業 …… 115
介護給付費 …………………… 128
介護給付費交付金 …………… 131
介護給付費単位数表 ………… 74
介護給付費・地域支援事業支援納付
　金 …………………………… 131
介護給付費等審査委員会 ……… 76
介護券 ………………………… 430
介護サービス事業者経営情報
　………………………………… 107
介護サービス情報の公表 …… 105
介護支援専門員 ……… 139、150
介護支援専門員の役割と基本倫理・
　理念 ………………………… 139
介護支援専門員証 …………… 141
介護支援専門員の義務など …… 142
介護施設入所者基本生活費 …… 428
介護認定審査会 ………………… 57
介護認定審査会の意見 ………… 59
介護扶助 ……………… 83、428
介護報酬 ……………………… 74
介護報酬の算定 ……………… 74
介護報酬の請求の手続き ……… 75
介護保険 ……………………… 31
介護保険事業計画 …………… 122
介護保険施設 ………… 86、170
介護保険施設の運営基準 …… 171
介護保険施設の基本方針 …… 170
介護保険審査会 ……………… 136
介護保険制度の実施状況 ……… 26
介護保険制度の目的 …………… 33
介護予防居宅療養管理指導 …… 309
介護予防ケアマネジメント
　………………………… 112、163
介護予防サービス計画の作成 ‥ 166
介護予防サービス計画費 ……… 66

介護予防サービス・支援計画書
　………………………………… 165
介護予防サービスの種類 ……… 65
介護予防サービス費 …………… 65
介護予防支援 ………………… 163
介護予防支援事業 …………… 160
介護予防支援事業の主な運営基準
　………………………………… 161
介護予防支援事業の基本方針 … 160
介護予防支援事業の人員基準 ‥ 160
介護予防支援の介護報酬 …… 162
介護予防支援の関連様式 …… 165
介護予防支援の業務の委託 …… 161
介護予防支援の実施上の留意点
　………………………………… 164
介護予防支援のプロセス …… 163
介護予防住宅改修費 …………… 66
介護予防小規模多機能型居宅介護
　………………………………… 404
介護予防・生活支援サービス事業
　………………………… 110、111
介護予防短期入所生活介護 …… 376
介護予防短期入所療養介護 …… 319
介護予防通所リハビリテーション
　………………………………… 314
介護予防特定施設入居者生活介護
　………………………………… 380
介護予防・日常生活支援総合事業
　………………………………… 109
介護予防認知症対応型共同生活介護
　………………………………… 408
介護予防認知症対応型通所介護
　………………………………… 400
介護予防福祉用具購入費 ……… 66
介護予防訪問看護 …………… 300
介護予防訪問入浴介護 ……… 366
介護予防訪問リハビリテーション
　………………………………… 304
介護療養型老人保健施設 …… 331
介護老人福祉施設 …………… 412
介護老人保健施設 …… 86、329
疥癬 …………………………… 215
回想法 ………………………… 253
回転感 ………………………… 181
回転性めまい ………………… 181
外部サービス利用型 ………… 377
潰瘍性大腸炎 ………………… 204
下顎呼吸 ……………………… 223
かかりつけ医 ………………… 256

喀痰吸引 ……………………… 279
過呼吸 ………………………… 223
下肢閉塞性動脈疾患 ………… 200
家族介護支援事業 …………… 115
課題分析 ………… 150、166、174
課題分析票 …………………… 150
課題分析標準項目 ……… 151、152
価値のジレンマ ……………… 350
仮名加工情報 ………………… 440
仮面様顔貌 …………………… 188
加齢黄斑変性症 ……………… 219
がん …………………………… 207
肝炎 …………………………… 204
感音性難聴 …………………… 181
感覚障害 ……………………… 245
肝機能 ………………………… 224
間欠性跛行 ……………… 193、201
間欠熱 ………………………… 221
肝硬変 ………………………… 204
勧告と命令 …………………… 92
看護小規模多機能型居宅介護 ‥ 324
肝性脳症 ……………………… 204
関節リウマチ ………………… 192
眼前暗黒感 …………………… 181
感染経路別予防策 …………… 283
感染症 ………………………… 282
γ-GTP ……………………… 224

き

期外収縮 ……………………… 200
起座呼吸 ……………………… 223
義歯の手入れ ………………… 232
基準該当サービスの事業者 …… 95
基準の条例委任 ……………… 38
機能性尿失禁 …………… 183、235
基本情報 ………… 105、106
基本チェックリスト ………… 110
基本調査の調査項目 ………… 52
虐待の種類 …………………… 444
QOL ………………………… 178
急性肝炎 ……………………… 204
急性気管支炎 ………………… 213
急性上気道炎 ………………… 213
給付管理票 …………………… 75
教育扶助 ……………………… 428
共感 …………………………… 353
協議体 ………………………… 114
共食 …………………………… 266
狭心症 ………………………… 197

共生型サービス …………………… 91
強制適用 ………………… 30、43
胸痛 ………………………… 287
業務管理体制の整備と届出 …… 92
共用型（認知症対応型通所介護）
　…………………………… 398
居住費 ……………………… 68
居宅介護サービス計画費 ……… 64
居宅介護サービス費 …………… 63
居宅介護支援 ……………… 150
居宅介護支援計画 ………… 429
居宅介護支援事業 ………… 144
居宅介護支援事業の主な運営基準
　…………………………… 145
居宅介護支援事業の基本方針 ‥ 144
居宅介護支援事業の人員基準 ‥ 145
居宅介護支援の介護報酬 ……… 148
居宅介護支援の定義 ………… 150
居宅介護住宅改修費 …………… 64
居宅介護福祉用具購入費 ……… 64
居宅サービス計画の作成 ……… 151
居宅サービス計画の標準様式 ‥ 153
居宅サービスの種類 …………… 63
居宅療養管理指導 …………… 306
起立性低血圧 ……………… 199
筋萎縮性側索硬化症 ………… 187
近時記憶 …………………… 250
金銭給付 …………………… 30
筋固縮 ……………………… 188

く

クスマウル呼吸 ……………… 223
口すぼめ呼吸 ………… 211、223
国の基本指針 ……………… 122
国の責務・事務 ………………… 39
区分支給限度基準額 …………… 78
区分変更の認定 ………………… 60
くも膜下出血 ……………… 186
グラスゴー・コーマ・スケール
　…………………………… 222
グリーフケア ……………… 295
グループワーク …………… 344
クローズドクエスチョン …… 353
グローバル定義 …………… 344
訓練等給付 ………… 421、422

け

ケアカンファレンス ………… 155
ケアコール端末 …………… 391

ケアマネジメント ………… 139
ケアマネジャー ……………… 139
計画担当介護支援専門員の責務
　…………………………… 176
経管栄養法 ………………… 276
痙縮 ………………………… 245
傾聴 ………………………… 352
軽度認知障害 ……………… 251
軽費老人ホーム …………… 438
契約締結審査会 …………… 454
稽留熱 ……………………… 220
ケースワーク ……………… 344
下血 ………………………… 287
血圧 ………………………… 221
血液透析 …………………… 274
血管性認知症 ……………… 250
血算 ………………………… 225
血小板 ……………………… 225
血清アルブミン …………… 224
血清クレアチニン ………… 225
血糖 ………………………… 226
下痢 ………………………… 235
健康寿命 …………………… 265
健康日本21 ………………… 289
減呼吸 ……………………… 223
言語的コミュニケーション …… 352
検査値 ……………………… 224
現実見当識練習 …………… 253
見当識障害 ………………… 249
検尿 ………………………… 227
現物給付 ………………… 30、69
健忘症候群 ………………… 180
権利擁護業務 ……………… 113

こ

広域連合 …………………… 35
公益代表委員 ………………… 76
構音障害 …………………… 246
高額医療合算介護サービス費 …… 70
高額介護サービス費 …………… 70
公課の禁止 ………………… 85
後期高齢者 ………………… 20
後期高齢者医療制度 ………… 433
合議体 ……………………… 57
口腔ケア …………………… 230
高血圧症 …………………… 198
後見類型 …………………… 450
公示 ………………………… 94
高次脳機能障害 …………… 246

後縦靱帯骨化症 …………… 194
拘縮 ………………………… 193
更新研修 …………………… 141
更新認定 …………………… 59
厚生労働大臣が定める疾病等 ‥ 297
高体温 ……………………… 220
公的扶助 …………………… 30
公費負担医療 ……………… 83
公平性 ……………………… 141
公募指定 …………………… 87
高齢者医療確保法 ………… 433
高齢者虐待 ………………… 444
高齢者虐待の防止、高齢者の養護者
　に対する支援等に関する法律
　（高齢者虐待防止法）……… 446
高齢者の居住の安定確保に関する法
　律（高齢者住まい法）……… 435
誤嚥 ……………… 184、286
誤嚥性肺炎 ………………… 212
呼吸 ………………………… 222
呼吸器感染症 ……………… 213
呼吸不全 …………………… 287
国保連（国民健康保険団体連合会）
　………………………… 75、134
国保連の業務 ……………… 134
国保連の苦情処理業務 ……… 134
国保連の審査・支払い業務 …… 75
国民の努力および義務 ……… 34
個人情報の保護 …………… 141
個人情報の保護に関する法律
　（個人情報保護法）……… 439
個人防護具 ………………… 282
骨折 ………………………… 195
骨粗鬆症 …………………… 194
骨密度 ……………………… 194
個別避難計画 ……………… 456
コミュニケーションの基本技術
　…………………………… 352
コミュニティワーク ………… 344
誤薬 ………………………… 287
雇用保険 …………………… 31

さ

サービス担当者会議 …… 155、167
サービス付き高齢者向け住宅
　…………………………… 435
サービス等利用計画 ………… 424
サービスの種類の指定 ……… 59
再アセスメント …………… 156

災害対策基本法 ·················· 456
災害補償関係各法との給付調整
　·································· 82
再課題分析 ······················ 157
再研修 ·························· 141
財源の負担割合 ·················· 128
財政安定化基金 ·················· 132
財産管理 ·························· 449
在宅医療・介護連携推進事業·· 114
在宅医療管理 ···················· 273
在宅酸素療法 ···················· 277
在宅自己注射 ···················· 273
在宅自己導尿 ···················· 280
在宅人工呼吸療法 ················ 278
在宅中心静脈栄養法 ············· 275
在宅療養支援診療所 ············· 286
在宅療養支援病院 ··············· 286
サテライト型小規模介護老人保健施
　設 ···························· 330
サルコペニア ···················· 182
3-3-9度方式 ················ 222

し

CRP ···························· 226
COPD ·························· 211
C型肝炎 ························ 204
CT ······························ 252
C反応性たんぱく質 ············· 226
自営業者保険 ···················· 32
ジェネラリスト・ソーシャルワーク
　·································· 346
支援困難事例 ···················· 355
支援目標 ························ 153
資格者証 ························ 51
視覚障害 ························ 181
支給限度基準額 ·················· 78
支給限度基準額が設定されないサー
　ビス ··························· 80
支給限度基準額の上乗せ ········ 80
事業者・施設の基準 ············· 97
事業者・施設の指定 ············· 87
事業者・施設の責務 ············· 91
事業主負担 ···················· 131
時効 ···························· 77
耳垢塞栓 ························ 181
自己決定の支援 ········· 139、349
死後のケア ···················· 295
脂質異常症 ···················· 208
姿勢・歩行障害 ················· 188

施設介護サービス費 ············· 64
施設介護支援 ···················· 174
施設サービス計画の作成 ······· 175
施設サービスの種類 ············· 65
施設等給付費 ···················· 128
従うべき基準 ···················· 39
視聴覚障害 ······················ 181
市町村介護保険事業計画 ······· 124
市町村協議制 ···················· 90
市町村相互財政安定化事業 ····· 133
市町村特別給付 ·················· 62
市町村による認定 ················ 58
市町村による文書等の物件の提出の
　求めなど ······················ 84
市町村の役割と事務 ············· 35
市町村老人福祉計画 ············· 126
弛張熱 ·························· 221
シックデイ ···················· 208
実行機能障害 ···················· 249
失語症 ·························· 246
実施状況の把握 ··· 156、168、175
失認 ···························· 246
指定 ···························· 86
指定介護機関 ···················· 430
指定介護予防サービス事業者 ···· 86
指定介護予防支援事業者
　··························· 87、161
指定介護老人福祉施設 ··········· 86
指定居宅介護支援事業者
　··························· 87、160
指定居宅サービス事業者 ········ 86
指定市町村事務受託法人 ········ 51
指定情報公表センター ········· 107
指定地域密着型介護予防サービス事
　業者 ··························· 87
指定地域密着型サービス事業者
　·································· 87
指定調査機関 ···················· 107
指定都市 ························ 37
指定都道府県事務受託法人 ······ 85
指定の欠格事由 ·················· 88
指定の更新 ···················· 95
指定の効力 ···················· 88
指定の効力の停止 ··············· 93
指定の申請者 ···················· 86
指定の特例 ···················· 90
指定の取り消し ·················· 93
指定の取り消し事由 ············· 93
指定をしてはならない場合 ······ 88

支払基金 ················· 40、131
しびれ ··················· 184、245
死亡診断書 ···················· 295
市民後見人 ···················· 452
社会資源 ················· 139、418
社会的責任の自覚 ·············· 141
社会的入院 ···················· 24
社会福祉 ························ 30
社会福祉法人等による利用者負担額
　軽減制度 ······················ 72
社会扶助方式 ···················· 30
社会保険 ························ 30
社会保険診療報酬支払基金 ······ 41
社会保険方式 ···················· 30
社会保障 ························ 30
社会保障審議会 ·················· 41
若年性認知症 ···················· 251
若年性認知症支援コーディネーター
　·································· 257
ジャパン・コーマ・スケール
　·································· 222
シャント ························ 274
住所移転時の認定 ················ 60
住所地特例 ···················· 45
住所地特例対象施設 ············· 45
重層的支援体制整備事業 ········ 23
住宅改修 ························ 388
住宅改修の給付対象 ············· 389
住宅改修費支給限度基準額 ····· 79
住宅扶助 ························ 428
十二指腸潰瘍 ···················· 202
受給権の保護 ···················· 85
樹形モデル ···················· 55
主治医意見書 ···················· 52
主治医意見書の項目 ············· 53
手指衛生 ························ 282
手段的日常生活動作 ············· 244
出産扶助 ························ 428
受容と共感 ···················· 349
種類支給限度基準額 ············· 80
障害高齢者の日常生活自立度·· 246
障害者自立支援法 ·············· 420
障害者総合支援法 ·············· 420
障害者総合支援法との給付調整
　·································· 83
障害者福祉制度 ·················· 420
消化管ストーマ ·················· 279
償還払い ························ 69
小規模多機能型居宅介護 ······· 401

常同行動 ･････････････････････････ 251
消滅時効 ･･･････････････････････････ 77
条例 ････････････････････････････････ 38
条例委任 ･･･････････････････････････ 38
職域保険 ･･･････････････････････････ 31
出血 ･･････････････････････････････ 286
食事摂取量 ･･･････････････････････ 265
食事の介護 ･･･････････････････････ 228
食生活 ････････････････････････････ 265
褥瘡 ･･････････････････････････････ 236
食費 ･･･････････････････････････････ 68
食欲不振 ････････････････････････ 180
徐呼吸 ････････････････････････････ 222
ショック ･････････････････････････ 197
所得段階別定額保険料 ･･･････････ 129
徐脈 ･･････････････････････････････ 221
自立支援 ･･･････････････ 139、140
自立支援医療 ･･･････････ 421、423
自立支援給付 ････････････････････ 421
脂漏性湿疹 ･･･････････････････････ 217
人員・設備・運営基準 ･･･････････ 97
新オレンジプラン ･･･････････････ 254
新規認定 ･････････････････････････ 59
腎機能 ････････････････････････････ 225
心筋梗塞 ････････････････････････ 197
神経因性膀胱 ････････････････････ 235
神経症 ････････････････････････････ 261
進行性核上性麻痺 ･･･････････････ 189
人工透析 ････････････････････････ 274
審査請求ができる事項 ･･･････････ 136
心室細動 ･･･････････････ 226、288
身上監護 ････････････････････････ 449
申請の却下 ･･･････････････････････ 52
振戦 ･･････････････････････････････ 188
身体介護 ･･･････････････ 359、360
身体介護における医行為等 ･････ 361
身体計測 ････････････････････････ 265
身体的拘束等の禁止 ･･･････････ 171
心電図 ････････････････････････････ 226
心肺蘇生 ････････････････････････ 288
心不全 ････････････････････････････ 199
腎不全 ････････････････････････････ 205
心房細動 ････････････････････････ 200

す

遂行機能障害 ････････････････････ 249
推算糸球体ろ過量 ･･･････････････ 225
水分摂取量 ･･･････････････････････ 265
睡眠時無呼吸症候群 ･････････････ 239

睡眠障害 ････････････････････････ 239
睡眠の介護 ･･･････････････････････ 239
スタンダード・プリコーション
････････････････････････････････ 282
ストーマ ･････････････････････････ 279
ストレングス ････････････････････ 140

せ

生活援助 ･････････････････ 359、360
生活援助の給付の条件 ･･･････････ 358
生活困窮者自立支援制度 ･･････････ 431
生活支援員 ･･･････････････････････ 453
生活支援コーディネーター ･････ 114
生活支援体制整備事業 ･･･････････ 114
生活習慣病の予防策 ･････････････ 290
生活の継続性 ････････････････････ 140
生活不活発病 ････････････････････ 183
生活扶助 ･････････････････ 83、428
生活保護制度 ････････････････････ 426
生活保護との給付調整 ･･･ 83、428
生業扶助 ････････････････････････ 428
清潔 ･･････････････････････････････ 241
正常圧水頭症 ････････････････････ 252
精神障害 ････････････････････････ 259
生存権の保障 ････････････････････ 426
成年後見制度 ････････････････････ 449
生理的老化 ･･･････････････････････ 178
咳エチケット ････････････････････ 282
脊髄小脳変性症 ･･････････････････ 190
脊髄損傷 ････････････････････････ 245
脊柱管狭窄症 ････････････････････ 193
赤血球 ････････････････････････････ 225
摂食・嚥下障害 ･･････････････････ 229
摂食・嚥下の流れ ･･･････････････ 228
切迫性尿失禁 ･･･････････ 183、235
先取特権の順位 ･･････････････････ 131
喘息 ･･････････････････････････････ 213
前頭側頭型認知症 ･･･････････････ 251
せん妄 ･･･････････････････ 179、251
専門員 ････････････････････････････ 453
専門調査員 ･･･････････････････････ 137
前立腺肥大症 ････････････････････ 205

そ

双極症（双極性障害）････････････ 260
総合相談支援業務 ･･･････････････ 113
葬祭扶助 ････････････････････････ 428
総たんぱく ･･･････････････････････ 224
相談面接 ････････････････････････ 348

相貌失認 ････････････････････････ 251
総報酬割 ････････････････････････ 131
早老症 ････････････････････････････ 190
ソーシャルワーク ･･･････････････ 344
遡及適用 ････････････････････････ 43
措置 ･･･････････････････････････････ 24
その他生活支援サービス ･･･････ 111

た

ターミナルケア ･･････････････････ 292
タール便 ････････････････････････ 202
第1号介護予防支援事業
･･･････････････････････ 112、113
第1号生活支援事業 ･･･････････ 111
第1号通所事業 ･･････････････ 111
第1号被保険者 ･･････････････ 42
第1号被保険者の保険料 ･･････ 129
第1号訪問事業 ･･････････････ 111
第一次共感 ･･･････････････････････ 354
体温 ･･････････････････････････････ 220
体格 ･･････････････････････････････ 224
第三者行為への損害賠償請求権
････････････････････････････････ 84
帯状疱疹 ････････････････････････ 216
帯状疱疹ワクチン ･･･････････････ 284
大腿骨頸部骨折 ･･････････････････ 195
大都市特例 ･･･････････････････････ 37
第2号被保険者 ･･････････････ 42
第2号被保険者の保険料 ･･････ 131
第2号被保険者負担率 ･･････ 39
第二次共感 ･･･････････････････････ 354
滞納者に対する措置 ･････････････ 131
大脳皮質基底核変性症 ･･･････････ 189
代理権 ････････････････････････････ 450
多系統萎縮症 ････････････････････ 190
脱水 ･･････････････････････････････ 180
多発がん ････････････････････････ 207
胆管炎 ････････････････････････････ 203
胆管結石 ････････････････････････ 203
短期入所生活介護 ･･･････････････ 372
短期入所療養介護 ･･･････････････ 316
短期保険 ･････････････････････････ 31
胆石症 ････････････････････････････ 203
単独型（認知症対応型通所介護）
････････････････････････････････ 398
胆嚢炎 ････････････････････････････ 203
胆嚢結石 ････････････････････････ 203
痰の吸引 ････････････････････････ 279

ち

チアノーゼ ……………………… 223
地域共生社会 …………… 22、23
地域ケア会議 ………………… 119
地域支え合い推進員 ………… 114
地域支援事業 ………………… 109
地域支援事業支援交付金 …… 131
地域支援事業の財源と利用料 ‥ 116
地域生活支援事業 ……… 420、423
地域包括ケアシステム …… 21、22
地域包括支援センター ……… 118
地域包括支援センター運営協議会
………………………………… 118
地域保険 ……………………… 31
地域密着型介護サービス費 …… 63
地域密着型介護予防サービスの種類
………………………………… 65
地域密着型介護予防サービス費
………………………………… 65
地域密着型介護老人福祉施設
………………………………… 410
地域密着型介護老人福祉施設入所者
生活介護 …………………… 410
地域密着型（介護予防）サービス事
業の基準 …………………… 103
地域密着型サービスの種類 …… 64
地域密着型通所介護 ………… 394
地域密着型特定施設 ………… 409
地域密着型特定施設入居者生活介護
………………………………… 409
チームオレンジ ……………… 257
チェーンストークス呼吸 …… 223
窒息 …………………………… 286
中核市 ………………………… 37
中核症状 ……………………… 249
中立性 ………………………… 141
長期保険 ……………………… 31
調整交付金 …………………… 128
治療的リハビリテーション …… 243
治療内容 ……………………… 263

つ

通院などのための乗車または降車の
介助 ………………………… 359
通所介護 ……………………… 368
通所型サービス ……………… 111
通所リハビリテーション ……… 310

て

DCM ………………………… 254
低栄養 ………………… 180、266
定期巡回・随時対応型訪問介護看護
………………………………… 320
低血糖症状 …………………… 208
低体温 ………………………… 220
低ナトリウム血症 …………… 209
定率負担の減免 ……………… 71
溺水 …………………………… 287
適用除外 ……………………… 43
伝音性難聴 …………………… 181
電解質 ………………………… 226
転倒 …………………………… 184

と

同意権 ………………………… 450
統合失調症 …………………… 259
統制された情緒的関与 ……… 349
糖尿病 ………………………… 207
頭部打撲 ……………………… 286
動脈硬化 ……………………… 208
登録の移転 …………………… 141
登録の欠格事由 ……………… 141
登録の消除 …………………… 143
特定施設 ……………………… 45
特定施設入居者生活介護 …… 377
特定疾病 ……………………… 48
特定短期入所療養介護 ……… 318
特定入所者介護サービス費 …… 71
特定福祉用具販売 …………… 382
特定福祉用具販売の種目 …… 384
特発性血小板減少性紫斑病 … 225
特別会計 ……………………… 35
特別区 ………………………… 35
特別徴収 ……………………… 130
特別調整交付金 ……………… 129
特別訪問看護指示書 ………… 297
特別養護老人ホーム ………… 437
匿名加工情報 ………………… 440
特例介護予防サービス計画費 … 63
特例介護予防サービス費 …… 62
特例居宅介護サービス計画費 … 63
特例居宅介護サービス費 …… 62
特例サービス費 ……………… 66
特例施設介護サービス費 …… 63
特例地域密着型介護サービス費
………………………………… 62
特例地域密着型介護予防サービス費
………………………………… 62
特例特定入所者介護サービス費
………………………………… 63
特例特定入所者介護予防サービス費
………………………………… 63
吐血 …………………………… 287
閉じられた質問 ……………… 353
都道府県介護保険事業支援計画
………………………………… 125
都道府県の責務・事務 ……… 36
都道府県老人福祉計画 ……… 126
取消権 ………………………… 450

な

内的資源 ……………………… 419
難聴 …………………………… 181
難病法 ………………………… 49

に

2型糖尿病 …………………… 208
二次判定 ……………………… 57
24時間心電図 ………………… 226
日常生活自立支援事業 ……… 453
日常生活動作 ………………… 244
日常生活費 …………………… 68
日内変動 ……………………… 198
ニトログリセリン製剤 ……… 198
入浴 …………………………… 241
尿検査 ………………………… 227
尿失禁 ………………………… 183
尿素窒素 ……………………… 225
尿道カテーテル法 …………… 280
尿路感染症 …………………… 284
尿路ストーマ ………………… 279
任意後見監督人 ……………… 451
任意後見制度 ………… 449、451
任意後見人 …………………… 451
任意事業 ……………………… 115
任意事業の委託 ……………… 115
任意報告情報 ………… 105、106
認知機能障害 ………………… 179
認知刺激療法 ………………… 253
認知症 ………………………… 248
認知症カフェ ………………… 257
認知症基本法 ………………… 255
認知症ケアパス ……………… 255
認知症ケアマッピング ……… 254
認知症サポーター …………… 257

認知症サポート医 ……………… 256
認知症施策推進大綱 …………… 254
認知症疾患医療センター ……… 256
認知症初期集中支援チーム
　…………………………… 114、256
認知症総合支援事業 …………… 114
認知症対応型共同生活介護 …… 405
認知症対応型通所介護 ………… 398
認知症地域支援推進員 ………… 256
認知症の一般的な症状 ………… 249
認知症の原因疾患 ……………… 248
認知症の行動・心理症状 ……… 249
認知症の進行過程 ……………… 249
認知症の治療 …………………… 252
認知症の非薬物療法 …………… 253
認知練習 ………………………… 253
認定申請 ………………………… 51
認定調査 ………………………… 51
認定調査票 ……………………… 52
認定の更新 ……………………… 59
認定の効力 ……………………… 59
認定の取り消し ………………… 60
認定の有効期間 ………………… 60
認定までの期間 ………………… 58

ね

熱型 ……………………………… 220
熱傷 ……………………………… 287
熱中症 …………………………… 209
ネブライザー …………………… 280
年金保険 ………………………… 31
年金保険者 ……………………… 41

の

ノイローゼ ……………………… 261
脳血管障害 ……………………… 186
脳血栓 …………………………… 186
脳血流SPECT …………………… 252
脳梗塞 …………………………… 186
脳出血 …………………………… 186
脳塞栓 …………………………… 186
脳卒中 …………………………… 186
ノルウェー疥癬 ………………… 215
ノロウイルス感染症 …………… 284

は

パーキンソン病 ………………… 187
パーキンソン病の四大運動症状
　………………………………… 188

パーソン・センタード・ケア ‥ 253
肺炎 ……………………………… 212
肺炎球菌ワクチン ……………… 284
肺気腫 …………………………… 211
肺結核 …………………………… 212
敗血症 …………………………… 203
排泄障害 ………………… 234、235
排泄の介護 ……………………… 234
肺塞栓症 ………………………… 201
バイステックの7原則 ………… 348
バイタルサイン ………………… 220
排尿障害 ………………………… 183
廃用症候群 ……………… 183、244
白癬 ……………………………… 216
白内障 …………………………… 217
歯車現象 ………………………… 188
長谷川式認知症スケール ……… 252
発音・発声 ……………………… 230
白血球 …………………………… 225
発熱 ……………………… 220、287
バリデーション ………………… 254
パルスオキシメーター ………… 281
バルーンカテーテル …………… 280
半側空間無視 …………………… 246

ひ

BMI ……………………………… 224
B型肝炎 ………………………… 204
BPSD …………………………… 249
BUN …………………………… 225
ビオー呼吸 ……………………… 223
被害妄想 ………………………… 251
非感染性疾患 …………………… 289
非言語的コミュニケーション ‥ 352
皮脂欠乏症 ……………………… 217
皮質性小脳萎縮症 ……………… 190
非審判的な態度 ………………… 349
左半側空間無視 ………………… 246
避難行動要支援者 ……………… 456
皮膚カンジダ症 ………………… 216
皮膚掻痒症 ……………………… 217
被保険者 ………………………… 42
被保険者証 ……………………… 46
被保険者数 ……………………… 26
被保険者の訴訟 ………………… 138
被保険者への通知 ……………… 58
秘密の保持 ……………………… 349
評価 ……………………………… 169
被用者保険 ……………………… 32

標準予防策 ……………………… 282
病的老化 ………………………… 178
開かれた質問 …………………… 353
ピロリ菌 ………………………… 202
頻呼吸 …………………………… 222
ビンスワンガー型 ……………… 250
頻脈 ……………………………… 221

ふ

フォーマルサービス …………… 418
腹圧性尿失禁 …………… 183、235
複合型サービス………… 64、324
福祉避難所 ……………………… 457
福祉用具 ………………………… 382
福祉用具購入費支給限度基準額
　………………………………… 79
福祉用具専門相談員 …………… 382
福祉用具貸与 …………………… 382
福祉用具貸与の種目 …………… 383
腹水 ……………………………… 288
腹痛 ……………………………… 287
腹膜透析 ………………………… 274
服薬状況 ………………………… 266
浮腫 ……………………………… 288
不整脈 …………………………… 200
不正利得に対する徴収権 ……… 84
負担割合証 ……………………… 68
普通徴収 ………………………… 130
普通調整交付金 ………………… 129
浮動感 …………………………… 181
不服審査 ………………… 58、136
不眠症 …………………………… 239
ふらつき ………………………… 181
フレイル ………………………… 182
分館型介護老人保健施設 ……… 330

へ

併設型（認知症対応型通所介護）
　………………………………… 398
閉塞性動脈硬化症 ……………… 200
ヘマトクリット ………………… 225
ヘモグロビン …………………… 225
ヘモグロビンA1c ……………… 226
変形性関節症 …………………… 192
変更認定 ………………………… 60
変更の届出など ………………… 94
変性性膝関節症 ………………… 192
便潜血検査 ……………………… 227
便秘 ……………………………… 235

ほ

包括的・継続的ケアマネジメント支援業務 ………………………… 113
包括的支援事業 ………………… 112
包括的支援事業の委託 ……… 112
膀胱留置カテーテル法 ……… 280
報告聴取 ……………………… 168
報告命令 ………………………… 92
放散痛 ………………………… 197
法人格要件の例外 …………… 88
法定後見制度 ………… 449、450
法定代理受領 …………………… 69
訪問介護 ……………………… 358
訪問型サービス ……………… 111
訪問看護 ……………………… 296
訪問看護指示書 ……………… 298
訪問入浴介護 ………………… 364
訪問リハビリテーション …… 302
法令 ……………………………… 39
保険給付 ………………………… 62
保険給付の制限 ………………… 76
保険給付費 ……………………… 26
保険財政 ……………………… 128
保険事故 …………………… 30、31
保険者 …………………………… 35
保健福祉事業 ………………… 116
保険料の減免 ………………… 132
歩行障害 ……………………… 245
保佐類型 ……………………… 450
補助類型 ……………………… 450
補装具 ………………………… 423
補足性の原理 ………………… 426
ホルター心電図 ……………… 226

ま

マクロ・レベルのソーシャルワーク ………………………………… 346
慢性肝炎 ……………………… 204
慢性気管支炎 ………………… 211
慢性硬膜下血腫 ……………… 252
慢性閉塞性肺疾患 …………… 211

み

ミクロ・レベルのソーシャルワーク ………………………………… 345
みなし指定 ……………………… 90
みなし認定 ……………………… 49
耳鳴り ………………………… 181

脈拍 …………………………… 221

む

むずむず脚症候群 …………… 239
無動 …………………………… 188

め

メゾ・レベルのソーシャルワーク ………………………………… 345
メタボリックシンドローム ………………………… 224、267
メチシリン耐性黄色ブドウ球菌 ………………………………… 285
めまい ………………………… 181
面接 …………………………… 348

も

モニタリング ……… 156、168、175

や

夜間対応型訪問介護 ………… 391
薬疹 …………………………… 215

ゆ

有料老人ホーム ……………… 438
有料老人ホームの事業制限等 …… 94
ユニット型 …………………… 331
ユマニチュード ……………… 254

よ

養介護事業 …………………… 446
養介護施設 …………………… 446
要介護者 ………………………… 48
要介護状態 ……………………… 48
要介護認定 ……………………… 48
要介護認定等基準時間 …… 55、56
要介護認定等の広域的実施 …… 58
要介護・要支援認定者数 …… 26
養護老人ホーム ……………… 437
要支援者 ………………………… 48
要支援状態 ……………………… 48
要支援認定 ……………………… 48
要配慮個人情報 ……………… 440
要配慮者 ……………………… 456
抑うつ ………………………… 179
予後 …………………………… 263
横出しサービス ………………… 80
予防給付 ………………………… 62
予防接種 ……………………… 283

予防的リハビリテーション …… 243

り

リアリティ・オリエンテーション ………………………………… 253
リスク管理 …………………… 244
離島などにおける相当サービスの事業者 …………………………… 95
リハビリテーション ………… 243
留意すべき事項 ………………… 59
利用者負担 ……………………… 68
利用者本位 ……………………… 24
良性発作性頭位めまい症 …… 181
療養通所介護 ………………… 396
療養に関する事項 ……………… 59
緑内障 ………………………… 218

れ

レストレスレッグス症候群 …… 239
レビー小体型認知症 ………… 250
レム睡眠行動障害 …………… 250

ろ

労作性狭心症 ………………… 197
老人医療制度 …………………… 24
老人介護支援センター ……… 438
老人短期入所施設 …………… 438
老人福祉施設 ………………… 437
老人福祉制度 …………… 24、82
老人福祉制度による措置 …… 82
老人福祉センター …………… 438
老人福祉法 …………………… 437
労働者災害補償保険 …… 31、82
老年症候群 …………………… 178

難関試験突破を強力サポート!

2025年版ケアマネジャー試験対策書籍

速習レッスン
B5判　2024年10月25日発刊

過去問完全解説
B5判　2024年12月下旬発刊予定

2025徹底予想模試
B5判　2025年1月下旬発刊予定

書いて覚える!ワークノート
B5判　2025年2月下旬発刊予定

これだけ!一問一答
四六判　2025年1月下旬発刊予定

これだけ!要点まとめ
四六判　2025年2月下旬発刊予定

はじめてレッスン
A5判　2024年10月11日発刊

ユーキャン資格本アプリ

スマホアプリでいつでもどこでも!
好評の一問一答集がいつでもどこでも学習できるスマホアプリです!人気資格を続々追加中!

App Store／Google Playでリリース中!
詳しくはこちら（PC・モバイル共通）
http://www.gakushu-app.jp/shikaku/

◆ケアマネジャー 一問一答 2025年版　2025年1月追加予定
『ユーキャンのケアマネジャーこれだけ!一問一答』のアプリ版です。
復習帳、小テストなどアプリならではの便利な機能が盛りだくさん。

2024年9月末現在。書名・発刊月・カバーデザイン等変更になる可能性がございます。

●法改正・正誤等の情報につきましては、下記「ユーキャンの本」ウェブサイト内
「追補（法改正・正誤）」をご覧ください。
https://www.u-can.co.jp/book/information

●本書の内容についてお気づきの点は
・「ユーキャンの本」ウェブサイト内「よくあるご質問」をご参照ください。
 https://www.u-can.co.jp/book/faq
・郵送・FAXでのお問い合わせをご希望の方は、書名・発行年月日・お客様のお名前・
 ご住所・FAX番号をお書き添えの上、下記までご連絡ください。
 【郵送】〒169-8682 東京都新宿北郵便局 郵便私書箱第2005号
　　　　 ユーキャン学び出版 ケアマネジャー資格書籍編集部
 【FAX】03-3350-7883
 ◎より詳しい解説や解答方法についてのお問い合わせ、他社の書籍の記載内容等に関し
　ては回答いたしかねます。

●お電話でのお問い合わせ・質問指導は行っておりません。

本文キャラクターデザイン　なかのまいこ

2025 年版　ユーキャンの ケアマネジャー　速習レッスン

2004年3月20日　初　版　第1刷発行	編　者	ユーキャンケアマネジャー
2024年10月25日　第22版　第1刷発行		試験研究会
	発行者	品川泰一
	発行所	株式会社 ユーキャン 学び出版
		〒151-0053
		東京都渋谷区代々木1-11-1
		Tel 03-3378-1400
	編　集	株式会社 東京コア
	発売元	株式会社 自由国民社
		〒171-0033
		東京都豊島区高田3-10-11
		Tel 03-6233-0781（営業部）

印刷・製本　望月印刷株式会社

※落丁・乱丁その他不良の品がありましたらお取り替えいたします。お買い求めの書店か
　自由国民社営業部（Tel 03-6233-0781）へお申し出ください。